B
1732
BERTRAND
TRADIÇÃO SECULAR DE BEM SERVIR

O CÓDIGO DA VINCI

DAN BROWN

O CÓDIGO DA VINCI

14.ª Edição

Tradução de
MÁRIO DIAS CORREIA

BERTRAND EDITORA
Chiado 2004

Título Original: THE DA VINCI CODE

Bertrand Editora
Rua Anchieta, 29-1.º, 1249-060 Lisboa
Telef.: 210 305 500
Fax: 210 305 563
Correio electrónico: editora@bertrand.pt
Revisão: Nataniel Oliveira

Pré-impressão: Fotocompográfica, Lda.
Impressão e Acabamento: Tipografia Guerra - Viseu

Depósito Legal n.º 214 194/2004
Acabou de imprimir-se em Setembro de 2004

ISBN: 972-25-1352-4

Para Blythe... outra vez.
Mais do que nunca

AGRADECIMENTOS

Antes de mais e sobretudo, ao meu amigo e editor Jason Kaufman, por ter trabalhado tanto neste projecto e por ter verdadeiramente compreendido o significado deste livro. E à incomparável Heide Lange — campeã infatigável de *O Código Da Vinci*, agente extraordinária e amiga indefectível.

Nunca poderei exprimir plenamente a minha gratidão para com a excepcional equipa da Doubleday, pela sua generosidade, fé e soberba orientação. Agradeço em especial a Bill Thomas e Steve Rubin, que acreditaram neste livro desde o início. E o meu reconhecimento vai também para o núcleo duro inicial de apoiantes internos, encabeçado por Michael Palgon, Suzanne Herz, Janelle Moburg, Jackie Everly e Adrienne Sparks, para os talentosos membros da força de vendas da Doubleday e para Michael Windsor, pela fabulosa sobrecapa.

Pela generosa ajuda que me deram na investigação deste livro, estou em dívida para com Museu do Louvre, o Ministério da Cultura Francês, o Projecto Gutenberg, a Bibliothèque National, a Biblioteca da Sociedade Gnóstica, o Departamento de Estudos de Pintura e o Serviço de Documentação do Louvre, a Catholic World News, o Royal Observatory Greenwich, a London Record Society, a Muniment Collection da Abadia de Westminster, John Pike e a Federation of American Scientists, e os cinco membros da Opus Dei (três activos, dois afastados) que me contaram as suas histórias, positivas e negativas, sobre as respectivas experiências no seio da congregação.

Estou igualmente grato à Water Street Bookstore por ter desencantado tantos dos livros que usei na minha pesquisa, ao meu pai,

Richard Brown — professor de Matemática e autor —, pela ajuda que me deu com a Proporção Divina e a Sequência Fibonacci, a Stan Planton, Sylvie Baudeloque, Peter McGuigan, Francis McInerney, Margie Watchel, André Vernet, Ken Kelleher da Anchorball Web Media, Cara Sottak, Karyn Popham, Esther Sung, Miriam Abramowitz, William Tunstall-Pedoe e Griffin Wooden Brown.

E finalmente, num romance tão intimamente ligado ao sagrado feminino, seria imperdoável não referir as duas mulheres extraordinárias que tocaram a minha vida. A minha mãe, Connie Brown — colega de escrita, educadora, música e figura modelar —, e a minha mulher, Blythe — historiadora de arte, pintora, editora de primeira linha e, sem a mínima dúvida, a mulher mais espantosamente talentosa que alguma vez conheci.

FACTO:

O Priorado de Sião.

Sociedade secreta europeia fundada em 1099, é uma organização real. Em 1975, a Bibliothèque National de Paris descobriu um conjunto de pergaminhos, conhecidos como *Les Dossiers Secrets*, que identificam numerosos membros do Priorado de Sião, incluindo *Sir* Isaac Newton, Botticelli, Victor Hugo e Leonardo da Vinci.

A prelatura do Vaticano conhecida como Opus Dei é uma seita católica profundamente devota que tem sido objecto de controvérsias recentes devido a acusações de lavagem ao cérebro, coerção e práticas perigosas conhecidas como «mortificação corporal». A Opus Dei acaba de construir em Nova Iorque, no n.º 243 da Lexington Avenue, uma Sede Nacional que custou 47 milhões de dólares.

Todas as descrições de obras de arte, edifícios, documentos e rituais secretos que aparecem neste romance são exactas.

PRÓLOGO

Museu do Louvre, Paris
22:46

Jacques Saunière, o conceituado conservador, atravessou a cambalear o arco abobadado da Grande Galeria. Estendeu as mãos para o quadro mais próximo, um Caravaggio. Agarrando a moldura de madeira dourada, puxou-a para si até arrancá-la da parede, e então caiu de costas, enrodilhado debaixo da grande tela.

Como sabia que aconteceria, uma pesada grade de ferro desceu com estrépido ali perto, selando a entrada da galeria. O soalho de madeira estremeceu. Muito ao longe, um alarme começou a tocar.

Saunière, um homem de setenta anos, deixou-se ficar estendido por um instante, a tentar recuperar o fôlego, a avaliar a situação. *Ainda estou vivo*, pensou. Saiu a rastejar de baixo da tela e olhou em redor, procurando no cavernoso espaço um lugar onde esconder-se.

— Não se mexa — disse uma voz, arrepiantemente próxima.

De gatas no chão, o conservador imobilizou-se, voltando lentamente a cabeça.

A pouco mais de quatro metros e meio de distância, do outro lado da grade descida, a agigantada silhueta do seu atacante vigiava-o através das barras de ferro. Era alto e largo, com uma pele espectralmente pálida e ralos cabelos brancos. As íris dos olhos eram rosadas, com pupilas de um vermelho-escuro. O albino tirou uma pistola do casaco e apontou-a directamente ao conservador.

— Não devia ter fugido. — O sotaque não era fácil de identificar. — Agora diga-me onde é que está.

— Já lhe disse — tartamudeou Saunière, indefeso de joelhos no chão da galeria. — Não faço ideia do que está a falar!

— Mente. — O homem estava a olhar para ele, e a única coisa que se distinguia na grande sombra densa e imóvel era o brilho dos olhos fantasmagóricos. — Você e os seus irmãos possuem algo que não vos pertence.

O conservador sentiu uma vaga de adrenalina percorrer-lhe as veias. *Como é possível que ele o saiba?*

— Esta noite, a custódia legítima será restaurada. Diga-me onde está escondido, e viverá. — O homem apontou a arma à cabeça do conservador. — É um segredo pelo qual esteja disposto a morrer?

Saunière quase não conseguia respirar.

O homem inclinou um pouco a cabeça, fazendo pontaria ao longo do cano da arma.

Saunière ergueu as mãos, num gesto de defesa.

— Espere — disse, lentamente. — Vou dizer-lhe o que quer saber. — Pronunciou as palavras seguintes com muito cuidado. Tinha ensaiado aquela mentira vezes sem conta... sempre a pedir a Deus nunca se ver na necessidade de usá-la.

Quando o conservador acabou de falar, o homem sorriu, satisfeito.

— Sim, é exactamente o que os outros me disseram.

Saunière encolheu-se. *Os outros?*

— Encontrei-os também — informou o homem, num tom sarcástico. — Aos três. Confirmaram o que acaba de dizer.

Não pode ser! A verdadeira identidade do conservador, bem com as dos três senescais, era quase tão sagrada como o antigo segredo que protegiam. Saunière compreendeu que os colegas tinham, de acordo com a regra estritamente ordenada, contado a mesma mentira antes de morrerem. Fazia parte do protocolo.

O homem voltou a apontar a arma.

— Depois de o matar, serei eu o único a conhecer a verdade.

A verdade. Numa fracção de segundo, Saunière apercebeu-se do verdadeiro horror da situação. *Se eu morrer, a verdade perder-se-á para sempre.* Instintivamente, tentou encontrar um refúgio.

A arma explodiu, e o conservador sentiu como se um ferro em brasa lhe trespassasse o ventre quando o projéctil se lhe alojou no estômago. Caiu para a frente... lutando contra a dor. Lentamente, rolou sobre si mesmo e olhou através das grades para o seu assassino.

O homem estava a apontar-lhe à cabeça.

Saunière fechou os olhos, com os pensamentos a rodopiarem num turbilhão de medo e tristeza.

O clique do percutor a bater numa câmara vazia ecoou no corredor.

O conservador abriu rapidamente os olhos.

O homem olhou para a arma, parecendo quase divertido. Procurou no bolso um segundo carregador, mas então como que reconsiderou, sorrindo calmamente à figura ensanguentada de Saunière.

— O meu trabalho aqui está feito.

O conservador baixou os olhos e viu o orifício da bala na branca camisa de linho. Era um ponto negro orlado por um pequeno círculo de sangue, poucos centímetros abaixo do esterno, *estômago.* Quase que por um capricho de crueldade, a bala falhara o coração. Como veterano da guerra da Argélia, o conservador fora já testemunha daquele tipo de morte horrivelmente lenta. Sobreviveria cerca de quinze minutos, enquanto os ácidos do estômago se derramavam na cavidade torácica, envenenando-o por dentro.

— Abençoada seja a dor — disse o homem.

E desapareceu.

Agora sozinho, Jacques Saunière voltou o olhar para a grade de ferro. Estava encurralado, e as portas só voltariam a abrir-se dentro de no mínimo vinte minutos. Quando chegassem junto dele, estaria morto. Mesmo assim, o medo que o dominava agora era um medo muito maior que o da sua própria morte.

Tenho de transmitir o segredo.

Pôs-se de pé, cambaleante, e imaginou os três companheiros assassinados. Pensou nas gerações que os tinham precedido... na missão que a todos eles fora confiada.

Uma cadeia ininterrupta de conhecimento.

Agora, subitamente, a despeito de todas as precauções... a despeito de todas as medidas de segurança... Jacques Saunière era o único elo que restava, o único guardião dos mais formidáveis segredos alguma vez guardados.

A tremer, olhou em volta.

Tenho de encontrar uma maneira...

Estava trancado dentro da Grande Galeria, e havia apenas uma pessoa a quem podia passar a tocha. Saunière estudou as paredes da sua opulenta prisão. Uma colecção dos quadros mais famosos do mundo parecia sorrir-lhe, como um grupo de velhos amigos.

Com o rosto contraído pela dor, Saunière fez apelo a todas as suas faculdades e forças. A tarefa desesperada que tinha pela frente, bem o sabia, ia exigir cada segundo de vida que lhe restava.

CAPÍTULO UM

Robert Langdon acordou lentamente.

Algures na escuridão, tocava a campainha de um telefone — um som fraco, inusitado. Procurou às apalpadelas o candeeiro da mesa-de-cabeceira e acendeu-o. Examinando de olhos piscos o ambiente que o rodeava, viu um luxuoso quarto estilo renascença, com mobiliário Luís XVI, frescos pintados à mão nas paredes e uma colossal cama de mogno de quatro colunas.

Onde diabo estou eu?

O roupão de banho pendurado numa das colunas da cama tinha bordadas no bolso do peito as palavras: HOTEL RITZ PARIS.

Pouco a pouco, o nevoeiro começou a dissipar-se.

Langdon pegou no auscultador.

— Sim?

— *Monsieur* Langdon? — perguntou uma voz de homem. — Espero não o ter acordado?

Confuso, Langdon olhou para o relógio da mesa-de-cabeceira: marcava meia-noite e trinta e dois. Tinha dormido apenas uma hora, mas sentia-se mais morto do que vivo.

— Fala o *concierge*, *monsieur*. Peço desculpa pela intrusão, mas tem uma visita. Diz que o assunto é urgente.

Langdon não estava ainda bem acordado. *Uma visita?* Focou os olhos no pequeno panfleto que deixara amarrotado em cima da mesa-de-cabeceira.

A UNIVERSIDADE AMERICANA DE PARIS
orgulha-se de apresentar
UM SERÃO COM ROBERT LANGDON
PROFESSOR DE SIMBOLOGIA RELIGIOSA, UNIVERSIDADE DE HARVARD

Langdon gemeu. A conferência daquela noite — uma palestra, com projecção de diapositivos, sobre o simbolismo pagão escondido nas pedras da Catedral de Chartres — tinha muito provavelmente eriçado o pêlo a alguns dos membros mais conservadores do público. Quase de certeza, um qualquer erudito religioso seguira-o até ao hotel disposto a dar-lhe luta.

— Lamento — disse —, mas estou muito cansado, e...

— *Mas, monsieur* — insistiu o recepcionista, baixando a voz até um murmúrio carregado de urgência. — Trata-se de um homem importante.

Langdon não duvidava. Os seus livros sobre pintura religiosa e simbologia cultural tinham-no tornado uma relutante celebridade no mundo das artes, conferindo-lhe uma visibilidade que o envolvimento decisivo que acabara por ter num badaladíssimo caso ocorrido no Vaticano, no ano anterior, viera, infelizmente, centuplicar. Desde então, o rio de historiadores «importantes» e maníacos da arte que lhe iam bater à porta parecia não ter fim.

— Por favor, faça a gentileza — disse Langdon, esforçando-se ao máximo por manter os bons modos —, de tomar nota do nome e do número do telefone do senhor e diga-lhe que tentarei entrar em contacto com ele antes de deixar Paris, na terça-feira. Muito obrigado.

E desligou antes que o recepcionista pudesse protestar.

Agora sentado na cama, Langdon deitou um olhar carrancudo ao *Manual de Relacionamento com os Hóspedes* pousado na mesa-de-cabeceira e cuja capa proclamava: DURMA COMO UM BEBÉ NA CIDADE DAS LUZES. REPOUSE NO RITZ DE PARIS. Voltou a cabeça e olhou, cansado, para o espelho de corpo inteiro aparafusado na parede fronteira. O sujeito que lhe devolveu o olhar era um desconhecido — desgrenhado, exausto.

Estás a precisar de férias, Robert.

Sabia que o último ano lhe cobrara um pesado tributo, mas não achava graça a vê-lo provado no espelho. Os olhos azuis, normalmente penetrantes, pareciam naquela noite enevoados e gastos. Uma incipiência de barba escurecia-lhe o maxilar forte e o queixo amenizado por uma inesperada «covinha». À volta das têmporas, as madeixas prateadas progrediam, infiltrando-se na densa mata de cabelos escuros. Por muito que as colegas na universidade afirmassem que aquelas pinceladas de cinzento só contribuíam para lhe realçar o encanto livresco, Langdon não tinha ilusões.

Se a Boston Magazine *me visse agora.*

No mês anterior, para seu grande embaraço, a *Boston Magazine* incluíra-o na lista das dez pessoas mais intrigantes da cidade — uma honra algo dúbia que o tornara alvo de intermináveis piadinhas por parte dos seus pares em Harvard. Naquela noite, a cinco mil quilómetros de casa, o elogio ressurgira para ensombrar-lhe a conferência que tinha dado.

— Senhoras e senhores — anunciara a anfitriã diante de uma casa cheia no Pavillon Dauphine da Universidade Americana de Paris —, o nosso convidado desta noite dispensa apresentações. É autor de numerosos livros: *A Simbologia das Seitas Secretas, A Arte dos Illuminati, A Linguagem Perdida dos Ideogramas*, e quando digo que é mestre em iconologia religiosa, digo-o num sentido muito literal. Muitos dos aqui presentes usam textos seus nas aulas.

Os estudantes incluídos na assistência assentiram entusiasticamente.

— Tinha planeado apresentá-lo esta noite dando-vos nota do seu impressionante *curriculum vitae*. No entanto... — olhou risonhamente para Langdon, que ocupava uma das cadeiras colocadas no palco — um dos membros do público acaba de facultar-me uma apresentação muito mais, digamos... *intrigante*.

E mostrou um exemplar da *Boston Magazine*.

Langdon encolheu-se na cadeira. *Onde diabo foi ela arranjar aquilo?*

A anfitriã começou a ler excertos escolhidos do estúpido artigo, e Langdon deu por si a enfiar-se cada vez mais pela cadeira abaixo. Trinta segundos mais tarde, a assistência estava a sorrir e a mulher não dava sinais de ir parar tão cedo.

— «E a recusa do senhor Langdon em falar publicamente sobre o seu invulgar papel no conclave do Vaticano do ano passado contribui sem dúvida para aumentar-lhe a pontuação no nosso «intrigómetro.» Querem ouvir mais? — perguntou aos assistentes.

A multidão aplaudiu.

Façam-na parar, por favor, suplicou Langdon silenciosamente, enquanto ela voltava a mergulhar no artigo:

— «Embora o Professor Langdon possa talvez não ser considerado do género "bonitão", como alguns dos nossos nomeados mais jovens, a verdade é que não lhe falta, longe disso, o chamado encanto académico. Com quarenta e poucos anos, tem uma presença cativante, realçada por uma voz de barítono invulgarmente baixa que as alunas descrevem como "chocolate para os ouvidos".»

O anfiteatro inteiro explodiu numa gargalhada.

Langdon forçou um sorriso contrafeito. Sabia o que vinha a seguir — uma ridicularia qualquer a respeito de «Harrison Ford num fato de *tweed*» — e como nessa noite julgara que seria finalmente seguro voltar a usar o seu *Harris* de *tweed* e a sua *Burberry* de gola alta, decidiu passar à acção.

— Obrigado, Monique — disse, pondo-se prematuramente de pé e avançando até ao pódio. — A *Boston Magazine* tem claramente um dom especial para a ficção. — Voltou-se para a assistência com um sorriso embaraçado. — E se descubro qual de vocês desencantou este artigo, vou pedir ao consulado que o mande deportar.

A assistência riu-se.

— Bem, minha gente, como todos sabem, estou aqui esta noite para falar do poder dos símbolos...

O retinir da campainha do telefone voltou a quebrar o silêncio do quarto.

Com um gemido de incredulidade, Langdon pegou no auscultador.

— Sim?

Como já esperava, era o recepcionista.

— Senhor Langdon, mais uma vez as minhas desculpas. Telefono-lhe para o informar de que o seu visitante vai neste momento a caminho do seu quarto. Achei que seria melhor avisá-lo.

Langdon ficou de repente muito acordado.

— Mandou alguém ao *meu* quarto?

— Peço desculpa, *monsieur*, mas um homem como... Não tenho autoridade para impedi-lo.

— Quem *é* ele exactamente?

O recepcionista, porém, já tinha desligado.

Quase no mesmo instante, um punho pesado bateu à porta do quarto.

Sem saber muito bem o que fazer, Langdon deslizou para fora da cama, sentiu os dedos dos pés afundarem-se na espessa alcatifa. Enfiou o roupão do hotel e aproximou-se da porta.

— Quem é?

— Senhor Langdon? Preciso de lhe falar. — O homem falava inglês com um sotaque cerrado, numa voz seca, autoritária. — Sou o tenente Jérôme Collet. Direction Centrale Police Judiciaire.

Langdon fez uma pausa. *A Polícia Judiciária?* A DCPJ era mais ou menos o equivalente francês do FBI americano.

Sem tirar a corrente de segurança, entreabriu a porta alguns centímetros. O rosto que o encarou do outro lado era estreito como um cutelo e tinha um ar desgastado. O homem, invulgarmente magro, vestia um uniforme azul, de ar muito oficial.

— Posso entrar? — perguntou.

Langdon hesitou, sentindo-se inseguro enquanto os olhos mortiços do desconhecido o estudavam.

— Que se passa?

— O meu *capitaine* pede a sua colaboração numa questão privada.

— A estas horas? — conseguiu Langdon dizer. — Passa da meia-noite.

— Tinha encontro marcado com o conservador do Louvre esta noite, não é verdade?

Langdon sentiu uma repentina vaga de inquietação. Ele e o respeitado conservador Jacques Saunière tinham combinado encontrarem-se para uma bebida depois da conferência daquela noite, mas Saunière não chegara a aparecer.

— Sim, é verdade. Como sabe?

— Encontrámos o seu nome na agenda dele.

— Espero que esteja tudo bem.

O polícia deixou escapar um suspiro de cansaço e enfiou uma foto *Polaroid* pela estreita abertura da porta.

Quando Langdon viu a foto, o corpo pôs-se-lhe rígido.

— Essa fotografia foi feita há menos de uma hora. No interior do Louvre.

Enquanto continuava a olhar para a estranha imagem, Langdon sentiu a repulsa e o choque iniciais darem lugar a uma súbita explosão de ira.

— Quem faria uma coisa destas?

— Esperávamos que pudesse ajudar-nos a responder precisamente a essa pergunta, considerando os seus conhecimentos de simbologia e os seus planos para se encontrar com *monsieur* Saunière.

Langdon olhava para a foto, com um horror a que começava a misturar-se o medo. A imagem era horripilante e profundamente estranha, provocando uma perturbadora sensação de *déjà vu*. Pouco mais de um ano antes, recebera a fotografia de um cadáver e, como agora, um pedido de ajuda. Vinte e quatro horas mais tarde, quase tinha perdido a vida na Cidade do Vaticano. Aquela foto era completamente diferente, e no entanto, algo no cenário tinha um toque desconcertantemente familiar.

O polícia consultou o relógio.

— O meu *capitaine* está à espera, *monsieur*.

Langdon mal o ouviu. Tinha os olhos presos à fotografia.

— Este símbolo aqui, e o modo como o corpo está tão estranhamente...

— Posicionado? — sugeriu o polícia.

Langdon assentiu, sentindo um arrepio gelado ao erguer os olhos.

— Não consigo imaginar alguém capaz de fazer isto a uma pessoa.

O rosto do polícia pareceu tornar-se ainda mais sombrio.

— Não está a compreender, senhor Langdon. Aquilo que vê nessa fotografia... — Fez uma pausa. — Foi *monsieur* Saunière que o fez a si mesmo.

CAPÍTULO DOIS

A quilómetro e meio dali, Silas, o corpulento albino, atravessou a coxear o portão de uma luxuosa mansão de arenito castanho-avermelhado situada na Rua La Bruyère. O cilício que usava em torno da coxa esquerda cortava-lhe a carne, mas apesar disso a alma dele cantava de satisfação por servir o Senhor.

Abençoada seja a dor.

Os olhos avermelhados inspeccionaram o vestíbulo quando entrou na residência. Deserta. Subiu silenciosamente as escadas, para não acordar nenhum dos outros numerários. A porta do quarto estava aberta: as fechaduras eram proibidas naquela casa. Entrou, fechando-a atrás de si.

O quarto era espartano: soalho de madeira, uma cómoda de pinho, num canto uma lona estendida que lhe servia de cama. Estava ali de visita, naquela semana, mas havia já muitos anos que, pela graça de Deus, dispunha de um santuário semelhante em Nova Iorque.

O Senhor proporcionou-me abrigo e um objectivo na vida.

Naquela noite, Silas sentia que começara, por fim, a pagar a sua dívida. Dirigindo-se rapidamente à cómoda, pegou no telemóvel que deixara escondido na última gaveta e fez uma chamada.

— Sim? — disse uma voz de homem.

— Voltei, *Professor.*

— Fala — ordenou a voz, com uma nota de satisfação.

— Estão todos mortos. Os três senescais.... e o próprio Grão-Mestre.

Houve uma pausa momentânea, como que para uma curta prece.

— Assumo, portanto, que tens a informação?

— Todos disseram o mesmo. Independentemente.

— E acreditaste neles?

— A concordância foi demasiada para ser coincidência.

Uma expiração excitada.

— Óptimo. Tinha receado que a reputação de secretismo da irmandade prevalecesse.

— A perspectiva da morte é uma motivação poderosa.

— Diz-me então, meu discípulo, o que devo saber.

Silas sabia que a informação que extorquira às suas vítimas ia constituir uma surpresa.

— *Professor*, todos eles confirmaram a existência da *Clef de Voûte*... a lendária *Chave de Abóbada*.

Ouviu o som de uma inspiração rápida e superficial, e sentiu a excitação do *Professor*.

— A *Chave de Abóbada*. Tal como suspeitávamos.

De acordo com a lenda, a irmandade concebera um mapa de pedra — uma *Clef de Voûte*... ou Chave de Abóbada —, que revelava o esconderijo do maior dos seus segredos... uma informação tão poderosa que protegê-la passara a ser a razão da sua própria existência.

— Quando tivermos a Chave de Abóbada em nosso poder — disse o *Professor* —, estaremos apenas a um passo de distância.

— Estamos mais perto do que julga. A Chave de Abóbada encontra-se aqui, em Paris.

— Em Paris? Incrível. É quase demasiado fácil.

Silas relatou os acontecimentos da noite: como todas as suas quatro vítimas, momentos antes de morrerem, tinham desesperadamente tentado comprar as suas vidas ímpias revelando o segredo que lhes fora confiado. Todos eles lhe tinham dito exactamente a mesma coisa — que a Chave de Abóbada estava artificiosamente escondida num determinado local no interior de uma das velhas igrejas de Paris: Saint-Sulpice.

— Dentro da casa do Senhor — exclamou o *Professor*. — Como escarnecem de nós!

— Como fizeram durante séculos.

O *Professor* calou-se, como que a deixar assentar na alma o triunfo daquele momento. Finalmente, disse:

— Prestaste um grande serviço a Deus. Há centenas de anos que esperávamos por isto. Tens de recuperar a pedra. Imediatamente. Esta noite. Sabes o que está em jogo.

Silas sabia que o que estava em jogo era de uma importância incalculável, mas aquilo que o *Professor* agora lhe ordenava parecia impossível.

— Mas a igreja é uma fortaleza. Sobretudo de noite. Como faço para lá entrar?

No tom confiante do homem que possui uma enorme influência, o *Professor* explicou o que tinha de ser feito.

Quando desligou o telefone, Silas sentiu na pele um formigueiro de antecipação.

Uma hora, disse para si mesmo, grato por o *Professor* lhe ter dado tempo para cumprir a necessária penitência antes de entrar na casa de Deus. *Tenho de purgar a minha alma dos pecados de hoje.* Os pecados que cometera naquele dia tinham sido santos no seu objectivo. Havia séculos que o direito sagrado sancionava a guerra contra os inimigos de Deus. O perdão estava garantido.

Mesmo assim, Silas bem o sabia, a absolvição exigia sacrifício.

Depois de fechar as portadas da janela, despiu-se completamente e ajoelhou no centro do quarto. Baixando os olhos, examinou o cruel cilício apertado à volta da coxa. Todos os verdadeiros seguidores do *Caminho* usavam aquele artefacto — uma correia de couro eriçada de farpas metálicas que lhe trespassavam a pele, numa constante recordação dos sofrimentos de Cristo. Além disso, a dor que causava ajudava também a dominar os desejos da carne.

Apesar de ter já usado o seu cilício mais do que as duas horas exigidas, Silas sabia que aquele não era um dia como os outros. Pegou na ponta da correia e apertou a fivela mais um furo, estremeceu quando as farpas se lhe cravaram ainda mais profundamente na carne. Deixando escapar lentamente o ar contido nos pulmões, saboreou o ritual purificador do seu próprio sofrimento.

Abençoada seja a dor, murmurou, repetindo a manta sagrada do padre Josemaría Escrivá — o Professor dos Professores. Embora Escrivá tivesse morrido em 1975, a sua sabedoria perdurava, as suas palavras continuavam a ser murmuradas por milhares de fiéis em todo o mundo enquanto ajoelhavam no chão e cumpriam a sagrada prática conhecida como «mortificação corporal».

Silas voltou a sua atenção para a corda cheia de nós cuidadosamente enrolada no chão a seu lado. *A Disciplina.* Os nós estavam cobertos de sangue seco. Ansiando os efeitos depuradores da sua própria agonia, murmurou uma rápida oração. Então, pegando numa ponta da corda, fechou os olhos e fê-la rodopiar com força por cima do ombro, sentindo os nós baterem-lhe nas costas. Continuou a flagelar-se, golpeando a pele, uma e outra vez.

Castigo corpus meum.

Finalmente, sentiu o sangue começar a correr.

CAPÍTULO TRÊS

O ar agreste de Abril entrava pela janela aberta do *Citroën ZX* que seguia para sul, passando diante da Ópera e atravessando a Place Vendôme. Sentado ao lado do condutor, Robert Langdon sentia a cidade passar por ele enquanto tentava aclarar as ideias. Um duche rápido e uma escanhoadela com a máquina de barbear tinham-no deixado mais ou menos apresentável, mas contribuído muito pouco para lhe minorar a ansiedade. A imagem assustadora do corpo do conservador Saunière não lhe saía da cabeça.

Jacques Saunière está morto.

Aquela morte causava-lhe uma irreprimível e profunda sensação de perda. Apesar da sua reputação de pessoa reservada, a dedicação às artes de que sempre dera provas fazia do conservador do Louvre um homem geralmente querido e respeitado. Os livros que escrevera sobre os códigos secretos escondidos nos quadros de Poussin e Teniers contavam-se entre os manuais de estudo que Langdon mais usava nas suas próprias aulas. Aguardara com intensa expectativa o encontro daquela noite, e sentira-se desapontado quando Saunière não aparecera.

Mais uma vez, a visão do cadáver atravessou-lhe o espírito. *Jacques Saunière tinha feito aquilo a si mesmo?* Langdon voltou-se e olhou pela janela, expulsando a imagem do pensamento.

Lá fora, a cidade mantinha a mesma azáfama das horas diurnas: vendedores ambulantes empurravam carrinhos carregados de *amandes* caramelizadas, empregados de restaurantes carregavam sacos de lixo para o passeio, um casal de namorados procurava no calor das carícias uma defesa contra a brisa perfumada pelo aroma dos jasmins. O *Citroën* atravessava autoritariamente todo este caos, com a sua dissonante sereia de dois tons a cortar o trânsito como uma faca.

— O *capitaine* ficou contente por saber que ainda estava em Paris — disse o polícia, falando pela primeira vez desde que tinham saído do hotel. — Uma coincidência feliz.

Langdon sentia-se tudo menos feliz, e coincidência era um conceito em que não acreditava por aí além. Como alguém que passara a vida a explorar as interligações escondidas de emblemas e ideologias díspares, tinha tendência para ver o mundo como uma trama de histórias e acontecimentos profundamente entretecidos. *As ligações podem não ser visíveis,* costumava dizer aos seus alunos de Simbologia em Harvard, *mas estão sempre lá, escondidas logo abaixo da superfície.*

— Deduzo — disse — que a Universidade Americana de Paris lhes disse onde eu estava hospedado?

O tenente abanou a cabeça.

— A Interpol.

A Interpol, pensou Langdon. *Claro.* Esquecera que o aparentemente inócuo costume que os hotéis europeus tinham de exigir a apresentação de um passaporte no acto de registo não era uma curiosa formalidade, era a Lei. Em qualquer dada noite, por toda a Europa, os agentes da Interpol podiam saber exactamente quem estava a dormir onde. Encontrá-lo no Ritz não demorara provavelmente mais do que cinco segundos.

Enquanto o *Citroën* acelerava para sul através da cidade, a silhueta iluminada da torre Eiffel surgiu ao longe, do lado direito, apontando para o céu. Ao vê-la, Langdon pensou em Vittoria, recordando a promessa que, um ano antes e meio a brincar, tinham feito de, todos os seis meses, voltarem a encontrar-se num local romântico diferente. A torre Eiffel teria com toda a certeza feito parte da lista. Infelizmente, beijara Vittoria pela última vez num barulhento aeroporto de Roma, havia mais de um ano.

— Já foi lá acima? — perguntou o polícia, olhando para ele.

— Perdão? — sobressaltou-se Langdon, apanhado de surpresa.

— É maravilhosa, não é? — O tenente apontou para a torre através do pára-brisas. — Já a subiu?

— Não, ainda não — respondeu Langdon.

— É o símbolo da França. Para mim, é perfeita.

Langdon assentiu distraidamente. Os simbologistas faziam com frequência notar que a França — um país afamado pelo seu machismo, costumes dissolutos e líderes diminutos e inseguros como Napoleão e Pepino, *o Breve* — não poderia ter escolhido como emblema nacional nada mais apropriado do que um falo com trezentos metros de altura.

No cruzamento com a Rue de Rivoli, o semáforo estava vermelho, mas o *Citroën* nem sequer abrandou. O tenente passou como uma tromba e continuou a acelerar, descendo um troço ladeado de árvores da Rue Castiglione, que servia de entrada norte aos famosos Jardins das Tulherias, a versão parisiense de Central Park. A maior parte dos turistas traduzia erradamente a designação de Jardins des Tuileries como tendo qualquer coisa a ver com os milhares de tulipas que lá floresciam, mas *Tuileries* era na realidade uma referência literal a algo muito menos romântico. Aquele parque fora em tempos uma enorme e feia cova de onde os parisienses extraíam o barro com que manufacturavam as famosas telhas — ou *tuiles* — vermelhas dos seus telhados.

Quando entraram no parque deserto, o tenente meteu a mão debaixo do *tablier* e desligou a incómoda sereia. Langdon deixou escapar um suspiro, saboreando o súbito silêncio. À frente do carro, os feixes pálidos dos faróis de halogéneo varriam o saibro compactado do caminho, no qual os pneus zuniam entoando um ritmo hipnótico. Langdon sempre considerara as Tulherias solo sagrado. Fora naqueles jardins que Claude Monet experimentara formas e cores e literalmente inspirara o nascimento do movimento impressionista. Naquela noite, porém, pesava sobre o local uma estranha atmosfera de sombria premonição.

O *Citroën* virou à esquerda, seguindo para oeste ao longo da alameda principal do parque. Contornando um lago circular, o tenente atravessou uma silenciosa avenida e entrou no vasto espaço quadrangular que ficava a seguir. Langdon avistou o fim do Jardim, assinalado por um gigantesco arco de pedra.

O Arc du Carrousel.

Não obstante os rituais orgiásticos que em tempos tinham decorrido junto ao Arc du Carrousel, os aficcionados da arte reverenciavam aquele lugar por uma razão completamente diferente. Da esplanada onde terminavam as Tulherias avistava-se quatro dos mais fabulosos museus de arte do mundo, um em cada ponto cardeal.

À sua direita, na direcção sul e do outro lado do Sena e do Quai Voltaire, Langdon viu a fachada espectacularmente iluminada da velha estação ferroviária, agora o célebre Musée d'Orsay. Olhando para a esquerda, distinguia a parte superior do ultramoderno Centro Pompidou, que albergava o Museu de Arte Moderna. Atrás dele, para oeste, o antigo obelisco de Ramsés espreitava por cima das copas das árvores, assinalando a localização do Musée du Jeu de Paume.

Bem à sua frente, a leste, do outro lado do arco, erguia-se o monolítico palácio renascentista que se tornara o mais famoso museu de arte do mundo.

O Louvre.

Langdon sentiu o já familiar arrepio de espanto maravilhado enquanto os seus olhos tentavam inutilmente abarcar toda a massa do edifício. Ao fundo da enorme praça-fronteira, o Louvre era como uma cidadela recortada contra o céu de Paris. Com a forma de uma grande ferradura, era o edifício mais comprido da Europa, maior do que três torres Eiffel deitadas umas a seguir às outras. Nem sequer os cem mil metros quadrados da praça que se estendia entre as duas alas do museu conseguia ofuscar a magnificência da fachada. Certa vez, Langdon percorrera a pé todo o perímetro do Louvre, uma espantosa caminhada de quatro quilómetros e meio.

Calculava-se que seriam precisas cinco semanas para que um visitante contemplasse devidamente as 65 300 obras de arte conservadas no museu, embora a maior parte dos turistas preferisse uma experiência abreviada a que Langdon costumava chamar «Louvre Light» — uma espécie de *sprint* para ver os três objectos mais famosos: a *Mona Lisa*, a *Vénus de Milo* e a *Vitória Alada*. Art Buchwald gabara-se certa vez de ter visto as três obras-primas em cinco minutos e cinquenta e seis segundos.

O tenente pegou num pequeno rádio e falou rapidamente em francês:

— *Monsieur Langdon est arrivé. Deux minutes.*

Do outro lado veio uma qualquer indecifrável confirmação.

O tenente devolveu o aparelho ao bolso do casaco e voltou-se para Langdon.

— O *capitaine* espera-o na entrada principal — disse.

E, ignorando os sinais que proibiam o tráfego automóvel na praça, acelerou a galgou o passeio. A entrada principal do museu era agora visível, erguendo-se ousadamente à distância, rodeada por sete tanques triangulares de onde jorravam fontes iluminadas.

La Pyramide.

A nova entrada do Louvre de Paris tornara-se quase tão famosa como o próprio museu. A controversa e neomoderna pirâmide de vidro concebida pelo arquitecto americano de origem chinesa I. M. Pei continuava a atrair o escárnio dos tradicionalistas, na opinião dos quais destruía a dignidade da praça renascentista. Goethe descrevera a arquitectura como música petrificada, e os detractores de Pei descreviam a sua pirâmide como unhas a raspar numa ardósia. Os admiradores progressistas, em contrapartida, exaltavam a construção de vidro transparente com vinte e um metros e sessenta e cinco centímetros de altura como uma espectacular sinergia de estrutura antiga e método moderno — um elo simbólico entre o antigo e o novo — que abria ao Louvre a porta do próximo milénio.

— Gosta da nossa pirâmide? — perguntou o tenente.

Langdon franziu o sobrolho. Os franceses adoravam, segundo parecia, fazer esta pergunta aos americanos. Era, claro, uma pergunta armadilhada. Admitir que gostava da pirâmide transformava a vítima num tosco americano sem ponta de gosto, manifestar desagrado era tomado como um insulto.

— Mitterrand era um homem ousado — respondeu, dividindo a diferença. Dizia-se que o falecido presidente francês, que encomendara a pirâmide a Pei, sofria de um «complexo faraónico». Responsável por ter enchido Paris de obeliscos, obras de arte e artefactos egípcios, François Mitterrand tivera uma tal afinidade com a cultura nilótica que os Franceses continuavam a chamar-lhe *a Esfinge*. — Como se chama o seu capitão? — perguntou, mudando de assunto.

— Bezu Fache — respondeu o tenente, aproximando-se da entrada principal da pirâmide. — Chamamos-lhe *le Taureau.*

Langdon olhou para ele, perguntando a si mesmo se todos os Franceses teriam uma misteriosa alcunha animal.

— Chamam *o Touro* ao vosso capitão?

O homem arqueou as sobrancelhas.

— O seu francês é melhor do que quer admitir, *monsieur* Langdon.

O meu francês é uma porcaria, pensou Langdon, *mas a minha iconografia zodiacal é bastante boa, muito obrigado. Taurus* era sempre o touro. A astrologia era uma constante simbólica em todo o mundo.

O tenente parou o carro e apontou, por entre duas fontes, para uma grande porta na face da pirâmide.

— Ali tem a entrada. Boa sorte, *monsieur*.

— Não vem?

— As minhas ordens eram para trazê-lo até aqui. Tenho outros assuntos a tratar.

Langdon deixou escapar um suspiro e apeou-se. *O circo é vosso,* pensou.

O tenente engatou a primeira, acelerou e afastou-se a grande velocidade.

Ali de pé a ver os farolins traseiros do carro desaparecerem na noite, Langdon apercebeu-se de que podia muito facilmente reconsiderar, atravessar a praça, apanhar um táxi e voltar para a cama. Alguma coisa lhe disse que era provavelmente uma péssima ideia.

Enquanto avançava por entre a bruma de água das fontes, teve a perturbadora sensação de estar a transpor um limiar invisível para um outro mundo. A sensação onírica daquela noite estava uma vez mais a envolvê-lo. Vinte minutos antes, dormia no seu quarto de hotel. Agora, encontrava-se de pé diante da pirâmide de vidro mandada construir pela *Esfinge*, à espera de ser recebido por um polícia a que chamavam *o Touro*.

Estou preso num quadro do Dali, pensou.

Dirigiu-se à entrada principal — uma enorme porta giratória. O átrio que ficava para lá dela, escassamente iluminado, estava deserto.

Bato à porta?

Perguntou a si mesmo se alguma vez algum respeitado egiptologista de Harvard teria batido à porta de uma pirâmide esperando que lhe respondessem. Ergueu a mão para bater no vidro, mas das sombras lá em baixo surgiu uma figura, a subir a escadaria encurvada. O homem, atarracado e escuro, quase Neanderthal, vestia um casaco assertoado que a largura dos ombros repuxava, como se lhe estivesse apertado. Caminhava com um ar de inconfundível autoridade sobre pernas curtas e fortes. Vinha a falar pelo telemóvel, mas terminou a chamada antes de chegar. Fez sinal a Langdon para que entrasse.

— Chamo-me Bezu Fache — anunciou, enquanto Langdon passava pela porta giratória. — Capitão da Direcção Central da Polícia Judiciária. — O tom era a condizer: um ribombar gutural, como um prenúncio de tempestade.

Langdon estendeu a mão.

— Robert Langdon.

A manápula enorme de Fache fechou-se à volta da mão de Langdon com uma força esmagadora.

— Vi a fotografia — disse Langdon. — O seu agente disse que foi o *próprio* Jacques Saunière que fez...

— Senhor Langdon — interrompeu-o Fache, cravando nele uns olhos cor de ébano. — O que viu na fotografia foi apenas o início daquilo que o Saunière fez.

CAPÍTULO QUATRO

O capitão Bezu Fache movia-se como um touro furioso, com os largos ombros puxados para trás e o queixo enterrado no peito. Tinha cabelos pretos e reluzentes de gel, esticados para a nuca, destacando o bico-de-viúvo pontiagudo como uma seta que lhe dividia ao meio a testa proeminente e o precedia como a proa de um cruzador. À medida que avançava, parecia queimar com os olhos a terra à sua frente, irradiando um brilho incandescente que apregoava a sua reputação de inflexível severidade em todas as coisas.

Langdon desceu atrás dele a famosa escadaria de mármore que conduzia ao átrio situado por baixo da pirâmide de vidro. Na descida, passaram por dois agentes armados com pistolas-metralhadoras. A mensagem era clara: esta noite, ninguém entra e ninguém sai sem a bênção do capitão Fache.

Enquanto descia abaixo do nível da praça, Langdon esforçou-se por combater uma crescente sensação de temor. O ar do capitão Fache era tudo menos acolhedor, e o próprio Louvre tinha, àquela hora da noite, uma aura quase sepulcral. A escadaria, como a coxia de um cinema às escuras, era iluminada por pequenas lâmpadas embebidas nos degraus. Langdon ouvia os seus próprios passos ecoarem na cúpula de vidro, lá em cima. Quando olhou, viu, através do telhado transparente, a brisa dispersar a poalha de água dos repuxos, fantasmagoricamente iluminados pelas luzes dos tanques.

— Gosta? — perguntou Fache, apontando para cima com o grande queixo.

Langdon suspirou, demasiado cansado para jogos.

— Sim, a vossa pirâmide é magnífica.

— Uma verruga no rosto de Paris — resmungou Fache.

Um a zero. Langdon sentiu que o seu anfitrião era um homem difícil de contentar. Perguntou a si mesmo se Fache faria a mínima ideia de que aquela pirâmide fora, por exigência expressa do presidente Mitterrand, construída com exactamente 666 painéis de vidro — estranha exigência que sempre fora um tema quente entre os adeptos da teoria da conspiração, os quais afirmavam que 666 era o número de Satanás.

Decidiu não abordar o assunto.

À medida que desciam em direcção ao átrio subterrâneo, o vasto espaço foi emergindo das sombras. Dezassete metros abaixo do nível da praça, os seis mil e quinhentos metros quadrados do novo átrio do Louvre estendiam-se como uma gruta interminável. Com paredes e chão de mármore em quentes tons de ocre, a condizer com a pedra cor de mel da fachada do museu, o átrio subterrâneo estava normalmente cheio de sol e de turistas. Naquela noite, porém, mostrava-se árido e escuro, impregnado de uma fria atmosfera de cripta.

— E o pessoal normal da segurança do museu? — perguntou Langdon.

— *En quarantaine* — respondeu Fache, como se Langdon tivesse posto em causa a integridade da sua própria equipa. — Obviamente, esta noite entrou aqui alguém que não devia ter conseguido entrar. Todos os guardas de serviço estão na Ala Sully, a ser interrogados. A segurança do museu está a cargo dos meus homens.

Langdon assentiu, caminhando rapidamente para se manter a par do capitão.

— Conhecia bem o conservador Jacques Saunière? — perguntou este.

— Não o conhecia de todo. Nunca falámos pessoalmente.

Fache pareceu surpreendido.

— Iam encontrar-se pela primeira vez esta noite?

— Exacto. Tínhamos combinado encontrar-nos na recepção oferecida pela Universidade Americana depois da minha conferência, mas ele não apareceu.

Fache rabiscou algumas notas num pequeno caderno. Enquanto caminhavam, Langdon viu de relance a outra pirâmide, muito menos conhecida, do Louvre — *a Pyramid Inversée* — uma enorme clarabóia invertida que pendia do tecto como uma estalactite, numa secção contígua do átrio. Fache subiu à frente dele o pequeno lanço de escadas que conduzia à entrada em arco de um túnel por cima da qual uma tabuleta indicava: DENON. A Ala Denon era a mais famosa das três secções principais do Louvre.

— Qual dos dois pediu o encontro desta noite — perguntou Fache subitamente. — Ele ou o senhor?

A pergunta pareceu estranha.

— Foi o senhor Saunière — respondeu Langdon, enquanto entravam no túnel. — A secretária dele contactou-me há poucas semanas, via *e-mail.* Dizia que o conservador Saunière soubera que eu ia dar uma conferência em Paris, este mês, e gostaria de aproveitar a minha presença para discutir uns assuntos.

— Que assuntos?

— Não sei. Relacionados com a arte, suponho. Partilhávamos os mesmos interesses.

Fache lançou-lhe um olhar carregado de cepticismo.

— Não faz a *mínima* ideia do tema do encontro?

Langdon não fazia. Ficara curioso, na altura, mas não se sentira à-vontade para pedir pormenores. O reverenciado Jacques Saunière tinha uma bem conhecida tendência para o secretismo e era raríssimo encontrar-se com quem quer que fosse. Langdon ficara grato pela simples oportunidade de conhecê-lo.

— Senhor Langdon, consegue ao menos dar-me um *palpite* sobre o assunto que a nossa vítima queria discutir consigo na noite em que foi assassinada? Poderia ser muito útil.

A dureza da pergunta fez Langdon sentir-se pouco à-vontade.

— Não faço a mínima ideia. Não perguntei. Fiquei muito honrado por ter sido contactado. Sou um admirador da obra do senhor Saunière. Uso com frequência textos dele nas minhas aulas.

Fache tomou nota do facto no seu caderninho.

Os dois homens iam agora a meio caminho do túnel de acesso à Ala Denon e Langdon viu, ao fundo, as duas escadas rolantes ascendentes, ambas paradas.

— Partilhavam então os mesmos interesses? — perguntou Fache.

— Sim. A verdade é que passei a maior parte deste último ano a escrever o rascunho de um livro que aborda a principal área de especialização do senhor Saunière. Estava na esperança de conseguir tirar alguns nabos-da-púcara.

Fache ergueu vivamente a cabeça
— Como?
Aparentemente, o idiomatismo não tinha equivalente.
— Estava desejoso de conhecer as opiniões dele sobre o tema.
— Estou a ver. E qual é esse tema?
Langdon hesitou, sem saber muito bem como pôr aquilo.
— Essencialmente, o trabalho é a respeito do culto da deusa... o conceito do sagrado feminino e a arte e os símbolos que lhe estão associados.
Fache passou a mão enorme pelos cabelos.
— E o Saunière era perito nessa matéria?
— O maior de todos.
— Estou a ver.
Langdon teve a sensação de que Fache não estava a ver coisa nenhuma. Jacques Saunière era considerado o maior iconografista da deusa do mundo. Não só tinha uma paixão pessoal por tudo o que se relacionasse com fertilidade, cultos da deusa, Wicca e o sagrado feminino, como, durante os seus vinte anos no cargo de conservador, ajudara o Louvre a reunir a maior colecção do planeta de arte ligada à deusa: machados de dois gumes oriundos do mais antigo santuário das sacerdotisas gregas de Delfos, caduceus de ouro, centenas de *ankhs* Tjet semelhantes a pequenos anjos de pé, sistros usados no antigo Egipto para afastar os maus espíritos e uma espantosa quantidade de estatuetas de Hórus a ser alimentado por Ísis.
— Talvez o conservador Saunière soubesse do seu manuscrito — sugeriu Fache — e tenha sugerido o encontro para oferecer-lhe ajuda?
Langdon abanou a cabeça.
— A verdade é que ainda ninguém sabe do meu livro. Está na fase de rascunho e não o mostrei a ninguém, excepto ao meu editor.
Fache ficou calado.
Landgon não acrescentou a *razão* porque não mostrara o manuscrito a mais ninguém. O rascunho de trezentas páginas — provisoriamente intitulado *Símbolos do Sagrado Feminino Perdido* — propunha várias interpretações muito pouco convencionais da iconografia religiosa estabelecida que iam sem a mínima dúvida provocar controvérsia.

Quando estava quase a chegar às escadas rolantes imobilizadas, deteve-se, apercebendo-se de que Fache já não o acompanhava. Voltando a cabeça, viu-o alguns metros mais atrás, parado à porta de um elevador de serviço.

— Vamos de elevador — disse o capitão, quando as portas se abriram. — Como certamente sabe, ainda é uma boa caminhada até à galeria.

Embora soubesse que o elevador abreviaria a longa subida de dois pisos até à Ala Denon, Langdon não saiu de onde estava.

— Algum problema? — perguntou Fache, mantendo as portas abertas com um ar de impaciência.

Langdon suspirou, lançando um olhar de pena à escada rolante. *Nenhum problema*, mentiu a si mesmo, enquanto retrocedia até ao elevador. Quando rapaz, caíra num poço abandonado e quase morrera, lutando por manter-se à tona durante horas até que finalmente o tinham encontrado. Da experiência ficara-lhe uma quase invencível fobia de espaços fechados — elevadores, metropolitanos, *courts* de *squash*. *O elevador é uma máquina perfeitamente segura*, repetia constantemente, sem nunca se conseguir convencer. *É uma pequena caixa metálica suspensa no interior de um poço fechado!* Retendo a respiração, entrou no elevador, sentindo a tão sua conhecida descarga de adrenalina quando as portas se fecharam.

Dois pisos. Dez segundos.

— Portanto — disse Fache, quando o ascensor começou a subir — o senhor e *monsieur* Saunière nunca chegaram a falar? Nunca se corresponderam? Nunca trocaram mensagens por *e-mail*?

Outra pergunta estranha. Langdon abanou a cabeça.

— Não. Nunca.

Fache inclinou um pouco a cabeça, como se estivesse a anotar mentalmente o facto. Ficou a olhar em frente, para as portas cromadas, sem acrescentar uma palavra.

Enquanto subiam, Langdon tentou pensar em tudo menos nas quatro paredes que o rodeavam. Viu, reflectido na porta brilhante do elevador, o alfinete de gravata do capitão Fache: um crucifixo de prata, com treze placas de ónix preto incrustadas. Achou aquilo vagamente surpreendente. O símbolo era conhecido como *crux gemmata* — uma cruz com treze gemas — um ideograma cristão de Cristo e dos seus doze apóstolos. Sem saber muito bem porquê, não esperara que um capitão da Polícia francesa proclamasse tão abertamente a sua religião. Mas a verdade era que estava em França; ali, o cristianismo era mais um direito hereditário do que uma religião.

— É uma *crux gemmata* — disse Fache, subitamente.

Sobressaltado, Langdon ergueu os olhos e viu, reflectidos no metal, os do polícia cravados nele.

O elevador parou com um ligeiríssimo solavanco e as portas abriram-se.

Langdon saiu para o corredor, ansioso do vasto espaço aberto proporcionado pelos famosos altos tectos das galerias do Louvre. O mundo onde se encontrou não era, porém, nada do que esperara.

Surpreendido, deteve-se abruptamente.

Fache lançou-lhe um olhar.

— Deduzo, senhor Langdon, que nunca viu o Louvre fora de horas?

Acho que não, pensou Langdon, tentando orientar-se.

Por regra impecavelmente iluminadas, as galerias do museu estavam mergulhadas numa surpreendente escuridão. Em vez da habitual luz branca vinda de cima, um clarão vermelho, baço, parecia emanar dos rodapés — manchas intermitentes de luz vermelha que se derramavam pelas lajes do chão

Ao olhar para o sombrio corredor, Langdon apercebeu-se de que devia ter contado com aquilo. Praticamente todas as grandes galerias usavam luzes vermelhas durante a noite — luzes de baixa intensidade, não-agressivas, estrategicamente distribuídas de modo a permitir ao pessoal percorrer os corredores e ao mesmo tempo manter os quadros numa relativa obscuridade que atenuava os efeitos deletérios de uma sobreexposição à luz. O que, naquela noite, criava um ambiente quase opressivo. Havia longas sombras por todo o lado, e os altos tectos abobadados pareciam um vazio negro e baixo.

— Por aqui — disse Fache, voltando à direita e começando a atravessar uma série de galerias interligadas.

Langdon seguiu-o, com os olhos a adaptarem-se pouco a pouco à escuridão. À sua volta, grandes quadros a óleo começaram a materializar-se como fotografias a serem reveladas numa enorme câmara-escura... com olhos que o seguiam quando passava. Sentiu na boca o sabor tão especial do ar dos museus — um sabor estéril, desionizado, com um leve toque de carbono —, um produto dos desumidificadores industriais de filtros de carvão que trabalhavam ininterruptamente para combater o corrosivo dióxido de carbono exalado pelos visitantes.

Montadas bem alto nas paredes, as conspícuas câmaras de segurança transmitiam uma mensagem claríssima: *Estamos a vê-los. Não toquem em nada.*

— Alguma delas é verdadeira? — perguntou Langdon — apontando para as câmaras.

Fache abanou a cabeça.

— Claro que não.

Langdon não ficou surpreendido. A vigilância electrónica num museu daquele tamanho teria um custo proibitivo, além de não servir para nada. Com quilómetros de galerias para vigiar, seriam necessárias centenas de técnicos só para monitorizar os visores. A maior parte dos museus tinha optado pela «segurança de retenção». *Não vale a pena tentar impedir os ladrões de entrar, o que importa é não os deixar sair.* O sistema de retenção era activado logo após o fecho das portas, e se algum intruso tentasse remover uma das obras de arte, as barreiras fechavam-se selando a galeria, e o ladrão via-se atrás de grades ainda antes de a Polícia chegar.

O corredor de mármore que se estendia à frente deles encheu-se do eco de vozes. O ruído parecia vir de uma divisão recuada, mais à frente e à direita, de onde uma mancha de luz intensa se derramava para a passagem.

— Gabinete do conservador — anunciou o capitão.

Quando se aproximaram, Langdon viu, ao fundo de um curto corredor, o luxuoso gabinete de Jacques Saunière — madeiras quentes, obras dos Velhos Mestres nas paredes e uma enorme secretária antiga sobre cujo tampo se erguia o modelo de um guerreiro de armadura com sessenta centímetros de altura. Um punhado de agentes da Polícia movia-se azafamadamente de um lado para o outro, falando ao telefone e tomando notas. Um deles estava sentado à secretária, a escrever num computador portátil. Aparentemente, o gabinete do conservador fora transformado, pelo espaço de uma noite, no improvisado posto de comando da DCPJ.

— *Messieurs* — disse Fache, e os homens voltaram-se para ele —, *ne nous dérangez pas sous aucun prétexte. Entendu?*

Todos os presentes assentiram com a cabeça.

Langdon já tinha pendurado suficientes cartões NE PAS DERANGER em portas de hotel para apanhar o essencial das ordens do capitão. Fache e ele próprio não deveriam ser perturbados fosse a que pretexto fosse.

Deixando o pequeno grupo de agentes no gabinete, Fache continuou a conduzir Langdon pelo escuro corredor. Trinta metros mais à frente, abria-se a entrada da mais popular das secções do Louvre — *la Grande Galerie* — um corredor aparentemente interminável que albergava as mais famosas obras-primas italianas da colecção do museu. Langdon sabia que era ali que ia encontrar o corpo de Jacques Saunière; o célebre soalho de *parquet* da Grande Galeria era claramente visível na Polaroid.

Quando se aproximaram, viu que a entrada da galeria estava fechada por uma grade de aço que parecia uma daquelas coisas que os antigos castelos usavam para impedir a entrada aos exércitos inimigos.

— Segurança de retenção — explicou Fache, detendo-se junto da grade.

Mesmo no escuro, a barricada parecia capaz de deter um tanque. Chegando do exterior, Langdon espreitou para os obscuros recessos da Grande Galeria.

— Tenha a bondade, *monsieur* Langdon — disse Fache.

Langdon voltou-se para ele, sem compreender.

Fache apontou para o chão, junto à base da grade.

Langdon seguiu a direcção do gesto. Na escuridão, não se apercebera. A barricada fora erguida cerca de sessenta centímetros, oferecendo uma passagem incómoda mas praticável.

— Esta área continua interdita à segurança do museu — continuou Fache. — A minha equipa de *Police Techique e Scientifique* acaba de completar a sua investigação. — Voltou a apontar para a parte inferior da grade. — Faça favor.

Langdon olhou para a estreita abertura a seus pés e depois para a maciça grade de ferro. *Deve estar a brincar, com certeza.* A grade parecia uma guilhotina preparada para esmagar qualquer intruso.

Fache resmungou qualquer coisa em francês e consultou o relógio. Pôs-se então de joelhos e fez deslizar o volumoso corpo por baixo da grade. Do outro lado, ergueu-se e olhou para Langdon através das barras.

Langdon suspirou, apoiou as palmas das mãos no *parquet* encerado, estendeu-se de bruços e empurrou-se para a frente. Ao deslizar, prendeu a gola do fato no rebordo inferior da grade e bateu com a nuca no ferro.

Muito suave, Robert, pensou, rastejando desajeitadamente até finalmente conseguir passar. Quando se pôs de pé, começou a suspeitar de que ia ser uma noite muito, muito longa.

CAPÍTULO CINCO

Murray Hill Place — a nova sede nacional e centro de conferências da Opus Dei — situa-se no n.º 243 da Lexington Avenue, em Nova Iorque. Tendo custado um pouco mais de quarenta e sete milhões de dólares, a torre, com doze mil trezentos e cinquenta metros quadrados de área coberta total, é toda ela forrada a tijolo vermelho e calcário do Indiana. Desenhado por May & Pinska, o edifício comporta mais de cem quartos, seis salões de jantar, bibliotecas, salas de estar e gabinetes. Nos segundo, oitavo e décimo sexto pisos há capelas decoradas com trabalhos de marcenaria e mármore. O décimo sétimo piso é totalmente residencial. Os homens entram no edifício pela porta principal, na Lexington Avenue. As mulheres entram por uma porta lateral e estão, em todas as ocasiões, «acústica e visualmente separadas» dos homens.

No começo dessa mesma noite, no santuário do seu apartamento de cobertura, o bispo Manuel Aringarosa preparou um pequeno saco de viagem e envergou uma tradicional sotaina preta. Normalmente, ataria uma faixa púrpura à volta da cintura, mas, uma vez que se preparava para viajar entre o público, não quis atrair a atenção para o seu alto cargo. Só os mais atentos reparariam no anel episcopal de ouro de catorze quilates com a ametista púrpura, os grandes diamantes e a aplicação de ouro com a forma de uma mitra e um báculo trabalhada à mão. Pôs o saco de viagem ao ombro, rezou uma oração silenciosa e saiu do apartamento, descendo no elevador até ao vestíbulo onde o motorista esperava para levá-lo ao aeroporto.

Pouco depois, instalado a bordo de um voo comercial com destino a Roma, contemplava, através da janela, o escuro Atlântico. O Sol já se tinha posto, mas Aringarosa sabia que a sua própria estrela estava em ascensão. *Esta noite, a batalha será ganha,* pensou, espantado pelo facto de, apenas meses antes, se ter sentido impotente contra as mãos que ameaçavam destruir o seu império.

Como presidente-geral da Opus Dei, o bispo Aringarosa passara a última década da sua vida a divulgar a mensagem da Obra de Deus — literalmente, *Opus Dei.* A congregação, fundada, em 1928, pelo padre espanhol Josemaría Escrivá, promovia o regresso aos valores católicos tradicionais e encorajava os seus membros a fazer grandes sacrifícios pessoais para poderem levar a cabo a Obra de Deus.

A filosofia tradicionalista da Opus Dei começara por lançar raízes na Espanha anterior ao regime de Franco, mas, com a publicação, em 1934, do livro espiritual de Escrivá, *Caminho* — 999 pontos de meditação para fazer na vida a Obra de Deus —, a mensagem alastrara a todo o mundo. Agora, com mais de quatro milhões de exemplares de *O Caminho* publicados em quarenta e duas línguas, a Opus Dei era uma força global. Tinha residências, centros de ensino e até universidades em todas as principais metrópoles da Terra. A Opus Dei era, a nível mundial, a organização católica que apresentava a mais elevada taxa de crescimento e a situação financeira mais firme. Infelizmente, como Aringarosa depressa descobrira, numa era de cinismo religioso, cultos e tele-evangelistas, o poder e a riqueza de que dispunha eram também um íman que atraía suspeitas.

— Muitos consideram-vos um culto alienante. Outros chamam-vos uma sociedade secreta cristã ultraconservadora. Qual destas coisas é a Opus Dei? —, perguntavam com frequência os jornalistas, em tom de provocação.

— Nem uma, nem outra —, respondia pacientemente o bispo. — Somos uma Igreja Católica. Somos uma congregação de católicos que escolheram como sua prioridade seguir a doutrina católica nas nossas vidas quotidianas o mais rigorosamente que pudermos.

— A Obra de Deus incluirá necessariamente votos de castidade, o pagamento do dízimo e a penitência pelos pecados através da autoflagelação e do uso de cilícios?

— Está a descrever apenas uma pequena parte da população da Opus Dei —, dizia o bispo. — Há muitos níveis de envolvimento.

Milhares de membros da Opus Dei são casados, têm família e fazem a Obra de Deus no seio das suas próprias comunidades. Outros preferem viver em ascetismo na clausura das nossas residências. Estas escolhas são pessoais, mas todos na Opus Dei partilhamos o objectivo de tornar o mundo melhor fazendo a Obra de Deus. É certamente um propósito admirável.

Ah, mas a razão raramente resultava. Os *media* gravitavam para o escândalo, e a Opus Dei, como a maior parte das grandes organizações, contava entre os seus membros algumas almas perdidas que lançavam uma sombra sobre todo o conjunto.

Dois meses antes, um grupo da congregação numa universidade do Midwest fora apanhado a drogar novos recrutas com mescalina na tentativa de induzir um estado eufórico que os neófitos tomassem por uma experiência religiosa. Um outro estudante universitário usara o seu cilício durante mais tempo do que as recomendadas duas horas diárias e contraíra uma infecção que quase o matara. Em Boston, bastante recentemente, um jovem e desiludido banqueiro doara as poupanças de uma vida inteira à Opus Dei antes de tentar suicidar-se.

Ovelhas tresmalhadas, pensava Aringarosa, e o seu coração voava para eles.

O grande embaraço fora, claro, o muito publicitado julgamento do espião do FBI Robert Hanssen, que, além de ser um proeminente membro da Opus Dei, acabara por se revelar culpado de práticas sexuais desviantes. No julgamento, ficara provado que equipara o seu quarto com câmaras de vídeo escondidas para que os amigos pudessem vê-lo a ter relações com a mulher. «O que dificilmente se poderá considerar um passatempo adequado a um católico devoto», observara o juiz.

Infelizmente, todos estes acontecimentos tinham ajudado ao aparecimento de um novo grupo de vigilância conhecido como Opus Dei Awareness Network (ODAN). O concorridíssimo *website* deste grupo — *www.odan.org* — publicava histórias assustadoras narradas por ex-membros que alertavam para o perigo de aderir à organização. Os meios de comunicação referiam-se agora à Opus Dei como «a Máfia de Deus» e «o Culto de Cristo».

Receamos aquilo que não compreendemos, pensou Aringarosa, perguntando a si mesmo se aqueles críticos fariam alguma ideia de quantas vidas a Opus Dei tinha enriquecido. O grupo gozava do pleno aval e da bênção do Vaticano. *A Opus Dei é uma prelatura pessoal do próprio Papa.*

Recentemente, no entanto, vira-se ameaçada por uma força infinitamente mais poderosa do que os *media*.... um inimigo inesperado do qual Aringarosa não tinha meio de se esconder. Cinco meses antes, o caleidoscópio do poder fora sacudido, e Aringarosa estava ainda a refazer-se do golpe.

— Nem imaginam a guerra em que se meteram —, murmurou o bispo para si mesmo, olhando através da janela do avião para o negro oceano lá em baixo. Por um instante, refocou os olhos, demorando-os no reflexo do seu próprio rosto — escuro e oblongo, dominado por um nariz achatado e adunco, partido por um murro quando era um jovem missionário, em Espanha. Uma deficiência física que ele quase já não notava. O mundo de Aringarosa era o mundo da alma, não o da carne.

Quando o avião sobrevoava a costa de Portugal, o telemóvel começou a vibrar no bolso da sotaina de Aringarosa, com o sinal sonoro desligado. Mal-grado as regras da companhia que proibiam o uso de telefones celulares durante o voo, Aringarosa sabia que aquela era uma chamada que não podia perder. Apenas um homem conhecia aquele número, o mesmo que lhe enviara o telefone pelo correio.

Excitado, o bispo respondeu em voz baixa:

— Sim?

— O Silas localizou a Chave de Abóbada — disse a voz. — Está em Paris. Na igreja de Saint-Sulpice.

O bispo Aringarosa sorriu.

— Então estamos perto.

— Podemos consegui-la imediatamente. Mas precisamos da sua influência.

— Com certeza. Diga-me o que devo fazer.

Quando desligou o telemóvel, Aringarosa tinha o coração a bater com força. Olhou mais uma vez para o vazio da noite, sentindo-se um anão face aos acontecimentos que acabava de desencadear.

A oitocentos quilómetros dali, o albino chamado Silas, inclinado para uma pequena bacia cheia de água, lavava o sangue que lhe escorria das costas, observando os esfiapados padrões de vermelho que se desenhavam no líquido. *Purga-me com o hissope e ficarei lim-*

po, rezou, citando os Salmos. *Lava-me, e ficarei mais branco do que a neve.*

Silas sentiu uma excitação expectante que não experimentava desde os tempos da sua antiga vida, uma excitação que o surpreendeu e ao mesmo tempo o electrizou. Havia já uma década que seguia *O Caminho,* lavando-se do pecado... reconstruindo a sua vida... apagando a violência do seu passado. Naquela noite, porém, tudo voltara, numa vaga avassaladora. O ódio que tanto se esforçara por enterrar fora chamado à superfície. Ficara espantado pela rapidez com que o passado ressurgira. E com ele, claro, tinham regressado as suas capacidades, enferrujadas mas utilizáveis.

A mensagem de Jesus é uma mensagem de paz... de não-violência... de amor. Era esta a mensagem que lhe tinham ensinado desde o início, a mensagem que gravara no coração. E no entanto, era *esta* a mensagem que os inimigos de Cristo ameaçavam agora destruir. *Aqueles que ameaçam Deus com a força, encontrarão a força. Inamovível e firme.*

Durante dois milénios, os soldados de Cristo tinham defendido a sua fé contra aqueles que tentavam destruí-la. Naquela noite, Silas fora chamado à batalha.

Depois de secar as feridas, vestiu o hábito que lhe chegava aos tornozelos. Era grosseiro, feito de lã escura, que lhe acentuava a brancura da pele e dos cabelos. Amarrou a corda à volta da cintura, cobriu a cabeça com o capuz e permitiu-se um instante para observar o seu reflexo no espelho. *As rodas começaram a girar.*

CAPÍTULO SEIS

Depois de ter passado por baixo da grade de segurança, Robert Langdon deteve-se à entrada da Grande Galeria, a olhar para a boca de um longo e fundo desfiladeiro. De ambos os lados, as paredes erguiam-se a nove metros de altura, fundindo-se na escuridão, lá em cima. O clarão avermelhado das luzes de serviço parecia elevar-se do chão, banhando numa luminosidade irreal a deslumbrante colecção de da Vincis, Ticianos e Caravaggios suspensos do tecto por meio de cabos. Naturezas-mortas, cenas religiosas e paisagens faziam companhia a retratos de nobres e políticos.

Apesar de a Grande Galeria albergar as mais famosas peças da arte italiana, muitos dos visitantes achavam que o que nela havia de mais impressionante era na realidade o seu famoso soalho de *parquet*. Disposto num estonteante desenho geométrico de placas de carvalho em diagonal, o soalho produzia uma efémera ilusão de óptica — uma rede multidimensional que dava ao visitante a impressão de flutuar através da galeria sobre uma superfície que se transformava a cada passo.

Os olhos de Langdon, que seguiam o traçado dos embutidos de madeira, detiveram-se abruptamente num inesperado objecto caído no chão poucos metros à sua esquerda, isolado por fita da Polícia.

Voltou-se para Fache.

— Aquilo ali no chão... é um Caravaggio?

O capitão assentiu, sem sequer olhar.

O quadro, calculou Langdon, valia mais de dois milhões de dólares, e no entanto ali estava, caído no chão, como um cartaz que alguém tivesse deitado fora.

— Que raio está a fazer no meio do chão?

Fache lançou-lhe um olhar severo, claramente nada impressionado.

— Isto é aquilo a que se chama um local do crime, senhor Langdon. Não tocámos em nada. Aquela tela foi arrancada da parede pelo conservador Saunière. Foi assim que ele activou o sistema de segurança.

Langdon olhou para a grade, tentando reconstituir mentalmente o que acontecera.

— *Monsieur* Saunière foi atacado no seu gabinete, conseguiu fugir para a Grande Galeria e activou a grade de segurança arrancando o quadro da parede. A grade desceu imediatamente, selando a galeria. Esta é a única porta de entrada e de saída.

Langdon estava confuso.

— Quer dizer com isso que o senhor Saunière encurralou o atacante dentro da galeria?

Fache abanou a cabeça.

— A grade de segurança *separou* o conservador Saunière do seu atacante. O assassino ficou no corredor e atingiu *monsieur* Saunière a tiro através da grade. — Apontou para uma etiqueta cor de laranja presa a uma das barras da grade por baixo da qual acabavam de passar. — A equipa PTC encontrou resíduos de pólvora de uma arma. Disparou através da grade. *Monsieur* Saunière morreu sozinho, aqui dentro.

Langdon recordou a fotografia do corpo de Saunière. *Dizem que fez aquilo a si mesmo.* Olhou para o interminável corredor que se estendia diante deles.

— Onde está então o corpo?

Fache endireitou o seu cruciforme alfinete de gravata e começou a caminhar.

— Como provavelmente sabe, a Grande Galeria é muito comprida.

O comprimento exacto, se Langdon bem recordava, era de cerca de quatrocentos e cinquenta metros, o equivalente a três Washington Monuments postos a seguir uns aos outros. E a largura do corredor era igualmente impressionante, podendo com toda a facilidade acomodar dois comboios de passageiros lado-a-lado. Ao longo do centro, a espaços irregulares, distribuíam-se estátuas ou grandes urnas de porcelana, que faziam o papel de separador e obrigavam o fluxo de visitantes a fazer-se num sentido e no outro junto a paredes opostas.

Fache mantinha-se silencioso, avançando a passo rápido pelo lado direito da galeria, o olhar fixo em frente. Langdon sentia que era quase uma falta de respeito passar diante de tantas obras-primas sem fazer uma pausa, quanto mais não fosse para um olhar.

Não que conseguisse ver qualquer coisa com esta luz, pensou.

O mortiço clarão avermelhado trouxe-lhe infelizmente à memória recordações da sua última experiência com iluminação não-invasiva nos Arquivos Secretos do Vaticano. Era já o segundo e perturbador paralelo com a sua quase mortal aventura em Roma. Voltou a pensar em Vittoria. Estivera ausente dos seus sonhos durante meses. Mal conseguia acreditar que Roma tivesse sido apenas um ano antes; pareciam-lhe décadas. *Uma outra vida.* A última vez que soubera dela, fora em Dezembro: um postal a dizer que ia a caminho do mar de Java para prosseguir as suas pesquisas... qualquer coisa relacionada com o uso de satélites para monitorizar as migraçãs das mantas. Langdon não alimentara ilusões a respeito de uma mulher como Vittoria Vetra pudesse ser feliz a viver num *campus* universitário, mas o encontro de Roma despertara nele desejos que nunca imaginara poder sentir. A afinidade de uma vida inteira com o celibato e as liberdades simples que permitia fora de alguma maneira abalada... substituída por um inesperado vazio que parecia ter crescido durante o último ano.

Continuaram a avançar, sem que Langdon visse qualquer corpo.

— O Jacques Saunière veio até tão *longe*?

— *Monsieur* Saunière sofreu um ferimento de bala no estômago. Morreu muito lentamente. Talvez mais de quinze ou vinte minutos. Era obviamente um homem de grande força pessoal.

Langdon voltou-se para ele, estupefacto.

— A segurança demorou *vinte* minutos a chegar aqui?

— Claro que não. Os seguranças do museu responderam imediatamente ao alarme e encontraram a Grande Galeria selada. Através da grade, ouviram alguém a mexer-se na extremidade mais distante do corredor, mas não conseguiam ver quem era. Gritaram, mas não obtiveram resposta. Assumindo que só podia tratar-se de um criminoso, seguiram o protocolo e chamaram a Polícia Judiciária. Ocupámos as nossas posições quinze minutos mais tarde. Quando chegámos, erguemos a grade apenas o suficiente para podermos passar por baixo dela, e mandei uma dúzia de agentes armados para o interior. Percorreram toda a galeria, com o objectivo de encurralar o intruso.

— E?

— Não encontraram ninguém cá dentro. Excepto... — apontou mais para o fundo do corredor — ele.

Langdon ergueu os olhos e seguiu a direcção do dedo estendido de Fache. De início, pensou que o capitão estava a apontar para uma grande estátua de mármore colocada no meio da galeria. Mas, continuando a avançar, começou a ver para lá da estátua. Trinta metros mais à frente, um projector isolado montado num suporte apontava para o chão, criando uma crua mancha de luz branca na avermelhada escuridão circundante. No centro da poça de luz, como um insecto sob as lentes de um microscópio, o corpo do conservador Saunière jazia nu no chão de *parquet*.

— Viu a fotografia — disse Fache —, de modo que isto não constituirá surpresa.

Langdon sentiu um grande frio entranhar-se-lhe nos ossos à medida que se aproximavam do corpo. À sua frente, estava uma das mais estranhas imagens que alguma vez vira.

O pálido cadáver de Jacques Saunière jazia no soalho de *parquet* exactamente como aparecia na foto. Debruçado para ele, de olhos semicerrados por causa da luz, Langdon recordou a surpresa que sentira ao saber que Saunière passara os últimos dez minutos de vida a dispor o seu próprio corpo daquela estranha maneira.

O conservador parecia notavelmente vigoroso para um homem da sua idade... e toda a sua musculatura estava bem à vista. Despojara-se de todas as peças de roupa, que deixara cuidadosamente dobradas no chão, e deitara-se de costas no centro da larga galeria, perfeitamente alinhado com o eixo do corredor. Tinha os braços e as pernas bem abertos e esticados para fora, como uma criança a preparar-se para dar um chapão numa piscina... ou, talvez mais exactamente, como um homem a ser esquartelado por uma qualquer força invisível.

Logo abaixo do esterno, uma mancha de sangue assinalava o ponto onde a bala trespassara a carne. A ferida sangrara surpreendentemente pouco, deixando apenas uma pequena poça de sangue escuro.

Também o indicador da mão esquerda estava ensanguentado. Aparentemente, Saunière mergulhara-o na ferida para criar o mais perturbador aspecto da tétrica cena; usando o seu próprio sangue como tinta e a pele nua do ventre como tela, desenhara um símbolo simples: cinco segmentos de recta que se intersectavam para formar uma estrela de cinco pontas.

O pentáculo.

A estrela sangrenta, centrada no umbigo, dava ao cadáver uma irrecusável aura demoníaca. A foto que vira era já suficientemente arrepiante, mas agora, ao testemunhar aquilo em pessoa, Langdon sentiu um mal-estar crescente.

Jacques Saunière fez isto a si mesmo.

— Senhor Langdon? — Os olhos escuros de Fache estavam cravados nele.

— É um pentáculo — disse Langdon, com uma voz que soou cava naquele espaço enorme. — Um dos símbolos mais antigos do mundo. Já era usado quatro mil anos antes de Cristo.

— E que significa?

Langdon hesitava sempre que lhe faziam aquela pergunta. Explicar a alguém o que um símbolo «significava» era como dizer-lhe como uma determinada canção devia fazê-lo sentir-se — era diferente de pessoa para pessoa. Nos Estados Unidos, um capuz branco do Ku Klux Klan evocava imagens de ódio e racismo, ao passo que, em Espanha, a mesma indumentária tinha um significado de fé religiosa.

— Os símbolos têm significados diferentes em contextos diferentes — disse. — Essencialmente, o pentáculo é um símbolo religioso pagão.

Fache assentiu.

— Culto do diabo.

— Não — corrigiu Langdon, apercebendo-se imediatamente de que a sua escolha de palavras devia ter sido mais clara.

Actualmente, o termo *pagão* tornara-se quase sinónimo de culto do diabo — uma interpretação grosseiramente errada. Na realidade, as raízes da palavra remontavam ao latim *paganus*, que significa habitantes do campo. Os «pagãos» eram literalmente pessoas do campo não doutrinadas que continuavam agarradas às antigas religiões rurais do culto da Natureza. Tão forte era, de facto, o medo que a Igreja tinha dos habitantes das aglomerações rurais que o outrora inócuo termo «vilão» — o que vive numa aldeia ou vila — acabara por designar uma pessoa má.

— O pentáculo — esclareceu Langdon — é um símbolo pré-cristão relacionado com o culto da Natureza. Os antigos imaginavam o mundo em que viviam dividido em duas metades: masculino e feminino. Os seus deuses e deusas esforçavam-se por manter o equilíbrio de poder. *Yin* e *Yang*. Quando o masculino e o feminino estavam equilibrados, havia harmonia no mundo. Quando se desequilibravam, havia caos. — Apontou para o estômago de Saunière. — Este pentáculo representa o lado *feminino* de todas as coisas... um conceito a que os historiadores da religião chamam «sagrado feminino» ou «deusa divina». Jacques Saunière sabê-lo-ia melhor do que ninguém.

— *Monsieur* Saunière desenhou o símbolo de uma *deusa* no estômago?

Langdon teve de admitir que parecia estranho.

— Na sua interpretação mais específica, o pentáculo simboliza Vénus... a deusa do amor sexual e da beleza femininos.

Fache olhou para o homem nu e resmungou qualquer coisa.

— A religião antiga baseava-se na ordem divina da Natureza. A deusa Vénus e o planeta Vénus eram uma e a mesma coisa. A deusa tinha o seu lugar no céu nocturno e era conhecida por muitos nomes: Vénus, Estrela do Oriente, Ishtar, Astarte..., todos eles poderosos conceitos femininos com ligações à Natureza e à Mãe Terra.

Fache parecia ainda mais perturbado, como se de algum modo preferisse a ideia do culto do diabo.

Langdon decidiu não lhe revelar a mais surpreendente propriedade do pentáculo: a origem *gráfica* da sua ligação a Vénus. Ainda jovem estudante de Astronomia, ficara estupefacto ao saber que o planeta Vénus traçava, de oito em oito anos, um pentáculo *perfeito* no céu eclíptico. Tão espantados tinham os Antigos ficado ao observar o fenómeno, que Vénus e o seu pentáculo se tornaram símbolos de perfeição, beleza e das qualidades cíclicas do amor sexual. Num tributo à magia de Vénus, os Gregos usavam o seu ciclo de oito anos para organizar os Jogos Olímpicos. Actualmente, poucas pessoas sabem que o calendário quadrienal das Olimpíadas modernas continua a seguir os meios-ciclos de Vénus. E menos ainda sabem que a estrela de cinco pontas esteve muito perto de se tornar o emblema olímpico oficial, tendo sido substituída à última hora pelos cinco anéis entrelaçados, que reflectem melhor o espírito de inclusão e harmonia dos Jogos.

— Senhor Langdon — disse Fache, abruptamente —, é evidente que o pentáculo tem *também* de estar relacionado com o diabo. Os vossos filmes de terror deixam esse ponto bem claro.

Langdon franziu o sobrolho. *Obrigado, Hollywood.* A estrela de cinco pontas tornara-se um chavão praticamente obrigatório nos filmes a respeito de assassinos psicopatas satânicos, geralmente desenhada nas paredes do apartamento de um qualquer satanista juntamente com outra pretensa simbologia demoníaca. Langdon ficava sempre frustrado quando via o símbolo neste contexto; as verdadeiras origens do pentáculo eram na realidade até muito divinas.

— Garanto-lhe — disse — que, a despeito do que possa ver nos filmes, a interpretação demoníaca do pentáculo é historicamente inexacta. O significado original feminino é correcto, mas o simbolismo do pentáculo tem sido distorcido ao longo dos milénios. Neste caso, através do derramamento de sangue.

— Receio não estar a compreender.

Langdon olhou para o crucifixo de Fache, sem saber muito bem como expor o que queria dizer.

— A Igreja, meu caro senhor. Os símbolos são muito resistentes, mas o pentáculo foi alterado pela Igreja Católica primitiva. No âmbito das campanhas do Vaticano para erradicar as religiões pagãs e converter as massas ao cristianismo, a Igreja lançou uma campanha de difamação contra os deuses e deusas pagãos, apresentando os respectivos símbolos como ligados ao mal.

— Continue.

— É um expediente muito comum em épocas de agitação. O novo poder emergente apodera-se dos símbolos existentes e degrada-os ao longo do tempo numa tentativa de apagar-lhes o significado. Na batalha entre os símbolos pagãos e os símbolos cristãos, os pagãos foram derrotados; o tridente de Posídon tornou-se a forquilha do diabo, o chapéu pontiagudo da mulher sábia passou a ser o emblema da bruxa, e o pentáculo de Vénus converteu-se no sinal do diabo. — Langdon fez uma pausa. — Infelizmente, também a instituição militar americana perverteu o pentáculo, que é hoje um dos principais símbolos da guerra. Pintamo-lo nos nossos caças a jacto e pomo-lo nos ombros dos nossos generais. — *Triste sorte para a deusa do amor e da beleza.*

— Interessante. — Fache fez um sinal na direcção do cadáver de pernas e braços abertos. — E a posição do corpo? Como a interpreta?

Langdon encolheu os ombros.

— A posição apenas reforça a referência ao pentáculo e ao sagrado feminino.

A expressão de Fache ensombreceu.

— Desculpe?

— Repetição. Repetir um símbolo é a maneira mais simples de reforçar-lhe o significado. Jacques Saunière colocou-se na forma de uma estrela de cinco pontas. — Se um pentáculo é bom, dois pentáculos é melhor.

Fache seguiu com os olhos os cinco pontos definidos pela cabeça, mãos e pés do cadáver e voltou a passar a mão pelos cabelos cheios de gel.

— Uma análise interessante. — Fez uma pausa. — E a *nudez*? — Quase que grunhiu a palavra, parecendo achar repelente a visão do corpo de um velho. — Porque foi que ele se despiu?

Boa pergunta, pensou Langdon. Andava a remoê-la desde que vira a fotografia. O seu melhor palpite era que um corpo humano nu constituía mais uma referência a Vénus, a deusa da sexualidade humana. Apesar de a cultura moderna ter eliminado a maior parte da associação de Vénus à união física homem/mulher, um olho etimológico atento conseguia ainda distinguir vestígios do significado original de Vénus na palavra «venérea». Langdon decidiu não ir por aí.

— Senhor Fache, não posso obviamente dizer-lhe porque foi que o senhor Saunière desenhou esse símbolo no seu próprio ventre nem porque se colocou dessa maneira, mas posso dizer-lhe que um homem como Jacques Saunière consideraria o pentáculo como um sinal da divindade feminina. A correlação entre este símbolo e o sagrado feminino é bem conhecida dos historiadores de arte e dos simbologistas.

— Muito bem. E o uso do seu próprio sangue como tinta?

— Obviamente, não tinha mais nada com que escrever.

Fache manteve-se silencioso por instantes.

— Na realidade, estou convencido de que usou sangue para que a Polícia pudesse seguir certos procedimentos forenses.

— Perdão?

— Olhe para a mão esquerda dele.

Langdon examinou o pálido braço do conservador desde o cotovelo até à mão, mas nada viu. Inseguro, contornou o corpo e ajoelhou-se, notando então, surpreendido, que Saunière segurava entre os dedos um grande marcador de ponta de feltro.

— Tinha-o na mão quando o encontrámos — disse Fache, afastando-se alguns metros até uma pequena mesa portátil coberta de ferramentas de investigação, cabos e vários aparelhos electrónicos. — Como lhe disse — continuou, procurando entre os objectos que cobriam a mesa —, não tocámos em nada. Conhece esse tipo de caneta?

Langdon inclinou-se um pouco mais para ver a marca.

STYLO DE LUMIERE NOIRE.

Ergueu os olhos, surpreendido.

A caneta de luz negra, ou de marca de água, era um marcador de ponta de feltro especial originariamente concebido para ser usado pelos museus, restauradores e Polícia para pôr marcas invisíveis nos mais variados objectos. Utilizava uma tinta à base de álcool, fluorescente e não corrosiva, visível apenas à luz negra. Actualmente, o pessoal de manutenção dos museus usava-as nas suas rondas diárias para marcar as molduras dos quadros que necessitassem de ser restaurados.

Enquanto Langdon se punha de pé, Fache aproximou-se do projector e desligou-o. A galeria mergulhou numa súbita escuridão.

Momentaneamente cego, Langdon sentiu-se invadir por uma crescente incerteza. A silhueta de Fache reapareceu, iluminada por uma intensa luz púrpura. Aproximou-se, transportando uma fonte de luz portátil que o envolvia numa névoa violeta.

— Como talvez saiba — disse, com os olhos a brilhar no clarão violeta —, a Polícia usa a luz negra para investigar locais de crimes em busca de sangue e outras provas científicas. Pode, pois, imaginar a nossa surpresa... — Repentinamente, apontou a luz para o cadáver.

Langdon olhou para baixo e deu um salto para trás.

O coração batia-lhe descompassadamente enquanto contemplava a estranha visão que brilhava à sua frente no soalho de *parquet*. Traçadas em letras luminescentes, as derradeiras palavras de Jacques Saunière refulgiam em tons púrpura ao lado do cadáver. Ao ver o que ali estava escrito, Langdon sentiu o nevoeiro que envolvera toda aquela noite tornar-se ainda mais denso.

Voltou a ler a mensagem e ergueu os olhos para Fache.

— Que raio é que isto significa?

Os olhos de Fache cintilaram com um brilho branco.

— Essa é, *monsieur*, precisamente a pergunta a que pretendo que responda.

Não muito longe dali, no gabinete de Saunière, o tenente Collet, que regressara ao Louvre, estava inclinado para a consola de um rádio pousado em cima da enorme secretária do conservador. Com excepção da estranha figura do pequeno guerreiro medieval que parecia observá-lo de um canto da secretária, sentia-se perfeitamente à-vontade. Ajustou os auscultadores e verificou os níveis de entrada no sistema de gravação do disco rígido. Tudo no verde. Os microfones funcionavam perfeitamente e a recepção era impecável.

Le moment de vérité, murmurou.

Sorrindo, fechou os olhos e acomodou-se para saborear o resto da conversa que estava a ser gravada no interior da Grande Galeria.

CAPÍTULO SETE

O modesto apartamento dentro da igreja de Saint-Sulpice situava-se no segundo piso, à esquerda da varanda do coro. Duas divisões com chão de pedra e um mínimo de mobiliário que serviam de casa à irmã Sandrine Biel havia mais de uma década. O convento, ali próximo, fora a sua anterior residência, mas ela preferia o silêncio e a calma da igreja e instalara-se muito confortavelmente com uma cama, um telefone e um aquecedor.

Como *conservatrice d'affaires* da igreja, a irmã Sandrine era responsável por todos os aspectos não religiosos do funcionamento do templo — manutenção geral, contratar pessoal de apoio e guias, encomendar abastecimentos como vinho para a eucaristia e hóstias.

Naquela noite, adormecida na sua estreita cama, foi acordada pelo retinir estridente da campainha do telefone. Ensonada, levantou o auscultador.

— *Soeur Sandrine. Église Saint-Sulpice.*

— Olá, irmã — disse o homem, em francês.

A irmã Sandrine sentou-se na cama. *Que horas são?* Reconheceu a voz do chefe, apesar de, em quinze anos, nunca ter sido acordada por ele. O abade era um homem profundamente piedoso, que ia para casa e para a cama logo a seguir à missa.

— Peço desculpa por tê-la acordado, irmã — continuou o abade, parecendo ele próprio um pouco confuso e nervoso. — Tenho de lhe pedir um favor. Acabo de receber uma chamada de um influente bispo americano. Talvez o conheça? Manuel Aringarosa?

— O chefe da Opus Dei? — *Claro que o conheço. Quem, na Igreja, o não conhece?* A prelatura conservadora de Aringarosa crescera em poder nos últimos anos. A sua ascensão ao estado de graça começara em 1982, quando João Paulo II a elevara inesperadamente a «prelatura pessoal do Papa», sancionando oficialmente todas as suas práticas. Por uma coincidência que não podia ser inocente, a elevação da Opus Dei ocorrera no mesmo ano em que a riquíssima seita alegadamente transferira quase mil milhões de dólares para o Instituto do Vaticano para as Obras Religiosas — vulgarmente conhecido como Banco do Vaticano — salvando-o de uma embaraçosa bancarrota. Numa segunda manobra que fizera arquear mais de uma sobrancelha, o Papa pusera o fundador da Opus Dei na «via-rápida» para a santidade, reduzindo um período de espera pela canonização que com frequência se arrastava por um século a uns meros vinte anos. A irmã Sandrine não conseguia impedir-se de pensar que o estado de graça de que a Opus Dei gozava em Roma era suspeito, mas com a Santa Sé não se discutia.

— Sua Eminência o bispo Aringarosa telefonou-me a pedir um favor — explicou o abade, nervosamente. — Um dos seus numerários está esta noite em Paris...

Enquanto ouvia o estranho pedido, a irmã Sandrine sentia-se cada vez mais confusa.

— Desculpe, está a dizer que esse numerário não pode esperar até amanhã?

— Receio que não. O avião parte muito cedo. E ele sempre sonhou ver Saint-Sulpice.

— Mas a igreja é muito mais interessante durante o dia. Os raios de sol a entrarem pelo óculo, as sombras graduadas do gnómon, é *isso* que torna Saint-Sulpice única.

— Concordo, irmã. No entanto, consideraria um favor especial se o deixasse entrar hoje à noite. Ele pode aí estar... digamos, à uma? Dentro de vinte minutos.

A irmã Sandrine franziu o sobrolho.

— Com certeza, terei muito gosto.

O abade agradeceu-lhe e desligou.

Intrigada, a irmã Sandrine deixou-se ficar mais uns instantes no quente da cama, a tentar sacudir as teias de aranha do sono. O seu corpo de sessenta anos já não acordava tão prontamente como noutros tempos, embora o telefonema daquela noite lhe tivesse sem dúvida excitado os sentidos. A Opus Dei sempre a fizera sentir-se pouco à-vontade. Além da adesão da prelatura aos rituais arcanos da mortificação corporal, o modo como encarava as mulheres era, no mínimo, medieval. Ficara chocada ao saber que as numerárias eram obrigadas a limpar, enquanto eles estavam na missa, as residências dos homens, e ainda por cima sem qualquer espécie de enumeração; as mulheres dormiam em tarimbas de madeira, ao passo que os homens dispunham de enxergas de palha; e as mulheres tinham de sujeitar-se a exigências ainda mais estritas de mortificação corporal... tudo como penitência acrescida pelo pecado original. Aparentemente, a dentada que Eva dera na maçã do conhecimento era uma dívida que as mulheres estavam condenadas a pagar por toda a eternidade. Infelizmente, enquanto a maior parte das Igrejas Católicas estava a avançar na direcção certa no respeitante aos direitos das mulheres, a Opus Dei ameaçava inverter o processo. Fosse como fosse, a irmã Sandrine recebera as suas ordens.

Fazendo rodar as pernas para fora da cama, pôs-se lentamente de pé, gelada pelo frio das pedras nos pés descalços. E à medida que o frio lhe subia pelo corpo, sentiu uma inesperada apreensão.

Intuição feminina?

Seguidora de Deus, a irmã Sandrine aprendera a encontrar paz nas vozes calmantes da sua própria alma. Naquela noite, porém, essas vozes mantinham-se silenciosas na igreja deserta que a rodeava.

CAPÍTULO OITO

Langdon não conseguia desviar os olhos das palavras que brilhavam com uma luminescência violeta rabiscadas no soalho de *parquet*. A última comunicação de Jacques Saunière parecia-lhe o mais improvável como mensagem de despedida que conseguia imaginar. Dizia o seguinte:

13-3-2-21-1-1-8-5
O, Draconian devil!
Oh, lame saint!

Embora não fizesse a mínima ideia do que aquilo significava, Langdon compreendia a intuição de Fache de que o pentáculo tinha qualquer coisa a ver com o culto do diabo.

Ó, draconiano demónio!

Saunière deixara uma referência explícita ao diabo. Não menos bizarra era a série de algarismos.

— Uma parte parece um código numérico.

— Sim — concordou Fache. — Os nossos criptógrafos já estão a trabalhar nisso. Acreditamos que esses números podem ser a chave que nos conduzirá ao assassino. Talvez um número de telefone, ou um qualquer tipo de identificação social. Têm algum significado simbólico para si?

Langdon voltou a olhar para os números, sentindo que ia demorar horas a tirar dali qualquer espécie de significado simbólico. *Se é que era essa a intenção do Saunière.* À primeira vista, os números pareciam perfeitamente aleatórios. Estava habituado a progressões simbólicas que fizessem alguma espécie de sentido, mas tudo ali — o pentáculo, as palavras, os algarismos — parecia díspar ao nível mais fundamental.

— Afirmou há pouco — disse Fache — que todas as acções do conservador Saunière aqui na Galeria fizeram parte de um esforço para deixar uma mensagem... culto da deusa, ou qualquer coisa nessa linha? Como é que essa mensagem encaixa no que aqui temos?

Langdon sabia que a pergunta era retórica. Aquele estranho comunicado não encaixava de maneira nenhuma no seu cenário de culto da deusa.

Ó, draconiano demónio? Oh, santo imperfeito?

— O texto parece ser uma espécie de acusação — prosseguiu Fache. — Não concorda?

Langdon tentou imaginar os minutos finais de Jacques Saunière, fechado na Grande Galeria, sabendo que estava prestes a morrer. Parecia lógico.

— Uma acusação contra o seu assassino faz sentido, suponho.

— O meu trabalho, claro, consiste em pôr um nome nessa pessoa. Deixe-me perguntar-lhe o seguinte, senhor Langdon. A seu ver, tirando os números, o que é que esta mensagem tem de mais estranho?

Mais estranho? Um moribundo barricara-se na galeria, desenhara um pentáculo no próprio ventre e rabiscara uma misteriosa acusação no soalho. Tudo ali *era* estranho!

— A palavra «draconiano»? — arriscou, dizendo a primeira coisa que lhe veio à cabeça. Langdon estava razoavelmente convencido de que uma referência a Draco, o implacável político do século VII a. C., era bastante improvável como último pensamento. — «Draconiano demónio» parece-me uma estranha escolha de palavras.

— *Draconiano?* — A voz de Fache soou com uma nota de impaciência. — A escolha de palavras de *monsieur* Saunière está longe de parecer-me aqui a questão mais importante.

Langdon não sabia muito bem que questão tinha Fache em mente, mas começou a suspeitar de que Draco e o capitão se teriam dado bastante bem.

— Jacques Saunière era francês — continuou Fache, secamente. — Vivia em Paris. E no entanto, optou por escrever esta mensagem...

— Em inglês — terminou Langdon, compreendendo agora aonde o capitão queria chegar.

Fache assentiu.

— *Précisément.* Alguma ideia do motivo?

Langdon sabia que Saunière falava impecavelmente inglês, mas não fazia a mínima ideia de que razão o levara a escolher essa língua para escrever as suas últimas palavras. Encolheu os ombros.

Fache voltou a apontar para o pentáculo traçado no ventre do cadáver.

— Nada a ver com o culto do diabo? Continua a ter a certeza?

Langdon já não tinha a certeza de coisa nenhuma.

— A simbologia e o texto parecem não coincidir. Lamento não poder ajudá-lo mais.

— Talvez isto torne as coisas um pouco mais claras. — Fache afastou-se do corpo e ergueu um pouco mais o projector de luz negra, fazendo o feixe incidir numa área maior. — E agora?

Para espanto de Langdon, um círculo rudimentar brilhou à volta do cadáver do conservador. Aparentemente, Saunière deitara-se de costas e fizera rodar a caneta de feltro à sua volta numa série de longos arcos, como que inscrevendo-se num círculo.

Num súbito relâmpago, o significado tornou-se claro.

— *O Homem de Vitrúvio* — ofegou Langdon. Saunière criara uma réplica em tamanho natural do mais célebre desenho de Leonardo da Vinci.

Considerado o desenho anatomicamente mais correcto da sua época, *O Homem de Vitrúvio* de da Vinci tornara-se, nos tempos modernos, um ícone da cultura, aparecendo representado em cartazes, bases para copos e *T-shirts* por todo o mundo. O famoso desenho consistia num círculo perfeito no qual estava inscrita a figura de um homem nu... de braços e pernas estendidos e abertos.

Da Vinci. Langdon sentiu um arrepio de espanto. A clareza das intenções de Saunière era inegável. Nos momentos finais da sua vida, o conservador do museu do Louvre despojara-se das roupas e dispusera o seu próprio corpo numa evidente reprodução de *O Homem de Vitrúvio.*

O círculo fora o elemento crítico que faltara. Sendo um símbolo de protecção feminino, o círculo à volta do corpo do homem nu completava a mensagem de da Vinci: harmonia entre o masculino e o feminino. A questão era agora, no entanto, descobrir *por que razão* Saunière imitara o famoso desenho.

— Senhor Langdon — disse Fache —, sabe certamente que Leonardo da Vinci tinha uma tendência para as artes mais obscuras.

Langdon ficou surpreendido pela extensão do conhecimento do polícia sobre da Vinci, um conhecimento que sem dúvida contribuía muito para explicar as suas suspeitas a respeito de um culto diabólico. Da Vinci sempre fora um tema embaraçoso para os historiadores, especialmente na tradição cristã. Apesar do seu génio visionário, era um homossexual assumido e um adorador da divina ordem da Natureza, dois «crimes» que o colocavam em perpétuo estado de pecado contra Deus. Além disso, as bizarras excentricidades do artista projectavam uma aura admissivelmente demoníaca: da Vinci exumava cadáveres para estudar a anatomia humana, mantinha misteriosos diários numa ilegível escrita invertida, acreditava possuir o poder alquímico de transformar o chumbo em ouro, julgava-se até capaz de enganar Deus criando um elixir que adiava a morte, e as suas invenções incluíam horríveis e nunca antes imaginados instrumentos de guerra e de tortura.

A incompreensão gera desconfiança, pensou Langdon.

Até a vastíssima produção de deslumbrante arte cristã de da Vinci só servira para reforçar a sua reputação de hipocrisia espiritual. Aceitando centenas de lucrativas encomendas do Vaticano, Leonardo pintava temas religiosos não como uma expressão das suas próprias crenças mas como uma operação comercial — uma maneira de financiar o estilo de vida opulento que apreciava. Infelizmente, da Vinci era um brincalhão que muitas vezes se divertia a morder pela calada a mão que o alimentava. Incorporava em muitos dos seus quadros religiosos simbolismos escondidos que eram tudo menos cristãos: tributos às suas próprias convicções e um subtil manguito feito à Igreja. Langdon dera inclusivamente, na National Gallery de Londres, uma conferência subordinada ao tema: «A Vida Secreta de Leonardo: O Simbolismo Pagão na Arte Cristã».

— Compreendo a sua preocupação — disse —, mas da Vinci nunca chegou verdadeiramente a praticar qualquer espécie de artes negras. Era um homem excepcionalmente espiritual, ainda que em constante conflito com a Igreja. — E enquanto dizia estas palavras, um estranho pensamento acudiu-lhe ao espírito. Olhou novamente para a mensagem escrita no chão. *Ó, draconiano demónio! Oh, santo imperfeito!*

— Sim — incitou Fache.

Langdon pesou cuidadosamente as suas palavras.

— Estava só a pensar que o conservador Saunière partilhava muitas ideologias espirituais com da Vinci, incluindo a preocupação com a tentativa da Igreja de eliminar o sagrado feminino da religião moderna. É possível que, ao imitar o famoso desenho de da Vinci, estivesse apenas a expressar a frustração que ambos partilhavam relativamente à demonização da deusa que a Igreja moderna leva a cabo.

Os olhos de Fache endureceram.

— Acha que *monsieur* Saunière está a chamar à Igreja santo imperfeito e demónio draconiano?

Langdon tinha de admitir que era um pouco forçado, embora o pentáculo parecesse, a um certo nível, dar força à ideia.

— Estou apenas a dizer que o senhor Saunière dedicou a vida a estudar a história da deusa, e que nada nem ninguém contribuiu mais para apagar essa história do que a Igreja Católica. Parece-me razoável que tivesse tentado exprimir o desapontamento que sentia no seu último adeus.

— Desapontamento? — perguntou Fache, agora abertamente hostil. — Esta mensagem parece mais *enraivecida* do que desapontada, diria eu.

Langdon estava a chegar ao fim da paciência.

— Capitão, pediu-me um palpite sobre o que o senhor Saunière poderia querer dizer, e é isso que lhe estou a dar.

— Que isto é uma acusação à Igreja? — Fache contraiu a mandíbula, falando por entre os dentes cerrados. — Senhor Langdon, tenho visto muita morte neste meu trabalho, e deixe-me dizer-lhe uma coisa. Quando um homem é morto por outro homem, não acredito que o seu último pensamento seja escrever uma obscura afirmação espiritual que ninguém compreenderá. Acredito que pensa numa única coisa. — A voz sibilada do capitão cortou o ar. — *La vengeance.* Acredito que o conservador Saunière escreveu isto para nos dizer quem o matou.

Langdon ficou a olhar para ele.

— Mas não faz qualquer espécie de sentido.

— Não?

— Não — ripostou, cansado e frustrado. — Disse-me que o senhor Saunière foi atacado no seu gabinete por alguém que aparentemente tinha convidado para lá entrar.

— Sim.

— Parece, portanto, razoável assumir que o conservador Saunière conhecia o seu atacante.

Fache assentiu.

— Continue.

— Se o senhor Saunière *conhecia* a pessoa que o matou, que espécie de acusação é esta? — Apontou para o chão. — Códigos numéricos? Santos imperfeitos? Demónios draconianos? Pentáculos desenhados na barriga? Tudo isto é demasiado críptico.

Fache franziu a testa, como se a ideia nunca lhe tivesse ocorrido.

— É verdade.

— Considerando as circunstâncias — continuou Langdon —, julgo que se Saunière quisesse dizer-nos quem o matou, teria escrito o *nome* dessa pessoa.

Quando Langdon acabou de dizer estas palavras, um sorriso de satisfação distendeu os lábios de Fache pela primeira vez em toda a noite.

— *Précisément* — disse. — *Précisément.*

Estou a testemunhar o trabalho de um mestre, pensou o tenente Collet enquanto ajustava os auscultadores e escutava as palavras de Fache. O *agent supérieur* sabia que tinham sido momentos como aquele que tinham elevado Fache aos pináculos da Polícia francesa.

O capitão Fache faz o que mais ninguém ousa fazer.

A delicada arte de *cajoler* era uma habilidade que a moderna investigação policial deixara morrer, uma arte que exigia uma excepcional compostura sob pressão. Poucos homens possuíam o *sang-froid* necessário para este tipo de operação, mas, em Fache, era como uma capacidade inata. A sua contenção e paciência roçavam o robótico.

A única emoção de Fache naquela noite parecia ser uma intensa determinação, como se capturar aquele criminoso fosse de algum modo uma questão pessoal. As instruções que dera aos seus agentes, uma hora antes, tinham sido inusitadamente sucintas e seguras. *Sei quem assassinou o conservador Jacques Saunière,* dissera. *Sei o que tenho de fazer. Nada de erros, esta noite.*

E, até ao momento, nenhum erro fora cometido.

Collet ainda não conhecia as provas em que Fache baseava a sua certeza da culpabilidade do suspeito, mas sabia que mais valia não questionar os instintos do *Touro.* A intuição de Fache parecia por vezes quase sobrenatural. *Deus murmura-lhe ao ouvido,* insistira certa vez um agente na sequência de uma demonstração particularmente impressionante do sexto sentido do capitão. Collet via-se forçado a admiti-lo: se havia um Deus, Fache fazia parte da sua lista especial de amigos. O capitão ouvia missa e confessava-se com zelosa regularidade — muito mais do que a frequência nos dias santos observada por outros altos funcionários em nome das boas relações públicas. Quando o Papa visitara Paris, alguns anos antes, Fache usara toda a sua influência para conseguir a honra de uma audiência, e agora tinha, pendurada na parede do gabinete, uma fotografia em que aparecia ao lado do pontífice. *O Touro Papal,* chamavam-lhe em segredo os seus subordinados.

Collet achava irónico o facto de as raras tomadas de posição públicas de Fache nos últimos anos terem sido para manifestar a sua virulenta reacção ao escândalo da pedofilia praticada por sacerdotes. *Esses padres deviam ser enforcados duas vezes!,* declarara. *Uma pelos seus crimes contra as crianças, outra por enlamearem o bom-nome da Igreja Católica.* Collet tinha a estranha sensação de que era este último crime que mais enfurecia o capitão Fache.

Voltando-se para o computador portátil, Collet passou a ocupar-se da outra metade das suas responsabilidades naquela noite: o sistema de localização GPS. A imagem no visor mostrava um plano pormenorizado da Ala Denon, fornecido pelo Gabinete de Segurança do Louvre. Seguindo com os olhos o labirinto de galerias e corredores, depressa encontrou o que procurava.

Bem no coração da Grande Galeria, um minúsculo ponto vermelho piscava.

La marque.

Fache mantinha a sua presa com rédea curta. E por boas razões. Robert Langdon já provara ser um sujeito muito esperto.

CAPÍTULO NOVE

Para ter a certeza de que a sua conversa com o senhor Langdon não seria interrompida, Bezu Fache desligara o telemóvel. Infelizmente, tratava-se de um modelo dos mais caros, equipado com um rádio bi-direccional que, contrariando as suas ordens, um dos agentes estava naquele preciso instante a usar para contactá-lo.

— *Capitaine* — crepitou o telefone, como um *walkie-talkie.*

Fache cerrou os dentes, furioso. Não conseguia imaginar qualquer razão suficientemente importante para que Collet interrompesse aquela *surveillance cachée*, sobretudo num ponto tão decisivo.

Dirigiu a Langdon um calmo olhar de desculpa.

— Um momento, por favor. — Tirou o telefone do cinto e premiu o botão do rádio. — *Oui?*

— *Capitaine, un agent du Département de Cryptologie est arrivé.*

A fúria de Fache evaporou-se instantaneamente. *Um criptólogo?* Embora a escolha do momento tivesse sido péssima, tratava-se provavelmente de boas notícias. Depois de ter descoberto o críptico texto de Saunière no chão da Galeria, Fache enviara por computador fotos do local do crime para o Departamento de Criptologia, na esperança de que alguém conseguisse explicar-lhe o que estava o conservador a tentar dizer. A chegada do criptólogo devia significar que alguém conseguira decifrar a mensagem.

— Neste momento estou ocupado — disse Fache, e o seu tom deixava bem claro que alguém tinha pisado uma linha. — Diga ao criptólogo que espere no posto de comando. Falarei com ele quando terminar.

— Com ela — corrigiu a voz. — É a agente Neveu.

Fache estava a achar cada vez menos graça àquela chamada. Sophie Neveu era um dos maiores erros da DCPJ. Uma jovem *déchiffreuse* parisiense que estudara criptografia em Inglaterra, no Royal Holloway, Sophie Neveu fora impingida a Fache dois anos antes, no âmbito da tentativa do ministério de incorporar mais mulheres na força policial. Esta incursão do ministro no politicamente correcto estava, na opinião de Fache, a enfraquecer o Departamento. As mulheres não só não tinham as qualidades físicas exigidas pelo trabalho na Polícia, como a sua simples presença constituía uma perigosa distracção para os agentes em campo. Como Fache sempre temera, Sophie Neveu estava a revelar-se mais distraída do que a maior parte das suas colegas.

Com trinta e dois anos, tinha uma determinação que raiava o obstinado. A sua entusiástica adesão à nova metodologia criptológica britânica exasperava os veteramos criptólogos franceses mais graduados. E, o que era de longe o aspecto mais perturbador para Fache, havia a inescapável verdade universal de que, num escritório cheio de homens de meia-idade, a presença de uma jovem atraente desviava inevitavelmente as atenções do trabalho em curso.

— A agente Neveu insiste em falar consigo imediatamente, capitão — disse o homem que falava pelo rádio. — Tentei impedi-la, mas já vai a caminho da Galeria.

Fache recuou um passo, incrédulo.

— Isso é inaceitável! Dei ordens expressas...

Por um instante, Robert Langdon pensou que Bezu Fache estava a sofrer uma apoplexia. O capitão ia a meio da frase quando parou de mover o queixo e esbugalhou os olhos, coruscantemente fixos num ponto acima do ombro dele. Antes que pudesse voltar-se, ouviu uma voz feminina dizer nas suas costas:

— *Excusez-moi, messieurs.*

Langdon completou a volta e viu uma jovem aproximar-se. Caminhava pelo corredor em direcção a eles com passadas longas e fluidas... e um ar de absoluta segurança. Vestia informalmente — um comprido camisolão de lã creme que lhe chegava aos joelhos e calças pretas —, era atraente e poderia andar por volta dos trinta anos. Os espessos cabelos castanhos caíam-lhe soltos sobre os ombros, emoldurando um rosto agradável. Ao contrário das falsas louras deslavadas que adornavam as paredes das cataratas de Harvard, aquela mulher era saudável, com uma beleza sem retoques e uma autenticidade que irradiavam uma autoconfiança impressionante.

Para seu enorme espanto, a mulher avançou directamente para ele e estendeu-lhe a mão.

— *Monsieur* Langdon, sou a agente Neveu, do Departamento de Criptologia da DCPJ. — As palavras pareciam enrolar-se agradavelmente à volta do ligeiro sotaque franco-inglês. — É um prazer conhecê-lo.

Langdon apertou-lhe a mão macia e sentiu-se por um instante preso ao olhar dela. Tinha uns olhos verde-azeitona, incisivos e límpidos.

Fache inspirou fundo, claramente a preparar-se para disparar uma reprimenda.

— Capitão — disse ela, voltando-se rapidamente e adiantando--se-lhe —, peço desculpa pela interrupção, mas...

— *Ce n'est pas le moment!* — rosnou Fache.

— Tentei telefonar-lhe — continuou Sophie, falando em inglês, como que num gesto de cortesia para com Langdon —, mas o seu telemóvel estava desligado.

— Desliguei-o por uma boa razão — sibilou Fache. — Estou a falar com o senhor Langdon.

— Decifrei o código numérico — anunciou ela, calmamente.

Langdon sentiu o pulso bater mais depressa. *Decifrou o código?*

Fache deu a impressão de não saber muito bem como reagir.

— Antes de explicar — continuou Sophie —, tenho uma mensagem urgente para o senhor Langdon.

O rosto de Fache adquiriu uma expressão de profunda contrariedade.

— Para o senhor Langdon?

Sophie assentiu, voltando-se de novo para Langdon.

— A sua embaixada pede-lhe que entre em contacto, senhor Langdon. Têm uma mensagem para si, dos Estados Unidos.

Langdon reagiu com surpresa. A excitação que sentira por causa do código deu lugar a uma vaga preocupação. *Uma mensagem dos Estados Unidos?* Tentou imaginar quem poderia estar a tentar entrar em contacto com ele. Só alguns colegas de Harvard sabiam que se encontrava em Paris.

Fache contraiu a larga mandíbula ao ouvir a notícia.

— A embaixada dos Estados Unidos? — perguntou, com um ar desconfiado. — Como souberam eles que poderiam encontrar o senhor Langdon *aqui*?

Sophie encolheu os ombros.

— Aparentemente, telefonaram para o hotel e o *concierge* disse-lhes que o senhor Langdon tinha saído com um agente da DCPJ.

Fache parecia confuso.

— E a embaixada contactou o Departamento de Criptologia da DCPJ?

— Não, senhor — respondeu Sophie, em tom firme. — Quando liguei para a central da DCPJ a tentar contactá-lo a si, tinham uma mensagem para o senhor Langdon e pediram-me que lha transmitisse, se conseguisse apanhá-lo.

A testa de Fache cavou-se numa ruga de aparente confusão. Abriu a boca para falar, mas já Sophie tornara a voltar-se para Langdon.

— Senhor Langdon — disse, tirando do bolso um pequeno pedaço de papel —, tenho aqui o número do serviço de mensagens da embaixada. Pedem-lhe que telefone logo que possa. — Entregou-lhe o papel, olhando-o fixamente. — É melhor fazer a chamada enquanto eu explico o código ao capitão Fache.

Langdon estudou o pedaço de papel. Tinha um número de telefone de Paris e o de uma extensão.

— Obrigado — disse, agora francamente preocupado. — Onde é que encontro um telefone?

Sophie começou a extrair um telemóvel do bolso do camisolão, mas Fache afastou-a com um gesto da mão. Parecia o Vesúvio pronto a entrar em erupção. Sem desviar os olhos de Sophie, pegou no seu próprio telemóvel e ofereceu-o.

— Esta linha é segura, senhor Langdon, Pode usá-la.

Langdon não conseguia perceber porque diabo estava Fache tão zangado com a jovem. Sentindo-se pouco à-vontade, aceitou o telemóvel. Fache arrastou imediatamente Sophie para alguns metros mais longe e pôs-se a descompô-la em voz baixa. Simpatizando cada vez menos com o capitão, Langdon voltou as costas à estranha confrontação e ligou o telemóvel. Depois de verificar o pedaço de papel que Sophie lhe tinha dado, marcou o número.

Ouviu o sinal de chamada.

Um toque... dois toques... três toques...

Finalmente, a ligação foi estabelecida.

Langdon esperava ouvir a telefonista da embaixada, mas, em vez disso, deu por si a escutar um atendedor automático. Estranhamente, reconheceu a voz gravada na fita. Era a de Sophie Neveu.

— *Bonjour, vous êtes bien chez Sophie Neveu* — disse a voz de mulher. — *Je suis absente pour le moment, mais...*

Confuso, Langdon voltou-se para Sophie.

— Desculpe, senhora Neveu? Julgo que deve ter-me dado...

— Não, não, é o número correcto — interrompeu-o rapidamente Sophie, como se já estivesse à espera da confusão dele. — A embaixada tem um sistema de mensagens automático. Tem de marcar um código de acesso para receber as suas mensagens.

— Mas... — começou Langdon.

— É o número de três dígitos que está no papel que lhe dei.

Langdon abriu a boca para explicar o estranho engano, mas Sophie lançou-lhe um olhar imperioso que durou apenas um instante. Os olhos verdes enviaram uma mensagem clara como a água: *Não faça perguntas. Ligue.*

Cada vez mais confuso, Langdon marcou o número da extensão escrito no pedaço de papel: 454.

A mensagem gravada de Sophie foi imediatamente interrompida e Langdon ouviu uma voz electrónica anunciar em francês: «Tem *uma* mensagem nova.» Aparentemente, 454 era o código de acesso remoto de Sophie para ouvir as suas mensagens quando estava fora de casa.

Vou ouvir as mensagens desta mulher?

Langdon ouviu a fita rebobinar. Finalmente, parou, e a máquina voltou a arrancar. Langdon escutou. Mais uma vez, a voz era de Sophie.

— «Senhor Langdon» — dizia, num tom temeroso —, «não reaja a esta mensagem. Limite-se a ouvir calmamente. Encontra-se em perigo neste preciso instante. Siga à risca as minhas instruções.»

CAPÍTULO DEZ

Silas estava sentado ao volante do *Audi* preto que o *Professor* lhe arranjara, a olhar para a grande igreja de Saint-Sulpice. Iluminadas de baixo pela bateria de projectores, as duas torres sineiras erguiam-se como firmes sentinelas acima do comprido corpo do edifício. De ambos os flancos, mergulhadas na sombra, sobressaía uma fila de elegantes arcobotantes, como as costelas de um belo animal.

Os infiéis usaram uma casa de Deus para esconder a Chave de Abóbada. Mais uma vez, a irmandade confirmara a sua lendária reputação de impostura e engano. Silas desejava ardentemente encontrar a Chave de Abóbada e entregá-la ao *Professor*, para que pudessem finalmente recuperar aquilo que a irmandade tinha havia tanto tempo roubado aos fiéis.

Que poderosa vai tornar-se a Opus Dei.

Estacionando o *Audi* na grande Place de Saint-Sulpice, deserta àquela hora, expeliu com força o ar dos pulmões, a fim de preparar o espírito para a tarefa que tinha pela frente. As amplas costas ainda lhe doíam da mortificação corporal a que se sujeitara havia pouco mais de uma hora, e no entanto essa dor era insignificante em comparação com a angústia da sua vida antes de a Opus Dei o ter salvado.

Mesmo assim, as recordações assombravam-lhe a alma.

Liberta o teu ódio, ordenou a si mesmo. *Perdoa àqueles que te ofenderam.*

Ao olhar para as torres de pedra de Saint-Sulpice, Silas sentiu o seu tão conhecido refluxo... aquela força que tantas vezes lhe arrastava o espírito para trás no tempo, voltando a fechá-lo na prisão que fora o seu mundo quando jovem. As recordações do purgatório chegaram, como sempre faziam, como uma tempestade para os sentidos... o cheiro a couves podres, o fedor a morte, a urina e fezes humanas. Os gritos de desesperança a perderem-se no vento uivante dos Pirenéus e os soluços abafados de homens abandonados.

Andorra, pensou, sentindo os músculos contraírem-se.

Incrivelmente, fora naquele estéril e esquecido principado, entre a França e Espanha, a tiritar na sua cela de pedra, desejando apenas morrer, que tinha sido salvo.

Embora na altura o não soubesse.

O relâmpago veio muito depois do trovão.

Nesse tempo não se chamava Silas, embora já não se lembrasse do nome que o pai e a mãe lhe tinham dado. Saíra de casa quando tinha sete anos. O pai alcoólico, um corpulento trabalhador das docas, furioso com a chegada de um filho albino, espancava regularmente a mulher, culpando-a a ela da embaraçadora condição do rapaz. E quando o filho tentava defender a mãe, era igualmente sovado.

Uma noite, houve uma luta terrível, e a mãe não voltou a levantar-se. O rapaz ficou a contemplar o corpo sem vida, sentindo uma intolerável vaga de culpa por ter permitido que aquilo acontecesse.

Sou eu o culpado!

Como se uma espécie de demónio lhe controlasse o corpo, foi à cozinha e pegou numa grande faca de talhante. Hipnotizado, dirigiu-se ao quarto onde o pai jazia estendido na cama, mergulhado num estupor alcoólico. Sem dizer uma palavra, o rapaz cravou-lhe a faca nas costas. O pai gritou de dor e tentou voltar-se, mas o filho voltou a esfaqueá-lo, uma e outra vez, até que a casa ficou silenciosa.

O rapaz fugiu de casa, mas encontrou as ruas de Marselha igualmente inóspitas. O seu aspecto estranho fazia dele um marginal entre os outros jovens foragidos, e foi obrigado a viver sozinho na cave de uma fábrica abandonada, comendo fruta roubada e peixe apanhado nas docas. As suas únicas companhias eram as esfarrapadas revistas que encontrava no lixo, e com elas aprendeu sozinho a ler. Com o tempo, tornou-se forte. Quando tinha doze anos, uma outra alma perdida, uma rapariga duas vezes mais velha, troçou dele na rua e tentou roubar-lhe a comida. O rapaz bateu-lhe quase até a matar. Quando o arrancaram de cima dela, as autoridades fizeram-lhe um ultimato: sair de Marselha ou ir para um reformatório.

O rapaz desceu a costa até Toulon. À medida que os anos passavam, os olhares de piedade na rua transformaram-se em olhares de medo. O rapaz crescera, era agora um jovem poderosamente constituído. Quando as pessoas se cruzavam com ele, ouvia-as murmurar entre si. *Um fantasma,* diziam, de olhos muito abertos de medo ao verem-lhe a pele branca. *Um fantasma com olhos de demónio!*

E ele sentia-se como um fantasma... transparente... flutuando de porto em porto.

As pessoas pareciam olhar através dele.

Aos dezoito anos, numa cidade portuária, quando tentava roubar uma caixa de presunto curado de um cargueiro, foi apanhado por dois tripulantes. Os dois marinheiros que começaram a bater-lhe cheiravam a cerveja, como o pai. As recordações de medo e de ódio subiram à superfície como um monstro vindo das profundezas. Partiu o pescoço do primeiro marinheiro com as mãos nuas, e só a chegada da polícia salvou o segundo da mesma sorte.

Dois meses mais tarde, de grilhetas nos pulsos e nos tornozelos, chegou a uma prisão em Andorra.

És branco como um fantasma, troçaram os outros presos quando os guardas o escoltaram até à cela, nu e gelado. *Mira el espectro! Talvez o fantasma passe através das paredes!*

No decurso dos anos, a pele e a alma do jovem mirraram até que ele soube que era transparente.

Sou um fantasma.

Não tenho peso.

Yo soy un espectro... pálido como un fantasma... caminando este mundo a solas.

Uma noite, *o Fantasma* foi acordado pelos gritos dos companheiros de prisão. Não sabia que força invisível sacudia o chão onde estava deitado, nem que mão poderosa fazia tremer a argamassa da sua cela de pedra, mas quando se levantou de um salto, um pedregulho enorme caiu no lugar exacto onde estivera a dormir. Erguendo os olhos para ver de onde viera a pedra, descobriu um buraco na parede que tremia e, para lá dele, algo que não via havia mais de dez anos. A Lua.

Enquanto a terra ainda tremia, *o Fantasma* deu por si a rastejar pelo estreito túnel, saiu a cambalear para o ar livre, desceu a encosta da montanha em direcção aos bosques. Correu toda a noite, sempre a descer, delirante de fome e de cansaço.

À beira da inconsciência, viu-se, ao nascer do dia, num espaço aberto onde uma linha-férrea rasgava uma cicatriz na floresta. Continuou a caminhar como num sonho, seguindo os carris. Vendo uma carruagem vazia, enfiou-se nela, em busca de abrigo e descanso. Quando acordou, o comboio estava em andamento. *Há quanto tempo? Onde estou?* Uma dor a crescer-lhe nas entranhas. *Estarei a morrer?* Voltou a dormir. Desta vez, acordou com alguém a gritar com ele, a bater-lhe, a atirá-lo para fora do vagão de carga. Coberto de sangue, deambulou pelos arredores de uma pequena aldeia, procurando em vão qualquer coisa que comer. Finalmente, demasiado fraco para dar mais um passo, deixou-se cair na berma da estrada e mergulhou na inconsciência.

A luz veio lentamente, e *o Fantasma* perguntou a si mesmo quanto tempo estivera morto. *Um dia? Três dias?* Não importava. A cama era macia como uma nuvem, e o ar à volta dele tinha o cheiro doce de velas. Jesus estava lá, a olhar para ele. *Estou aqui,* disse Jesus. *A pedra foi rolada para o lado, e tu voltaste a nascer.*

Dormiu e acordou. O nevoeiro envolveu-lhe os sonhos. Nunca acreditara no paraíso, e no entanto Jesus estava a velar por ele. Apareceu comida junto à cama, e *o Fantasma* comeu-a, quase capaz de sentir a carne a materializar-se-lhe nos ossos. Voltou a adormecer. Quando acordou, Jesus continuava a sorrir-lhe, e disse: *Estás salvo, meu filho. Abençoados aqueles que seguem o meu caminho.*

Adormeceu mais uma vez.

Foi um grito de angústia que arrancou *o Fantasma* ao sono. O seu corpo saltou da cama e avançou tropegamente pelo corredor em direcção ao som dos gritos. Entrou numa cozinha e viu um homem grande a bater noutro mais pequeno. Sem saber porquê, *o Fantasma* agarrou o homem grande e atirou-o contra a parede. O homem fugiu, deixando *o Fantasma* a olhar para o corpo estendido de um jovem que vestia uma sotaina de padre. Tinha o nariz partido. Erguendo-o nos braços, *o Fantasma* levou-o para um sofá.

— Obrigado, meu amigo — disse o padre, num francês desajeitado. — O dinheiro das esmolas é uma tentação para os ladrões. Falaste francês no teu sono. Também falas espanhol?

O Fantasma abanou a cabeça.

— Como te chamas?

O Fantasma não se lembrava do nome que os pais lhe tinham dado. Tudo o que ouvia eram as insultuosas alcunhas dos guardas da prisão.

O padre sorriu.

— *No hay problema.* Chamo-me Manuel Aringarosa, sou missionário e vim de Madrid. Mandaram-me para aqui construir uma igreja para a Obra de Dios.

— Onde estou? — A voz dele soou cava.

— Em Oviedo. No Norte de Espanha.

— Como foi que aqui cheguei?

— Alguém te deixou à minha porta. Estavas doente. Dei-te de comer. Estás aqui há muitos dias.

O Fantasma estudou o seu jovem salvador. Havia já muitos anos que ninguém tinha para com ele um gesto de bondade.

— Obrigado, padre.

O padre levou um dedo aos lábios ensanguentados.

— Eu é que tenho de estar-te agradecido, meu amigo.

Quando *o Fantasma* acordou na manhã seguinte, o mundo pareceu-lhe mais claro. Olhou para o crucifixo pregado na parede por cima da cama. Apesar de já não lhe falar, sentiu uma aura reconfortante na sua presença. Sentando-se na cama, ficou surpreendido ao ver um recorte de jornal em cima da mesa-de-cabeceira. O artigo estava redigido em francês e tinha data da semana anterior. Quando leu a história, encheu-se de medo. Falava de um tremor de terra, na montanha que destruíra uma prisão e libertara vários criminosos perigosos.

O coração começou a martelar-lhe o peito. *O padre sabe quem eu sou!* Sentiu então algo que havia muitos anos não sentia. Vergonha. Culpa. À mistura com o medo de ser apanhado. Saltou da cama. *Para onde posso fugir?*

— O Livro dos Actos — disse uma voz, da porta.

O Fantasma voltou-se, assustado.

O jovem padre sorria ao entrar no quarto. Tinha um penso desajeitadamente feito no nariz e estendia-lhe uma velha Bíblia.

— Encontrei uma em francês, para ti. O capítulo está marcado.

Inseguro, *o Fantasma* pegou na Bíblia e olhou para o capítulo que o padre marcara.

Actos 16.

Os versículos falavam de um preso chamado Silas que jazia nu e espancado na sua cela, a cantar hinos a Deus. Quando chegou ao versículo 26, *o Fantasma* abriu a boca de espanto.

«... Subitamente, houve um grande terramoto, de modo que os alicerces da prisão foram abalados, e todas as portas caíram.»

Ergueu vivamente os olhos para o padre.

O padre sorriu-lhe carinhosamente.

— Doravante, meu amigo, se não tens outro nome, passarei a chamar-te Silas.

O Fantasma assentiu. *Silas.* Fora-lhe dada carne. *O meu nome é Silas.*

— São horas do pequeno-almoço — disse o padre. — Vais ter de recuperar as forças, para me ajudares a construir esta igreja.

Seis mil e quinhentos metros acima do Atlântico, o voo 1618 da Alitalia era sacudido pela turbulência, e os passageiros agitavam-se, nervosos. O bispo Aringarosa quase não se deu conta. Os seus pensamentos concentravam-se no futuro da Opus Dei. Ansioso por saber como estavam a correr as coisas em Paris, desejava poder telefonar a Silas. Mas não podia. O *Professor* ocupara-se disso.

— É para sua própria segurança — explicara o *Professor*, falando em inglês com sotaque francês. — Conheço o suficiente sobre comunicações electrónicas para saber que podem ser interceptadas. As consequências poderiam ser desastrosas para si.

Aringarosa sabia que ele tinha razão. O *Professor* parecia ser um homem excepcionalmente cuidadoso. Não lhe revelara a sua identidade, e no entanto provara ser alguém que merecia ser obedecido. Ao fim e ao cabo, conseguira uma informação secretíssima. *Os nomes dos quatro principais membros da irmandade!* Fora esta uma das razões que convenceram o bispo Aringarosa de que o *Professor* era verdadeiramente capaz de obter o espantoso prémio que afirmava ter ao seu alcance.

— Bispo — dissera-lhe o *Professor* —, tratei de tudo. Para que o meu plano tenha êxito, tem de permitir que o Silas responda *unicamente* a mim durante alguns dias. Não falarão um com o outro. Comunicarei com ele através de canais seguros.

— Tratá-lo-á com respeito?

— Um homem de fé merece-o ao mais alto grau.

— Muito bem. Compreendo. Eu e o Silas não voltaremos a falar até isto estar resolvido.

— Faço isto para proteger a sua identidade, a identidade de Silas e o meu investimento.

— O seu investimento?

— Bispo, se a sua ânsia de manter-se a par dos progressos o atirar para uma prisão, não poderá pagar os meus honorários.

O bispo sorrira.

— Tem razão. Os nossos desejos são coincidentes. Fique com Deus.

Vinte milhões de euros, pensou o bispo, olhando pela janela do avião. Aproximadamente o mesmo em dólares americanos. *Uma ninharia por uma coisa tão formidável.*

Sentiu uma renovada confiança em que o *Professor* e Silas não falhariam. O dinheiro e a fé eram motivações muito poderosas.

CAPÍTULO ONZE

— *Une plaisanterie numérique?* — Bezu Fache estava lívido, a olhar, incrédulo e furioso, para Sophie Neveu. *Uma brincadeira numérica?* — A sua opinião profissional sobre o código do conservador Saunière é que se trata de uma brincadeira matemática?

Fache não conseguia compreender a ousadia daquela mulher. Não só acabava de aparecer ali sem autorização, como estava agora a tentar convencê-lo de que Saunière, nos momentos finais da sua vida, se lembrara de deixar-lhes uma charada numérica.

— Este código — explicou rapidamente Sophie, em francês — é simplista ao ponto da absurdidade. *Monsieur* Saunière deve ter sabido que o decifraríamos imediatamente. — Tirou um pedaço de papel do bolso do camisolão e estendeu-o a Fache. — Aqui tem a solução.

Fache olhou para o papel.

1-1-2-3-5-8-13-21

— Só isto? — ladrou. — Tudo o que fez foi pôr os números por ordem crescente.

Sophie teve o descaramento de esboçar um sorriso satisfeito.

— Exactamente

O tom de Fache desceu para um rosnido gutural.

— Agente Neveu, não faço ideia de para onde diabo vai com isto, mas sugiro que chegue lá depressa. — Lançou um olhar ansioso a Langdon, que estava ali perto com o telemóvel encostado ao ouvido, aparentemente ainda a escutar a mensagem da embaixada americana. Pela lividez que lhe cobria o rosto, deduziu que eram más notícias.

— Capitão — disse Sophie, num tom perigosamente desafiador —, a sequência de números que tem na mão é uma das mais famosas progressões matemáticas da História.

Fache não imaginava que existisse sequer uma progressão matemática que merecesse o epíteto de famosa, e com toda a certeza não gostou do tom deslocado de Sophie.

— É a sequência Fibonacci — continuou ela, apontando para o pedaço de papel que Fache continuava a segurar. — Uma progressão em que cada termo é igual à soma dos dois que o antecedem.

Fache estudou os números. Cada termo era de facto igual à soma dos dois anteriores, mas continuava a não ver que relevância poderia tudo aquilo ter no caso da morte de Jacques Saunière.

— O matemático Leonardo Fibonacci criou essa sucessão de números no século XIII. Obviamente, não pode ser coincidência o facto de *todos* os números que o conservador Saunière escreveu no chão pertencerem à famosa sequência Fibonacci.

Fache ficou a olhar para ela durante vários instantes.

— Muito bem, se não é coincidência, fará o favor de me explicar por que razão decidiu Jacques Saunière fazer esta coisa? Que está ele a dizer? O que é que isto *significa*?

Sophie encolheu os ombros.

— Absolutamente nada. É essa a questão. Trata-se de uma brincadeira criptográfica extremamente simplista. Como pegar nas palavras de um poema famoso e dispô-las de uma forma aleatória para ver se alguém consegue perceber o que todas elas têm em comum.

Fache deu um ameaçador passo em frente, colocando o rosto a poucos centímetros do de Sophie.

— Espero com toda a franqueza que tenha uma explicação muito mais satisfatória do que *essa*.

As feições de Sophie tornaram-se surpreendentemente duras quando replicou:

— Capitão, considerando o que tem aqui em jogo esta noite, julguei que gostaria de saber que há a possibilidade de o conservador Saunière estar a brincar consigo. Parece não ser o caso. Vou informar o director da Criptologia de que já não precisa dos nossos serviços.

E com esta ameaça, fez meia volta e afastou-se pelo caminho por onde tinha vindo.

Aturdido, Fache viu-a desaparecer na escuridão. *Terá enlouquecido?* Sophie Neveu acabava de redefinir o conceito de *suicide professionnel.*

Voltou-se para Langdon, que continuava ao telefone com um ar ainda mais preocupado do que antes, ouvindo atentamente a sua mensagem. *embaixada americana.* Bezu Fache desprezava muitas coisas... mas poucas lhe mereciam tanta raiva como a embaixada americana.

Fache e o embaixador entravam em conflito numa base regular por causa de assuntos de Estado comuns — sendo o campo de batalha mais frequente a aplicação da lei aos cidadãos americanos de visita a França. Quase todos os dias, a DCPJ prendia estudantes americanos dos programas de intercâmbio por posse de drogas, homens de negócios americanos por solicitarem os serviços de prostitutas menores de idade, turistas americanos por furtos em lojas e destruição de propriedade. Legalmente, a embaixada podia intervir e extraditar os cidadãos culpados de volta para os Estados Unidos, onde se safavam com uma simples reprimenda.

E era o que a embaixada invariavelmente fazia.

L'émasculation de la Police Judiciaire, chamava-lhe Fache. A *Paris Match* publicara recentemente um *cartoon* em que Fache aparecia como um cão-polícia a tentar morder um criminoso americano, mas a ser impedido de o fazer por estar acorrentado à embaixada dos Estados Unidos.

Mas não esta noite, pensou Fache. *Há demasiado em jogo.*

Quando desligou o telefone, Robert Langdon parecia doente.

— Tudo bem? — perguntou Fache.

Langdon abanou debilmente a cabeça.

Más notícias de casa, calculou Fache, notando que Langdon transpirava ligeiramente ao devolver-lhe o telemóvel.

— Um acidente — murmurou Langdon, olhando para o capitão com uma expressão estranha. — Um amigo... — Fez uma pausa. — Tenho de regressar a casa logo de manhã.

Fache não tinha a mínima dúvida de que o choque reflectido na expressão de Langdon era genuíno, mas sentiu que havia ali uma outra emoção, como se um medo distante estivesse de repente a tremeluzir nos olhos do americano.

— Lamento muito — disse, observando Langdon com atenção. — Quer sentar-se? — perguntou, apontando para um dos bancos da galeria.

Langdon assentiu com um ar ausente e deu alguns passos na direcção do banco. Então deteve-se, parecendo cada vez mais confuso.

— Na realidade, acho que preciso de utilizar os lavabos.

Fache franziu mentalmente o sobrolho, irritado pelo atraso.

— Os lavabos. Com certeza. Façamos uma pausa de alguns minutos. — Apontou na direcção de onde tinham vindo. — Os lavados ficam perto do gabinete do conservador.

Langdon hesitou, apontando por sua vez na direcção oposta, para o outro extremo da galeria.

— Se bem me lembro, há uns lavabos bem mais perto, ali ao fundo.

Fache apercebeu-se de que Langdon tinha razão. Estavam a cerca de dois terços do comprimento da Galeria, que terminava daquele lado num par de lavabos.

— Quer que vá consigo?

Langdon abanou a cabeça, já a afastar-se.

— Não é necessário. Acho que gostaria de ficar sozinho por alguns minutos.

Fache não ficou muito entusiasmado com a ideia de ter Langdon a deambular sozinho por ali, mas consolou-se ao pensar que a Grande Galeria era um beco cuja única saída se situava precisamente no extremo oposto: a grade por baixo da qual tinham entrado. Embora os regulamentos do Departamento de Incêndios exigissem várias saídas de emergência num espaço tão vasto como aquele, essas saídas tinham sido automaticamente seladas quando Saunière accionara o sistema de segurança. Claro que o sistema fora entretanto restabelecido, mas não importava: as portas exteriores, se abertas, fariam disparar o alarme, e, além disso, estavam vigiadas por agentes da DCPJ. Langdon não tinha meio de sair dali sem que ele o visse.

— Tenho de regressar por um instante ao gabinete do conservador Saunière — disse. — Por favor, vá directamente lá ter comigo, senhor Langdon. Há outras coisas que precisamos de discutir.

Langdon fez-lhe um lento aceno com a mão antes de desaparecer nas sombras.

Fazendo meia volta, Fache caminhou irritadamente na direcção oposta. Chegado à grade, passou por baixo dela, seguiu o corredor e entrou de rompante no posto de comando instalado no gabinete de Saunière.

— Quem autorizou Sophie Neveu a entrar neste edifício? — berrou.

Collet foi o primeiro a responder:

— Ela disse aos guardas no exterior que tinha decifrado o código.

Fache olhou em redor.

— Foi-se embora?

— Não está consigo?

— Foi-se embora. — Fache lançou um olhar ao corredor mergulhado em escuridão. Aparentemente, Sophie não se sentira com disposição para conversas com os colegas a caminho da saída.

Por um instante, considerou a possibilidade de contactar os guardas colocados no átrio subterrâneo e ordenar-lhes que detivessem Sophie e a arrastassem de volta ao gabinete antes que pudesse abandonar o local. Mas então pensou melhor. Apercebeu-se de que aquilo era apenas o seu orgulho a falar... querer ter a última palavra. Já tivera distracções mais do que suficientes naquela noite.

Trata da agente Neveu mais tarde, disse a si mesmo, já a antecipar o prazer de pô-la na rua.

Expulsando Sophie dos seus pensamentos, ficou por instantes a olhar para o cavaleiro miniatura de pé em cima da secretária de Saunière. Voltou-se então para Collet.

— Tem-no no visor?

Collet assentiu com a cabeça e fez rodar o computador. O ponto vermelho era claramente visível no plano do piso, a piscar metodicamente numa divisão marcada com as palavras TOILETTES PUBLIQUES.

— Óptimo — disse Fache, acendendo um cigarro e saindo para o corredor. — Tenho de fazer um telefonema. Certifique-se de que os lavabos são o único lugar aonde o Langdon vai.

CAPÍTULO DOZE

Robert Langdon sentiu-se ligeiramente tonto enquanto se encaminhava para o fundo da Grande Galeria, repassando mentalmente a mensagem telefónica de Sophie. No fim do corredor, sinais iluminados com as silhuetas masculina e feminina que em todo o mundo eram reconhecidas como símbolo das instalações sanitárias guiaram-no através de uma espécie de labirinto de divisórias decoradas com gravuras italianas e destinadas a ocultar os lavabos da vista dos visitantes.

Encontrou o dos homens, abriu a porta e acendeu a luz.

Estava vazio.

Dirigiu-se aos lavatórios, molhou a cara com água fria, tentando acordar. Cruas luzes fluorescentes reflectiam-se nos azulejos brancos e o local cheirava a amónia. Quando estava a secar o rosto com a toalha, ouviu a porta abrir-se atrás dele. Voltou-se vivamente.

Sophie Neveu entrou, com uma expressão de medo nos olhos verde-acinzentados.

— Ainda bem que veio. Não temos muito tempo.

Langdon ficou onde estava, a olhar, confuso, para a agente Sophie Neveu, do Departamento de Criptologia da DCPJ. Minutos antes, ouvira a mensagem dela, pensando que a recém-aparecida criptóloga devia ser louca. E no entanto, quanto mais ouvia, mais se convencia de que Sophie Neveu estava a falar a sério. *Não reaja a esta mensagem. Limite-se a ouvir calmamente. Encontra-se em perigo neste preciso instante. Siga à risca as minhas instruções.* Cheio de incertezas, decidira fazer exactamente o que Sophie sugeria. Dissera a Fache que a mensagem telefónica era a respeito de um amigo que sofrera um acidente, nos Estados Unidos. Depois pedira para utilizar os lavabos do fundo da Grande Galeria.

Sophie estava agora ali à sua frente, ainda a ofegar depois de ter voltado para trás a correr. À luz fluorescente, Langdon ficou surpreendido ao verificar que o seu ar de inflexível determinação irradiava de umas feições inesperadamente suaves. Só o olhar era penetrante, e a justaposição evocava imagens de um retrato de Renoir com várias camadas... velado mas claro, com uma ousadia que de um certo modo conservava o seu véu de mistério.

— Queria avisá-lo, senhor Langdon... — começou Sophie, ainda a tentar normalizar a respiração —, de que se encontra *sous surveillance cachée*. Sob observação dissimulada. — Enquanto falava, o seu inglês com sotaque ecoava nas paredes de azulejos, dando-lhe à voz um timbre cavo.

— Mas... porquê? — perguntou Langdon. Sophie já lhe dera uma explicação pelo telefone, mas queria ouvi-la da boca dela.

— Porque — respondeu Sophie, dando um passo em frente —, para o capitão Fache, o principal suspeito deste assassínio é o senhor.

Langdon estava preparado para as palavras, mas mesmo assim continuaram a parecer-lhe perfeitamente ridículas. Segundo Sophie, tinham-no levado ao Louvre, naquela noite, não como simbologista e sim como *suspeito*, e estava, naquele preciso instante, a ser o alvo involuntário de um dos métodos de interrogatório preferidos da DCPJ — a *surveillance cachée* —, um hábil engano em que a Polícia convidava calmamente o suspeito para o local do crime e o interrogava na esperança de que o nervosismo o levasse a um deslize auto-incriminatório.

— Veja no bolso esquerdo do seu casaco — disse Sophie. — Encontrará uma prova de que estão a vigiá-lo.

Langdon sentia-se cada vez mais apreensivo. *Ver no bolso?* Tudo aquilo soava a truque de magia de feira.

— Veja — insistiu Sophie.

Confuso, Langdon meteu a mão no bolso esquerdo do casaco de *tweed* — um casaco que nunca usava. Procurou no interior, e não encontrou nada. *De que raio estavas tu à espera?* Começou a perguntar a si mesmo se Sophie não seria de facto louca, ao fim e ao cabo.

Foi então que os seus dedos tocaram algo inesperado. Pequeno e duro. Pegando no minúsculo objecto com as pontas dos dedos, tirou-o do bolso e ficou a olhar para ele, estupefacto. Era um disco metálico, mais ou menos do tamanho de uma pilha de relógio. Nunca vira uma coisa daquelas.

— Que...?

— É um marcador de GPS — explicou Sophie. — Transmite continuamente a sua localização para um satélite do Sistema Global de Posicionamento que a DCPJ pode monitorizar. Usamo-los para acompanhar as movimentações de certas pessoas. São exactos com uma margem de erro pouco superior a meio metro em qualquer parte do mundo. Puseram-lhe uma trela electrónica. O agente que foi buscá-lo ao hotel enfiou-lho no bolso antes de saírem do quarto.

Langdon recordou o que se passara no hotel... o duche apressado, vestir-se, o agente da DCPJ a estender-lhe delicadamente o casaco de *tweed* quando se preparavam para sair. *Está frio lá fora, senhor Langdon,* dissera o tenente. *A Primavera em Paris não é exactamente como as vossas canções a descrevem.* E ele agradecera e vestira o casaco.

Os olhos verde-azeitona de Sophie brilhavam intensamente.

— Não lhe falei do dispositivo de localização mais cedo porque não queria que se pusesse a procurar nos bolsos diante do Fache. Ele não pode saber que o encontrou.

Langdon não fazia ideia de como responder.

— Puseram-lhe o GPS porque pensaram que poderia tentar fugir. — Fez uma pausa. — Na realidade, estão na esperança de que tente fugir; seria uma boa prova adicional.

— Porque havia eu de fugir? — perguntou Langdon. — Estou inocente!

— O Fache acha que não.

Furioso, Langdon dirigiu-se a um dos caixotes de lixo para deitar fora o pequeno disco metálico.

— Não! — Sophie agarrou-lhe o braço, detendo-o. — Deixe-o no bolso. Se o deitar fora, o sinal deixará de deslocar-se, e eles saberão que encontrou o marcador. O Fache só o deixou sozinho porque pode sempre saber onde o senhor se encontra. Se suspeita de que descobriu o que está a fazer... — Sophie não terminou a frase. Em vez disso, tirou o pequeno disco de metal de mão de Langdon e voltou a enfiar-lho no bolso do casaco. — O marcador fica onde estava pelo menos por enquanto.

Langdon sentia-se completamente perdido.

— Como diabo pode o capitão Fache acreditar que eu matei o Jacques Saunière?

— Tem alguns motivos bastante razoáveis para suspeitar de si. — A expressão de Sophie era sombria. — Há um indício que ainda não viu. O Fache teve o cuidado de lho esconder.

Langdon limitou-se a olhar para ela.

— Lembra-se das três linhas de texto que o conservador Saunière escreveu no chão?

Langdon assentiu. As palavras e os números tinham-se-lhe gravado no espírito.

A voz de Sophie reduziu-se a um murmúrio:

— Infelizmente, o que viu não era a mensagem completa. Havia uma *quarta* linha que o Fache fotografou e depois apagou antes de o senhor chegar.

Embora soubesse que a tinta solúvel de uma caneta de marca de água era facilmente lavável, Langdon não conseguia imaginar porque motivo teria Fache eliminado uma prova.

— A última linha da mensagem — continuou Sophie — era algo que o capitão Fache não queria que visse, senhor Langdon. — Fez uma pausa. — Pelo menos, antes de lhe ter arrancado tudo o que pudesse. — Tirou do bolso do camisolão um *print* de computador de uma fotografia e começou a desdobrá-lo. — O capitão Fache enviou por *e-mail* fotografias do local do crime para o Departamento de Criptologia, na esperança de que algum de nós conseguisse perceber o que o conservador Saunière estava a querer dizer. Esta é uma foto da mensagem completa.

E estendeu o papel a Langdon.

Confuso, Langdon olhou para a imagem. A fotografia em grande plano mostrava a mensagem escrita no soalho de *parquet*. A última linha atingiu-o como um pontapé no estômago.

13-3-2-21-1-1-8-5
O, Draconian devil!
Oh, lame saint!
P.S. Find Robert Langdon

CAPÍTULO TREZE

Durante vários segundos, Langdon ficou a olhar, estupefacto, para a fotografia do pós-escrito de Saunière. *P. S. Encontrar Robert Langdon.* Sentiu como se o chão estivesse a fugir-lhe de baixo dos pés. *Jacques Saunière deixou um pós-escrito com o meu nome?* Por mais que se esforçasse, não conseguia imaginar porquê.

— Compreende agora — perguntou Sophie, com ansiedade no olhar — por que razão o capitão Fache o trouxe aqui esta noite e por que razão é o principal suspeito?

A única coisa que Langdon compreendia naquele momento era a razão por que Fache fizera aquele sorriso de satisfação quando ele sugerira que Saunière teria escrito o nome do seu assassino.

Encontrar Robert Langdon.

— Porque havia o Saunière de escrever uma coisa destas? — exaltou-se Langdon, com a confusão a dar lugar à raiva. — Porque havia eu de querer matá-lo?

— O Fache ainda não descobriu o motivo, mas tem estado a gravar toda a conversa consigo na esperança de que lhe revele um.

Langdon abriu a boca, mas nem uma palavra lhe saiu.

— Tem um microfone escondido — explicou Sophie. — Está ligado a um emissor que traz no bolso e que transmite o sinal para o posto de comando.

— Isto é impossível! — gaguejou Langdon. — Eu tenho um álibi. Fui directamente para o hotel depois da conferência. Podem perguntar na recepção.

— O Fache já perguntou. O relatório dele diz que levantou a chave do seu quarto na recepção às dez e meia. Infelizmente, o crime foi cometido mais perto das onze. Podia muito facilmente ter saído do hotel sem ser visto.

— Mas isto é de loucos! O Fache não tem qualquer prova!

Sophie abriu muito os olhos, como que a dizer: *Não tem provas?*

— Senhor Langdon, o seu nome aparece escrito no chão ao lado do corpo, e a agenda do conservador Saunière diz que estava com ele à hora aproximada a que foi morto. — Fez uma pausa. — O capitão Fache tem provas mais do que suficientes para detê-lo para ser interrogado.

Langdon teve repentinamente a sensação de que precisava de um advogado.

— Mas não fui eu!

Sophie suspirou.

— Não estamos na televisão americana, senhor Langdon. Em França, a Lei protege a Polícia, não os criminosos. Infelizmente, neste caso, há ainda a considerar os *media*. Jacques Saunière era uma figura muito querida e muito considerada em Paris, e o seu assassínio vai ser a notícia da manhã. O capitão Fache vai ver-se imediatamente pressionado a fazer uma declaração, e parecerá muito melhor se já tiver um suspeito sob custódia. Seja ou não culpado, o mais certo é ficar retido pela DCPJ até eles conseguirem descobrir o que realmente aconteceu.

Langdon sentiu-se como um animal encurralado.

— Porque é que está a dizer-me tudo isto?

— Porque, senhor Langdon, acredito que está inocente. — Sophie desviou o olhar por um instante. — E também porque é em parte por minha culpa que está metido neste sarilho.

— Como? Foi por *sua* culpa que o Saunière quis incriminar-me?

— O conservador Saunière não quis incriminá-lo. Foi um erro. A mensagem no chão era dirigida a mim.

Langdon precisou de um minuto para processar esta informação.

— Desculpe?

— A mensagem não se destinava à Polícia. Ele escreveu-a para mim. Penso que foi obrigado a fazer tudo tão à pressa que não se apercebeu do aspecto que ia ter para a Polícia. — Fez uma pausa. — O código numérico não tem qualquer significado. Saunière escreveu-o para ter a certeza de que a investigação envolveria criptólogos, garantindo assim que *eu* saberia o mais cedo possível o que lhe tinha acontecido.

Langdon estava cada vez mais perdido. Sophie Neveu podia ser ou não ser louca, mas ao menos agora compreendia por que razão ela estava a tentar ajudá-lo. *P.S. Encontra Robert Langdon.* Aparentemente, acreditava que Jacques Saunière lhe deixara um críptico pós-escrito a dizer-lhe que o encontrasse a ele, Langdon.

— Mas porque é que acha que a mensagem era para si?

— *O Homem de Vitrúvio* — respondeu ela, calmamente. — Esse desenho sempre foi a minha obra preferida de da Vinci. Saunière usou-a para me chamar a atenção.

— Espere aí. Está a dizer-me que o conservador do Louvre *sabia* qual era a sua obra de arte preferida?

Sophie assentiu.

— Peço desculpa, isto está tudo baralhado. O Jacques Saunière e eu...

A voz de Sophie quebrou-se, e Langdon detectou nela uma súbita nota de melancolia, um passado doloroso, a fervilhar logo abaixo da superfície. Sophie e Jacques Saunière tinham aparentemente tido um qualquer tipo de relação especial. Olhou para a bela jovem que tinha à sua frente, sabendo que, em França, era comum os homens já de certa idade terem amantes mais novas. Mesmo assim, Sophie Neveu encaixava mal no papel de «mulher por conta».

— Zangámo-nos há dez anos — disse Sophie, e a voz dela não passava agora de um murmúrio. — Desde então, quase não voltámos a falar. Esta noite, quando recebemos na Cripto a notícia de que tinha sido assassinado e vi as imagens do corpo e do texto no chão, compreendi que estava a tentar enviar-me uma mensagem.

— Por causa do *Homem de Vitrúvio*?

— Sim. E das letras P. S.

— *Post scriptu?*

Ela abanou a cabeça.

— P. S. são as minhas iniciais.

— Mas o seu nome é Sophie Neveu.

Sophie desviou o olhar.

— Costumava chamar-me P. S., quando eu vivia com ele. — Corou. — São as iniciais de *Princesse Sophie.*

Langdon ficou sem resposta.

— É tolice, eu sei — disse ela. — Mas isso foi há anos. Quando eu era uma garotinha.

— Conheceu-o quando era uma *garotinha*?

— E muito bem — disse ela, e os olhos encheram-se-lhe de emoção. — Jacques Saunière era meu avô.

CAPÍTULO CATORZE

— Onde está o Langdon? — perguntou Fache, expelindo a última baforada de fumo do cigarro antes de voltar ao posto de comando.

— Ainda na casa de banho. — O tenente Collet já estava à espera da pergunta.

— Sem se apressar, pelo que vejo — resmungou Fache.

O capitão espreitou por cima do ombro de Collet para o ponto vermelho do GPS, e o tenente quase conseguiu ouvir as engrenagens do cérebro dele a funcionar. Fache estava a combater o impulso de ir ver o que se passava com Langdon. Idealmente, era dada ao alvo de uma vigilância a maior liberdade de movimentos possível, para lhe incutir uma falsa sensação de segurança. Era essencial que Langdon voltasse por sua própria iniciativa. Em todo o caso, já tinham passado mais de dez minutos.

Demasiado tempo.

— Alguma possibilidade de ele nos ter descoberto?

Collet abanou a cabeça.

— Continuamos a detectar pequenos movimentos dentro da casa de banho, portanto continua obviamente a ter o marcador GPS com ele. Talvez esteja a sentir-se mal? Se tivesse encontrado o marcador, tinha-o atirado fora e tentado fugir.

Fache consultou o relógio.

— Óptimo — resmungou.

Mesmo assim, parecia preocupado. Durante toda a noite, Collet notara no capitão uma intensidade que não lhe era habitual. Normalmente descontraído e frio sob pressão, Fache parecia naquela noite emocionalmente envolvido, como se aquilo fosse, de algum modo, uma questão pessoal para ele.

Não admira, pensou Collet. *O Fache precisa desta detenção como de pão para a boca.* Recentemente, o Conselho de Ministros e os *media* tinham começado a criticar mais abertamente o capitão Fache e os seus métodos agressivos, os seus conflitos constantes com poderosas embaixadas estrangeiras e as suas despesas exorbitantes em novas tecnologias. A detenção de um americano, num caso importante, graças ao recurso à alta tecnologia, contribuiria muito para silenciar essas críticas, ajudando-o a garantir o lugar por mais alguns anos até poder reformar-se com uma simpática pensão. *E sabe Deus a falta que lhe faz a pensão,* pensou. O engodo da tecnologia prejudicara-o tanto profissional como pessoalmente. Dizia-se que tinha investido todas as suas poupanças na loucura das novas tecnologias, alguns anos antes, e que com isso perdera até a camisa. *E Fache é um homem que só usa camisas das mais finas.*

Naquela noite, havia ainda tempo de sobra. A inopinada interrupção de Sophie Neveu, apesar de infeliz, não passara de um pequeno inconveniente. Já se fora embora, e Fache estava longe de ter jogado todas as suas cartas. Ainda não dissera a Langdon que o nome dele aparecera escrito no chão pela vítima. *P.S. Encontrar Robert Langdon.* A reacção do americano àquela prova ia com certeza ser extremamente reveladora.

— Capitão? — chamou um dos agentes do outro lado do gabinete. — Acho que é melhor atender esta chamada. — Estava a segurar o auscultador do telefone, com um ar preocupado.

— Quem é? — perguntou Fache.

O agente franziu a testa.

— O director do Departamento de Criptologia.

— E?

— É a respeito da Sophie Neveu. Há qualquer coisa que não bate certo.

CAPÍTULO QUINZE

Chegara o momento.

Silas sentia-se forte ao apear-se do *Audi* preto, com a brisa nocturna a agitar-lhe o hábito. *Andam no ar ventos de mudança.* Sabia que a tarefa que tinha pela frente exigia mais finura do que força, e por isso deixou a pistola no carro. A *Heckler & Koch USP 40*, de treze tiros, que o *Professor* lhe arranjara.

Uma arma de morte não tem lugar na casa de Deus.

A praça diante da grande igreja estava deserta àquela hora. As únicas almas visíveis eram, no extremo mais distante, duas prostitutas adolescentes que exibiam os seus dotes aos olhos de meia dúzia de turistas retardatários. A visão daqueles corpos núbeis acendeu em Silas a familiar labareda de desejo. O músculo da coxa contraiu-se instintivamente, fazendo com que as pontas aceradas do cilício martirizassem a carne.

A luxúria evaporou-se instantaneamente. Havia dez anos que Silas negava fielmente a si mesmo todos os prazeres sexuais, mesmo os solitários. Era *O Caminho*. Sabia que sacrificara muito para seguir a Opus Dei, mas recebera muito mais em troca. Um voto de castidade e a entrega de todos os seus bens materiais quase não lhe pareciam um sacrifício. Considerando a pobreza de onde viera e os horrores sexuais a que fora sujeito na prisão, a castidade era até uma mudança bem-vinda.

Agora, ao voltar a França pela primeira vez depois de ter sido preso e enviado para uma prisão em Andorra, sentia a terra natal a testá-lo, a ir buscar recordações violentas ao fundo da sua alma redimida. *Voltaste a nascer,* recordou a si mesmo. Naquele dia, o serviço de Deus exigira o pecado do assassínio, e isso era um sacrifício que sabia que teria de guardar em silêncio no seu coração por toda a eternidade.

A medida da tua fé é a medida da dor que fores capaz de suportar, dissera-lhe o *Professor*. Silas conhecia bem a dor e estava ansioso por provar o seu valor aos olhos do *Professor*, aquele que lhe tinha garantido que as suas acções eram ordenadas por um poder superior.

— *Hago la obra de Dios* — murmurou Silas, encaminhando-se para porta da igreja.

Deteve-se na sombra do maciço pórtico e inspirou fundo. Só naquele instante se apercebeu verdadeiramente do que se preparava para fazer, e do que o esperava lá dentro.

A Chave de Abóbada. Conduzir-nos-á ao nosso objectivo final.

Ergueu o punho branco de fantasma e bateu três vezes.

Instantes depois, os ferrolhos da enorme porta de madeira começaram a mover-se.

CAPÍTULO DEZASSEIS

Sophie perguntou a si mesma quanto tempo demoraria Fache a perceber que ela não chegara a sair do edifício. Vendo que Langdon estava claramente esmagado, interrogou-se sobre se teria sido boa ideia encurralá-lo na casa de banho dos homens.

Que outra coisa podia eu fazer?

Reviu mentalmente o corpo do avô, morto e estendido no chão de braços e pernas abertas. Houvera um tempo em que aquele homem fora tudo para ela, e no entanto, naquela noite, surpreendia-se ao descobrir que quase não sentia pena. Jacques Saunière tornara-se um desconhecido. A relação que existira entre ambos esfumara-se num único instante, numa noite de Março, quando tinha vinte e dois anos. *Há dez anos.* Regressara uns dias mais cedo de um curso de pós-graduação numa universidade inglesa e vira involuntariamente o avô a fazer algo que não era obviamente suposto ela ver. Uma imagem em que, passados dez anos, ainda mal conseguia acreditar.

Se não tivesse visto com os meus próprios olhos...

Demasiado envergonhada e aturdida para suportar as desastradas tentativas de explicação do avô, Sophie saíra imediatamente de casa dele, pegando no dinheiro que conseguira poupar e alugando um pequeno apartamento que partilhava com algumas colegas. Jurara nunca falar fosse a quem fosse do que tinha visto. O avô tentara desesperadamente entrar em contacto com ela, enviando-lhe postais e cartas, suplicando-lhe que o deixasse explicar. *Explicar como?* Sophie nunca respondeu, excepto uma vez: para proibi-lo de telefonar-lhe ou tentar encontrar-se com ela em público. Tinha medo de que as explicações fossem ainda mais aterradoras do que o incidente em si.

Incrivelmente, Jacques Saunière nunca desistira, e Sophie tinha agora uma década de cartas por abrir guardadas numa gaveta da cómoda. A crédito do avô, tinha de reconhecer que nunca desobedecera à intimação dela tentando telefonar-lhe.

Até esta tarde.

— «Sophie?» A voz dele soara surpreendentemente velha no atendedor automático. — «Tenho acatado os teus desejos até agora... e custa-me muito telefonar-te, mas preciso de falar contigo. Aconteceu uma coisa terrível.»

De pé na cozinha do seu apartamento em Paris, Sophie sentiu um arrepio gelado ao voltar a ouvi-lo passados todos aqueles anos. A voz meiga do avô trouxe à superfície uma vaga de recordações de infância.

— «Sophie, por favor, ouve-me.» — Estava a falar em inglês, como costumava fazer quando ela era uma garotinha. *Pratica o francês na escola. Pratica inglês em casa.* — «Não podes ficar zangada para sempre. Não leste as cartas que te mandei ao longo de todos estes anos?» — Fez uma pausa. — «Temos de falar urgentemente. Por favor, concede ao teu avô este desejo. Liga-me para o Louvre. Imediatamente. Penso que corremos ambos um grave perigo.»

Sophie ficou a olhar para o atendedor automático. *Perigo?* De que estava ele a falar?

— «Princesa...» — A voz do avô quebrou-se com uma emoção que ela não conseguiu identificar. — «Sei que te escondi coisas, e sei que isso me custou o teu amor. Mas foi para tua própria segurança. Agora tens de saber a verdade. Por favor, tenho de dizer-te a verdade a respeito da tua família.»

De repente, Sophie conseguia ouvir o bater do seu próprio coração. *A minha família?* Os pais tinham morrido quando ela era ainda uma criança de quatro anos. O carro em que viajavam galgara o parapeito de uma ponte e caíra num rio de águas tumultuosas. A avó e o irmão mais novo estavam também no carro, de modo que toda a sua família desaparecera de um momento para o outro. Tinha uma caixa de recortes de jornais que o confirmavam.

As palavras do avô desencadearam uma inesperada onda de saudade que lhe chegou ao âmago. Naquele fugaz instante, viu imagens do sonho que tantas vezes a acordara quando era pequena: *Estão vivos! Vêm para casa!* Mas, tal como no seu sonho, as imagens dissolveram-se.

Estão todos mortos, Sophie. *Não vão voltar para casa.*

— «Sophie...» — continuou a voz do avô no atendedor. — «Há anos que espero para te dizer. Tenho estado à espera do momento certo, mas agora o tempo esgotou-se. Liga-me para o Louvre. Logo que ouvires isto. Vou esperar aqui a noite toda. Receio que estejamos ambos em perigo. Há tanto que tu precisas de saber.»

A mensagem terminava aqui.

No silêncio que se seguiu, Sophie ficou de pé, imóvel e a tremer, pelo que lhe pareceu vários minutos. Considerando bem a mensagem do avô, só uma possibilidade fazia sentido, e a verdadeira intenção dele tornou-se-lhe clara.

Era um engodo.

Obviamente, o avô queria muito vê-la. Estava disposto a tentar todos os truques. A aversão que sentia pelo homem tornou-se ainda mais profunda. Disse a si mesma que talvez ele estivesse doente, em fase terminal, e tivesse decidido tentar todos os estratagemas de que conseguisse lembrar-se para levá-la a visitá-lo uma última vez. Se era esse o caso, escolhera bem.

A minha família.

Agora, no lavabo dos homens do Louvre, ouvia ecos da mensagem daquela tarde. *Sophie, podemos estar em perigo. Telefona-me.*

Não tinha telefonado. Nem planeara fazê-lo. Agora, porém, o seu cepticismo estava a ser duramente questionado. O avô jazia assassinado no interior do seu próprio museu. E tinha escrito uma mensagem cifrada no chão.

Uma mensagem de que era ela a destinatária. Disso tinha a certeza.

Apesar de não compreender o significado daquela mensagem, Sophie tinha a certeza de que a sua natureza críptica era prova adicional de que se lhe destinava. A sua paixão e habilidade para a criptografia eram uma das consequências de ter crescido ao lado de Jacques Saunière — ele próprio um maníaco de charadas, jogos de palavras e palavras cruzadas. *Quantos domingos passámos a resolver os criptogramas e as palavras cruzadas dos jornais?*

Naquela noite, a criptóloga que havia nela via-se forçada a respeitar a eficiência com que o avô usara um simples código para juntar dois desconhecidos: Sophie Neveu e Robert Langdon.

A questão era: porquê?

Infelizmente, pela expressão de confusão nos olhos de Langdon, Sophie sentiu que o americano não sabia mais do que ela a respeito dos motivos que tinham levado o avô a juntá-los.

Voltou à carga.

— O senhor e o meu avô tinham combinado encontrar-se esta noite. Para falar de quê?

Langdon parecia verdadeiramente perplexo.

— A secretária dele marcou o encontro, não deu qualquer razão específica e eu não perguntei. Assumi que tinha sabido que eu ia dar uma conferência sobre a iconografia pagã das catedrais francesas, se interessava pelo tema e pensado que seria divertido encontrarmo-nos para uma bebida depois da palestra.

Sophie não acreditou. A ligação era demasiado frágil. O avô sabia mais a respeito de iconografia pagã do que qualquer outra pessoa em todo o mundo. Além disso, era um homem extraordinariamente reservado, nada dado a conversas com professores americanos de passagem a menos que tivesse uma razão muito forte.

Inspirou fundo e resolveu ir um pouco mais longe.

— O meu avô telefonou-me esta tarde e disse-me que ele e eu corríamos um grave perigo. Significa alguma coisa para si?

Os olhos azuis de Langdon estavam velados de preocupação.

— Não, mas considerando o que acabou por acontecer...

Sophie assentiu. Considerando os acontecimentos daquela noite, teria de ser louca para não estar assustada. Sentindo-se esgotada, aproximou-se da pequena janela na parede mais distante da casa de banho e ficou a olhar em silêncio através da trama de fitas de alarme embebidas na vidraça. Estavam muito acima do nível da praça. Doze metros, pelo menos.

Com um suspiro, ergueu os olhos e contemplou a deslumbrante paisagem nocturna de Paris. À esquerda, do outro lado do Sena, a

Torre Eiffel, refulgente de luzes. Mesmo em frente, o Arco do Triunfo. E à direita, no alto de Montmartre, a graciosa cúpula coberta de arabescos do Sacré-Coeur, cujas pedras polidas brilhavam como um resplandecente santuário.

Ali, na extremidade mais ocidental da Ala Denon, a faixa norte-sul da Place du Carrousel corria quase colada ao edifício, apenas com um estreito passeio a separá-la da parede exterior do Louvre. Lá em baixo, a habitual caravana de camiões de entregas esperava, com os motores a ronronar, que o semáforo mudasse para verde, e os faróis eram olhos que piscavam ironicamente para ela

— Não sei que lhe diga — confessou Langdon, aproximando-se dela. — O seu avô estava obviamente a tentar dizer-nos qualquer coisa. Lamento ser de tão pouca ajuda.

Sophie voltou-se, detectando uma genuína pena na voz grave de Langdon. Era evidente que, apesar de todos os problemas que o atormentavam, continuava a querer ajudá-la. *É o professor que há nele,* pensou Sophie, recordando o resumo da DCPJ sobre o suspeito. Era um académico que, segundo toda a evidência, detestava não compreender.

Temos isso em comum, pensou.

Como decifradora de códigos, Sophie passara a sua vida a tentar extrair um significado de dados aparentemente sem sentido. Naquela noite, o seu palpite era que Robert Langdon, quer o soubesse ou não, possuía informação de que ela precisava desesperadamente. *Princesa Sophie, Encontra Robert Langdon.* A mensagem não podia ser mais clara. Sophie precisava de mais tempo com aquele homem. Tempo para pensar. Tempo para, juntos, deslindarem aquele mistério. Infelizmente, o tempo estava a esgotar-se-lhes.

Erguendo os olhos para Langdon, Sophie fez a única jogada de que conseguiu lembrar-se.

— O Bezu Fache vai detê-lo de um momento para o outro. Posso fazê-lo sair deste museu. Mas temos de agir já.

Langdon abriu muito os olhos.

— Quer que eu *fuja*?

— É a única coisa inteligente que pode fazer. Se deixa o Fache detê-lo, vai passar semanas numa cadeia francesa enquanto a DCPJ e a embaixada dos Estados Unidos discutem que tribunal tem com petência para julgar o seu caso. Mas se conseguirmos levá-lo daqui para fora e chegar à embaixada, o governo americano protegerá os seus direitos enquanto nós os dois provamos que não teve nada a ver com este assassínio.

Langdon parecia não estar nem sequer remotamente convencido.

— Esqueça! O Fache tem guardas armados em todas as saídas! Mesmo que escapássemos sem sermos abatidos a tiro, fugir só serviria para fazer-me parecer ainda mais culpado. O que tem de fazer é dizer ao Fache que a mensagem escrita no chão se destinava a *si* e que o meu nome não está ali como uma acusação.

— É o que vou fazer — prometeu Sophie, falando apressadamente —, mas só depois de o deixar a salvo na embaixada americana. Fica a quilómetro e meio daqui, e o meu carro está parado mesmo à porta do museu. Lidar com o Fache aqui dentro é demasiado arriscado. Será que não compreende? O capitão está decidido a provar a sua culpa. Só adiou a detenção porque queria levar a cabo esta vigilância na esperança de que fizesse qualquer coisa que reforçasse a posição dele.

— Exactamente. Como *fugir!*

O telemóvel de Sophie começou subitamente a tocar. *Fache, provavelmente.* Meteu a mão no bolso e desligou o aparelho.

— Senhor Langdon — disse, apressada —, tenho de fazer-lhe uma última pergunta. — *E todo o seu futuro pode depender dela.* — As palavras escritas no chão não são obviamente prova suficiente da sua culpa, e no entanto o Fache disse à nossa equipa que tem a certeza de que o senhor é o culpado. É capaz de pensar em qualquer outra razão que possa tê-lo convencido disso?

Langdon ficou calado durante vários segundos.

— Nenhuma.

Sophie suspirou. *O que significa que Fache está a mentir.* Não imaginava sequer porquê, mas, de momento estava longe de ser essa a questão. Permanecia o facto de Bezu Fache estar decidido a pôr Robert Langdon atrás de grades, custasse o que custasse. Sophie precisava de Langdon, e isto era um dilema que lhe deixava apenas uma conclusão lógica.

Preciso de levá-lo até à embaixada dos Estados Unidos.

Voltando-se para a janela, olhou mais uma vez através da trama de fios de alarme embebidos no vidro para o passeio, uns vertiginosos doze metros mais abaixo. Um salto daquela altura deixaria Langdon com um par de pernas partidas. No mínimo.

Mesmo assim, Sophie tomou a sua decisão.

Quisesse ou não, Robert Langdon ia fugir do Louvre.

CAPÍTULO DEZASSETE

— Como não responde? — Fache tinha no rosto uma expressão de incredulidade. — Estamos a ligar-lhe para o telemóvel, certo? Sei que o traz com ela.

Havia vários minutos que o tenente Collet estava a tentar contactar Sophie Neveu.

— Talvez tenha ficado sem bateria. Ou tenha o toque de chamada desligado.

Fache parecia perturbado desde que falara ao telefone com o director do Departamento de Criptologia. Depois de desligar, dirigira-se a Collet e ordenara-lhe que ligasse para a agente Neveu. Collet não conseguia fazer a ligação, e Fache andava de um lado para o outro, como um leão enjaulado.

— Que queriam os da Cripto? — arriscou-se Collet a perguntar.

— Dizer-nos que não encontram qualquer referência a demónios draconianos nem a santos imperfeitos.

— Só isso?

— Não. Também disseram que tinham identificado os números como a sequência Fibonacci, mas que suspeitavam de que a série não tem qualquer significado.

Collet ficou baralhado.

— Mas já tinham enviado a agente Neveu para nos dizer isso mesmo.

Fache abanou a cabeça.

— Não enviaram a Neveu.

— Como?

— Segundo o director, ao receber as minhas ordens convocou a equipa inteira para examinar as imagens que lhe tínhamos enviado. Quando a agente Neveu chegou, lançou um olhar às fotos do Saunière e do código e abandonou o edifício sem dizer uma palavra. Diz o director que não estranhou o comportamento dela por ser natural que as fotografias a tivessem perturbado.

— Perturbado? Nunca tinha visto a foto de um cadáver?

Fache ficou silencioso por um instante.

— Eu não sabia, e parece que o director da Cripto também não até que um colega dela o informou, mas, aparentemente, Sophie Neveu é neta de Jacques Saunière.

Collet ficou sem palavras.

— O director explicou que ela nunca tinha referido o nome de Saunière e assumiu que provavelmente não o fizera por não querer um tratamento preferencial por ter um avô famoso.

Não admira que as fotos a tenham perturbado. Collet mal conseguia imaginar a infeliz coincidência que pusera uma jovem na situação de ter de decifrar um código escrito por um familiar morto. Em todo o caso, as acções dela não faziam sentido.

— Mas ela reconheceu obviamente os números como sendo a sequência Fibonacci, uma vez que veio até aqui e no-lo disse. Não percebo porque raio saiu do Departamento sem dizer a ninguém o que tinha descoberto.

Collet só conseguia conceber um cenário capaz de explicar a estranha série de acontecimentos: Jacques Saunière tinha escrito um código numérico no chão na esperança de que Fache envolvesse criptólogos na investigação, e consequentemente Sophie. Quanto ao resto da mensagem, estaria o conservador a comunicar de algum modo com a neta? Se sim, qual era a mensagem? E qual era o papel de Langdon no meio de tudo aquilo?

Antes que Collet pudesse continuar a ponderar o assunto, o silêncio em que o museu deserto estava mergulhado foi rasgado pela estridência de um alarme. O som parecia vir do interior da Grande Galeria.

— *Alarme!* — gritou um dos agentes, a olhar para o monitor do centro de segurança do Louvre. — *Grande Galerie. Toilettes Messieurs!*

Fache voltou-se para Collet.

— Onde está o Langdon?

— Continua na casa de banho dos homens! — Collet apontou para o ponto vermelho que piscava no visor do computador. — Deve ter partido a janela! — Sabia que Langdon não conseguiria chegar muito longe. Embora os regulamentos municipais de Paris exigissem que todas as janelas dos edifícios públicos situadas acima de quatro metros e meio de altura estivessem equipadas com vidros quebráveis, como precaução em caso de incêndio, sair por uma janela do segundo piso do Louvre sem a ajuda de uma corda ou de uma escada seria suicídio. Além disso, não havia no extremo oeste da Ala Denon árvores ou arbustos que pudessem amortecer uma queda. Imediatamente por baixo da janela da casa de banho, as duas faixas de rodagem do sentido norte-sul da Place du Carrousel passavam a meia dúzia de passos da parede exterior. — Meu Deus! — exclamou, sem desviar os olhos do visor. — O Langdon está a subir para o peitoril da janela!

Fache, porém, já estava em movimento. Sacando o seu revólver *Manurnhin MR-93* do coldre axilar, o capitão saíra a correr do gabinete.

Collet, estupefacto, viu no monitor o ponto que piscava chegar ao peitoril da janela e então fazer uma coisa perfeitamente inesperada: passar para o *exterior* do perímetro do edifício.

Que se estará a passar?, perguntou a si mesmo. *O tipo encontrou uma cornija, ou...*

— Jesus! — Collet ergueu-se de um salto quando o ponto se afastou ainda mais da parede. O sinal pareceu estremecer por um instante, e então deteve-se abruptamente cerca de dez metros para lá do perímetro do edifício.

Teclando furiosamente instruções, Collet chamou ao visor um mapa de Paris e recalibrou o GPS. Ampliando a imagem, viu a localização exacta do sinal.

Já não estava em movimento.

Permanecia imóvel no meio da faixa norte-sul da Place du Carrousel.

Langdon tinha saltado.

CAPÍTULO DEZOITO

O capitão Fache corria a toda a velocidade pela Grande Galeria quando o rádio de Collet gritou acima do som distante do alarme.

— Ele saltou! Estou a ver o sinal na Place do Carrousel! Fora da janela da casa de banho! E não se mexe! Jesus, acho que o Langdon acaba de suicidar-se!

Fache ouvia as palavras, mas não faziam sentido. Continuou a correr. A galeria parecia nunca mais acabar. Quando passou pelo cadáver de Jacques Saunière, pôs a mira nas divisórias que assinalavam o final da Ala Denon. O alarme soava cada vez mais alto.

— Espere! — gritou a voz de Collet através do rádio. — Está a mover-se! Meu Deus, está vivo. O Langdon está a mover-se!

Fache continuou a correr, amaldiçoando a cada passo o comprimento da galeria.

— Está a deslocar-se mais depressa! — gritava Collet no rádio. — Vai a descer a Carrousel. Espere... está a ganhar velocidade. Está a deslocar-se demasiado depressa!

Chegado às divisórias, Fache coleou pelo meio delas, viu a porta da casa de banho e correu para lá.

O rádio mal se ouvia, devido ao estridor do alarme.

— Deve estar num carro! Acho que está num carro! Não consigo...

As palavras de Collet foram abafadas pelo alarme quando Fache irrompeu finalmente na casa de banho, de arma na mão. Fazendo uma careta por causa da ensurdecedora campainha, olhou em redor.

Os vários compartimentos estavam vazios, a casa de banho deserta. Os olhos de Fache voaram imediatamente para a janela partida no extremo oposto da divisão. Correu para lá e olhou por cima do peitoril. Langdon não estava à vista. O capitão não conseguia imaginar alguém a arriscar uma coisa daquelas. Se Langdon tivesse saltado daquela altura, estaria seguramente muito ferido.

O alarme foi finalmente desligado e a voz de Collet tornou-se de novo audível no rádio:

— ... deslocar-se para sul... mais depressa... a atravessar o Sena na Pont du Carrousel!

Fache olhou para a esquerda. O único veículo na Pont du Carrousel era um enorme camião de entregas que se afastava do Louvre na direcção sul. Um oleado, preso nos lados, cobria a carga transportada na caixa aberta, fazendo lembrar uma grande tenda. O capitão sentiu um arrepio de apreensão. Momentos antes, aquele camião estivera provavelmente parado por baixo da janela da casa de banho da Ala Denon do Louvre, à espera da mudança de sinal.

Um risco louco, disse Fache para si mesmo. Langdon não tinha meio de saber o que o camião transportava debaixo da lona. E se fosse aço? Ou cimento? Ou até lixo? Um salto de doze metros? Era loucura.

— O marcador está a virar! — informou Collet. — Está a virar à direita, na Pont des Saints-Pères!

Como Fache sabia que seria, o camião tinha acabado de atravessar a ponte e virava à direita para a Pont des Saints-Pères. *Seja,* pensou. Espantado, viu o camião fazer a curva e desaparecer. Collet já estava a contactar os agentes no exterior, ordenando-lhes que abandonassem os seus postos no perímetro do Louvre e corressem para os respectivos carros para iniciar a perseguição, ao mesmo tempo que transmitia a localização do camião como que num bizarro jogo de televisão.

Acabou-se, pensou Fache. Os seus homens teriam aquele camião cercado numa questão de minutos. Langdon não ia a parte nenhuma.

Devolvendo a arma ao coldre, saiu da casa de banho e chamou Collet pelo rádio.

— Mande trazer o meu carro. Quero estar presente quando fizermos a detenção.

Enquanto retrocedia em passo de corrida ao longo da Galeria, perguntava a si mesmo se Langdon teria sequer sobrevivido à queda.

Não que isso importasse.

O suspeito fugiu. Culpado!

A menos de quinze metros de distância, Langdon e Sophie acoitavam-se nas sombras da Galeria, com as costas apertadas contra uma das grandes divisórias que ocultavam as casas de banho. Mal tinham conseguido acabar de esconder-se quando Fache passara por eles, de arma empunhada, e desaparecera na casa de banho.

Os últimos sessenta segundos tinham sido uma mancha difusa. Langdon estava na casa de banho dos homens, a recusar fugir de um crime que não cometera, quando Sophie se pusera a examinar o vidro da janela e a trama do sistema de alarme. Depois, espreitara para a rua, como que avaliar a altura.

— Com um pouco de pontaria, pode sair daqui — disse.

Pontaria? Pouco à-vontade, Langdon espreitou para fora.

Na rua, um enorme camião de dezoito rodas aproximava-se do semáforo, mesmo por baixo da janela. Estendido sobre a caixa, uma espécie de oleado azul cobria parcialmente a carga. Langdon esperou que Sophie não estivesse a pensar aquilo que lhe parecia que estava a pensar.

— Sophie, não pense que vou saltar...

— Pegue no marcador GPS.

Confuso, Langdon procurou no bolso até encontrar o minúsculo disco metálico. Sophie tirou-lho da mão e dirigiu-se imediatamente ao lavatório, pegou num sabonete, colocou o disco em cima dele e carregou com o polegar. Quando o disco se enterrou na superfície macia, fechou o orifício com rápidos movimentos dos dedos, deixando o dispositivo de localização firmemente embebido no sabonete.

Entregou o sabonete a Langdon, tirou um pesado caixote de lixo metálico de baixo do lavatório e, antes que Langdon pudesse protestar, correu para a janela, segurando o caixote de lixo à sua frente como a ponta de um aríete. Bateu com o fundo do caixote contra o vidro, estilhaçando a janela.

O alarme começou a soar, atingindo um nível de decibéis dolorosamente ensurdecedor.

— Dê-me o sabonete! — gritou Sophie, mal conseguindo fazer-se ouvir acima do alarme.

Langdon entregou-lho.

Sophie pegou nele e espreitou através da janela partida para o camião parado no semáforo. O alvo era bastante grande — uma vasta extensão de oleado azul — e estava a menos de dez metros da parede do edifício. Instantes antes de o semáforo mudar, Sophie inspirou fundo e atirou o sabonete pela janela.

O sabonete desceu para o camião, caiu em cima da lona e deslizou para dentro da caixa quando a luz passou a verde e o camião arrancou.

— Parabéns — disse Sophie, arrastando-o para a porta. — Acaba de fugir do Louvre.

Saindo da casa de banho dos homens, esconderam-se entre as sombras mesmo a tempo de verem Fache passar a correr.

Agora, com o alarme silenciado, Langdon ouvia o uivo das sereias dos carros da DCPJ a afastarem-se do Louvre. *Um êxodo policial.* Também Fache se afastou a correr, deixando a Grande Galeria deserta.

— Há uma escada de incêndio a cerca de cinquenta metros deste lugar — disse Sophie. — Agora que os guardas abandonaram o perímetro, podemos sair por lá.

Langdon decidiu não voltar a abrir a boca naquela noite. Sophie Neveu era claramente muitíssimo mais esperta do que ele.

CAPÍTULO DEZANOVE

A igreja de Saint-Sulpice é, diz-se, de todos os edifícios de Paris, o que tem a história mais excêntrica. Construída sobre as ruínas de um antigo templo dedicado à deusa egípcia Ísis, a sua traça arquitectónica é ponto por ponto igual à de Notre Dame. Serviu de palco aos baptizados do marquês de Sade e de Baudelaire, bem como ao casamento de Victor Hugo. O seminário que lhe está ligado tem uma bem documentada história de inortodoxia e foi em tempos o local de encontro de numerosas sociedades secretas.

Naquela noite, a cavernosa nave de Saint-Sulpice estava silenciosa como um túmulo; a única sugestão de vida era o leve cheiro a incenso que ficara da última missa da tarde. Silas detectou o pouco à-vontade da irmã Sandrine, que o conduziu até ao santuário. Não ficou surpreendido. Estava habituado a que as pessoas se sentissem pouco à-vontade na sua presença.

— É americano — disse ela.

— Francês de nascimento — respondeu Silas. — Fui chamado por Deus em Espanha, e actualmente estudo nos Estados Unidos.

A irmã Sandrine assentiu. Era uma mulher baixinha, de olhos calmos.

— E *nunca* tinha visto Saint-Sulpice?

— Compreendo que é em si mesmo quase um pecado.

— É mais bonita durante o dia.

— Estou certo de que sim. Em todo o caso, fico-lhe grato por me proporcionar esta oportunidade esta noite.

— A pedido do abade. É evidente que tem amigos poderosos.

Nem imaginas, pensou Silas.

Enquanto caminhava atrás da irmã Sandrine pela coxia central, Silas foi surpreendido pela austeridade do santuário. Ao contrário de Notre Dame, com os seus frescos coloridos, os seus altares dourados e as suas quentes madeiras, Saint-Sulpice era nua e fria, transmitindo uma sensação de quase aridez reminiscente das catedrais espanholas. A falta de decoração fazia o interior parecer ainda mais vasto, e quando olhou para a alta abóbada nervurada do tecto, Silas imaginou-se de pé debaixo do casco de um enorme navio voltado.

Uma imagem apropriada, pensou. O navio da irmandade estava prestes a afundar-se para sempre. Ansioso por começar a trabalhar, desejou que a irmã Sandrine o deixasse sozinho. Era uma mulher diminuta, que não teria a mínima dificuldade em incapacitar, mas fizera o voto de não usar a força a menos que fosse absolutamente necessário. *É uma religiosa, e não tem culpa de que a irmandade tenha escolhido a igreja dela para esconder a Chave de Abóbada. Não deve ser punida pelos pecados dos outros.*

— Envergonha-me, irmã, saber que foi acordada por minha causa.

— Não tem importância. Vai estar muito pouco tempo em Paris. Não podia perder Saint-Sulpice. O seu interesse na igreja é mais arquitectónico ou mais histórico?

— Na realidade, irmã, o meu interesse é espiritual.

Ela lançou uma agradável gargalhada.

— Isso nem é preciso dizer. Só queria saber por onde começar a sua visita.

Silas focou os olhos no altar.

— Não vou necessitar de guia. Foi mais do que gentil. Posso agora orientar-me sozinho.

— Não me custa nada. Ao fim e ao cabo, estou acordada.

Silas deteve-se. Tinham chegado à altura da primeira fila de bancos; o altar encontrava-se a menos de quinze metros de distância. Voltou o corpo maciço para a mulher e sentiu-a como que encolher-se ao olhar-lhe para os olhos vermelhos.

— Sem querer parecer mal-educado, irmã, não estou habituado a entrar numa casa de Deus e limitar-me a fazer uma visita guiada. Importa-se que passe algum tempo a rezar sozinho antes de dar uma vista de olhos?

A irmã Sandrine hesitou.

— Oh, claro. Vou esperar por si lá no fundo da igreja.

Silas pousou uma mão suave mas pesada no ombro dela e olhou para baixo.

— Irmã, já me sinto suficientemente culpado por tê-la acordado. Pedir-lhe que continue acordada parece-me excessivo. Por favor, devia voltar para a sua cama. Posso apreciar o seu santuário e sair sem voltar a incomodá-la.

Ela pareceu atrapalhada.

— Tem a certeza de que não vai sentir-se abandonado?

— Absoluta. A oração é uma alegria solitária.

— Como queira.

Silas retirou a mão do ombro dela.

— Durma bem, irmã. Que a paz do Senhor esteja consigo.

— E também consigo. — A irmã Sandrine dirigiu-se às escadas. — Por favor, tenha o cuidado de fechar bem a porta quando sair.

— Terei — disse Silas, e ficou a vê-la desaparecer nas escadas. Então, voltou-se e ajoelhou na primeira fila de bancos, sentindo o cilício cravar-se-lhe na coxa.

Querido Deus, ofereço-te este trabalho que faço hoje...

Acocorada nas sombras da varanda do coro, a irmã Sandrine espreitou por entre os balaústres para a figura encapuçada do monge ajoelhado diante do altar. O súbito medo que lhe enchera a alma tornava-lhe difícil manter-se imóvel. Por um fugaz instante, perguntou a si mesma se o misterioso visitante seria o inimigo contra o qual fora posta de sobreaviso e se teria, naquela noite, de executar as ordens que guardava havia tantos anos. Decidiu ficar ali, no escuro, a vigiar-lhe os movimentos.

CAPÍTULO VINTE

Sophie e Langdon emergiram das sombras e avançaram furtivamente pela galeria deserta em direcção à escada de incêndio.

Enquanto caminhava, Langdon sentiu-se como se estivesse a tentar montar um quebra-cabeças às escuras. O aspecto mais recente daquele mistério era profundamente perturbador: *o capitão da Polícia Judiciária está a tentar atirar para cima de mim uma falsa acusação de assassínio.*

— Acha — sussurrou —, que pode ter sido o Fache a escrever a mensagem no chão?

Sophie nem sequer se voltou.

— Impossível.

Langdon não estava assim tão seguro.

— Parece muito decidido a fazer-me passar por culpado. Talvez tenha pensado que escrever o meu nome no chão ajudasse.

— A sequência Fibonacci? O P.S.? Todo aquele simbolismo de da Vinci e do sagrado feminino? Foi com toda a certeza o meu avô.

Langdon sabia que ela tinha razão. O simbolismo das pistas ajustava-se demasiado perfeitamente: o pentáculo, O Homem de Vitrúvio, *da Vinci, a Deusa, e até a sequência Fibonacci. Um conjunto simbólico coerente,* como lhe chamariam os iconólogos. Tudo inextrincavelmente ligado.

— E o telefonema para mim, esta tarde — continuou Sophie. — Disse que tinha uma coisa para me contar. Tenho a certeza de que a mensagem no chão foi o seu último esforço para me dizer qualquer coisa importante, qualquer coisa que achava que você, senhor Langdon, poderia ajudar-me a compreender.

Langdon franziu a testa. *Ó, draconiano demónio! Oh, santo imperfeito!* Bem gostaria de compreender a mensagem, tanto por Sophie como por si mesmo. As coisas tinham sem dúvida piorado desde que vira pela primeira vez as crípticas palavras. O falso salto da janela da casa de banho não ia contribuir nem um bocadinho para aumentar-lhe a popularidade junto de Fache. Duvidava que o capitão da Polícia francesa visse a piada de perseguir e prender um sabonete.

— Estamos quase a chegar à porta — anunciou Sophie.

— Acha que há alguma possibilidade de os *números* da mensagem do seu avô conterem a chave para a compreensão das outras linhas?

Langdon trabalhara em tempos numa série de manuscritos de Bacon que continham cifras epigráficas nas quais certas linhas codificadas eram pistas que permitiam a decifração de outras.

— Tenho estado toda a noite a pensar nos números. Somas, quocientes, produtos. Não vejo nada. Matematicamente, estão dispostos de uma forma aleatória. Algaraviada criptográfica.

— E no entanto, fazem todos parte da sequência Fibonacci. Não pode ser coincidência.

— E não é. Usar os números Fibonacci foi mais uma maneira que o meu avô arranjou de me acenar com um bandeira... como escrever a mensagem em inglês, ou dispor-se a si mesmo como a minha obra de arte preferida, ou desenhar um pentáculo na barriga. Tudo isso se destinava a chamar a minha atenção.

— O pentáculo significa alguma coisa para si?

— Sim. Não tive ocasião de dizer-lhe, mas o pentáculo foi um símbolo especial entre mim e o meu avô quando eu estava a crescer. Costumávamos jogar cartas tarô, por brincadeira, e a minha carta indicadora era *sempre* do naipe de pentáculos. Tenho a certeza de que ele fazia batota, mas os pentáculos acabaram por tornar-se uma espécie de brincadeira entre nós.

Langdon sentiu um arrepio. *Jogavam tarô?* O jogo de cartas italiano da Idade Média estava tão carregado de simbolismo herético escondido que Langdon lhe dedicara um capítulo inteiro do seu novo manuscrito. As vinte e duas cartas do baralho tinham nomes como *A Papisa*, *A Imperatriz* e *A Estrela*. Originariamente, o tarô fora concebido como um meio secreto de transmitir ideologias proibidas pela Igreja. Nos tempos modernos, as qualidades místicas das cartas eram interpretadas pelos videntes.

No tarô, o naipe indicador da divindade feminina são os pentáculos, pensou Langdon, compreendendo que se Jacques Saunière fazia, por brincadeira, batota com o baralho da neta, então o pentáculo se tivesse tornado uma espécie de piada privada.

Chegara à saída de emergência e Sophie abriu cuidadosamente a porta. Nenhum alarme tocou. Só as portas exteriores estavam ligadas ao sistema de vigilância. Começaram a descer, cada vez mais depressa, uma estreita escada metálica.

— Quando o seu avô — disse Langdon, quase a correr atrás dela — lhe falou do pentáculo, fez alguma referência ao culto da deusa ou a qualquer ressentimento contra a Igreja Católica?

Sophie abanou a cabeça.

— Não, estava mais interessado nos aspectos matemáticos... a Proporção Divina, PHI, as sequências Fibonacci, esse género de coisas.

Langdon ficou surpreendido.

— O seu avô falou-lhe a respeito do número PHI?

— Claro. A Proporção Divina. — Fez um ar ligeiramente embaraçado. — Até costumava dizer, na brincadeira, que eu era meio divina... por causa das letras do meu nome, está a ver?

Langdon pensou por um instante, e resmungou para si mesmo.

s-o-PHI-e.

Ainda a descer a escada, concentrou-se no número *PHI*. Começava a compreender que as pistas de Saunière eram ainda mais consistentes do que de início julgara.

Da Vinci... os números Fibonacci... o pentáculo.

Incrivelmente, todas aquelas coisas estavam ligadas por um único conceito tão fundamental para a História da Arte que Langdon dedicava com frequência várias aulas ao tema.

PHI.

Subitamente, viu-se de novo em Harvard, diante da turma de «Simbolismo na Arte», a escrever no quadro o seu número preferido.

1.618

Voltou-se para o mar de rostos interessados.

— Quem sabe dizer-me que número é este?

Um aluno do curso de Matemática, sentado numa das últimas filas, levantou o braço.

— É o número PHI. — Pronunciava-o como *fi*.

— Muito bem, Stettner — disse Langdon. — Senhoras e senhores, apresento-lhes o PHI.

— Não confundir com PI — acrescentou Stettner, sorrindo. — Como nós, matemáticos, costumamos dizer...

Calou-se quando os outros alunos se voltaram para ele com expressões irritadas.

— Este número PHI — continuou Langdon —, um-ponto-seis-um-oito, é um número muito importante na arte. Quem sabe dizer-me porquê?

— Por ser tão bonito? — arriscou Stettner, tentando redimir-se.

Toda a gente riu.

— A verdade — disse Langdon —, é que o Stettner voltou a acertar. PHI é de um modo geral considerado o número mais bonito do universo.

Os risos cessaram abruptamente e Stettner sorriu de orelha a orelha.

Enquanto carregava o projector de diapositivos, Langdon explicou que o número PHI derivava da sequência Fibonacci, uma sequência famosa não só por a soma de dois termos adjacentes ser igual ao termo seguinte, mas também por os *quocientes* de dois termos adjacentes terem a surpreendente propriedade de se aproximarem de 1.618: PHI!

A despeito da aparente origem místico-matemática, explicou Langdon, a faceta verdadeiramente extraordinária do número PHI era o seu papel como elemento constitutivo fundamental da natureza. Plantas, animais e até seres humanos, todos possuíam propriedades dimensionais que obedeciam com uma espantosa exactidão à razão de PHI para 1.

— A ubiquidade do número PHI na natureza — continuou Langdon, apagando as luzes — excede claramente a coincidência, e por isso os Antigos assumiram que tinha sido preordenado pelo Criador do Universo. Os primeiros cientistas chamavam a um-ponto-seis-um-oito a *Proporção Divina*.

— Um momento — pediu uma jovem sentada na primeira fila. — A minha nuclear é Biologia e nunca vi essa Proporção Divina na natureza.

— Não? — Langdon sorriu. — Já alguma vez estudou a relação entre machos e fêmeas numa comunidade de abelhas?

— Claro. As fêmeas são sempre em maior número do que os machos.

— Correcto. E sabia que se dividir o número de fêmeas pelo número de machos em qualquer colmeia do mundo, chega sempre ao mesmo número?

— Palavra?

— Nem mais. PHI.

A jovem abriu muito a boca, incrédula.

— IMPOSSÍVEL!

— Muito possível! — ripostou Langdon, sorrindo enquanto projectava a imagem de uma concha em espiral. — Reconhece isto?

— É um náutilo — respondeu a aluna de Biologia. — Um molusco cefalópode que bombeia gás para dentro da concha compartimentada a fim de regular a flutuabilidade.

— Exacto. E é capaz de calcular a razão entre o diâmetro de cada espiral e o da seguinte?

A jovem pareceu insegura, examinando os arcos concêntricos da concha do náutilo.

Langdon assentiu.

— PHI. A Proporção Divina. Um-ponto-seis-um-oito.

Passou para o diapositivo seguinte: um grande plano da cabeça de uma semente de girassol.

— As sementes de girassol crescem em espirais opostas. É capaz de calcular a razão entre o diâmetro de cada rotação e o seguinte?

— PHI? — disse a turma, em coro.

— Bingo. — Langdon começou a passar rapidamente diversos diapositivos... pétalas espiraladas, segmentos de insectos, disposição das folhas no caule de uma planta... em que se revelava, sem excepção, uma surpreendente obediência à Proporção Divina.

— Isto é espantoso! — exclamou alguém.

— Pois é — admitiu uma outra voz —, mas o que é que tem a ver com *arte*?

— Ah! — disse Langdon. — Ainda bem que alguém pergunta. Projectou um novo diapositivo, um pergaminho amarelado no qual estava representado o famoso nu de Leonardo da Vinci, *O Homem de Vitrúvio*, assim chamado em honra de Marcus Vitruvius, o brilhante arquitecto romano que exaltou a Proporção Divina no seu texto *De Achitectura*. — Ninguém compreendeu melhor do que da Vinci a estrutura divina do corpo humano. Da Vinci chegava ao ponto de *exumar* cadáveres para poder estudar as proporções da estrutura óssea do ser humano. Foi o primeiro a mostrar que o nosso corpo é literalmente formado por blocos constitutivos cuja razão proporcional é sempre igual a PHI.

A turma inteira dirigiu-lhe um olhar carregado de dúvida.

— Não acreditam? — desafiou-os Langdon. — Da próxima vez que forem para o duche, levem uma fita métrica.

Um par de jogadores de futebol fez um risinho trocista.

— Não me refiro apenas aos infelizes atletas, tão cheios de inseguranças — continuou Langdon. — Todos vocês. Rapazes e raparigas. Experimentem. Meçam a distância do topo da vossa cabeça até ao chão. Então dividam esse valor pelo da distância do vosso umbigo até ao chão. Adivinhem lá que número vão obter.

— Não me diga que é PHI! — exclamou, incrédulo, um dos futebolistas.

— Digo, sim senhor — respondeu Langdon. — PHI. Um-ponto-seis-um-oito. Querem outro exemplo? Meçam a distância do ombro às pontas dos dedos, e então dividam-na pela distância do cotovelo às pontas dos dedos. Outra vez PHI. Mais uma? Anca ao chão a dividir por joelho ao chão. PHI. Articulações dos dedos das mãos. Dos pés. Divisões espinais. PHI, PHI, PHI. Meus amigos, cada um de vocês é um tributo ambulante à Proporção Divina.

Mesmo no escuro, Langdon via as expressões espantadas dos estudantes. Sentiu uma satisfação familiar aquecê-lo por dentro. Era por aquilo que ensinava.

— Como vêem, o caos do mundo tem uma ordem subjacente. Quando os Antigos descobriram o número PHI, tiveram a certeza de que tinham encontrado o tijolo que Deus usara para construir o mundo, e veneraram a natureza por causa disso. E é fácil compreender porquê. A mão de Deus é evidente na Natureza, e ainda hoje subsistem religiões pagãs que adoram a Mãe-Terra. Muitos de nós celebramos a Natureza do mesmo modo que os pagãos faziam, sem sequer darmos por isso. O Primeiro de Maio é um exemplo perfeito, a celebração da Primavera... da terra a regressar à vida para produzir a abundância. A misteriosa magia inerente à Proporção Divina foi escrita no início dos tempos. O homem limita-se a jogar segundo as regras da Natureza, e porque a *arte* é a sua tentativa de imitar a beleza da mão do Criador, podem imaginar que vamos ver muitos exemplos da Proporção Divina ao longo deste semestre.

Durante a meia hora seguinte, mostrou-lhes diapositivos de obras de Miguel Ângelo, Albercht Dürer, da Vinci e muitos outros, demonstrando a obediência intencional e rigorosa de todos estes artistas à Proporção Divina na disposição das respectivas composições. Mostrou a presença do número PHI no Pártenon de Atenas, nas pirâmides do Egipto e até no edifício das Nações Unidas em Nova Iorque. O número PHI aparecia na estrutura organizacional das sonatas de Mozart, na *5.ª Sinfonia* de Beethoven, nas obras de Bartók, Debussy e Schubert. O número PHI, disse Langdon aos seus alunos, fora inclusivamente usado por Stradivarius para calcular a localização exacta dos espelhos nos seus famosos violinos.

— Para terminar — disse, dirigindo-se ao quadro —, voltamos aos *símbolos*. — Traçou cinco linhas que se interceptavam para formar uma estrela de cinco pontas. — Este símbolo é uma das imagens mais poderosas que vão ver este semestre. Formalmente conhecido como pentagrama... ou *pentáculo*, como lhe chamavam os Antigos... é considerado por muitas culturas simultaneamente divino e mágico. Alguém sabe dizer-me porquê?

Stettner, o matemático, levantou a mão.

— Porque, se traçar um pentagrama, as linhas dividem-se automaticamente em segmentos de acordo com a Proporção Divina.

Langdon dirigiu-lhe um orgulhoso aceno de cabeça.

— Muito bem. É verdade, as razões dos segmentos lineares num pentáculo são *todas* iguais a PHI, o que faz deste símbolo a expressão *perfeita* da Proporção Divina. Por esta razão, a estrela de cinco pontas sempre foi o símbolo da beleza e da perfeição associadas à deusa e ao sagrado feminino.

Foi a vez de as raparigas da turma sorrirem de orelha a orelha.

— Uma nota, minha gente. Hoje limitámo-nos a tocar ao de leve em da Vinci, mas vamos falar muito mais a respeito dele ao longo do semestre. Leonardo era um devoto muito bem informado sobre os antigos usos da deusa. Amanhã, mostrar-lhes-ei o seu fresco. *A Última Ceia*, que é um dos mais espantosos tributos ao sagrado feminino que alguma vez terão ocasião de ver.

— Está a brincar, não está? — perguntou alguém. — Pensava que *A Última Ceia* tinha a ver com Jesus!

Langdon piscou-lhe um olho.

— Há símbolos escondidos em lugares que nem imaginam.

— Vamos — sussurrou Sophie. — O que é que se passa? Estamos quase lá. Depressa!

Langdon olhou para cima, sentindo-se como que regressado de pensamentos muito distantes. Apercebeu-se de que tinha parado a meio da escada, paralisado por uma súbita revelação.

Ó draconiano demónio! Oh, santo imperfeito!

Sophie estava a olhar para ele.

Não pode ser assim tão simples, pensou Langdon.

Mas, claro, sabia que era.

Ali, na entranhas do Louvre, com imagens de da Vinci e do PHI a revolutearem-lhe na cabeça, Robert Langdon súbita e inexplicavelmente decifrou o código de Saunière.

— *O draconian devil! Oh, lame saint!* — disse. — É um código simplicíssimo!

Sophie estava parada na escada alguns degraus mais abaixo, a olhar para ele cheia de confusão. Um código? Estivera a pensar toda a noite naquelas palavras e não vira qualquer código. Sobretudo simplicíssimo.

— Você mesma o disse. — A voz de Langdon vibrava de excitação. — Os números Fibonacci só têm significado na ordem correcta. De outro modo, são algaraviada matemática.

Sophie não fazia a mínima ideia do que estaria ele a falar. *Os números Fibonacci?* Tinha a certeza de que o avô só os escrevera para garantir que o Departamento de Criptologia seria chamado a intervir. *Têm outro propósito?* Enfiou a mão no bolso e tirou de lá o *print* de computador, voltando a examinar a mensagem do avô:

13-3-2-21-1-1-8-5
O, Draconian devil!
Oh, lame saint!

O que é que têm os números?

— A sequência Fibonacci desordenada é uma pista — disse Langdon, pegando no papel. — Os números indicam como decifrar o resto da mensagem. Escreveu a sequência fora de ordem para nos dizer que aplicássemos o mesmo conceito ao texto. *Ó, draconian devil? Oh, lame saint?* Estas linhas não têm qualquer significado. São apenas *letras* escritas fora de ordem.

Bastou um instante a Sophie para compreender o que Langdon queria dizer, e era ridiculamente simples.

— Acha que esta mensagem é... *une anagramme*? — Olhou para ele. — Como as charadas nos jornais?

Langdon viu espelhado no rosto de Sophie um cepticismo que não teve dificuldade em compreender. Poucas pessoas sabiam que os anagramas, apesar de serem um vulgar passatempo moderno, tinham uma rica história de simbolismo sagrado.

Os ensinamentos místicos da cabala recorriam constantemente aos anagramas — rearranjando as letras do alfabeto hebraico para conseguir novos significados. Os reis franceses da Renascença estavam tão convencidos do poder mágico dos anagramas que nomeavam anagramistas reais para os ajudarem a tomar as melhores decisões analisando as palavras dos documentos. Os Romanos iam ao ponto de referir-se ao estudo dos anagramas como *ars magna* — «a grande arte».

Langdon prendeu com os seus os olhos de Sophie.

— O que o seu avô queria dizer esteve sempre diante dos nossos olhos, e ele deixou-nos pistas mais do que suficientes para que pudéssemos vê-lo.

Sem mais uma palavra, tirou uma caneta do bolso e redispôs as letras de cada linha.

O, Draconian devil!
Oh, lame saint!
era o anagrama perfeito de...

Leonardo da Vinci!
The Mona Lisa!

[NT] Por razões que se tornarão patentes mais adiante, é essencial que esta e outras mensagens de Jacques Saunière apareçam aqui tal como ele as escreveu: em inglês. As traduções serão dadas no próprio texto ou, quando necessário, em nota de rodapé.

Note-se, por ser importante, que a forma «find» é igual para vários tempos verbais. Assim, na ausência do sujeito da frase, nem mesmo um inglês pode saber se significa «encontrar», «encontra», «encontre» ou «encontrem».

CAPÍTULO VINTE E UM

A Mona Lisa.

Por um instante, ali parada na escada de incêndio, Sophie esqueceu tudo a respeito de tentar sair do Louvre.

O choque que o anagrama lhe causara só se podia equiparar à vergonha de não ter sido ela a decifrar a mensagem. A sua perícia nas técnicas da mais complexa criptoanálise impedira-a de ver um simples jogo de palavras, e no entanto sabia que devia tê-lo visto. Ao fim e ao cabo, não era uma principiante em matéria de anagramas... sobretudo em inglês.

Quando era menina, o avô usava com frequência charadas e anagramas para lhe aperfeiçoar o inglês. Certa vez, escrevera a palavra *planets* e dissera-lhe que era possível formar, usando as mesmas letras, nada menos que noventa e duas outras palavras inglesas de vários tamanhos. Sophie passara três dias agarrada a um dicionário inglês até descobri-las todas.

— Não consigo imaginar — disse Langdon — como foi o seu avô capaz de criar um anagrama tão complicado nos poucos minutos de vida que lhe restavam.

Sophie sabia a explicação, o que só serviu para fazê-la sentir-se ainda pior. *Devia ter visto isto!* Lembrou-se de que o avô — um praticante entusiasta dos jogos de palavras e um apaixonado pela arte — gostava de entreter-se, quando jovem, a criar anagramas de obras de famosos. Na realidade, um dos seus anagramas metera-o em sarilhos quando Sophie era ainda menina. Ao ser entrevistado por uma revista de arte americana, Saunière manifestara a sua aversão ao moderno movimento cubista fazendo notar que o título da obra-prima de Picasso *Les Demoiselles d'Avignon* era um anagrama perfeito de *vile meaningless doodles*. Os adoradores de Picasso não tinham achado graça nenhuma.

— Provavelmente, criou este anagrama há já muito tempo — disse, olhando para Langdon. *E esta noite teve de usá-lo como código improvisado.* A voz do avô falara do além com arrepiante precisão.

Leonardo da Vinci!

A Mona Lisa!

Por que razão as suas derradeiras palavras faziam referência ao célebre quadro era algo que Sophie não conseguia sequer imaginar, mas só lhe ocorria uma possibilidade. Uma possibilidade perturbadora.

Aquelas não eram as suas derradeiras palavras...

Seria suposta ir ver a *Mona Lisa*? Ter-lhe-ia o avô deixado lá uma mensagem? A ideia parecia perfeitamente plausível. Ao fim e ao cabo, a célebre pintura estava exposta na Salle des États, uma câmara privada acessível apenas a partir da Grande Galeria. Na realidade, Sophie apercebia-se agora disso, as portas dessa câmara ficavam a escassos vinte metros do local onde o avô fora encontrado morto.

Podia facilmente ter ido até lá antes de morrer.

Sophie olhou para o alto da escada de incêndio e ficou paralisada pela indecisão. Sabia que tinha de levar Langdon para fora do museu, e no entanto o instinto dizia-lhe que fizesse precisamente o contrário. Recordando a sua primeira visita à Ala Denon, quando era uma criança, compreendeu que se o avô tinha um segredo para lhe contar, poucos lugares na Terra poderiam ser mais adequados como ponto de encontro do que a sala da *Mona Lisa*.

— É só mais um bocadinho — sussurra-lhe o avô, apertando-lhe a mãozinha minúscula enquanto a guiava pelo museu deserto, já depois da hora de encerramento.

Sophie tinha seis anos. Sentia-se pequena e insignificante ao olhar para os vastos e altíssimos tectos e para os soalhos refulgentes. O museu vazio de gente assustava-a, embora não estivesse disposta a deixar que o avô o percebesse. Cerrou os dentes com força e largou-lhe a mão.

— Lá à frente fica a Salle des États — disse-lhe, enquanto se aproximavam da mais célebre sala do Louvre. A despeito da evidente excitação do avô, Sophie queria era ir para casa. Já vira reproduções da *Mona Lisa* em livros e não gostara nem um bocadinho. Não conseguia perceber porque é que toda a gente ficava tão excitada por causa daquele quadro.

— *C'est ennuyeux* — resmungou.

— Aborrecido — corrigiu-a o avô. — Francês na escola, inglês em casa.

— *Le Louvre c'est pas chez-moi!* — desafiou ela.

O avô lançou uma gargalhada cansada.

— Tens toda a razão. Então falemos inglês só pela graça.

Sophie amuou e continuou a andar. Quando entraram na Salle des États, percorreu com os olhos a estreita sala e deteve-os no evidente lugar de honra: o centro da parede do lado direito, onde estava suspenso um único quadro por detrás de uma parede protectora de *Plexiglas*. O avô deteve-se à entrada e apontou para o quadro.

— Vai, Sophie. Muito poucas pessoas têm o privilégio de vê-la sozinhas.

Engolindo a apreensão que a invadia, Sophie atravessou lentamente a sala. Depois de tudo o que ouvira a respeito da *Mona Lisa*, sentia-se como se estivesse a aproximar-se de uma rainha. Chegada diante da placa de Plexiglas, reteve a respiração e ergueu os olhos, captando tudo de uma só vez.

Não sabia muito bem o que esperara sentir, mas não era com certeza aquilo. Nenhuma sacudidela de espanto. Nenhum instante de deslumbramento. O famoso rosto tinha exactamente o mesmo aspecto que nos livros. Ficou em silêncio pelo que lhe pareceu uma eternidade, à espera de que qualquer coisa acontecesse.

— Então, que achas? — sussurrou o avô, aproximando-se dela pelas costas. — Bonita, não é?

— É muito pequenina.

Jacques Saunière sorriu.

— Tu és pequenina e és bonita.

Não sou nada bonita, pensou ela. Sophie detestava os seus cabelos ruivos e as sardas, e era mais alta do que qualquer dos rapazes da sala dela na escola. Voltou a olhar para a *Mona Lisa* e abanou a cabeça.

— É ainda pior do que nos livros. A cara dela é... *brumeux*.

— Enevoada — ajudou o avô.

— Enevoada — repetiu Sophie, sabendo que a conversa não andaria para a frente até que ela aprendesse a nova palavra.

— É o estilo de pintura chamado *sfumato* — explicou o avô —, e é muito difícil de conseguir. Leonardo da Vinci fazia-o melhor do que ninguém.

Sophie continuava a não gostar do quadro.

— Tem cara de quem sabe qualquer coisa... como quando os meninos na escola têm um segredo.

O avô riu.

— Essa é uma das razões que a tornam tão famosa. As pessoas gostam de tentar adivinhar porque está ela a sorrir.

— Sabes porque é que ela está a sorrir?

— Talvez. — O avô piscou-lhe um olho. — Um dia hei-de contar-te tudo a respeito dela.

Sophie bateu com o pé.

— Já te disse que não gosto de segredos!

— Princesa! — O avô continuava a sorrir. — A vida é cheia de segredos. Não podes descobri-los todos ao mesmo tempo.

— Vou voltar lá acima — anunciou Sophie, e a voz dela soou cava no poço da escada.

— Ver a *Mona Lisa*? — Langdon recuou um passo. — *Agora?*

Sophie considerou o risco.

— Não sou suspeita de assassínio. Vou arriscar. Tenho de saber o que é que o meu avô estava a tentar dizer-me.

E a embaixada?

Sophie sentia-se culpada por fazer de Langdon um fugitivo só para logo a seguir o abandonar, mas não via outra saída. Apontou para uma porta metálica ao fundo das escadas.

— Passe por aquela porta e siga os sinais iluminados que indicam a saída. O meu avô costumava trazer-me até aqui. Os sinais levá-lo-ão até uma borboleta de segurança. É monodireccional e abre para fora. — Entregou-lhe as chaves do carro. — É o *SmartCar* encarnado que está no parque de estacionamento do pessoal. Mesmo em frente desta fachada. Sabe chegar à embaixada?

Langdon assentiu, olhando para as chaves que tinha na mão.

— Ouça — continuou Sophie, num tom mais suave. — Penso que o meu avô me deixou uma mensagem na *Mona Lisa*... qualquer espécie de pista sobre quem o matou. Ou sobre porque é que eu corro perigo. — *Ou sobre o que aconteceu à minha família.* — Tenho de ir ver.

— Mas se ele quisesse dizer-lhe por que razão corre perigo, não o teria escrito simplesmente no chão, no sítio onde morreu? Para quê este complicado jogo de palavras?

— Fosse o que fosse que o meu avô estava a tentar dizer-me, não me parece que quisesse que mais alguém o ouvisse. Nem sequer a Polícia. — Muito claramente, o avô fizera todos os possíveis por enviar-lhe uma mensagem directamente a *ela*. Escrevera-a em código, incluindo as iniciais secretas, e dissera-lhe que procurasse Robert Langdon... um conselho muito sensato, considerando que o simbologista americano decifrara o código. — Por estranho que possa parecer — acrescentou —, acho que ele queria que eu chegasse à *Mona Lisa* antes de qualquer outra pessoa.

— Também vou.

— Não! Não sabemos durante quanto tempo a Grande Galeria vai continuar deserta. Tem de ir.

Langdon parecia hesitante, como se a curiosidade académica estivesse à beira de sobrepor-se ao bom senso e arrastá-lo de volta para as mãos de Fache.

— Vá. Agora. — Sophie dirigiu-lhe um sorriso agradecido. — Encontramo-nos na embaixada, senhor Langdon.

Langdon pareceu desagradado.

— Encontro-me lá consigo com *uma* condição — disse, firmemente.

Ela fez uma pausa, sobressaltada.

— Qual?

— Que deixe de chamar-me *senhor* Langdon.

Sophie detectou a débil sombra de um sorriso torcido espalhar-se pelo rosto de Langdon, e deu por si a sorrir também.

— Boa sorte, Robert.

Quando chegou ao patamar ao fundo das escadas, Langdon sentiu o cheiro inconfundível a óleo de linhaça e pó de gesso assaltar-

-lhe as narinas. Lá à frente, um sinal iluminado com a indicação SORTIE/EXIT e uma seta apontava para um comprido corredor.

Entrou no corredor.

À direita, abria-se um sombrio estúdio de restauração de onde espreitava um exército de estátuas em vários estádios de reparação. Do lado esquerdo, viu uma série de estúdios que faziam lembrar as aulas de arte em Harvard — filas de cavaletes, quadros, paletas, ferramentas de emoldurar — uma linha de montagem de arte.

Enquanto descia o corredor, perguntou a si mesmo se não iria, de um momento para o outro, acordar sobressaltado na sua cama em Cambridge. Toda aquela noite lhe parecera um estranho sonho. *Estou a preparar-me para fugir do Louvre... um fugitivo procurado pela Polícia.*

A astuta mensagem anagramática de Jacques Saunière não lhe saía da cabeça, e pôs-se a pensar no que iria Sophie encontrar na *Mona Lisa*... se alguma coisa encontrasse. Parecera segura de que o avô queria que fosse ver o famoso quadro mais uma vez. Por muito plausível que esta interpretação parecesse, Langdon sentia-se assombrado por um perturbador paradoxo.

P.S. Encontra Robert Langdon.

Jacques Saunière escrevera o nome dele no chão, ordenando a Sophie que o procurasse. Mas porquê? Apenas para que ele pudesse ajudá-la a decifrar um anagrama?

Parecia muito improvável.

Ao fim e ao cabo, Saunière não tinha qualquer razão para pensar que ele fosse especialmente hábil a resolver anagramas. *Nem sequer nos conhecíamos.* Mais importante, Sophie afirmara sem ambiguidades que *ela* devia ter decifrado o anagrama sozinha. Fora Sophie quem detectara a sequência Fibonacci e sem a mínima dúvida, com um pouco mais de tempo, teria decifrado a mensagem sem ajuda de ninguém.

A Sophie era suposta resolver aquele anagrama sozinha. Langdon estava a sentir-se cada vez mais seguro disto, e, no entanto, a conclusão abria um buraco evidente na lógica das acções de Saunière.

Porquê eu? perguntou-se Langdon enquanto percorria o corredor. *Por que razão o último desejo de Jacques Saunière antes de morrer foi que a neta, que estava zangada com ele, me procurasse? O que era que ele pensava que eu sabia?*

Com um súbito estremecimento, deteve-se a meio de uma passada. Com os olhos muito abertos, procurou no bolso do casaco e tirou de lá o *print* de computador. Olhou longamente para a última linha da mensagem de Saunière.

P.S. Find Robert Langdon.

Concentrou-se em duas letras.

P.S.

Naquele instante, Langdon sentiu que a desconcertante mistura de simbolismos de Saunière se tornava perfeitamente clara. Como um raio, uma carreira inteira de simbologia e história desabou-lhe em cima da cabeça. Todas as acções de Jacques Saunière naquela noite faziam de repente todo o sentido.

Os pensamentos voavam-lhe pelo cérebro enquanto tentava avaliar as implicações do que tudo aquilo significava. Fazendo meia volta, olhou na direcção de onde viera.

Ainda haveria tempo?

Sabia que pouco importava.

Sem hesitar, começou a correr a toda a velocidade em direcção à escada.

CAPÍTULO VINTE E DOIS

Ajoelhado na primeira fila de bancos, Silas fingia rezar enquanto estudava a disposição do santuário. Saint-Sulpice, como a maior parte das igrejas, tinha a forma de uma gigantesca cruz romana. A longa secção central — a nave — conduzia ao altar-mor, onde era transversalmente atravessada por uma secção mais curta, conhecida como transepto. A intercepção da nave com o transepto ocorria exactamente por baixo da cúpula principal e era considerada o coração do templo... o seu ponto mais místico e sagrado.

Não esta noite, pensou Silas. *Saint-Sulpice esconde os seus segredos noutro lugar.*

Olhou para o braço sul do transepto, do lado direito, onde, no espaço livre para lá da última fila de bancos, se encontrava o objecto que as suas vítimas tinham descrito.

Lá está.

Embebida no granito cinzento do chão, brilhava uma fina e polida tira de latão... uma linha dourada que atravessava em diagonal o piso da igreja. A linha apresentava marcas graduadas, como uma régua. Era um gnómon, tinham-lhe dito, um instrumento astronómico pagão, como um relógio de sol. Turistas, cientistas e pagãos de todo o mundo iam a Saint-Sulpice olhar para aquela famosa linha.

A Linha da Rosa.

Lentamente, Silas seguiu com os olhos o traçado da tira de latão que passava diante dele da direita para a esquerda, num estranho ângulo que nada tinha que ver com a simetria da igreja. Cortando o próprio altar-mor, pareceu-lhe uma cicatriz que desfigurasse um belo rosto. Dividia em duas a balaustrada da comunhão e seguia em frente, percorrendo toda a largura da igreja para chegar finalmente ao canto do braço norte do transepto e tocar a base de uma estrutura absolutamente inesperada.

Um colossal obelisco egípcio.

Ali, a refulgente Linha da Rosa fazia um ângulo de noventa graus *para cima* e trepava pela face do obelisco, subindo dez metros até à ponta do ápice piramidal, onde finalmente terminava.

A Linha da Rosa, pensou Silas. *A irmandade escondeu a Chave de Abóbada na Linha da Rosa.*

Horas antes, quando Silas lhe dissera que a Chave de Abóbada do Priorado estava escondida em Saint-Sulpice, o *Professor* parecera pouco convencido. Mas quando Silas acrescentara que todos os irmãos lhe tinham dado a mesma localização exacta, relativamente à linha de latão que atravessava Saint-Sulpice, tivera como que uma revelação.

— Estás a falar da Linha da Rosa.

O *Professor* falara-lhe rapidamente da famosa bizarria arquitectural de Saint-Sulpice: uma tira de metal que atravessava o santuário segundo um eixo exacto norte-sul. Era uma espécie de relógio de sol, um vestígio do templo pagão que se erguera naquele preciso local. A luz do Sol, atravessando o óculo da parede sul, ia avançando ao longo da linha dia-a-dia, indicando a passagem do tempo, de solstício a solstício.

A tira de latão fora em tempos conhecida como Linha da Rosa. Durante séculos, o símbolo da rosa estivera associado aos mapas e à função de guiar as almas na direcção correcta. A rosa-dos-ventos, ou rosa-náutica, desenhada em praticamente todos os mapas, apontava as trinta e duas direcções de onde sopravam os ventos, correspondentes aos pontos cardeais e intermédios. Quando inscritos num círculo, estes trinta e dois pontos faziam lembrar a tradicional rosa com trinta e duas pétalas. Ainda agora, o instrumento fundamental da navegação continuava a ser conhecido como rosa-dos-ventos, e o Norte apontado por uma ponta de seta... ou, mais comummente, por uma flor-de-lis.

Num globo, a Linha da Rosa, também chamada meridiano ou longitude, era qualquer linha imaginária traçada do Pólo Norte ao Pólo Sul. Havia, evidentemente, um número infinito de linhas-da--rosa, uma vez que qualquer ponto do globo podia ser atravessado por uma longitude ligando os pólos norte e sul. A questão para os primeiros navegadores era saber *qual* destas linhas devia ser considerada a Linha da Rosa, ou longitude zero, aquela a partir da qual todas as outras longitudes da Terra seriam medidas.

Actualmente, essa linha passava por Greenwich, em Inglaterra.

Mas nem sempre assim fora.

Muito antes do estabelecimento de Greenwich como principal meridiano, a longitude zero atravessara Paris, e mais exactamente a igreja de Saint-Sulpice. A tira de latão de Saint-Sulpice era um memorial ao primeiro meridiano principal do mundo, e apesar de Greenwich ter, em 1888, roubado essa honra a Paris, a Linha da Rosa original continuava visível.

— Portanto, a lenda é verdadeira — dissera o *Professor*. — Dizia-se que a Chave de Abóbada do Priorado «estava sob o Signo da Rosa».

Agora, ainda ajoelhado no banco, Silas olhou em redor e pôs-se à escuta, para certificar-se de que não havia ali mais ninguém. Por um instante, pareceu-lhe ouvir um restolhar na varanda do coro. Voltou-se e perscrutou o local durante vários segundos. Nada.

Estou sozinho.

Pôs-se de pé, voltou-se para o altar e fez três genuflexões. Então, rodou à esquerda e seguiu a tira de latão em direcção ao obelisco.

Nesse mesmo momento, no Aeroporto Internacional Leonardo da Vinci, em Roma, a sacudidela dos pneus do avião ao tocarem na pista despertou o bispo Aringarosa da sua sonolência.

Dormitei, pensou, espantado por estar suficientemente descontraído para adormecer.

— *Benvenuto a Roma* — disse uma voz nos altifalantes.

Endireitando-se no banco, Aringarosa alisou a sotaina preta e permitiu-se um raro sorriso. Aquela fora uma viagem que tivera prazer em fazer. *Estou na defensiva há demasiado tempo.* Naquela noite, porém, as regras tinham mudado. Havia apenas cinco meses, Aringarosa temera pelo futuro da Fé. Agora, como que por vontade de Deus, a solução surgira por si mesma.

Intervenção divina.

Se, em Paris, tudo corresse como planeado, Aringarosa estaria em breve na posse de algo que faria dele o homem mais poderoso da cristandade.

CAPÍTULO VINTE E TRÊS

Sophie chegou ofegante diante das portas de madeira da Salle des États, a sala onde estava exposta a *Mona Lisa*. Antes de entrar, olhou relutantemente mais para o fundo da Grande Galeria, onde, a uma distância de cerca de vinte metros, o corpo do avô continuava caído no chão, iluminado pela luz do projector.

O remorso que lhe apertou o coração foi súbito e poderoso, uma profunda tristeza a que se misturava um pouco de culpa. O avô estendera-lhe tantas vezes a mão ao longo daqueles últimos dez anos, e ela permanecera inflexível, deixando as cartas e as encomendas que ele lhe enviava por abrir na última gaveta da cómoda e frustrando todas as tentativas de contacto. *Mentiu-me! Guardou segredos terríveis! Que havia eu de fazer?* E por isso pusera-o fora da sua vida. Completamente.

Agora, o avô estava morto, e mesmo do além continuava a tentar falar com ela.

A Mona Lisa.

Estendeu as mãos para as grandes portas de madeira e empurrou. As portas abriram-se. Sophie deteve-se por um instante no umbral, perscrutando a vasta sala rectangular. Também ela estava banhada numa suave luz avermelhada. A Salle des États era um dos raros *culs-de-sac* do museu: um beco sem saída e a única sala que abria para a Grande Galeria. Aquelas portas, única entrada e saída da câmara, ficavam em frente de um imponente Botticelli com quatro metros e meio, exposto na parede oposta. Entre os dois, no meio da galeria, um grande sofá octogonal oferecia um ponto de pausa onde os milhares de visitantes podiam repousar as pernas enquanto admiravam a mais valiosa das jóias do museu.

Antes mesmo de entrar, porém, Sophie soube que lhe faltava qualquer coisa. *Uma fonte de luz negra.* Olhou uma vez mais para o corpo estendido do avô, rodeado de aparelhagem electrónica. Se escrevera ali alguma coisa, usara quase de certeza uma caneta de marca de água.

Inspirando fundo, dirigiu-se apressadamente ao bem iluminado local do crime. Incapaz de olhar para o corpo, concentrou-se no material deixado pela equipa pericial. Encontrou uma pequena lanterna de luz negra, enfiou-a no bolso do camisolão e regressou o mais depressa que pôde às portas abertas da Salle des États.

Dobrou a esquina e passou o umbral. A sua entrada foi, no entanto, acolhida pelo som inesperado de passos abafados vindos do interior da câmara. *Está aqui alguém!* Uma figura fantasmagórica emergiu repentinamente da sombra avermelhada. Sophie saltou para trás.

— Ah, finalmente! — o sussurro rouco de Langdon quebrou o silêncio enquanto a silhueta dela se detinha a poucos passos. O alívio de Sophie foi apenas momentâneo.

— Robert, tinha-lhe dito para sair daqui. Se o Fache...

— Onde esteve?

— Precisava de uma fonte de luz negra — murmurou ela, mostrando-lhe a lanterna. — Se o meu avô deixou uma mensagem...

— Sophie, ouça — interrompeu-a Langdon, cravando nos dela os olhos azuis. — As letras P.S... significam qualquer outra coisa para si? Seja o que for?

Receosa de que as vozes deles ecoassem na galeria deserta, Sophie puxou-o para dentro da Salle des États e fechou silenciosamente as portas.

— Já lhe disse, as iniciais significam Princesa Sophie.

— Eu sei, mas alguma vez as viu noutro lado qualquer? O seu avô usava as letras P.S. de qualquer outra maneira? Como monograma, ou talvez em papel de carta ou num artigo pessoal?

A pergunta sobressaltou-a. *Como é que ele sabe?* Era verdade, tinha visto as iniciais numa outra ocasião, numa espécie de monograma. Fora na véspera do dia em que fazia nove anos, quando estava a passar secretamente revista à casa, à procura de prendas de aniversário.

Já nesse tempo, detestava segredos. *O que foi que o avô me comprou este ano?* Revirou armários e gavetas. *Será a boneca que eu queria? Onde a terá escondido?*

Nada encontrando no resto da casa, Sophie reuniu coragem suficiente para entrar no quarto do avô. Estava expressamente proibida de fazê-lo, mas o avô dormia lá em baixo, sentado no sofá.

Vou só dar uma espreitadela!

Avançou em bicos de pés sobre as tábuas rangentes do soalho até ao guarda-fato e espreitou para as prateleiras atrás das roupas penduradas. Nada. Depois, procurou debaixo da cama. Nada. Passou à secretária e, abrindo as gavetas uma a uma, revistou-as cautelosamente. *Tem de haver aqui qualquer coisa para mim!* Quando chegou à última, não encontrara ainda vestígios de qualquer boneca. Desanimada, abriu-a e empurrou para o lado umas roupas pretas que nunca vira o avô usar. Preparava-se para desistir quando vislumbrou o brilho do ouro ao fundo da gaveta. O coração começou a bater-lhe mais depressa quando percebeu o que devia ser.

Um colar!

Com todo o cuidado, tirou a corrente da gaveta. Para sua surpresa, tinha suspensa da ponta uma refulgente chave de ouro. Pesada e brilhante. Hipnotizada, ergueu-a nas mãos. Era diferente de qualquer outra chave que já tivesse visto. A maior parte das chaves era achatada, com dentes recortados, mas aquela tinha uma haste triangular coberta de pequenas marcas. A pega tinha a forma de uma cruz, mas não de uma cruz normal. Era uma cruz de braços iguais, como um sinal de mais. Gravado no meio da cruz, viu um estranho símbolo: duas letras entrelaçadas com uma espécie de motivo floral.

— P.S. — murmurou, franzindo a testa enquanto lia as letras. *Que quererá isto dizer?*

— Sophie? — chamou o avô, da porta.

Assustada, voltou-se bruscamente, deixando cair a chave, que bateu no chão com um ruído surdo.

— Estava... à procura da minha prenda de anos — disse, baixando a cabeça, sabendo que tinha traído a confiança dele.

Pelo que lhe pareceu uma eternidade, o avô permaneceu silencioso e imóvel, à porta do quarto. Finalmente, deixou escapar um longo suspiro.

— Apanha a chave, Sophie.

Sophie apanhou a chave.

O avô entrou no quarto.

— Sophie, tens de respeitar a privacidade das outras pessoas. — Gentilmente, ajoelhou junto dela e tirou-lhe a chave das mãos. — Esta chave é muito especial. Se a perdesses...

A voz calma do avô fê-la sentir-se ainda pior.

— Peço desculpa, *grand-père*, palavra... Pensei que fosse um colar para os meus anos.

O avô ficou a olhar para ela pelo espaço de vários segundos.

— Vou dizer-te isto mais uma vez, Sophie, porque é importante. Tens de aprender a respeitar a privacidade das outras pessoas.

— Sim, *grand-père*.

— Voltamos a falar disto noutra ocasião. De momento, o jardim tem ervas daninhas que é preciso arrancar.

Sophie apressou-se a sair, para ir tratar dos seus deveres.

Na manhã seguinte, não recebeu qualquer prenda de aniversário do avô. Nem estava à espera de receber, depois do que tinha feito. Mas ele nem sequer lhe deu os parabéns durante todo o dia. Nessa noite, foi triste para a cama. Quando se preparava para se deitar, no entanto, viu um cartão em cima da almofada. No cartão, estava escrito um enigma. Ainda antes de o resolver, já estava a sorrir. *Já sei o que é!* O avô tinha feito o mesmo no último Natal.

Uma caça ao tesouro!

Alvoroçada, estudou o enigma até descobrir a solução. Que a encaminhou para outra parte da casa, onde encontrou outro cartão e outro enigma. Resolveu também este e correu para o seguinte. Com o coração em festa, correu de um lado para o outro, de pista em pista, até que, finalmente, encontrou uma que a fez voltar ao quarto. Subiu os degraus da escada aos dois de cada vez, entrou de rompante no quarto e deteve-se, paralisada. À sua frente, brilhante e maravilhosa, estava uma bicicleta vermelha, com uma fita atada ao guiador. Sophie gritou de pura delícia.

— Eu sei que tinhas pedido uma boneca — disse o avô, a sorrir-lhe do canto. — Mas achei que ias gostar ainda mais disto.

No dia seguinte, o avô ensinou-a a andar de bicicleta, correndo ao lado dela no caminho empedrado do jardim. Quando Sophie se desviou para a relva e perdeu o equilíbrio, caíram os dois, rebolando e rindo.

— *Grand-père* — disse Sophie, abraçando-o —, peço desculpa por aquilo da chave.

— Tudo bem, querida. Estás perdoada. Não consigo estar zangado contigo. Os avôs e as netas perdoam sempre uns aos outros.

Sophie sabia que não devia perguntar, mas não conseguiu evitá-lo.

— O que é que ela abre? Nunca vi uma chave assim. É muito bonita.

O avô ficou calado por um longo instante, e Sophie percebeu que não sabia muito bem como responder-lhe. *O* grand-père *nunca mente.*

— Abre um cofre — disse, finalmente. — Onde guardo muitos segredos.

Sophie amuou.

— Odeio segredos!

— Eu sei, mas estes são segredos importantes. E, um dia, hás-de aprender a dar-lhes tanto valor como eu lhes dou.

— Vi letras na chave, e uma flor.

— Sim, é a minha flor preferida. Chama-se flor-de-lis. Temo-las no jardim. São as brancas. Também se lhes chama lírios.

— Já sei! Também são as *minhas* preferidas!

— Então, vou fazer um acordo contigo. — O avô arqueou as sobrancelhas, como costumava fazer sempre que lhe propunha um desafio. — Se conseguires guardar segredo a respeito da minha chave, e nunca mais voltares a falar dela, a mim ou seja a quem for, um dia hei-de dar-ta.

Sophie nem queria acreditar no que ouvia.

— Palavra?

— Prometo. Quando chegar a altura, a chave será tua. Até tem o teu nome escrito.

Sophie franziu a testa.

— Não, não tem. Diz P.S. Eu não me chamo P.S.!

O avô baixou a voz e olhou em redor, como que a certificar-se de que ninguém os ouvia.

— Muito bem, Sophie, se queres saber, P.S. é um código. São as tuas iniciais secretas.

Ela abriu muito os olhos.

— Tenho umas iniciais secretas?

— Claro. Todas as netas têm iniciais secretas que só os avôs conhecem.

— P.S.?

Ele fez-lhe cócegas.

— *Princesse Sophie.*

— Não sou nenhuma princesa! — disse ela, rindo.

O avô piscou-lhe um olho.

— És, pois. Para mim.

A partir desse dia, nunca mais voltaram a falar da chave. E ela passara a ser a Princesa Sophie.

Fechada na Salle des États, Sophie permanecia em silêncio, a suportar a dor da perda.

— As iniciais — insistiu Langdon, olhando para ela de um modo estranho. — Já as tinha visto?

Sophie sentiu a voz do avô a sussurrar nos corredores do museu. *Nunca fales desta chave, Sophie. A mim ou seja a quem for.* Sabia que já lhe falhara não lhe perdoando, e perguntou a si mesma se seria capaz de voltar a trair a confiança dele. *P.S. Encontra Robert Langdon.* O avô queria que Langdon a ajudasse. Assentiu com a cabeça.

— Sim, vi estas iniciais uma vez. Quando era muito nova.

— Onde?

Sophie hesitou.

— Numa coisa muito importante para ele.

Langdon prendeu o olhar ao dela.

— Sophie, isto é crucial. Pode dizer-me se as iniciais apareciam juntamente com um símbolo? Uma flor-de-lis?

Sophie sentiu-se recuar um cambaleante passo, espantada.

— Mas... mas como é que sabe?

Langdon deixou escapar o ar que retinha nos pulmões e baixou a voz:

— Tenho quase a certeza de que o seu avô era membro de uma sociedade secreta. Uma irmandade secreta muito antiga.

Sophie sentiu um nó no estômago. Também ela estava certa disso. Durante dez anos, tentara esquecer o incidente que lhe confirmara a terrível verdade. Testemunhara algo impensável. *Imperdoável.*

— A flor-de-lis — continuou Langdon — e as iniciais P.S. são o emblema oficial da irmandade. O brasão. O logotipo, por assim dizer.

— Como é que sabe tudo isso? — Sophie estava a pedir a Deus que Langdon não lhe dissesse que também ele era membro.

— Escrevi a respeito desse grupo — respondeu Langdon, com a voz trémula de excitação. — Pesquisar os símbolos das sociedades secretas é uma das minhas especialidades. Chamam a si mesmos *le Prieuré de Sion*... o Priorado de Sião. Têm a sua base aqui em França e atraem membros importantes de toda a Europa. Na realidade, são uma das sociedades secretas mais antigas ainda existentes.

Sophie nunca ouvira falar deles.

Langdon falava agora apressadamente, como se temesse não ter tempo para dizer tudo:

— O Priorado tem contado entre os seus membros alguns dos indivíduos mais cultos da História: homens como Botticelli, *Sir* Isaac Newton, Victor Hugo. — Fez uma pausa, com a voz a ressumar zelo académico. — E Leonardo da Vinci.

Sophie sobressaltou-se.

— Da Vinci fazia parte de uma sociedade secreta?

— Chefiou o Priorado entre 1510 e 1519, como Grão-Mestre da irmandade, o que talvez ajude a explicar a paixão do seu avô pelas obras dele. Havia entre os dois um laço de fraternidade histórica. E tudo isto encaixa perfeitamente com o fascínio de ambos pela iconologia da deusa, o paganismo, as divindades femininas, e também com o desprezo pela Igreja. O Priorado tem uma história bem documentada de reverência pelo sagrado feminino.

— Está a dizer-me que esse grupo é um culto pagão da deusa?

— Diria antes que é *o* culto pagão da deusa. Mas, mais importante do que isso, são conhecidos como os guardiães de um segredo muito antigo. Um segredo que os torna incomensuravelmente poderosos.

A despeito da convicção absoluta que brilhava nos olhos de Langdon, a reacção visceral de Sophie era de total incredulidade. *Um culto pagão secreto? Em tempos encabeçado por Leonardo da Vinci?* Tudo aquilo parecia completamente absurdo. E no entanto, ao mesmo tempo que recusava acreditar, sentia a mente recuar dez anos... até à noite em que surpreendera involuntariamente o avô e testemunhara aquilo que continuava a não poder aceitar. *Poderá isto explicar...?*

— A identidade dos membros vivos do Priorado é um segredo ciosamente guardado — continuou Langdon —, mas o P.S. e a flor-de-lis que viu quando era criança são prova. Só pode estar relacionado com o Priorado.

Sophie compreendeu então que Langdon sabia muito mais do que ela de início julgara a respeito do avô. Aquele americano tinha sem a mínima dúvida volumes de informação para partilhar, mas não ali.

— Não posso dar-me ao luxo de deixar que o apanhem, Robert. Temos muita coisa a discutir. Tem de ir!

Langdon ouviu apenas o débil murmúrio da voz dela. Não ia a parte nenhuma. Estava perdido num outro lugar. Um lugar onde segredos antigos subiam à superfície. Um lugar onde histórias esquecidas emergiam das sombras.

Lentamente, como se estivesse a mover-se debaixo de água, voltou a cabeça e olhou através da penumbra avermelhada para a *Mona Lisa.*

A flor-de-lis... a flor de Lisa... a Mona Lisa.

Estava tudo interligado, uma sinfonia silenciosa em que ecoavam os segredos mais profundos do Priorado de Sião e de Leonardo da Vinci.

A poucos quilómetros dali, na margem do rio juntos a Les Invalides, o estupefacto condutor do grande camião TIR, de mãos no ar sob a ameaça de várias armas, via o capitão da Polícia Judiciária lançar um gutural rugido de raiva e atirar uma barra de sabonete às escuras águas do Sena.

CAPÍTULO VINTE E QUATRO

Silas ergueu os olhos para o topo do obelisco de Saint-Sulpice, medindo o tamanho da maciça coluna de pedra. Sentia os tendões tensos de expectativa. Olhou uma vez mais em redor, para certificar--se de que continuava sozinho. Ajoelhou-se então junto à base do obelisco, não em reverência, mas por necessidade.

A Chave de Abóbada está escondida debaixo da Linha da Rosa.

Na base do obelisco de Sulpice.

Todos os irmãos tinham dito o mesmo.

De joelhos, Silas passou as mãos pelo chão de pedra. Não viu quaisquer rachas ou marcas que indicassem uma laje amovível, de modo que começou a bater ao de leve com os nós dos dedos no chão. Seguindo a linha de latão junto ao obelisco, foi batendo com os dedos nas lajes de ambos os lados. Finalmente, uma delas ressoou estranhamente.

Há uma cavidade debaixo do chão!

Silas sorriu. As suas vítimas tinham dito a verdade.

Pôs-se de pé e procurou em redor qualquer coisa que pudesse usar para partir a laje.

Bem lá em cima, na varanda do coro, a irmã Sandrine abafou uma exclamação. Os seus mais negros receios acabavam de ser confirmados. O visitante não era o que parecia. O misterioso monge da Opus Dei fora a Saint-Sulpice com um outro objectivo.

Um objectivo secreto.

Não és só tu que tens segredos, pensou.

A irmã Sandrine Bieil era mais do que a zeladora daquela igreja. Era uma sentinela. E, naquela noite, as antigas engrenagens tinham sido postas em movimento. A chegada daquele estranho junto à base do obelisco era um sinal da irmandade.

Era um grito de alarme.

CAPÍTULO VINTE E CINCO

A embaixada dos Estados Unidos em Paris é um complexo compacto situado na Avenue Gabriel, a norte dos Champs-Elysées. O recinto, com doze mil metros quadrados, é considerado solo americano, o que significa que todos os que lá se encontrem estão sujeitos às mesmas leis e gozam das mesmas salvaguardas que teriam nos Estados Unidos.

A telefonista do turno da noite da embaixada estava a ler a edição internacional da *Time* quando a campainha do telefone a interrompeu.

— Embaixada dos Estados Unidos — respondeu.

— Boa noite. — O homem que ligara falava inglês com sotaque francês. — Preciso de ajuda. — Não obstante a delicadeza das palavras, o tom era seco e oficial. — Disseram-me que há uma chamada telefónica para mim no sistema automático. O nome é Langdon. Infelizmente, esqueci o meu código de acesso de três dígitos. Ficar-lhe-ia muito grato se pudesse ajudar-me.

A telefonista hesitou, confusa.

— Lamento muito, senhor. A sua mensagem deve ser muito antiga. Esse sistema foi desactivado há dois anos, por razões de segurança. Além disso, todos os códigos de acesso tinham *cinco* dígitos. Quem lhe disse que tinha uma mensagem?

— Não têm um serviço de mensagens automático?

— Não, senhor. Qualquer mensagem que lhe fosse destinada teria sido transcrita manualmente pelos nossos serviços. Importa-se de repetir o seu nome?

Mas o homem tinha desligado.

Bezu Fache estava como que aparvalhado enquanto andava de um lado para o outro junto à margem do Sena. Tinha a certeza de ter visto Langdon marcar um número local, introduzir um código de três dígitos e em seguida ouvir uma mensagem gravada. *Mas se o Langdon não telefonou para a embaixada, para quem diabo telefonou?*

Foi nesse momento, ao olhar para o telemóvel, que Fache compreendeu que tinha a resposta na palma da mão. *Usou o meu telefone para fazer a chamada.*

Premindo a tecla do menu, chamou ao visor a lista dos últimos números marcados e descobriu o telefonema que Langdon tinha feito.

Um número de Paris, seguido pelo código 454.

Premiu então a tecla de remarcar e esperou.

Finalmente, uma voz de mulher disse:

— *«Bonjour, vous êtes bien chez Sophie Neveu. Je suis absente pour le moment, mais...»*

Fache sentia o sangue a ferver de raiva enquanto marcava 4...5...4.

CAPÍTULO VINTE E SEIS

A despeito da sua fenomenal reputação, a *Mona Lisa* tem uns meros 75,5 cm por 25,5 cm — menos do que os cartazes com a reprodução vendidos na loja de *souvenirs* do Louvre. Está suspensa da parede noroeste da Salle des États, atrás de uma placa de *Plexiglas* com cinco centímetros de espessura. A atmosfera etérea, enevoada, do quadro, pintado num painel de madeira de choupo, é atribuída ao incomparável domínio que da Vinci tinha da técnica do *sfumato*, em que as formas parecem dissolver-se umas nas outras.

Desde que assentou residência no Louvre, a *Mona Lisa* — ou *La Joconde*, como lhe chamam em França — foi roubada por duas vezes, a última das quais em 1911, quando desapareceu da *«salle impénétrable»* do Louvre — Le Salon Carré. Os parisienses choraram nas ruas e escreveram artigos nos jornais suplicando aos ladrões que devolvessem o quadro. Dois anos mais tarde, encontraram-na no fundo falso de uma mala, num quarto de hotel em Florença.

Langdon, tendo deixado bem claro a Sophie que não tencionava ir-se embora, atravessou com ela a Salle des États. Estavam ainda a vinte metros de distância do quadro quando Sophie ligou a lanterna de luz negra e o fino feixe azulado começou a correr pelo chão à frente deles. Sophie fazia-o balançar de um lado para o outro, como um detector de minas, em busca do mais pequeno vestígio de tinta luminescente.

Enquanto avançava ao lado dela, Langdon sentia já o formigueiro de antecipação que acompanhava sempre os seus encontros face-a-face com as grandes obras de arte. Esforçou-se por ver para lá do casulo de luz violeta emitido pela lanterna que Sophie levava na mão.

À esquerda, o sofá octogonal da sala emergiu das sombras, parecendo uma ilha negra no meio de um mar vazio de *parquet*.

Langdon começava a ver o painel de vidro escuro na parede. Do outro lado, nos recessos da sua cela privada, encontrava-se suspenso o quadro mais célebre do mundo.

O *status* da *Mona Lisa* como a obra de arte mais famosa do mundo nada tinha a ver, Langdon bem o sabia, com o seu enigmático sorriso. Nem se devia às misteriosas interpretações que lhe eram atribuídas por numerosos historiadores de arte e maníacos da teoria de conspiração. Muito simplesmente, a *Mona Lisa* era famosa porque Leonardo da Vinci a considerava a mais perfeita das suas realizações. Levava o quadro consigo para onde quer que viajasse e, se lhe perguntavam porquê, respondia que tinha dificuldade em separar-se da mais sublime expressão da beleza feminina.

Mesmo assim, muitos historiadores de arte suspeitavam de que a reverência de da Vinci pela *Mona Lisa* nada tinha a ver com a sua maestria artística. Na realidade, o quadro era um retrato *sfumato* surpreendentemente vulgar. A veneração do artista pela sua obra, diziam, devia-se a algo muito mais profundo: uma mensagem escondida nas camadas de tinta. A *Mona Lisa* era, de facto, uma das piadas privadas mais estudadas do mundo. A bem documentada colagem de duplos sentidos e alusões jocosas do quadro tem sido descrita na maior parte dos livros de História da Arte, o que, incrivelmente, não impedia que o público em geral continuasse a considerar o seu sorriso um grande mistério.

Não há qualquer mistério, pensou Langdon enquanto avançava e via os difusos contornos do quadro começarem a ganhar forma. *Nenhum mistério.*

Muito recentemente, tinha partilhado o segredo da *Mona Lisa* com um grupo bastante inesperado de ouvintes: uma dúzia de detidos na Essex County Penitentiary. O seminário fizera parte de um programa de Harvard que visava levar a educação ao sistema prisional — *Cultura para Condenados*, como os colegas de Langdon gostavam de lhe chamar.

De pé junto de um retroprojector na biblioteca da penitenciária, de luzes apagadas, Langdon explicou o segredo da *Mona Lisa* aos presos que assistiam à aula, homens que achara surpreendentemente interessados — rudes, mas atentos.

— Notarão — disse-lhes, aproximando-se da imagem projectada na parede — que o fundo por detrás do rosto dela não é uniforme. — Apontou para a clamorosa discrepância. — Da Vinci pintou a linha de horizonte do lado esquerdo muito mais abaixo do que do lado direito.

— Fez borrada? — perguntou um dos homens.

Langdon riu-se.

— Não. Da Vinci raramente fazia borrada. Na realidade, trata-se de um pequeno truque. Ao baixar a paisagem à esquerda, fez com que a *Mona Lisa* parecesse muito maior desse lado do que do direito. Uma piadinha privada, poder-se-ia dizer. Historicamente, os conceitos de masculino e feminino têm lados atribuídos: o esquerdo é feminino, o direito é masculino. Da Vinci, sendo um grande fã dos princípios femininos, fez a *Mona Lisa* parecer mais majestosa do lado *esquerdo*.

— Ouvi dizer que ele era maricas — disse um homem que usava uma barbicha.

Langdon franziu os lábios.

— De um modo geral, os historiadores não põem a coisa exactamente nesses termos, mas sim, da Vinci era homossexual.

— Era por isso que estava tão nessa do feminino?

— Na realidade, da Vinci estava em sintonia com o *equilíbrio* entre o masculino e o feminino. Acreditava que a alma humana só podia ser iluminada se possuísse em simultâneo elementos masculinos e femininos.

— Quer dizer, miúdas com pilas? — perguntou alguém.

A saída provocou uma explosão de gargalhadas. Langdon considerou a hipótese de lhes dar uma explicação etimológica atenuada a respeito da palavra *hermafrodita* e das ligações a Hermes e a Afrodite, mas algo lhe disse que seria um esforço baldado.

— Eh, senhor Langford — interpelou-o um homem cheio de músculos. — É verdade que a *Mona Lisa* é um retrato do da Vinci vestido de mulher? Ouvi dizer que sim.

— É muito possível — respondeu Langdon. — Da Vinci era um brincalhão, e a análise computadorizada da *Mona Lisa* e de alguns dos seus auto-retratos confirma a existência de vários e surpreendentes pontos de congruência em ambos os rostos. Mas, fosse qual fosse a intenção de da Vinci, a *Mona Lisa* não é macho nem fêmea. Transmite uma subtil mensagem de androginia. É uma fusão de ambas as coisas.

— Tem a certeza de que isso não é só conversa de chacha erudita para dizer que a *Mona Lisa* é feia como o caraças?

Langdon riu-se.

— Talvez tenha razão. Mas a verdade é que da Vinci deixou uma indicação muito clara de que o quadro deve ser considerado andrógino. Já alguém ouviu falar de um deus egípcio chamado Amon.

— Raios, sim — respondeu o homem dos músculos. — O deus da fertilidade masculina!

Langdon estava espantado.

— É o que vem escrito em todas as caixas de preservativos Amon. — O Hércules sorriu amplamente. — Têm na parte da frente um tipo com cabeça de carneiro e diz que é o deus egípcio da fertilidade. Langdon não conhecia a marca, mas ficou contente por saber que os fabricantes de profilácticos tinham interpretado correctamente os hieróglifos.

— Muito bem. Amon é de facto representado por um homem com cabeça de carneiro. E sabem como se chamava o seu equivalente feminino? Quem era a *deusa* egípcia que encarnava a mulher-modelo?

Seguiram-se vários segundos de sepulcral silêncio.

— Era Ísis — disse Langdon, pegando num marcador. — Temos, pois, o deus masculino, Amon — e escreveu a palavra num acetato —, e a deusa feminina, Ísis, cujo antigo pictograma se chamava outrora L'ISA

Langdon parou de escrever e afastou-se do projector.

AMON L'ISA

— Lembra-lhes alguma coisa? — perguntou.

— *Mona Lisa*... olha que porra! — exclamou alguém.

Langdon assentiu.

— É verdade, meus senhores, não só o rosto da *Mona Lisa* parece andrógino, como o seu próprio nome é um anagrama da união divina entre o masculino e o feminino. É este, meus amigos, o segredo de da Vinci, e a razão daquele sorrisinho de quem sabe qualquer coisa.

— O meu avô esteve aqui — disse Sophie, ajoelhando a menos de dez metros do quadro. Apontou o feixe de luz negra para um ponto do soalho de *parquet*.

De início, Langdon nada viu então, ao ajoelhar junto dela, reparou numa minúscula gota luminescente de líquido seco. *Tinta?* De súbito, recordou para o que era geralmente usada a luz negra. *Sangue.* Sentiu-se vibrar. Sophie tinha razão. Jacques Saunière fizera uma última visita à *Mona Lisa* antes de morrer.

— Não teria vindo aqui sem um motivo — sussurrou Sophie, pondo-se de pé. — Tenho a certeza de que me deixou uma mensagem. — Percorrendo rapidamente os poucos passos que faltavam, iluminou o chão em frente do quadro. Fez deslizar a luz negra de um lado para o outro sobre o soalho nu.

— Há aqui qualquer coisa!

Nesse instante, Langdon viu um débil brilho púrpura no grosso vidro que protegia o quadro. Agarrou o pulso de Sophie e ergueu lentamente o feixe de luz.

Ficaram ambos como que petrificados.

No vidro, rabiscadas directamente sobre o rosto da *Mona Lisa*, seis palavras refulgiam a púrpura.

CAPÍTULO VINTE E SETE

Sentado à secretária de Saunière, o tenente Collet apertou o telefone contra o ouvido, incrédulo. *Terei ouvido bem?*

— Um sabonete? Mas como conseguiu o Langdon descobrir o marcador GPS?

— A Sophie Neveu — respondeu Fache. — Foi ela que lhe disse.

— O quê! Porquê?

— A pergunta é boa, mas acabo de ouvir uma gravação que confirma que ela o avisou.

Collet estava sem palavras. *Que raio terá passado pela cabeça da Neveu?* Fache tinha provas de que Sophie interferira com uma investigação da DCPJ? Sophie Neveu não ia só ser despedida, ia também para a prisão.

— Mas, capitão... onde está o Langdon *agora*?

— Disparou aí algum alarme?

— Não.

— E ninguém passou por baixo da grade da Grande Galeria?

— Não. Temos lá um dos seguranças do museu, como mandou.

— Muito bem, então o Langdon ainda deve estar dentro da Grande Galeria.

— Dentro? Mas que está ele lá a fazer?

— O segurança do museu está armado?

— Sim. É um graduado.

— Mande-o entrar — ordenou Fache. — Ainda vou demorar aqui uns minutos, e não quero que o Langdon descubra uma saída. — Fache fez uma pausa. — E o melhor é dizer ao segurança que a agente Neveu provavelmente está com ele.

— Pensei que a agente Neveu se tinha ido embora.

— Viu-a sair?

— Não, mas...

— Também nenhum dos homens que vigiavam o perímetro a viu sair. Só a viram entrar.

Collet estava estupefacto com a ousadia de Sophie. *Ainda está no edifício?*

— Trate disso — continuou Fache. — Quero o Langdon e a Neveu detidos quando aí chegar.

Enquanto o camião TIR se afastava, o capitão Fache reuniu os seus homens. Robert Langdon provara ser uma presa escorregadia, e com a agente Neveu a ajudá-lo, podia tornar-se mais difícil de encurralar do que tinham esperado.

Decidiu não correr riscos.

Por uma questão de segurança, mandou metade dos agentes regressar ao Louvre, enquanto os restantes iam vigiar o único outro lugar de Paris onde Robert Langdon poderia encontrar refúgio.

CAPÍTULO VINTE E OITO

Na Salle des États, Langdon olhava espantado para as seis palavras que brilhavam na placa de *Plexiglas*. O texto parecia pairar no espaço, lançando uma sombra recortada sobre o enigmático sorriso da *Mona Lisa*.

— O Priorado! — murmurou. — Isto prova que o seu avô era membro!

Sophie olhou para ele, confusa.

— *Compreende* o que está ali escrito?

— Claro — assentiu Langdon, com o cérebro a funcionar a todo o vapor. — É a proclamação de uma das filosofias mais fundamentais do Priorado.

Sophie voltou a olhar para a mensagem escrita sobre o rosto da *Mona Lisa*.

Em inglês, como a que Jacques Saunière escrevera no chão junto ao lugar onde tinha morrido.

SO DARK THE CON OF MAN

— «Tão negra a mentira do homem»? — murmurou Sophie, tentando uma tradução que fizesse sentido.

— A tradição do Priorado de perpetuar o culto da deusa baseia-se — explicou Langdon — na convicção de que homens poderosos pertencentes à primitiva Igreja cristã enganaram o mundo propagando mentiras que desvalorizavam o feminino e faziam pender a balança para o lado do masculino.

Sophie permaneceu silenciosa, a olhar para as palavras.

— O Priorado acredita que Constantino e os seus sucessores masculinos conseguiram converter o mundo do paganismo matriarcal ao cristianismo patriarcal montando uma campanha de propaganda que demonizou o sagrado feminino, obliterando para sempre a deusa da nova religião.

A expressão de Sophie continuava a revelar incerteza.

— O meu avô mandou-me a este lugar para encontrar isto. Devia estar a tentar dizer-me *mais* qualquer coisa.

Langdon percebeu o que ela queria dizer. *Pensa que isto é outro código.* Se havia ou não ali um significado escondido, era coisa que não podia dizer naquele instante. O seu espírito estava ainda a lidar com a ousada clareza da mensagem de Saunière.

Tão negra a mentira do homem, pensou. *Negra, sem dúvida.*

Ninguém podia negar o bem enorme que a Igreja moderna fazia no conturbado mundo actual, e, no entanto, essa mesma Igreja tinha uma história de falsidade e violência. A brutal cruzada para «reeducar» as religiões pagãs e os cultos femininos prolongara-se por três séculos, com o recurso a métodos tão inspirados como horríveis.

A Inquisição católica publicara o livro que podia sem exagero ser considerado o texto mais ensopado em sangue de toda a história humana. *Malleus Maleficarum* — ou *O Martelo das Bruxas* — alertava o mundo para os perigos das «mulheres livres-pensadoras» e ensinava o clero a descobri-las, torturá-las e destruí-las. Pertenciam ao grupo das que a Igreja considerava «bruxas» todas as eruditas, sacerdotisas, as ciganas, as místicas, as amantes da natureza, as recolectoras de ervas e qualquer mulher «suspeitosamente sintonizada com o mundo natural». Também as parteiras eram mortas por usarem os seus conhecimentos de medicina para aliviar as dores do parto — um sofrimento, afirmava a Igreja, que Deus muito justamente impusera às mulheres como castigo por Eva ter partilhado o Fruto do Conhecimento, dando assim origem à ideia do Pecado Original. Durante trezentos anos de caça às bruxas, a Igreja queimara na fogueira uns estarrecedores cinco milhões de mulheres.

A propaganda e a orgia de sangue tinham resultado.

O mundo actual era uma prova viva disso mesmo.

As mulheres, outrora celebradas como a metade essencial da iluminação espiritual, tinham sido banidas dos templos de todo o mundo. Não havia mulheres que fossem rabis ortodoxos, nem padres católicos, nem clérigos islâmicos. O outrora sagrado acto de *Hieros Gamos* — a natural união sexual entre homem e mulher através da qual ambos se tornavam espiritualmente completos — passara a ser apresentado como uma coisa vergonhosa. Homens santos que noutros tempos precisavam da união sexual com os respectivos equivalentes femininos para comungar com Deus temiam agora os seus impulsos sexuais normais, considerando-os obra do diabo de conluio com o seu cúmplice preferido: a *mulher*.

Nem sequer a associação feminina ao *lado esquerdo* tinha escapado à difamação da Igreja. Em França e em Itália, as palavras para «esquerda» — *gauche* e *sinistra* — acabaram por adquirir conotações profundamente negativas, enquanto o lado direito era sinónimo de rectidão, habilidade, correcção. Ainda na actualidade, o pensamento radical era considerado ala *esquerda*, o mau humor era acordar para a *esquerda*, e tudo o que fosse mau era *sinistro*.

Os dias da deusa tinham chegado ao fim. O pêndulo balouçara. A Mãe-Terra tornara-se um mundo *do homem*, e os deuses da destruição e da guerra cobravam o seu tributo. Durante dois mil anos, o ego masculino correra à solta sem o freio do seu par feminino. O Priorado de Sião acreditava que fora esta obliteração do sagrado feminino que causara aquilo a que os índios Hopi da América chamavam *koyanisquatsi* — «vida sem equilíbrio» —, uma situação instável marcada por guerras inspiradas pela testosterona, uma plétora de sociedades misóginas e um crescente desrespeito pela Terra-Mãe.

— Robert! — O sussurro de Sophie trouxe-o de volta à realidade. — Vem aí alguém!

Também ele ouviu os passos que se aproximavam, lá fora na galeria.

— Aqui! — Sophie apagou a lanterna de luz negra e pareceu evaporar-se de repente.

Por instantes, Langdon ficou completamente cego. *Aqui!* Quando conseguiu adaptar a visão, viu a silhueta de Sophie correr para o centro da sala e desaparecer atrás do grande sofá octogonal. Preparava-se para correr atrás dela quando uma voz ribombante o deteve, petrificado.

— *Arrêtez!* — ordenou um homem, do umbral.

O segurança do museu entrou na sala, empunhando com as duas mãos e os braços esticados uma pistola apontada ao centro do peito de Langdon.

Que ergueu instintivamente as mãos para o tecto.

— *Couchez-vous!* — ordenou o guarda. — Deite-se!

Langdon obedeceu, estendendo-se no chão de barriga para baixo. O guarda avançou rapidamente para ele e, com um pé, afastou-lhe as pernas.

— *Mauvaise idée, Monsieur Langdon* — disse, fazendo pressão com o cano da pistola nas costas de Langdon. — *Mauvaise idée.*

Deitado de bruços no chão de *parquet*, de braços e pernas abertos, Langdon achou pouco graça à ironia da sua posição. *O Homem de Vitrúvio,* pensou. *De barriga para baixo.*

CAPÍTULO VINTE E NOVE

Silas pegou no pesado candelabro de ferro que estava em cima do altar e voltou com ele para junto do obelisco. Serviria perfeitamente como aríete. Olhando para a laje de mármore cinzento que cobria a aparente cavidade no chão, apercebeu-se de que não conseguiria parti-la sem fazer barulho. Bastante barulho.

Ferro contra mármore. O estrondo havia de ecoar pelos tectos abobadados.

A freira ouvi-lo-ia? Já devia estar a dormir. Mesmo assim, era um risco que Silas não queria correr. Procurando em redor um pano com que envolver a extremidade da haste de ferro, a única coisa que viu foi a toalha de linho do altar, que não se atrevia a profanar. *O meu hábito,* pensou. Sabendo-se sozinho na igreja, desapertou a corda que lhe apertava o hábito na cintura e despiu-o, sentindo o ardor das fibras de lã quando se prenderam às feridas recentes que tinha nas costas.

Nu, com excepção da faixa que lhe envolvia os rins e as virilhas, enrolou o hábito à volta da ponta da barra de ferro. Então, fazendo pontaria bem ao meio da laje, bateu com toda a sua força. Uma pancada abafada. A laje não se partiu. Bateu outra vez. De novo uma pancada abafada, mas agora acompanhada por um estalar. Ao terceiro embate, a laje estilhaçou-se finalmente, e lascas de pedra caíram no espaço vazio por baixo do chão.

Um compartimento!

Silas removeu com gestos rápidos os pedaços de mármore que tinham ficado agarrados aos bordos da abertura e espreitou lá para dentro. Sentiu o sangue latejar-lhe na cabeça ao ajoelhar junto do buraco. Esticando o braço muito branco, procurou no interior.

Ao princípio, nada encontrou. O fundo do compartimento era de pedra lisa e nua. Então, esticando mais o braço por baixo da Linha da Rosa, tocou em qualquer coisa! Uma grossa placa de pedra. Introduziu os dedos por baixo do rebordo, agarrou-a com força e puxou-a cuidadosamente para fora. Quando se pôs de pé e examinou o seu achado, verificou que tinha nas mãos uma tábua de pedra em bruto onde estavam gravadas algumas palavras. Por um instante, sentiu-se um Moisés dos tempos modernos.

Ficou surpreendido ao ler as palavras gravadas na pedra. Tinha esperado que a Chave de Abóbada fosse um mapa, ou uma complexa série de instruções, talvez até codificadas. Em vez disso, porém, a placa continha a mais simples das inscrições:

Job 38:11.

Um versículo da Bíblia? A diabólica simplicidade de tudo aquilo aturdiu-o. A revelação da localização secreta do tesouro que procuravam estava contida num versículo da Bíblia? A irmandade não conhecia limites no seu desejo de zombar dos justos!

Job. Capítulo trinta e oito. Versículo onze.

Embora não soubesse de cor o conteúdo exacto do versículo onze, Silas sabia que o Livro de Job contava a história de um homem cuja fé em Deus sobrevivia a repetidas provas. *Apropriado,* pensou, quase incapaz de conter a excitação.

Olhando por cima do ombro, contemplou a brilhante Linha da Rosa e não conseguiu impedir-se de sorrir. Em cima do altar-mor, apoiada num atril de madeira dourada, estava uma grande Bíblia encadernada a couro.

Acocorada no seu posto de vigilância, na varanda do coro, a irmã Sandrine tremia. Momentos antes, estivera à beira de correr dali para fora e executar as ordens que lhe tinham dado, quando o homem despira inesperadamente o hábito. Ao ver aquela carne cor de alabastro, fora invadida por um espanto horrorizado. As amplas costas estavam sulcadas por vergões ensanguentados. Mesmo àquela distância, percebia-se que as feridas eram recentes.

Aquele homem foi impiedosamente chicoteado!

Viu também, enrolado à volta da coxa, o cilício debaixo do qual escorria sangue. *Que espécie de Deus quereria um corpo castigado desta maneira?* Os rituais da Opus Dei, a irmã Sandrine bem o sabia, eram algo que nunca conseguiria compreender. Mas isso pouco a preocupava naquele instante. *A Opus Dei anda à procura da Chave de Abóbada.* Não imaginava sequer como tinham sabido da sua existência, mas sabia que não tinha tempo para pensar nisso.

O ensanguentado monge estava agora a vestir calmamente o hábito, após o que, com a pedra bem segura debaixo do braço, avançou para o altar, para a Bíblia.

Quase sem se atrever a respirar, com receio de que o ruído a denunciasse, a irmã Sandrine abandonou a varanda do coro e correu pelo corredor até ao seu quarto. De gatas no chão, procurou debaixo do estrado de madeira da cama o sobrescrito selado que lá escondera anos antes.

Ao abri-lo, encontrou um papel com quatro números de telefone de Paris.

A tremer, começou a marcar o primeiro.

Lá em baixo, Silas pousou a placa de pedra em cima do altar e voltou a sua atenção ansiosa para a Bíblia com capas de couro. Os dedos grandes e brancos suavam enquanto voltava as páginas. Folheando o Antigo Testamento, encontrou o Livro de Job. Localizou o capítulo trinta e oito. Passando o dedo pela coluna de texto, antecipou as palavras que estava prestes a ler.

Elas apontarão o caminho!

Ao chegar ao versículo onze, leu o texto. Eram apenas oito palavras. Confuso, voltou a lê-las, sentindo que algo correra terrivelmente mal. O versículo dizia simplesmente:

Chegarás até aqui; não mais além.

CAPÍTULO TRINTA

O guarda graduado Claude Grouard fervia de raiva enquanto olhava para o seu prisioneiro prostrado diante da *Mona Lisa. Este filho da mãe matou o conservador Saunière!* Jacques Saunière fora uma espécie de pai adorado para Grouard e para a sua equipa de segurança.

O que Grouard mais desejava era poder apertar o gatilho e abrir um buraco nas costas de Robert Langdon. Como graduado, era um dos poucos seguranças autorizados a usar uma arma carregada. Recordou a si mesmo, no entanto, que matar Langdon seria um gesto de generosidade em comparação com o que Bezu Fache e o sistema prisional francês lhe reservavam.

Tirou o rádio do cinto e tentou pedir apoio. Tudo o que ouviu foi estática. Os sistemas de segurança electrónicos especiais daquela sala semeavam sempre o caos nas comunicações entre os guardas. *Tenho de aproximar-me da porta.* Sem deixar de apontar a arma para Langdon, Grouard começou a recuar lentamente em direcção à porta. Ao terceiro passo, viu qualquer coisa que o fez deter-se abruptamente.

Que diabo é aquilo?

Uma miragem inexplicável estava a materializar-se no centro da sala. Uma silhueta. Estava mais alguém ali dentro? Uma mulher movia-se através das sombras, caminhando rapidamente em direcção à parede do lado esquerdo. À frente dela, um feixe de luz púrpura dançava de um lado para o outro no soalho, como se estivesse a procurar qualquer coisa com uma lanterna colorida.

— *Qui est là?* — perguntou Grouard, sentindo uma descarga de adrenalina invadir-lhe o sangue pela segunda vez no espaço de trinta segundos. Subitamente, ficou sem saber para onde apontar a arma ou em que direcção mover-se.

— *PTS* — respondeu calmamente a mulher, continuando a examinar o chão com a sua luz.

Police Technique et Scientifique. Groaurd estava a suar. Pensava que todos os agentes tinham ido embora! Reconheceu a luz púrpura como ultravioleta, equipamento normal das equipas de PTC, mas continuava a não compreender por que razão andaria a DCPJ a procurar indícios naquela sala.

— *Votre nom!* — gritou Grouard, com o instinto a dizer-lhe que havia ali algo de errado. — *Répondez!*

— *C'est moi* — respondeu a voz num francês calmo. — *Sophie Neveu.*

Algures nos longínquos recessos da mente de Grouard, o nome encontrou um eco. *Sophie Neveu?* Era o nome da neta do conservador Saunière, não era? Costumava ir ao museu quando era menina, mas isso fora há muitos anos. *Não pode ser ela!* E mesmo que fosse Sophie Neveu, dificilmente se poderia considerar uma razão para confiar nela. Grouard ouvira rumores a respeito da dolorosa zanga entre o conservador e a neta.

— Sabe quem eu sou — continuou a voz feminina. — E Robert Langdon não matou o meu avô. Acredite em mim

O guarda graduado Grouard não estava, porém, preparado para acreditar. *Preciso de apoio!* Voltou a tentar o rádio, e voltou a ouvir apenas estática. A porta estava ainda a uns bons vinte metros de distância, e Grouard começou a recuar lentamente, optando por manter a arma apontada ao homem estendido no chão.

Enquanto recuava, viu a mulher do outro lado da sala levantar a lanterna de luz UV e examinar um grande quadro suspenso da parede directamente em frente da *Mona Lisa.*

Abriu a boca de espanto, ao aperceber-se de que quadro se tratava. *Que diabo está ela a fazer?*

Do outro lado da sala, Sophie Neveu sentiu um suor frio humedecer-lhe a testa. Langdon continuava estendido no chão, de braços e pernas abertos. *Aguente, Robert. Estou quase lá.* Sabendo que o guarda nunca dispararia contra qualquer deles, Sophie dedicou toda a sua atenção ao assunto que tinha entre mãos, examinando a área à volta de uma obra-prima em particular: outro da Vinci. Mas a luz UV nada revelou de invulgar. Nem no chão, nem nas paredes, nem na própria tela.

Tem de haver aqui qualquer coisa!

Tinha a certeza de ter decifrado correctamente as intenções do avô.

Que outra coisa poderia ele querer dizer?

A obra-prima que estava a examinar era uma tela com metro e meio de altura. A cena que da Vinci pintara incluía uma Virgem, sentada numa pose estranha, com o Menino, João Baptista e o anjo Uriel, todos dentro do que parecia ser uma gruta. Quando era menina, nenhuma visita à *Mona Lisa* ficava completa sem que o avô a arrastasse até ao outro lado da sala para ver o segundo quadro.

Estou aqui, grand-père*! Mas não vejo nada!*

Ouvia, nas suas costas, o guarda continuar a tentar pedir ajuda através do rádio.

Pensa!

Reviu mentalmente a mensagem escrita no vidro protector da *Mona Lisa. So dark the con of man.* O quadro para que estava a olhar não tinha qualquer vidro de protecção no qual fosse possível escrever uma mensagem, e Sophie sabia que o avô nunca seria capaz de profanar uma obra de arte escrevendo na própria pintura. Fez uma pausa. *Pelo menos, na frente.* Ergueu os olhos, seguindo os compridos cabos de suspensão que desciam do tecto.

Será possível? Pegando no canto esquerdo da moldura de madeira entalhada, puxou-o para si. O quadro era grande e a armação flectiu quando a afastou da parede. Sophie introduziu a cabeça e os ombros no espaço entre a moldura e a parede e levantou a lanterna de luz negra para inspeccionar a parte de trás da tela.

Demorou apenas alguns segundos a aperceber-se de que o seu instinto fora errado. A parte de trás do quadro era pálida e vazia. Não havia ali qualquer texto escrito a púrpura, apenas o verso acastanhado e manchado de uma velha tela e...

Espera.

Os olhos de Sophie detiveram-se no brilho incongruente de um pedaço de metal perto do rebordo inferior da armação da moldura. O objecto era pequeno, parcialmente entalado na ranhura onde a tela se juntava à madeira. Da extremidade visível, pendia uma refulgente corrente de ouro.

Para enorme espanto de Sophie, a corrente estava presa a uma chave de ouro que ela conhecia. A pega, larga e esculpida, era em forma de cruz e tinha gravado um emblema que não voltara a ver desde os seus nove anos. Uma flor-de-lis, com as iniciais P.S. Naquele instante, Sophie sentiu o fantasma do avô murmurar-lhe ao ouvido: *Quando chegar a altura, a chave será tua.* Sentiu um aperto na garganta ao compreender que o avô, mesmo depois de morto, cumprira a sua promessa. *Esta chave abre um cofre,* dizia a voz dele, *onde guardo muitos segredos.*

Apercebeu-se então de que o objectivo de todo o jogo de palavras daquela noite fora aquela chave. O avô tinha-a consigo quando o assassino disparara contra ele. Não querendo que caísse nas mãos da Polícia, escondera-a atrás daquele quadro. E em seguida imaginara uma engenhosa caça ao tesouro para se certificar de que só Sophie a encontraria.

— *Au secours!* — gritava a voz do guarda.

Sophie arrancou a chave do seu esconderijo e enfiou-a no fundo do bolso do camisolão, juntamente com a lanterna de luz UV. Espreitando de trás da tela, viu que o guarda continuava a tentar desesperadamente contactar alguém através do rádio. Estava a recuar para a porta, mantendo a arma firmemente apontada para Langdon.

— *Au secours!* — voltou a gritar para o rádio.

Estática.

Não consegue transmitir, percebeu Sophie, recordando como os turistas ficavam frustrados quando tentavam ligar para casa pelo telemóvel para se gabarem de estar a ver a *Mona Lisa*. A quantidade de fios eléctricos dos sistemas de segurança embutidos nas paredes tornava impossível transmitir fosse o que fosse, a menos que se saísse para a galeria. O guarda recuava agora rapidamente para a porta, e Sophie soube que tinha de agir sem demora.

Olhando para o grande quadro atrás do qual estava em parte escondida, compreendeu que, pela segunda vez naquela noite, Leonardo da Vinci estava ali para ajudar.

Mais uns poucos metros, disse Grouard para si mesmo, mantendo a arma apontada.

— *Arrêtez! Ou je la détruis!* — A voz da mulher ecoou na sala.

Grouard olhou para ela e deteve-se, petrificado.

— *Mon dieu, non!*

Através da penumbra avermelhada, viu que a mulher tinha tirado o quadro dos cabos de suporte e o pousara de pé no chão à sua frente. Com metro e meio de altura, a tela tapava-lhe quase completamente o corpo. O primeiro pensamento de Grouard foi de surpresa pelo facto de a remoção do quadro da parede não ter feito disparar os alarmes, mas então lembrou-se de que a rede de sensores ainda não voltara a ser restabelecida. *Que está ela a fazer?*

Quando viu o que era, o sangue gelou-lhe nas veias.

A tela começou a inchar no meio, distorcendo os frágeis contornos da Virgem Maria, do Menino Jesus e de João Baptista.

— *Non!* — gritou Grouard, petrificado pelo horror ao ver o precioso da Vinci a esticar. A mulher estava a espetar o joelho no centro da tela, por detrás. — *NON!*

Voltou-se e apontou a arma para ela, mas compreendeu no mesmo instante que era uma ameaça vã. O quadro era apenas tela, mas era como se fosse impenetrável — um escudo de seis milhões de dólares.

Não posso disparar contra um da Vinci!

— Pouse no chão a arma e o rádio — ordenou a mulher, num calmo francês —, ou eu furo o quadro com o joelho. Julgo que sabe o que o meu avô pensaria disso.

Grouard estava como que aturdido.

— Por favor... não. Isso é a *Madonna dos Rochedos!* — Deixou cair a arma e o rádio, erguendo as mãos acima da cabeça.

— Obrigada — disse a mulher. — Agora, faça exactamente o que eu lhe disser, e correrá tudo pelo melhor.

Momentos depois, o coração de Langdon continuava a martelar-lhe o peito enquanto descia a correr, ao lado de Sophie, a escada que conduzia ao nível térreo. Nenhum dos dois dissera uma palavra desde que tinham deixado o trémulo guarda estendido no chão da Salle des États. Langdon apertava com força a pistola que levava na mão, ansioso por ver-se livre dela. Era pesada e parecia-lhe perigosamente alienígena.

Enquanto descia os degraus dois a dois, perguntava a si mesmo se Sophie faria alguma ideia do valor do quadro que estivera perto de destruir. As escolhas da jovem em matéria de arte pareciam estranhamente adequadas à aventura daquela noite. O da Vinci em que pegara, muito como a *Mona Lisa*, era famoso entre os historiadores de arte pela enorme quantidade de simbolismo pagão que escondia.

— Escolheu um refém valioso — comentou por fim, sem deixar de correr.

— A *Madonna dos Rochedos* — respondeu ela. — Mas não fui eu que o escolhi, foi o meu avô. Deixou-me uma coisinha escondida atrás do quadro.

Langdon lançou-lhe um olhar sobressaltado.

— O quê? Mas como soube em que quadro? Porquê a *Madonna dos Rochedos*?

— *So dark the con of man.* — Sophie dirigiu-lhe um sorriso triunfante. — Deixei escapar os dois primeiros anagramas, Robert. Não ia deixar passar o terceiro.

CAPÍTULO TRINTA E UM

— Estão mortos! — tartamudeou a irmã Sandrine ao telefone, no seu quarto em Saint-Sulpice. Estava a falar para um atendedor automático. — Atendam, por favor. Estão todos mortos!

Os três primeiros números da lista tinham produzido resultados aterradores — uma viúva histérica, um detective a trabalhar a desoras no local de um crime e um sombrio padre a consolar uma família devastada. Todos os três contactos tinham morrido. E agora, ao ligar para o quarto e último número — o número para o qual não era suposta ligar a menos que os outros três estivessem incomunicáveis —, respondera-lhe um atendedor automático. A voz gravada não mencionava qualquer nome, limitava-se a pedir a quem chamava que deixasse mensagem.

— A laje do chão foi partida! — disse a irmã Sandrine. — Os outros três estão mortos!

A irmã Sandrine desconhecia a identidade dos quatro homens que protegia, mas os quatro números de telefone escondidos debaixo da cama eram para ser usados numa única circunstância.

Se alguma vez aquela laje for partida, dissera-lhe o mensageiro sem rosto, *isso significará que o escalão superior foi descoberto. Um de nós foi mortalmente ameaçado e obrigado a dizer uma mentira desesperada. Ligue para estes números. Avise os outros. Não nos falhe nisto.*

Era um alarme silencioso. Perfeito na sua simplicidade. O plano espantara-a quando o ouvira pela primeira vez. Se um irmão visse a sua identidade comprometida, diria uma mentira que poria em marcha um mecanismo destinado a alertar os outros. Naquela noite, porém, parecia que mais do que um fora comprometido.

— Responda, por favor — sussurrou ela, em pânico. — Onde está?

— Desligue o telefone — ordenou uma voz profunda, da porta do quarto.

A irmã Sandrine voltou-se, aterrorizada, e viu o gigantesco monge. Tinha na mão o pesado candelabro de ferro. A tremer, pousou o auscultador no descanso.

— Estão mortos — continuou o monge. — Todos eles. E enganaram-me. Diga-me onde está a Chave de Abóbada.

— Não sei — respondeu a freira. — Esse segredo é guardado por outros. — *Outros que estão mortos!*

O homem avançou, apertando com os dedos brancos a haste de ferro.

— É uma irmã da Igreja, e serve-os a *eles*?

— Jesus tinha apenas uma mensagem verdadeira — respondeu desafiadoramente a irmã Sandrine. — Não vejo essa mensagem na Opus Dei.

Uma raiva súbita explodiu atrás dos olhos do monge. Avançou, esgrimindo o candelabro como se fosse um cacete. Enquanto caía, o último pensamento da irmã Sandrine foi de profunda tristeza.

Mortos, os quatro.

A preciosa verdade perdeu-se para sempre.

CAPÍTULO TRINTA E DOIS

O estridor das campainhas de alarme da Ala Denon espantou os pombos do Jardim das Tulherias, ali próximo, no momento em que Sophie e Langdon saíram a correr do museu. Enquanto atravessavam a praça em direcção ao carro de Sophie, Langdon ouviu ao longe o uivo das sereias da Polícia.

— É aquele! — gritou Sophie, apontando para um atarracado dois-lugares vermelho estacionado na praça.

Tem de estar a brincar, com certeza! O veículo era seguramente o carro mais pequeno que Langdon alguma vez vira.

— O *Smart* — disse ela. — Um litro aos cem.

Langdon mal tinha conseguido instalar-se no lugar do passageiro quando Sophie arrancou a toda a velocidade, galgou um lancil e saltou para uma divisória de saibro. Agarrou-se ao *tablier* enquanto o carro subia e atravessava outro passeio antes de dar novo salto para a pequena rotunda do Carrousel du Louvre.

Por um instante, Sophie deu a impressão de estar a considerar a possibilidade de cortar caminho e seguir em frente, passando a sebe do perímetro e atravessando o amplo círculo relvado central.

— Não! — gritou Langdon, sabendo que a sebe à volta do Carrousel du Louvre estava ali para esconder o perigoso abismo que se abria no centro — *La Pyramide Inversée* — a clarabóia em forma de pirâmide invertida que horas antes vira do interior do museu. Era suficientemente grande para engolir o minúsculo *Smart* de uma só vez. Felizmente, Sophie optou pelo caminho mais convencional, torcendo o volante para a direita e contornando ajuizadamente a rotunda até à saída. Virou então à esquerda, meteu pela faixa de sentido norte e acelerou em direcção à Rue de Rivoli.

As sereias da Polícia uivavam agora mais perto, e Langdon viu as luzes rotativas no retrovisor lateral. O motor do *Smart* gemeu em protesto quando Sophie o acelerou ao máximo, afastando-se o mais rapidamente possível do Louvre. Cinquenta metros mais à frente, o semáforo da Rue de Rivoli passou para vermelho. Sophie praguejou entredentes e continuou a acelerar. Langdon sentiu os músculos porem-se-lhe tensos.

— Sophie?

Chegaram ao cruzamento. Quase sem abrandar, Sophie fez sinal de luzes, lançou um rápido olhar à esquerda e à direita, voltou a colar o acelerador ao chão do carro e virou bruscamente à esquerda no cruzamento deserto, metendo pela Rivoli. Percorreu a toda a velocidade cerca de quatrocentos metros antes de virar à direita para contornar uma vasta rotunda. Pouco depois, estavam do outro lado, a descer a ampla avenida dos Champs-Elysées.

Quando o carro conseguiu finalmente endireitar-se, Langdon voltou-se no banco, torcendo o pescoço para olhar para trás na direcção do Louvre. Aparentemente, não estavam a ser perseguidos. O mar de luzes azuis concentrava-se diante do museu.

Com o coração a bater um pouco menos depressa, voltou-se de novo para a frente.

— Foi interessante — comentou.

Sophie pareceu não o ter ouvido. Mantinha os olhos fixos em frente, na longa fita dos Campos Elíseos, os mais de três quilómetros de lojas de luxo a que muitos chamavam a Quinta Avenida de Paris. A embaixada ficava a quilómetro e meio de distância e Langdon instalou-se mais confortavelmente no banco.

So dark the con of man.

A rapidez de raciocínio de Sophie fora deveras impressionante. *Madonna of the Rocks. A Madonna dos Rochedos.* Sophie dissera que o avô lhe deixara qualquer coisa escondida atrás do quadro. *Uma última mensagem?* Langdon não podia deixar de reconhecer o brilhantismo da escolha do esconderijo; a *Madonna dos Rochedos* era mais um elo adequado da cadeia de simbolismos interligados daquela noite. Jacques Saunière parecia querer revelar a cada passo a sua predilecção pelo lado escuro e malicioso de Leonardo da Vinci.

A encomenda da *Madonna dos Rochedos* partira originariamente de uma organização conhecida como Confraria da Imaculada Conceição, que precisava de uma pintura para peça central de um tríptico de altar destinado à sua igreja de San Francesco, em Milão. As monjas deram a Leonardo instruções precisas quanto às dimensões e ao tema desejado para o quadro — a Virgem Maria, São João Baptista quando bebé, Uriel e o Menino Jesus abrigados numa gruta. Apesar de ter feito como lhe pediam, quando entregou a obra, as religiosas reagiram com horror. Da Vinci enchera o quadro de pormenores explosivos e perturbadores.

O quadro mostrava a Virgem Maria sentada, vestida de azul, com um braço passado pelos ombros de uma criança, presumivelmente o Menino Jesus. Em frente de Maria sentava-se Uriel, também com uma criança, presumivelmente João Baptista. Mas, em vez da cena habitual de Jesus-a-abençoar-João, era João quem abençoava Jesus... e Jesus submetia-se à sua autoridade! Ainda mais perturbador: Maria mantinha uma mão aberta por cima de João, num gesto decididamente ameaçador — os dedos enclavinhados como as garras de uma águia pareciam agarrar uma cabeça invisível. Por fim, a imagem sem dúvida mais assustadora: por baixo dos dedos encurvados de Maria, Uriel fazia com a mão um gesto de corte — como que a cortar o pescoço à cabeça invisível que Maria segurava com a mão em garra.

Os alunos de Langdon achavam sempre muita graça a saber que da Vinci acabara por sossegar a confraria pintando uma segunda versão «aguada» da *Madonna dos Rochedos* em que todas as personagens apareciam dispostas de uma maneira mais ortodoxa. Esta segunda versão encontrava-se actualmente exposta, sob o nome de *Virgem dos Rochedos*, na National Gallery de Londres, embora Langdon continuasse a preferir o mais intrigante original do Louvre.

— O que é que estava atrás do quadro? — perguntou, enquanto Sophie conduzia a toda a velocidade pelos Champs-Elysées. — Mostro-lhe quando estivermos a salvo na embaixada — disse ela, sem tirar os olhos da estrada.

— Mostra-me? — espantou-se Langdon. — O seu avô deixou-lhe um objecto físico?

Sophie assentiu.

— Enfeitado com uma flor-de-lis e as iniciais P.S.

Langdon nem queria acreditar no que acabava de ouvir.

Vamos conseguir, pensou Sophie enquanto rodava o volante do *Smart* para a direita, passava em frente do luxuoso Hôtel de Crillon e entrava no tranquilo bairro das embaixadas de Paris, com as suas ruas ladeadas de árvores. Estavam agora muito perto. Sentiu que podia voltar a respirar normalmente.

Mesmo a conduzir, o seu pensamento continuava preso à chave que tinha no bolso, às suas recordações de a ter visto muitos anos antes, com a pega de ouro em forma de cruz de braços iguais, a haste triangular, as marcas, o brasão gravado, as letras P.S.

Embora a recordação daquela chave quase não lhe tivesse acudido ao espírito durante todos aqueles anos, o seu trabalho no mundo das informações ensinara-lhe muito a respeito de segurança, e agora o modo peculiar como fora fabricada já não lhe parecia tão estranho. *Uma matriz variável trabalhada a laser. Impossível de duplicar.* Em vez de dentes que empurravam linguetas, as complexas séries de marcas feitas a laser da chave eram examinadas por um olho electrónico. Se o olho electrónico decidia que as marcas hexagonais estavam correctamente espaçadas, dispostas e posicionadas, a fechadura abria-se.

Sophie não fazia a mínima ideia do que uma chave daquelas poderia abrir, mas tinha o pressentimento de que Robert saberia dizer-lho. Ao fim e ao cabo, descrevera o brasão gravado na pega sem nunca o ter visto. A pega cruciforme indicava que a chave pertencia a uma organização cristã, mas Sophie não sabia de qualquer igreja que usasse chaves de matriz variável trabalhadas a laser.

Além disso, o meu avô não era cristão...

Sophie tivera uma prova testemunhal disto mesmo dez anos antes. Ironicamente, fora uma outra chave — esta muito mais vulgar — que lhe revelara a verdadeira natureza do avô.

A tarde estava quente quando aterrara no aeroporto Charles de Gaulle e se metera num táxi para casa. *O* grand-père *vai ficar tão espantado quando me vir,* pensara. Tendo regressado alguns dias mais cedo, para as férias da Páscoa, da universidade inglesa onde fazia o curso de pós-graduação, Sophie mal podia esperar para ver o avô e falar-lhe dos métodos de criptologia que andava a estudar.

Quando chegou a casa, não o encontrou. Desapontada, pensou que ele não a esperava e provavelmente estava a trabalhar no Louvre. *Mas é sábado à tarde,* lembrou-se. O avô raramente trabalhava aos fins-de-semana. Aos fins-de-semana costumava...

Com um sorriso nos lábios, correu para a garagem. Como já esperava, o carro não estava lá. Era fim-de-semana. Jacques Saunière detestava conduzir na cidade e tinha carro por uma única e exclusiva razão: o seu *château* de férias na Normandia, a norte de Paris. Depois de meses na superpovoada Londres, Sophie estava ansiosa pelos cheiros da natureza e por começar as férias o mais depressa possível. Era ainda cedo, de modo que decidiu partir imediatamente. Pedindo o carro emprestado a uma amiga, rumou a norte, seguindo a sinuosa estrada que atravessava as colinas desertas e banhadas em luar perto de Creully. Chegou pouco depois das dez, metendo pelo longo caminho particular que conduzia ao retiro do avô. A estrada de acesso tinha quase dois quilómetros de comprimento, e só a meio do percurso Sophie começou a avistar a casa por entre as árvores — um velho e grande casarão de pedra aninhado nos bosques, no flanco de uma colina.

Estava mais ou menos à espera de encontrar o avô a dormir àquela hora da noite, de modo que ficou excitada ao ver a casa refulgente de luzes. Uma alegria que se transformou em surpresa quando, ao chegar, descobriu o pátio cheio de carros estacionados — *Mercedes, BMW, Audis* e um *Rolls-Royce.*

Ficou a olhar espantada, por um momento, e então rompeu a rir. *O meu avô, o famoso recluso!* Jacques Saunière era, tudo o indicava, muito menos reservado do que gostava de aparentar. Muito claramente, estava a dar uma festa enquanto a neta se encontrava fora a estudar, e, a julgar pelos automóveis, os convidados eram algumas das pessoas mais influentes de Paris.

Desejosa de surpreendê-lo, correu para a porta da frente. Quando lá chegou, porém, encontrou-a fechada à chave. Bateu. Não obteve resposta. Intrigada, deu a volta e tentou a porta das traseiras. Também fechada. Ninguém respondeu aos seus chamamentos.

Confusa, deteve-se por instantes, à escuta. O único som que ouvia era o do fresco vento da Normandia a gemer baixo enquanto cirandava pelo vale.

Nem música.

Nem vozes.

Nada.

No silêncio do bosque, Sophie dirigiu-se apressadamente ao lado da casa e trepou a um monte de lenha, comprimindo o nariz contra a janela da sala de estar. O que viu lá dentro não fazia qualquer espécie de sentido.

— Não está cá ninguém!

Todo o piso térreo estava deserto.

Onde se meteram todos?

Com o coração a saltar-lhe no peito, correu ao barracão das ferramentas e pegou na chave sobressalente que o avô guardava debaixo de uma caixa de aparas. Voltou à porta principal e abriu-a. Quando entrou no vestíbulo deserto, começou a piscar uma luz vermelha no painel do sistema de segurança — um aviso a quem entrava de que tinha dez segundos para introduzir o código secreto antes que o alarme disparasse.

Tem o alarme ligado durante uma festa?

Marcou rapidamente o código e desactivou o sistema.

A casa inteira estava desabitada. Incluindo o andar de cima. Regressando ao vestíbulo vazio, deteve-se por um instante no meio do silêncio, a perguntar a si mesma o que poderia ter acontecido.

Foi então que ouviu.

Vozes abafadas. E pareciam vir de algures por baixo dela. De onde, não fazia ideia. Pondo-se de gatas, encostou um ouvido às tábuas do soalho e escutou. Sim, o som vinha definitivamente lá de baixo. As vozes pareciam estar a cantar... ou a entoar um cântico? Assustou-se. Quase mais estranho do que o próprio som era o facto de saber que aquela casa nem sequer tinha uma cave.

Pelo menos, que eu tenha visto.

Rodou sobre si mesma, examinando a sala de estar. Os olhos detiveram-se-lhe no único objecto em toda a casa que parecia fora do lugar — a antiguidade preferida do avô, uma grande tapeçaria Aubusson. Estava geralmente suspensa da parede leste, junto à lareira, mas naquela noite fora puxada para o lado no seu varão de latão, expondo a parede que lhe ficava atrás.

Ao avançar para a parede nua, Sophie ouviu o cântico soar mais alto. Hesitante, encostou o ouvido à madeira. As vozes tornaram-se mais claras. Havia sem a mínima dúvida pessoas a cantar... a entoar palavras que não conseguia distinguir.

O espaço por detrás desta parede é oco!

Tacteando os bordos dos painéis com as pontas dos dedos, encontrou uma pequena depressão redonda, quase invisível. *Uma porta de correr.* Com o coração a bater, colocou o dedo na depressão e puxou. Com silenciosa precisão, a pesada parede deslizou para o lado. As vozes ecoaram mais fortes, vindas da escuridão do outro lado.

Sophie passou pela abertura e viu-se no início de uma escada de pedra bruta que descia em espiral. Ia àquela casa desde que era criança e nunca fizera a mínima ideia da existência de uma cave!

À medida que descia, o ar tornava-se mais frio. E as vozes mais nítidas. Ouviu homens e mulheres a cantar. A sua linha de visão era limitada pela espiral da escada, mas estava naquele momento a chegar ao último degrau. Para lá dele, viu um pedaço do chão da cave — pedra, iluminada pelo clarão alaranjado do fogo.

Retendo a respiração, Sophie avançou mais alguns passos e acocorou-se para espreitar. Demorou vários segundos a processar o que estava a ver.

Era uma gruta, uma tosca câmara que parecia ter sido escavada no granito do flanco da colina. A única luz era a fornecida pelos archotes nas paredes. Iluminadas pelas chamas, cerca de trinta pessoas reunidas em círculo ocupavam o centro do espaço

Estou a sonhar, disse Sophie para si mesma. *Um sonho. Que outra coisa pode isto ser?*

Todos os presentes usavam máscaras. As mulheres vestiam túnicas de tule branco e sapatos dourados. As suas máscaras eram brancas, e seguravam nas mãos globos de ouro. As máscaras e as túnicas dos homens eram pretas. Pareciam peças num gigantesco tabuleiro de xadrez. Todos se balançavam para a frente e para trás, entoando um cântico em reverência a qualquer coisa que estava no chão no meio deles... qualquer coisa que Sophie não conseguia ver.

O cântico tornou-se mais forte. Mais rápido. Atroador. Os participantes deram um passo para o interior do círculo e ajoelharam. Nesse instante, Sophie viu aquilo que todos eles testemunhavam. Enquanto recuava, horrorizada, sentiu a imagem gravar-se-lhe indelevelmente na memória. Nauseada, fez meia volta e subiu as escadas, apoiando-se às paredes de pedra. Fechou a passagem secreta, fugiu da casa deserta e regressou a Paris, conduzindo no meio de um estupor toldado pelas lágrimas.

Nessa noite, com a vida destruída pela desilusão e pela traição, juntou as suas coisas e saiu de casa. Em cima da mesa da sala de jantar, deixou uma nota:

ESTIVE LÁ. NÃO TENTES ENTRAR EM CONTACTO COMIGO.

Junto à nota, deixou as chaves sobressalentes que tirara da arrecadação das ferramentas.

— Sophie! — A voz de Langdon foi como um intruso nos seus pensamentos. — Pare! *Pare!*

Arrancada às recordações, Sophie pisou bruscamente o travão, e o carro derrapou até imobilizar-se.

— O quê? O que foi?

Langdon apontou para o fundo da rua que se estendia à frente deles.

Quando viu aquilo, Sophie sentiu o sangue gelar-lhe nas veias. Cem metros mais à frente, o cruzamento estava bloqueado por dois carros da DCPJ, estacionados de esguelha, com um propósito evidente. *Fecharam a Avenue Gabriel!*

Langdon deixou escapar um lúgubre suspiro.

— Suponho que por esta noite a embaixada está *off-limits*?

Ao fundo da rua, os dois agentes da DCPJ que estavam de pé junto dos carros olhavam agora na direcção deles, aparentemente curiosos a respeito daqueles faróis que se tinham detido de forma tão abrupta a cem metros de distância.

Okay, *Sophie, dá a volta. Muito devagar.*

Sophie engrenou a marcha-atrás e fez uma cuidadosa inversão de marcha em três tempos. Quando se afastavam, ouviu o guinchar de pneus atrás deles. As sereias começaram a uivar.

Com uma praga, Sophie acelerou a fundo.

CAPÍTULO TRINTA E TRÊS

O *Smart* de Sophie corria pela bairro diplomático, esgueirando--se por entre embaixadas e consulados, até que finalmente escapou por uma transversal e virou à direita, voltando aos Champs-Elysées.

Langdon, agarrado ao banco com tanta força que tinha os nós dos dedos brancos, olhou para trás, em busca de quaisquer sinais de perseguição. Subitamente, desejou não ter decidido fugir. *Não decidiste,* recordou a si mesmo. Fora Sophie que tomara essa decisão ao atirar o marcador GPS pela janela da casa de banho dos homens do Louvre. Agora, enquanto se afastavam a toda a velocidade da embaixada, serpenteando por entre o escasso tráfego dos Champs-Elysées, Langdon sentia que as suas opções se deterioravam. Apesar de Sophie ter aparentemente conseguido despistar a Polícia, pelo menos de momento, Langdon duvidava que a sorte deles durasse muito mais.

Conduzindo com uma só mão, Sophie procurava qualquer coisa no bolso do camisolão. Tirou de lá um pequeno objecto de metal e entregou-lho.

— É melhor dar uma vista de olhos a isto, Robert. Foi o que o meu avô me deixou atrás da *Madonna dos Rochedos.*

Com um estremecimento de excitação, Langdon pegou no objecto e examinou-o. Era pesado e cruciforme. O primeiro instinto foi que tinha na mão um *pieu* funerário — uma réplica em miniatura de uma estaca destinada a ser cravada no chão para assinalar uma sepultura. Mas então reparou que a haste encimada pela cruz era prismática e triangular. E era, também, pontuada por centenas de marcas hexagonais que pareciam ter sido finamente executadas e distribuídas de uma forma aleatória.

— É uma chave trabalhada a laser — explicou Sophie. — Esses hexágonos são lidos por um olho electrónico.

Uma chave? Langdon nunca vira nada igual.

— Veja do outro lado — disse ela, mudando de faixa e passando um cruzamento.

Quando Langdon voltou a chave, o queixo caiu-lhe de espanto. Ali, intricadamente gravadas no centro da cruz, havia uma flor-de--lis estilizada e as iniciais P.S.!

— Sophie! — exclamou. — É o brasão de que lhe falei! O emblema oficial do Priorado de Sião.

Ela assentiu.

— Como lhe disse, vi essa chave há muitos anos. O meu avô pediu-me que nunca falasse dela a quem quer que fosse.

Os olhos de Langdon continuavam presos à chave gravada. A alta tecnologia envolvida no seu fabrico e o símbolo imemorial que ostentava exsudavam uma estranha fusão dos mundos antigo e moderno.

— Disse-me que abria um cofre onde conservava muitos segredos. — Langdon sentiu um arrepio ao imaginar o tipo de segredos que um homem como Jacques Saunière poderia guardar. De que serviria a uma antiga irmandade uma chave futurista era algo de que não fazia a mais pequena ideia. O Priorado existia única e exclusivamente com o propósito de proteger um segredo. Um segredo incrivelmente poderoso. *Terá esta chave alguma coisa a ver com ele?* O pensamento era esmagador.

— Sabe o que é que ela abre?

Sophie pareceu desapontada.

— Estava na esperança de que o Robert soubesse.

Langdon permaneceu silencioso enquanto fazia girar a chave entre os dedos, examinando-a.

— Parece cristã — sugeriu Sophie.

Langdon não estava muito certo disso. A pega da chave não era a tradicional cruz cristã de fuste comprido e sim uma cruz *quadrada* — com quatro braços de igual comprimento —, mil e quinhentos anos anterior ao cristianismo. Aquele tipo de cruz não tinha qualquer das conotações de crucifixão associadas à cruz latina, concebida pelos Romanos como um instrumento de tortura. Langdon ficava sempre espantado ao verificar quão poucos eram os cristãos que, ao olharem para o «crucifixo», se apercebiam de que a violenta história do seu símbolo se reflectia no próprio nome: «cruz» e «crucifixo» derivavam do verbo latino *cruciare*: torturar.

— Tudo o que posso dizer-lhe — respondeu Langdon — é que as cruzes de braços iguais, como esta, são consideradas cruzes *pacíficas*. A sua configuração quadrada torna-as pouco práticas para a crucifixão e o equilíbrio dos elementos vertical e horizontal transmite uma noção da união natural entre o masculino e o feminino, tornando-as consistentes com a filosofia do Priorado.

Sophie lançou-lhe um olhar desanimado.

— Não faz a mínima ideia, pois não?

Langdon franziu a testa.

— Nenhuma.

— *Okay*, temos de sair da rua. — Olhou pelo retrovisor. — Precisamos de um sítio seguro para tentarmos descobrir o que é que essa chave abre.

Langdon pensou com saudade no seu confortável quarto no Ritz. Obviamente, não era uma opção.

— Que lhe parece os meus anfitriões na Universidade Americana de Paris?

— Demasiado óbvio. O Fache vai lá direito.

— Deve conhecer pessoas. Vive aqui.

— O Fache vai verificar os meus registos de telefone e *e-mail*, interrogar os meus colegas. Os meus contactos estão todos comprometidos. E não vale a pena tentar um hotel, porque todos eles exigem identificação.

Langdon voltou a perguntar a si mesmo se não teria sido melhor arriscar e deixar que Fache o prendesse no Louvre.

— Vamos telefonar para a embaixada. Posso explicar o que se passou e eles mandam alguém encontrar-se algures connosco.

— Encontrar-se connosco? — Sophie voltou-se e olhou para ele, como se o achasse louco. — Robert, está a sonhar. A sua embaixada não tem jurisdição fora do espaço que ocupa. Mandar alguém buscar-nos equivaleria a ajudar um fugitivo ao governo francês. Não vai acontecer. Se entrar na sua embaixada e pedir asilo temporário, é uma coisa, mas pedir-lhes que ajam contra a Polícia francesa no terreno? — Abanou a cabeça. — Telefone para a sua embaixada, e eles aconselham-no a evitar mais estragos e entregar-se ao Fache. Depois prometem usar todos os canais diplomáticos para lhe conseguir um julgamento justo. — Lançou um olhar às elegantes fachadas das lojas ao longo dos Champs-Elysées. — Quanto dinheiro tem consigo?

Langdon verificou a carteira.

— Cem dólares e alguns euros. Porquê?

— Cartões de crédito?

— Claro.

Sophie acelerou, e Langdon teve a sensação de que ela estava a arquitectar um plano. À frente deles, no fim dos Champs-Elysées, erguia-se o Arco do Triunfo — o tributo de Napoleão ao seu próprio poder militar — rodeado pela maior rotunda de França, uma enormidade com nove faixas de rodagem.

Os olhos de Sophie estavam mais uma vez no retrovisor enquanto se aproximavam da rotunda.

— Despistámo-los, para já — disse —, mas não duramos mais cinco minutos se continuarmos neste carro.

Nesse caso, rouba um diferente, pensou Langdon. *Já que somos criminosos.*

— O que é que vai fazer?

Sophie entrou na rotunda com os pneus a chiar.

— Confie em mim.

Langdon não respondeu. A confiança não o levara muito longe naquela noite. Puxando para cima a manga do casaco, consultou o relógio — um exemplar de colecção de um relógio de pulso *Rato Mickey* que os pais lhe tinham dado quando fizera dez anos. Apesar de o ar infantil do mostrador atrair de vez em quando alguns olhares espantados, nunca tivera outro; os desenhos animados de Walt Disney tinham sido o seu primeiro contacto com a magia da forma e da cor, e o *Rato Mickey* servia agora para lhe lembrar todos os dias que devia manter-se jovem de coração. Na altura, porém, os braços de *Mickey* estavam inclinados num estranho ângulo, indicando uma hora igualmente estranha:

2:51.

— Relógio interessante — comentou Sophie, olhando-lhe para o pulso enquanto contornava a rotunda.

— É uma longa história — disse ele, voltando a baixar a manga do casaco.

— Calculo que deva ser. — Dirigiu-lhe um rápido sorriso e saiu da rotunda, seguindo para norte, afastando-se do centro da cidade. Passou à justa dois sinais verdes, chegou ao terceiro cruzamento e virou à esquerda no Boulevard Malesherbes. Deixaram para trás as ruas sossegadas e orladas de árvores do bairro diplomático e internaram-se numa sombria zona industrial. Sophie virou bruscamente à esquerda e, instantes depois. Langdon soube onde estavam.

Gare Saint-Lazare.

À frente deles, o terminal ferroviário, com o seu tecto de vidro, parecia o bizarro resultado de um cruzamento entre um hangar de aviação e uma estufa. As estações de comboios europeias nunca dormem. Mesmo àquela hora, havia uma dúzia de táxis parados diante da porta principal. Havia carrinhas onde se vendia sanduíches e água mineral e grupos de adolescentes de ar desgrenhado que saíam da estação a esfregar os olhos e a olhar em redor como se tentassem descobrir a que cidade acabavam de chegar. Um pouco mais à frente, dois agentes da Polícia, de pé no passeio, davam indicações a meia dúzia de desorientados turistas.

Sophie parou o *Smart* atrás da fila de táxis, numa zona de estacionamento proibido, apesar de haver fartura de lugares disponíveis no parque do outro lado da rua. Antes que Langdon pudesse perguntar-lhe aonde ia, já tinha saído do carro. Correu até à janela do táxi parado à frente deles e começou a falar com o motorista.

Quando se apeou do *Smart,* Langdon viu-a entregar ao taxista um grosso maço de notas. O homem assentiu e então, para espanto de Langdon, arrancou sem eles.

— Que aconteceu? — perguntou Langdon, indo juntar-se a Sophie no passeio enquanto o táxi desaparecia.

Sophie já ia a caminho da entrada da estação.

— Venha. Vamos comprar dois bilhetes para o primeiro comboio que saia de Paris.

Langdon correu para alcançá-la. O que começara como uma corrida de quilómetro e meio até à embaixada dos Estados Unidos tinha-se transformado numa evacuação da cidade. Estava a gostar cada vez menos da ideia.

CAPÍTULO TRINTA E QUATRO

O motorista que foi buscar o bispo Aringarosa ao Aeroporto Internacional Leonardo da Vinci conduzia um pequeno e vulgar *Fiat* preto. Aringarosa recordou os tempos em que todos os carros do Vaticano eram grandes automóveis de luxo, com medalhões nas portas e flâmulas ostentando o brasão da Santa Sé. *Esses dias desapareceram para sempre.* Os carros do Vaticano eram agora menos ostentosos e só muito raramente usavam qualquer emblema que os distinguisse. O Vaticano afirmava que se tratava de cortar nas despesas para melhor servir as dioceses, mas Aringarosa suspeitava de que era mais por questões de segurança. O mundo enlouquecera e, em muitos lugares da Europa, anunciar o amor por Jesus Cristo equivalia a pintar um alvo no tejadilho do carro.

Ajeitando a sotaina negra à volta das pernas, Aringarosa instalou-se no banco traseiro do *Fiat* e preparou-se para a longa viagem até Castel Gandolfo. A mesma que fizera cinco meses antes.

A viagem do ano passado a Roma, pensou, com um suspiro. *A noite mais longa da minha vida.*

Cinco meses antes, o Vaticano telefonara a pedir a sua presença imediata em Roma. Não fora dada qualquer explicação. *Os bilhetes estão no aeroporto.* A Santa Sé esforçava-se ao máximo por manter um véu de mistério, mesmo face aos escalões mais elevados da hierarquia.

A misteriosa convocação, suspeitara Aringarosa, não passava provavelmente de uma tentativa do Papa e de outros altos funcionários do Vaticano de aproveitarem a boleia do mais recente êxito público da Opus Dei: a inauguração da nova Sede Nacional em Nova Iorque. A *Architectural Digest* chamara ao edifício da organização «um brilhante farol de catolicismo sublimemente integrado na paisagem moderna», e, ultimamente, o Vaticano parecia atraído por tudo o que incluísse a palavra moderno.

Aringarosa não tinha outro remédio senão aceitar o convite, ainda que com relutância. Não exactamente um fã da actual administração pontifícia, o bispo Aringarosa, como a maior parte do clero conservador, vira com grande preocupação o novo Papa instalar-se no seu primeiro ano no cargo. Um liberal sem precedentes, Sua Santidade chegara ao papado na sequência de um dos mais controversos e invulgares conclaves da história do Vaticano. Agora, em vez de mostrar humildade face à sua inesperada ascensão, o Santo Padre não hesitava em utilizar todo o poder do mais alto cargo da cristandade. Aproveitando uma perturbadora vaga de apoio liberal no seio do Colégio Cardinalício, o Papa declarava ser sua missão «rejuvenescer o Vaticano e actualizar o catolicismo, adequando-o ao terceiro milénio». O que, trocado por miúdos, temia Aringarosa, significava que o homem era na realidade suficientemente arrogante para pensar que podia reescrever as leis de Deus e reconquistar os corações daqueles que achavam que as exigências do verdadeiro catolicismo se tinham tornado demasiado inconvenientes no mundo actual.

Aringarosa usara todo o seu peso político — muito substancial, considerando o tamanho da congregação da Opus Dei e a imponência da sua conta bancária — para tentar persuadir o Papa e os respectivos conselheiros de que suavizar as leis da Igreja era não só uma infidelidade e uma cobardia, mas também um suicídio político. Recordara-lhes que a mais recente «revisão» nas leis da Igreja — o fiasco do Vaticano II — deixara um legado devastador: a frequência das igrejas era agora mais baixa do que nunca, a fonte dos donativos estava a secar e não havia sequer padres suficientes para todos os templos.

As pessoas precisam de estrutura e orientação por parte da Igreja, insistia Aringarosa, *não de palmadinhas nas costas e indulgência!*

Nessa noite, alguns meses depois, quando o *Fiat* saíra do aeroporto, Aringarosa ficara surpreendido ao verificar que, em vez de estar a dirigir-se ao Vaticano, subia uma sinuosa estrada de montanha em direcção a leste.

— Aonde vamos? — perguntara ao condutor.

— Para os Montes Albanos — respondera o homem. — A reunião de Vossa Eminência é em Castel Gandolfo.

A residência de Verão do Papa? Aringarosa nunca a vira, nem tinha o mínimo desejo de vê-la. Além de ser a casa de férias do Papa, a cidadela do século XVI albergava também a Specula Vaticana — o Observatório do Vaticano — um dos mais avançados observatórios astronómicos da Europa. Aringarosa nunca se sentira à-vontade com a necessidade histórica que o Vaticano parecia ter de se imiscuir na ciência. Qual era a vantagem de fundir ciência e fé? Era manifestamente impossível a alguém que tivesse fé em Deus praticar uma ciência livre de parcialidades. E a fé não tinha necessidade de qualquer confirmação física das suas crenças.

Seja como for, ali está, pensou, quando Castel Gandolfo surgiu à vista, recortando-se contra um estrelado céu de Novembro. Da estrada de acesso, a cidadela parecia um grande monstro de pedra a considerar a hipótese de um salto suicida. Empoleirado na beira de um precipício, o castelo debruçava-se sobre o berço da civilização italiana — o vale onde os Curiazi e os Orazi se tinham batido muito antes da fundação de Roma.

Mesmo em silhueta, Gandolfo era digno de ser visto: um imponente exemplo de arquitectura defensiva, ecoando o poder da sua dramática situação no alto do penhasco. Infelizmente, como Aringarosa teve então ocasião de ver, o Vaticano estragara tudo construindo sobre os telhados duas enormes cúpulas de alumínio destinadas aos telescópios, fazendo o outrora grave edifício parecer um orgulhoso guerreiro toucado com um par de chapéus de festa.

Quando se apeou do carro, um jovem padre jesuíta saiu apressadamente do edifício para o receber.

— Bem-vindo, Eminência. Sou o padre Mangano. Um dos astrónomos do Observatório.

Que bom para ti. Aringarosa resmungou um cumprimento e seguiu o seu anfitrião até ao átrio do castelo — um vasto espaço aberto decorado com uma desengraçada mistura de arte renascentista e imagens astronómicas.

Continuando a seguir o jovem padre, que subia a ampla escadaria de mármore travertino, Aringarosa viu sinais que indicavam o caminho para centros de conferências, anfiteatros e serviços de informações. Espantou-o pensar que o Vaticano, incapaz de proporcionar directivas firmes e coerentes que permitissem o crescimento espiritual, arranjava mesmo assim tempo para fazer palestras sobre astrofísica a grupos de turistas.

— Diga-me — perguntou, dirigindo-se ao jovem padre —, quando foi que a cauda começou a agitar o cão?

O padre lançou-lhe um olhar de estranheza.

— Eminência?

Aringarosa agitou uma mão, decidindo não se lançar nessa ofensiva particular naquela noite. *O Vaticano enlouqueceu.* Como um pai preguiçoso que acha mais fácil aceder a todos os caprichos de um filho mimado do que manter-se firme e ensinar valores, a Igreja estava a tornar-se cada vez mais mole, tentando reinventar-se para se adaptar a uma cultura que perdera o norte.

O corredor do último piso era largo, ricamente decorado e apontava numa única direcção — umas enormes portas de carvalho com uma placa metálica:

BIBLIOTECA ASTRONÓMICA

Aringarosa já ouvira falar daquele lugar — A Biblioteca Astronómica do Vaticano —, que se dizia conter mais de vinte e cinco mil volumes, incluindo obras raras de Copérnico, Galileu, Kepler, Newton e Secchi. Alegadamente, era ali que os mais altos funcionários do papado tinham as suas reuniões privadas... as reuniões que preferiam não ter dentro dos muros da Cidade do Vaticano.

Nunca, enquanto se aproximava das portas, o bispo Aringarosa imaginaria a chocante notícia que ia receber lá dentro, ou a mortal cadeia de acontecimentos que essa notícia ia pôr em movimento. Só uma hora mais tarde, quando saiu aturdido da reunião, compreendeu bem as devastadoras implicações do que acabava de ouvir. *Daqui a seis meses!*, pensara. *Deus nos ajude!*

Agora, uma vez mais sentado num *Fiat,* o bispo Aringarosa apercebeu-se de que tinha os punhos cerrados só de pensar naquela primeira reunião. Abriu as mãos e obrigou-se a inspirar fundo, relaxando os músculos.

Vai correr tudo bem, disse para si mesmo enquanto o carro serpenteava montanha acima. Mesmo assim, desejava intensamente que o telemóvel tocasse. *Porque não me terá o* Professor *telefonado? O Silas já deve ter a Chave de Abóbada em seu poder.*

Num esforço para acalmar os nervos, pensou na ametista púrpura do seu anel episcopal. Tacteando a textura da aplicação em forma de mitra e de báculo e as arestas dos diamantes, recordou a si mesmo que aquele anel era o símbolo de um poder muito inferior àquele que em breve possuiria.

CAPÍTULO TRINTA E CINCO

O interior da Gare Saint-Lazare era semelhante ao de qualquer outra estação ferroviária da Europa, um vasto e cavernoso espaço semiaberto povoado pelos suspeitos do costume: sem-abrigo empunhando pedaços de cartão em que anunciavam os seus males e necessidades, grupos de jovens universitários de olhos remelosos a dormir em cima das mochilas ou evadidos num outro mundo agarrados às suas consolas portáteis *Mp3*, bagageiros de macacões azuis a fumar e a conversar encostados às paredes.

Sophie ergueu os olhos para o enorme painel das partidas suspenso do tecto. As finas e compridas placas brancas e pretas rodopiavam velozmente, numa espécie de onda que vinha de cima para baixo à medida que a informação era actualizada. Terminada a operação, Langdon examinou a lista de ofertas. A primeira linha dizia:

LILLE — RAPIDE — 3:06

— Seria melhor se partisse mais cedo — murmurou Sophie. — Mas Lille vai ter de servir.

Mais cedo? Langdon consultou o relógio. 2:59. O comboio partia dentro de sete minutos e ainda nem sequer tinham bilhetes.

Sophie guiou-o até à bilheteira e disse:

— Compre dois bilhetes com o seu cartão de crédito.

— Julgava que as utilizações do cartão de crédito podiam ser...

— Exactamente.

Langdon desistiu de tentar acompanhar Sophie Neveu. Usando o cartão Visa, comprou dois bilhetes para a carruagem-cama e entregou-os a Sophie.

Sophie conduziu-o para as plataformas de embarque. Vindo de cima, o familiar ding-dong electrónico seguido por uma voz ecoante anunciou a última chamada para Lille. À frente deles, dezasseis linhas separadas por plataformas de cimento estendiam-se como fitas até desaparecerem na noite. Muito para a direita, na linha número três, o comboio com destino a Lille preparava-se para partir, mas Sophie, passando o braço pelo de Langdon, arrastou-o na direcção exactamente oposta. Atravessaram apressados um vestíbulo lateral, passando diante de uma cafetaria, e finalmente saíram para uma rua silenciosa no lado oeste da estação.

Junto ao passeio, um táxi solitário parecia esperar, com o motor a trabalhar.

O motorista viu Sophie e fez um sinal de luzes.

Sophie saltou para o banco traseiro. Langdon seguiu-a.

Quando o táxi arrancou, Sophie pegou nos bilhetes de comboio acabados de comprar e rasgou-os em pedacinhos pequenos.

Langdon suspirou. *Setenta dólares bem gastos.*

Só depois de o táxi ter entrado numa monótona velocidade de cruzeiro, seguindo para norte pela Rue de Clichy, é que Langdon se convenceu de que tinha efectivamente escapado. Pela janela, do lado direito, via Montmartre e a bela cúpula do Sacré-Coeur. A imagem foi interrompida pelo relampejar das luzes dos carros da Polícia que passaram por eles na direcção oposta.

Langdon e Sophie baixaram a cabeça enquanto o uivo das sereias se afastava e morria.

Sophie limitara-se a dizer ao motorista que saísse da cidade, e, pela contracção determinada do queixo dela, Langdon adivinhou que estava a tentar decidir a próxima jogada.

Resolveu voltar a examinar a chave cruciforme, erguendo-a à altura da janela do táxi, aproximando-a dos olhos num esforço para descobrir quaisquer marcas que indicassem onde fora fabricada. À luz intermitente dos candeeiros da rua, nada viu excepto o selo do Priorado.

— Não faz sentido — disse, finalmente.

— Que parte?

— O seu avô dar-se a tanto trabalho para fazer-lhe chegar às mãos uma chave que a Sophie não sabe para que serve.

— Concordo.

— Tem a certeza de que ele não escreveu mais nada nas costas do quadro.

— Procurei em toda a área. Isso era a única coisa que lá estava. Essa chave, entalada entre a armação e a tela. Vi o selo do Priorado, enfiei a chave no bolso e saímos dali para fora.

Langdon franziu a testa, examinando agora a ponta romba da haste triangular. Nada. Semicerrando os olhos, aproximou a chave da cara e examinou a aresta da pega. Nada.

— Acho que esta chave foi limpa recentemente.

— Porquê?

— Cheira a álcool.

— Desculpe?

— Cheira como se alguém a tivesse esfregado com um produto de limpeza. — Langdon levou a chave ao nariz e cheirou-a. — É mais forte do outro lado. — Voltou-a. — Sim, qualquer coisa à base de álcool, como se tivesse sido polida com um limpa-metais ou... — interrompeu-se a meio da frase.

— O quê?

Langdon inclinou a chave para a luz e examinou cuidadosamente a face lisa da pega. Parecia ter pontos brilhantes... como se estivesse húmida.

— Olhou bem para a parte de trás da chave antes de a meter no bolso?

— O quê? Não, não olhei. Estava cheia de pressa.

Langdon voltou-se para ela.

— Ainda tem a lanterna de luz negra?

Sophie enfiou a mão no bolso e tirou de lá a fina lanterna. Langdon pegou-lhe, acendeu-a e apontou-a para o verso da pega da chave. Que se pôs instantaneamente a brilhar. Havia ali qualquer coisa escrita. Numa letra apressada mas legível.

— Bem — disse Langdon, sorrindo —, parece que já sabemos o que era aquele cheiro a álcool.

Sophie estava a olhar estupefacta para as palavras escritas a púrpura no verso da chave.

Rue Haxo 24

Uma morada! O meu avô escreveu uma morada!

— Onde fica isto? — perguntou Langdon.

Sophie não fazia ideia. Voltando-se para a frente, inclinou-se por cima das costas do banco e perguntou excitadamente ao motorista:

— *Connaissez-vous la Rue Haxo?*

O homem pensou por um instante, e então assentiu. Disse a Sophie que ficava perto do estádio de ténis nos arredores ocidentais de Paris. Ela pediu-lhe que os levasse lá imediatamente.

— O caminho mais rápido é pelo Bosque de Bolonha — disse-lhe o motorista em francês. — Pode ser?

Sophie franziu a testa. Normalmente, escolheria um caminho menos escandaloso, mas naquela noite não podia dar-se ao luxo de ser esquisita.

— *Oui.* — *Vamos chocar o nosso visitante americano.*

Olhou novamente para a chave e perguntou a si mesma o que iriam encontrar no número 24 da Rue Haxo. *Uma igreja? Um quartel-general do Priorado?*

O espírito encheu-se-lhe de imagens do ritual secreto a que assistira na gruta escavada por baixo da casa do avô, dez anos antes, e deixou escapar um longo suspiro.

— Robert, há montes de coisas que tenho de lhe dizer. — Fez uma pausa, olhando-o bem a direito nos olhos enquanto o táxi corria para oeste. — Mas primeiro quero que me conte tudo o que sabe a respeito desse Priorado de Sião.

CAPÍTULO TRINTA E SEIS

À entrada da Salle des États, Bezu Fache espumava de raiva enquanto o guarda graduado Grouard lhe explicava como Sophie e Langdon tinham conseguido desarmá-lo. *Porque é que não disparaste através do raio do quadro!*

— Capitão! — O tenente Collet corria na direcção deles vindo do posto de comando. — Capitão, a notícia chegou agora mesmo. Encontraram o carro da agente Neveu.

— Conseguiu chegar à embaixada?

— Não. Estação ferroviária. Compraram dois bilhetes. O comboio acaba de partir.

Fache despediu Grouard com um gesto e levou Collet para um recanto da galeria, dirigindo-se-lhe em voz baixa.

— Qual era o destino?

— Lille.

— Provavelmente, um truque para nos despistar. — Fache soprou com força, formulando um plano. — Muito bem, alerte a próxima estação, mande parar e revistar o comboio, pelo sim pelo não. Deixe o carro dela onde está e ponha agentes à paisana a vigiá-lo, para o caso de tentarem recuperá-lo. Mande fazer uma busca nas ruas à volta da estação, para o caso de terem fugido a pé. Há autocarros a partir da estação?

— A esta hora, não. Só táxis.

— Óptimo. Interrogue os motoristas. Descubra se viram alguma coisa. Depois contacte a companhia de táxis e mande descrições dos dois fugitivos para a central. Vou falar com a Interpol.

Collet pareceu surpreendido.

— Vai pôr isto no *ar*?

Fache lamentava o potencial embaraço, mas não via outra opção.

Fechar a rede, e fechá-la com força.

A primeira hora era crítica. Os fugitivos eram sempre previsíveis durante a primeira hora após a fuga. Precisavam sempre da mesma coisa. *Distância. Alojamento. Dinheiro.* A Santíssima Trindade. A Interpol tinha o poder de fazer todas estas três coisas desaparecerem num abrir e fechar de olhos. Enviando por *fax* fotografias de Langdon e de Sophie para as instituições de viagens, hotéis e bancos de Paris, não lhes deixaria a mais pequena hipótese — não poderiam sair da cidade, não teriam onde esconder-se, não teriam maneira de levantar dinheiro sem serem reconhecidos. Regra geral, os fugitivos entravam em pânico e faziam qualquer coisa estúpida. Roubar um carro. Assaltar uma loja. Ou, em desespero de causa, usar um cartão bancário. Fosse qual fosse o erro que cometessem, não tardavam a revelar o seu paradeiro às autoridades locais.

— Só o Langdon, certo? — disse Collet. — Não vai denunciar a Sophie Neveu. Ela é um dos nossos.

— Claro que vou denunciá-la! — replicou Fache. — De que serviria denunciar o Langdon deixando-a a ela livre para fazer o trabalho sujo? Tenciono passar a pente fino o *dossier* da Neveu... amigos, família, contactos pessoais... toda a gente a quem ela possa pedir ajuda. Não sei o que é que ela pensa que anda a fazer, mas vai custar-lhe muito mais do que o emprego!

— Quere-me aos telefones ou no terreno?

— No terreno. Vá à estação ferroviária e coordene a equipa. Tem o comando, mas não faça nada sem falar comigo.

— Sim, senhor. — E Collet afastou-se a correr.

Fache sentia todo o corpo rígido. Do outro lado da janela, a pirâmide de vidro brilhava, o seu reflexo a ondular na água dos tanques que o vento encrespava. *Escaparam-se-me por entre os dedos.* Disse a si mesmo para relaxar.

Até um agente com treino de campo teria de ter muita sorte para aguentar a pressão que a Interpol ia exercer.

Uma criptóloga e um mestre-escola?

Não duravam até de manhã.

CAPÍTULO TRINTA E SETE

O parque densamente arborizado conhecido como Bois de Boulogne tinha muitos nomes, mas os *cognoscenti* parisienses chamavam-lhe «o Jardim das Delícias Terrenas». A alcunha, parecendo embora lisonjeira, não o era, muito pelo contrário. Quem conhecesse o sombrio quadro de Bosch com o mesmo nome compreendia a ironia; o quadro, como o bosque, era escuro e tortuoso, um purgatório para tarados e fetichistas. À noite, os coleantes caminhos florestais enchiam-se de centenas de corpos de aluguer, delícias terrenas para satisfazer os desejos mais escondidos e inomináveis de todos e de cada um — homens, mulheres e tudo o que houvesse pelo meio.

Enquanto Langdon organizava os pensamentos para falar a Sophie do Priorado de Sião, o táxi atravessou a entrada do parque e meteu pelos arruamentos empedrados em direcção a oeste. Estava a ter dificuldade em concentrar-se, porque uma amostra dos residentes nocturnos do bosque começava já a emergir das sombras e a ostentar a respectiva mercadoria à luz dos faróis. Um pouco à frente, duas adolescentes de seios nus lançaram olhares escaldantes ao táxi que passava. Atrás delas, um musculoso negro de corpo oleado, vestindo apenas uma espécie de fio-dental, voltou-lhes as costas e flectiu as nádegas. Ao lado, uma belíssima mulher loura levantou a minissaia e mostrou que não era, na realidade, uma mulher.

Deus me ajude! Langdon voltou o olhar para dentro do táxi e inspirou fundo.

— Fale-me do Priorado — pediu Sophie.

Langdon assentiu, incapaz de imaginar um pano de fundo menos adequado à lenda que ia contar. Perguntou a si mesmo por onde começar. A história de irmandade estendia-se por mais de um milénio... uma espantosa crónica de segredos, chantagens, traições e até brutal tortura às mãos de um papa furioso.

— O Priorado de Sião — começou —, foi fundado em Jerusalém, em 1099, por um rei francês chamado Godofredo de Bulhão, imediatamente depois de este ter conquistado a cidade.

Sophie assentiu, com os olhos cravados nele.

— Godofredo era alegadamente o detentor de um poderoso segredo... um segredo que a sua família guardava desde os tempos de Cristo. Receando que este segredo se perdesse com a sua morte, fundou uma irmandade secreta... o Priorado de Sião... que encarregou de o manter e defender, transmitindo-o sigilosamente de geração em geração. Durante os anos da sua presença em Jerusalém, o Priorado soube da existência de uma grande quantidade de documentos enterrados sob as ruínas do templo de Herodes, que fora construído sobre os escombros ainda mais antigos do Templo de Salomão. Acreditavam que esses documentos corroboravam o poderoso segredo de Godofredo e eram tão explosivos que a Igreja não olharia a meios para se apoderar deles.

Sophie parecia pouco convencida.

— Os membros do Priorado juraram que, levasse o tempo que levasse, aqueles documentos tinham de ser resgatados das ruínas do templo e salvaguardados para sempre, para que a verdade nunca morresse. Com o objectivo de recuperar os documentos, o Priorado criou um braço militar, um grupo de nove cavaleiros chamados a Ordem dos Pobres Cavaleiros de Cristo e do Templo de Salomão. — Langdon fez uma pausa. — Mais vulgarmente conhecidos como Cavaleiros do Templo, ou Templários.

Sophie ergueu os olhos, com uma surpreendida expressão de reconhecimento.

Langdon tinha dado conferências suficientes sobre os Cavaleiros do Templo para saber que não havia praticamente ninguém no mundo que não tivesse já ouvido falar deles, pelo menos no abstracto. Para os académicos, a história dos Templários era um mundo precário em que os factos, a lenda e a desinformação estavam de tal modo entretecidos que se tornava quase impossível extrair dali uma verdade clara. Passara até a evitar referir os Cavaleiros do Templo nas suas conferências, porque isso levava invariavelmente a uma barragem de retorcidas perguntas a respeito das mais variadas teorias da conspiração.

Até Sophie já parecia perturbada.

— Está a dizer-me que os Templários foram criados pelo Priorado de Sião com o objectivo de recuperar uma colecção de documentos secretos? Pensei que os Templários tinham sido criados para defender a Terra Santa.

— Um erro comum. A ideia de proteger os peregrinos era o disfarce que os Templários usavam para levar a cabo a sua missão. O seu verdadeiro objectivo na Terra Santa era recuperar os documentos sepultados sob as ruínas do templo.

— E encontraram-nos?

Langdon sorriu.

— Ninguém sabe de certeza, mas há um ponto em que todos os académicos estão de acordo: os cavaleiros descobriram *qualquer coisa* sob as ruínas... qualquer coisa que os tornou ricos e poderosos para lá de tudo o que alguém pudesse imaginar.

Expôs rapidamente a Sophie o esboço académico padrão da história aceite dos Templários, explicando como os Cavaleiros estavam na Terra Santa quando da segunda cruzada e explicaram ao rei Balduíno II que se encontravam ali para proteger os peregrinos cristãos que percorriam as estradas. Apesar de não receberem qualquer paga e de terem feito voto de pobreza, disseram ao rei que precisavam de um abrigo mínimo, e pediram autorização para se instalarem nos estábulos sob as ruínas do templo. O rei concedeu-lhes o que pediam, e os Cavaleiros estabeleceram uma humilde residência no interior do devastado santuário.

A estranha escolha de alojamento, explicou Langdon, fora tudo menos casual. Os Cavaleiros acreditavam que os documentos que o Priorado procurava estavam enterrados bem fundo por baixo das ruínas — sob o Santo dos Santos, uma câmara sagrada onde se acreditava que o próprio Deus residira. Literalmente, o cerne mesmo da fé judaica. Durante quase dez anos, os nove cavaleiros viveram nas ruínas, escavando no mais absoluto segredo a rocha sólida.

Sophie lançou-lhe um olhar.

— E diz que descobriram qualquer coisa?

— Sem a mínima dúvida — respondeu Langdon, e explicou que tinham demorado nove anos, mas que finalmente tinham encontrado aquilo que procuravam. Retiraram o tesouro do templo e voltaram à Europa, onde a sua influência pareceu solidificar-se da noite para o dia.

Ninguém sabia de certeza se os Cavaleiros tinham feito chantagem com o Vaticano ou se a Igreja tentara simplesmente comprar-lhes o silêncio, mas a verdade é que o Papa Inocêncio II emitiu de imediato uma bula sem precedentes que conferia aos Cavaleiros poderes ilimitados e os considerava «uma lei em si mesmos» — um exército autónomo, independente de quaisquer interferências de reis ou prelados, fosse ela religiosa ou política.

Com a carta-branca que lhes fora dada pelo Vaticano, os Cavaleiros do Templo cresceram a uma velocidade espantosa, tanto em números como em poder político, adquirindo vastas propriedades numa dúzia de países. Começaram a emprestar dinheiro a reis arruinados, cobrando juros, criando assim o moderno sistema bancário e aumentando ainda mais a sua riqueza e influência.

Por volta de 1300, a sanção do Vaticano ajudara os Templários a amassar tanto poder que o Papa Clemente V decidiu que era preciso fazer qualquer coisa. Em conluio com Filipe IV de França, maquinou um engenhoso plano para esmagar os Templários e apoderar-se dos tesouros da ordem, assumindo deste modo o controlo dos segredos com que ameaçavam o Vaticano. Numa operação militar digna da CIA, o Papa Clemente emitiu ordens seladas que deviam ser simultaneamente abertas pelos seus soldados em toda a Europa na sexta-feira 13 de Outubro de 1307.

Na madrugada dessa sexta-feira, os selos foram quebrados e o espantoso conteúdo das ordens revelado. Na sua carta, Clemente afirmava que Deus o visitara numa visão e o avisara de que os Cavaleiros do Templo eram heréticos, culpados de prestar culto ao diabo, de homossexualidade, de profanar a cruz, de sodomia e de outros comportamentos blasfemos. E Deus pedira-lhe então que lavasse a face da Terra arrebanhando todos os Templários e torturando-os até que confessassem os seus pecados contra Ele. A maquiavélica operação de Clemente funcionou com a precisão de um relógio. Nesse mesmo dia, inúmeros Cavaleiros foram presos, impiedosamente torturados e finalmente queimados na fogueira como heréticos. Os ecos da tragédia ressoavam ainda na cultura moderna: a sexta-feira 13 passou a ser para sempre considerado um dia de azar.

Sophie parecia confusa.

— Os Cavaleiros do Templo foram eliminados? Pensava que ainda hoje existiam confrarias de Templários?

— E existem, sob uma grande variedade de nomes. A despeito das falsas acusações de Clemente e de todos os esforços para erradicá-los, os Templários tinham amigos poderosos, e alguns conseguiram escapar às purgas do Vaticano. O poderoso tesouro documental da ordem, que fora a fonte aparente do seu poder e era o verdadeiro objectivo de Clemente, escapou-se-lhe por entre os dedos. Os documentos tinham sido há muito entregues aos misteriosos arquitectos dos Templários, os membros do Priorado de Sião, que um véu de secretismo mantivera a salvo longe do alcance do Vaticano. Ao sentir que o Papa apertava o cerco, o Priorado tinha retirado os documentos do preceptorado onde se encontravam, em Paris, e, de noite, levara-os para barcos dos Templários fundeados em La Rochelle.

— Para onde foram os documentos?

Langdon encolheu os ombros.

— A resposta a essa pergunta só o Priorado de Sião a conhece. Porque os documentos continuam a ser, ainda hoje, objecto de constante investigação e especulação, julga-se que têm sido mudados de lugar para lugar e escondidos várias vezes. A especulação actual situa-os algures no Reino Unido.

Sophie parecia pouco à-vontade.

— Durante mil anos — prosseguiu Langdon —, as lendas sobre este segredo têm sido transmitidas de geração em geração. O conjunto dos documentos, o seu poder e o segredo que revelam acabaram por ser conhecidos por um único nome: Sangreal. Foram escritas centenas de livros sobre o tema, e poucos mistérios têm despertado tanto interesse entre os historiadores como o Sangreal.

— O Sangreal? A palavra tem alguma coisa a ver com o francês *sang* ou o espanhol *sangre*, que significam «sangue»?

Langdon assentiu. O sangue era a espinha dorsal do Sangreal, mas não do modo que Sophie imaginava.

— A lenda é complicada, mas o que importa recordar é que o Priorado guarda a prova, e está supostamente à espera do momento histórico certo para revelar a verdade.

— Que verdade? Que segredo poderia ser assim tão poderoso?

Langdon deixou escapar um fundo suspiro e olhou através da janela do táxi para o ventre mole de Paris exposto no meio das sombras.

— A palavra *Sangreal* é muito antiga. Tem evoluído ao longo dos tempos, transformando-se num outro termo... um nome mais moderno. — Fez uma pausa. — Quando eu lhe disser esse nome, aperceber-se-á de que já sabe muito a respeito dele. Na realidade, praticamente toda a gente no mundo inteiro já ouviu a história do Sangreal.

Sophie fez um ar céptico.

— Nunca ouvi falar.

— Claro que ouviu. — Langdon sorriu. — Só que está habituada a dar-lhe outro nome: Santo Graal.

CAPÍTULO TRINTA E OITO

Sophie perscrutou o rosto de Langdon no banco traseiro do táxi. *Estará a brincar?*

— O Santo Graal?

Langdon assentiu, muito sério.

— Santo Graal é o significado literal de Sangreal. A palavra deriva do francês *Sangraal*, que evoluiu para Sangreal e acabou por dividir-se em duas, *San Greal.*

Santo Graal. Sophie ficou surpreendida por não ter visto imediatamente a ligação linguística. Mesmo assim, a afirmação de Langdon continuava a não fazer sentido para ela.

— Pensava que o Santo Graal era uma *taça*. Acaba de dizer-me que o *Sangreal* é uma colecção de documentos que revelam um temível segredo.

— Sim, mas os documentos do Sangreal são apenas *metade* do tesouro do Santo Graal. Estão enterrados com o próprio Graal... e revelam o seu verdadeiro significado. Por isso, por revelarem a verdadeira natureza do Graal, davam tanto poder aos Templários.

A verdadeira natureza do Graal? Sophie sentia-se cada vez mais perdida. O Santo Graal, sempre pensara, era a taça por onde Jesus bebera durante a Última Ceia e onde José de Arimateia posteriormente recolhera o Seu sangue durante a crucifixão.

— O Santo Graal é a Taça de Cristo — disse. — O que é que pode ser mais simples do que isto?

— Sophie — sussurrou Langdon, inclinando-se para ela —, segundo o Priorado de Sião, o Santo Graal não é uma taça. Afirmam que a lenda do Graal... de um *cálice*... é na realidade uma alegoria engenhosamente elaborada. Ou seja, a história do Graal usa o cálice como metáfora para outra coisa, uma coisa muito mais poderosa. — Fez uma pausa. — Algo que encaixa perfeitamente com tudo o que o seu avô tentou dizer-nos esta noite, incluindo todas as suas referências simbológicas ao sagrado feminino.

Ainda insegura, Sophie sentiu no sorriso paciente de Langdon que ele compreendia a sua confusão, embora mantivesse uma expressão grave.

— Mas se o Santo Graal não é uma taça — perguntou —, então o que é?

Langdon já contava com a pergunta, mas nem mesmo assim sabia muito bem como dizer aquilo. Se não apresentasse a resposta no devido contexto histórico, Sophie ficaria com um ar vazio de espanto e confusão... exactamente a mesma expressão que vira no rosto do seu editor quando, meses antes, lhe mostrara o manuscrito em que estava a trabalhar.

— Este manuscrito afirma *o quê?* — engasgou-se o editor, pousando o copo de vinho e olhando para Langdon por cima do almoço meio comido. — Não pode estar a falar a sério!

— Suficientemente a sério para ter passado um ano a investigá-lo.

John Faukman, um conhecido editor de Nova Iorque, puxou nervosamente pela barbicha. Ouvira sem a mínima dúvida algumas ideias loucas ao longo da sua eminente carreira, mas aquela parecia tê-lo deixado estupefacto.

— Robert — disse, finalmente —, não me interprete mal. Gosto muito do seu trabalho e percorremos juntos um longo caminho. Mas se aceito publicar uma ideia como esta, vou ter pessoas a fazer manifestações à porta do meu escritório durante meses. Além disso, dará cabo da minha reputação. O Robert é um historiador de Harvard, pelo amor de Deus, não um trapaceiro de esquina à procura de dinheiro fácil. Onde é que vai encontrar provas credíveis em quantidade suficiente para apoiar uma teoria destas?

Com um sorriso tranquilo, Langdon tirou uma folha de papel do bolso do casaco de *tweed* e entregou-o a Faukman. Continha uma bibliografia com mais de cinquenta títulos — obras de historiadores conhecidos, uns contemporâneos, outros com centenas de anos —, muitos deles *bestsellers* académicos. Todos os títulos daqueles livros sugeriam a mesma premissa que Langdon acabava de propor. À medida que lia a lista, Faukman ia adquirindo o ar de alguém que acabasse de descobrir que a Terra era efectivamente plana.

— *Conheço* alguns destes autores. São... historiadores de verdade!

Langdon sorriu.

— Como vê, Jonas, não é só a *minha* teoria. Anda por aí há muito tempo. Estou apenas a elaborar com base nela. Nenhum livro, até hoje, explorou a lenda do Santo Graal de um ponto de vista simbológico. As provas iconográficas que tenho descoberto para apoiar a teoria são... bem, espantosamente convincentes.

Faukman continuava a olhar para a lista.

— Meu Deus, um destes livros foi escrito por *Sir* Leigh Teabing... um historiador da British Royal Academy.

— Teabing passou a maior parte da vida a estudar o Santo Graal. Falei com ele. Na realidade, foi em grande parte o meu inspirador. É um crente, Jonas, como todos os outros que fazem parte dessa lista.

— Está a dizer-me que todos estes historiadores acreditam verdadeiramente... — Faukman engoliu em seco, aparentemente incapaz de pronunciar as palavras.

Langdon voltou a sorrir.

— O Santo Graal é talvez o tesouro mais procurado de toda a história da humanidade. Engendrou lendas, guerras, buscas que duraram vidas inteiras. Fará sentido que se trate de uma simples taça? Se sim, então com toda a certeza *outras* relíquias deveriam despertar um interesse igual ou ainda maior... a Coroa de Espinhos, a Verdadeira Cruz da Crucifixão, o *Titulus*..., mas isso não aconteceu. Ao longo da História, o Santo Graal foi sempre especial. — Langdon sorriu. — Agora já sabe porquê.

Faukman ainda estava a abanar a cabeça.

— Mas com todos estes livros escritos a respeito dela, porque é que a teoria não é mais geralmente conhecida?

— Estes livros não podem competir com séculos de História estabelecida, especialmente quando essa História tem o aval do maior *bestseller* de todos os tempos.

Faukman abriu muito os olhos.

— Não me diga que o *Harry Potter* é a respeito do Santo Graal!

— Estava a referir-me à Bíblia.

— Eu sei — disse Faukman, fazendo uma careta.

— Largue-o! — O grito de Sophie rasgou o ar dentro do táxi. — Largue-o!

Langdon deu um salto quando Sophie se debruçou sobre o banco da frente, a gritar com o motorista, que tinha o microfone do rádio na mão e estava a falar para ele.

Sophie voltou-se e meteu a mão no bolso do casaco de Langdon. Antes que ele se apercebesse do que estava a acontecer, já ela tinha tirado de lá a pistola do guarda do museu e apertava a ponta do cano contra a nuca do taxista. O homem largou imediatamente o rádio e ergueu a mão livre acima da cabeça.

— Sophie! — exclamou Langdon, chocado. — Que diabo...

— *Arrêtez!* — ordenou Sophie.

A tremer, o taxista obedeceu, parando o carro e colocando-o em ponto morto.

Foi então que Langdon ouviu a voz metálica da despachante da central da companhia a sair do altifalante:

— *... qui s'apelle agent Sophie Neveu, et un américain, Robert Langdon...*

Os músculos de Langdon puseram-se rígidos. *Já nos descobriram?*

— *Descendez* — exigiu Sophie.

O trémulo taxista manteve os braços erguidos acima da cabeça enquanto se apeava do táxi e recuava vários passos

Sophie tinha baixado o vidro da janela e continuava a apontar a arma ao assustado motorista.

— Robert — disse, calmamente. — Passe para o volante. Guia você.

Langdon não ia pôr-se a discutir com uma mulher que empunhava uma arma. Desceu do carro e sentou-se ao volante. O taxista gritava pragas, com as mãos erguidas acima da cabeça.

— Robert — disse Sophie, do banco traseiro, — suponho que já viu o suficiente da nossa floresta mágica?

Mais do que o suficiente, pensou ele, assentindo.

— Óptimo. Leve-nos daqui para fora.

Langdon olhou para os comandos do carro e hesitou. *Merda.* Procurou a alavanca de mudanças e a embraiagem.

— Sophie, talvez fosse melhor...

— Vamos! — gritou ela.

Lá fora, várias prostitutas aproximavam-se para ver o que se passava. Uma delas começou a marcar um número no telemóvel. Langdon carregou na embraiagem e empurrou a alavanca das mudanças, na esperança de ter engrenado a primeira. Pisou tentativamente o acelerador.

Soltou a embraiagem. Os pneus guincharam quando o táxi saltou para a frente, com a traseira a derrapar de uma maneira que obrigou a multidão a procurar refúgio. A mulher do telemóvel saltou para o meio das árvores, escapando por centímetros a ser atropelada.

— *Doucement!* — disse Sophie, enquanto o carro guinava aos solavancos pela estrada empedrada. — O que é que está a fazer?

— Tentei avisá-la! — gritou ele, para fazer-se ouvir acima dos protestos da caixa de velocidades. — Estou habituado a uma caixa automática!

CAPÍTULO TRINTA E NOVE

Por muito sofrimento que o espartano quarto na casa de arenito castanho da Rue La Bruyère tivesse testemunhado, Silas duvidava que qualquer outro se comparasse à angústia que naquele momento lhe torturava o corpo pálido. *Fui enganado. Está tudo perdido.*

Fora ludibriado. Os irmãos tinham mentido, preferindo a morte a revelar o seu verdadeiro segredo. Silas não se sentia com coragem para telefonar ao *Professor*. Não só matara as únicas quatro pessoas que sabiam onde estava escondida a Chave de Abóbada, como também matara uma monja dentro de Saint-Sulpice. *Ela trabalhava contra Deus. Zombava do trabalho da Opus Dei!*

Um crime de impulso, a morte daquela mulher complicava extraordinariamente toda a questão. O bispo Aringarosa fizera o telefonema que permitira a Silas entrar na igreja; que pensaria o abade quando descobrisse que a freira estava morta? Apesar de Silas ter voltado a deitá-la na cama, a ferida na cabeça era óbvia. Tentara recolocar a laje partida do chão, mas o estrago aí causado era igualmente óbvio. Saberiam que estivera alguém na igreja.

Silas planeara refugiar-se na Opus Dei quando o seu trabalho ali estivesse terminado. O bispo Aringarosa proteger-me-á. *Não conseguia imaginar maior felicidade do que uma vida de meditação e oração entre as paredes do quartel-general da Opus Dei em Nova Iorque. Nunca mais voltaria a pôr os pés na rua. Tudo aquilo de que precisava estava dentro daquele santuário. Ninguém dará pela minha falta.* Infelizmente, bem sabia, um homem proeminente como o bispo Aringarosa não podia desaparecer com a mesma facilidade.

Pus o bispo em perigo. Silas olhou sem ver para o soalho de madeira, pensando em pôr fim à própria vida. Ao fim e ao cabo, fora Aringarosa quem lha dera... no pequeno reitorado em Espanha, instruindo-o, dando-lhe um propósito.

— Meu amigo — dissera-lhe Aringarosa —, nasceste albino. Não permitas que os outros te façam ter vergonha disso. Não vês como te torna especial? Não sabias que o próprio Noé era albino?

— O Noé da Arca? — Silas nunca ouvira falar disso..

Aringarosa sorrira.

— Sim, o Noé da Arca. Como tu, tinha uma pele branca como um anjo. Pensa nisto. Noé salvou toda a vida da Terra. Estás destinado a grandes coisas, Silas. O Senhor libertou-te por uma razão. Foste chamado. O Senhor precisa de ti para fazer o Seu trabalho.

Com o tempo, Silas aprendera a ver-se a si mesmo a uma nova luz. *Sou puro. Branco. Belo. Como um anjo.*

De momento, no entanto, naquele quarto da residência, foi a voz do pai que lhe sussurrou, desapontada, do passado.

Tu es un désastre. Un spectre.

De joelhos no chão de madeira, Silas rezou a pedir perdão. Então, despindo o hábito, voltou a pegar na Disciplina.

CAPÍTULO QUARENTA

Numa luta feroz com a alavanca de mudanças, Langdon conseguiu levar o táxi «desviado» até ao outro lado do Bois de Boulogne deixando o motor ir abaixo apenas duas vezes. Infelizmente, o indesmentível humor da situação era ensombrado pela voz da despachante da central, que não parava de tentar contactar o táxi pelo rádio.

— *Voiture cinq-six-trois. Où êtes-vous? Répondez!*

Quando chegou à saída do parque, Langdon engoliu o machismo e pisou o travão.

— É melhor ser a Sophie a conduzir.

Sophie pareceu aliviada quando se instalou atrás do volante. Instantes depois, tinham o carro a correr suavemente para oeste ao longo da Avenue Longchamp, deixando para trás o Jardim das Delícias Terrenas.

— Qual é o caminho para a Rue Haxo? — perguntou Langdon, vendo Sophie levar o ponteiro do velocímetro para lá dos cem quilómetros/hora.

— O motorista disse que era perto do estádio de ténis Roland Garros — respondeu ela, sem desviar os olhos da estrada. — Conheço a área.

Langdon voltou a tirar a chave do bolso, sentindo-lhe o peso na palma da mão. Adivinhava que era um objecto de enorme importância. Muito possivelmente, a chave para a sua própria liberdade.

Momentos antes, enquanto falava a Sophie dos Cavaleiros do Templo, apercebera-se de que aquela chave, além de ter gravado o selo do Priorado, tinha uma ligação mais subtil à organização secreta. A cruz de braços iguais era um símbolo de equilíbrio e harmonia, mas também dos Templários. Já toda a gente vira imagens de Cavaleiros do Templo envergando túnicas brancas com uma cruz de braços iguais. Era verdade que os braços da cruz dos Templários abriam ligeiramente nas extremidades, mas continuavam a ter o mesmo comprimento.

Uma cruz quadrada. Como a desta chave.

Langdon sentiu a imaginação pôr-se-lhe a correr à solta enquanto pensava no que poderiam ir encontrar. *O Santo Graal.* Quase riu alto face ao absurdo da ideia. Pensava-se que o Graal se encontrava algures em Inglaterra, enterrado numa câmara secreta por baixo de uma das muitas igrejas dos Templários, onde permanecia escondido desde pelo menos 1500.

A era do Grão-Mestre da Vinci.

A fim de garantir a segurança dos poderosos documentos, o Priorado fora obrigado a mudá-los muitas vezes de lugar ao longo dos séculos anteriores. Os historiadores suspeitavam agora de que passara por seis esconderijos diferentes desde que chegara à Europa, vindo de Jerusalém. O último «avistamento» do Graal ocorrera em 1447, quando numerosas testemunhas falaram de um incêndio que quase destruíra os documentos antes que pudessem ser postos em segurança dentro de quatro arcas tão grandes que cada uma delas tivera de ser transportada por seis homens. Depois disso, ninguém voltara a afirmar tê-lo visto. Tudo o que restava era rumores dispersos de que estava escondido na Grã-Bretanha, a terra do rei Artur e dos Cavaleiros da Távola Redonda.

Estivesse onde estivesse, dois factos importantes permaneciam:

Leonardo conhecera a localização do Graal no seu tempo.

Esse esconderijo não fora provavelmente alterado até ao presente.

Por isso, os entusiastas do Graal continuavam a examinar à lupa a arte e os diários de da Vinci na esperança de encontrar uma pista escondida que desvendasse a sua actual localização. Havia quem afirmasse que o montanhoso fundo de *A Madonna dos Rochedos* correspondia à topografia de determinadas colinas crivadas de grutas existentes na Escócia. Outros insistiam em que a suspeita disposição dos discípulos em *A Última Ceia* era uma espécie de código. Outros ainda pretendiam que raios-X feito à *Mona Lisa* revelavam que fora inicialmente pintada com um pendente de Ísis, de lápis-lazúli, ao pescoço, pormenor que Leonardo teria mais tarde decidido cobrir. Langdon nunca vira qualquer sinal do tal pendente, nem conseguia imaginar de que modo poderia ele revelar o esconderijo do Santo Graal, o que não impedia os apaixonados de o discutirem *ad nauseam* em *sites* e *chat-rooms* da Internet.

Toda a gente adora uma conspiração.

E as conspirações não paravam de aparecer. A mais recente fora, claro, a tremenda descoberta de que a famosa *Adoração dos Magos* de da Vinci escondia um negro segredo por baixo das suas camadas de tinta. O perito de arte italiano Maurizio Seracini revelara a perturbadora verdade, que o *New York Times* publicara com destaque sob o título: «O Escândalo Leonardo.»

Seracini provara, para lá de qualquer dúvida, que embora o esboço cinzento-esverdeado subjacente da *Adoração* fosse indiscutivelmente da autoria de da Vinci, a pintura propriamente dita não era. A verdade era que um qualquer pintor anónimo preenchera o esquisso de da Vinci, como um desses quadros de pintar-por-números, anos após a morte do mestre. Muito mais perturbador ainda, no entanto, era o que estava *por baixo* da pintura do impostor. Fotografias tiradas com reflectografia de infravermelhos e raios-X sugeriam que o desconhecido pintor, ao cobrir o estudo esboçado, introduzira algumas alterações suspeitas ao desenho original... como que para subverter as verdadeiras intenções do autor. Fosse ela qual fosse, a natureza do desenho original nunca chegara a ser tornada pública. Em todo o caso, os embaraçados directores da galeria dos Uffizi, em Florença, tinham imediatamente banido o quadro para um armazém situado do outro lado da rua. Os visitantes que demandavam a Sala Leonardo da galeria passaram a encontrar estes enganadores e secos dizeres no lugar onde a *Adoração* estivera exposta:

ESTA OBRA ESTÁ A SER SUBMETIDA
A TESTES DE DIAGNÓSTICO PREPARATÓRIOS
A FIM DE SER RESTAURADA

No bizarro submundo dos modernos demandadores do Graal, Leonardo da Vinci continuava a representar o grande enigma. As suas obras pareciam desejosas de revelar um segredo que no entanto, fosse ele qual fosse, continuava escondido, talvez debaixo de uma camada de tinta, talvez codificado e à vista de todos, ou talvez até inexistente. Talvez a tantalizante plétora de pistas deixada por da Vinci mais não fosse do que uma promessa vazia destinada a frustrar os curiosos e a pôr um sorriso nos lábios da Mona Lisa.

— Será possível — perguntou Sophie, trazendo Langdon de volta ao presente — que essa chave abra o esconderijo do Santo Graal?

A gargalhada de Langdon soou a falso, até a ele.

— Não me parece muito provável. Além disso, o Graal é suposto encontrar-se algures no Reino Unido, não em França.

E contou-lhe abreviadamente a história.

— Mas o Graal parece ser a única conclusão racional — insistiu ela. — Temos uma chave extremamente segura, marcada com o selo do Priorado de Sião e que nos foi entregue por um membro do Priorado de Sião... uma irmandade que, conforme acaba de dizer-me, é a guardiã do Santo Graal.

Langdon sabia que o argumento era lógico, e, no entanto, recusava instintivamente aceitá-lo. Havia rumores de que o Priorado teria jurado levar um dia o Graal de novo para França, onde repousaria para todo o sempre, mas nenhuma prova histórica indicava que já o tivesse feito. E mesmo que o Priorado tivesse conseguido trazer o Graal para França, o número 24 da Rue Haxo, perto de um estádio de ténis, dificilmente pareceria um nobre e condigno lugar de repouso final.

— Sophie, sinceramente, não vejo como possa esta chave ter alguma coisa a ver com o Graal.

— Porque o Graal é suposto estar em Inglaterra?

— Não só por isso. A localização dos Santo Graal é um dos segredos mais bem guardados da História. Os membros do Priorado passam décadas a provar ser dignos de confiança antes de serem elevados aos escalões mais altos da irmandade e ficarem a saber onde está o Graal. O segredo é protegido por um intricado sistema de conhecimento compartimentado, e embora a irmandade tenha muitos membros, apenas quatro deles, a qualquer dada altura, o conhecem:

o Grão-Mestre e os seus três senescais. A probabilidade de o seu avô ser uma dessas quatro pessoas é muito baixa.

O meu avô era um deles, pensou Sophie, carregando no acelerador. Tinha gravada na memória uma imagem que confirmava para lá de qualquer dúvida a posição do avô dentro da irmandade.

— E mesmo que o seu avô pertencesse ao escalão superior, nunca lhe seria permitido revelar fosse o que fosse a alguém fora da irmandade. A ideia de ele a ter chamado para o círculo mais íntimo é inconcebível.

Já lá estive, pensou Sophie, recordando o ritual na cave. Perguntou a si mesma se teria chegado o momento de falar a Langdon do que tinha visto na casa da Normandia. Durante dez anos, a pura vergonha impedira-a de contá-lo fosse a quem fosse. Toda ela tremia só de pensar nisso. Ouviu ao longe o uivo de sereias, e sentiu um manto de cansaço descer-lhe sobre os ombros.

— Ali está! — exclamou Langdon, excitado, ao ver o complexo do estádio Roland Garros surgir diante deles.

Sophie dirigiu-se para lá. Ao fim de várias passagens, encontraram o cruzamento com a Rue Haxo e meteram por ela, seguindo na direcção dos números mais baixos. A rua tornou-se mais industrial, ladeada de empresas.

Precisamos do número vinte e quatro, disse Langdon para si mesmo, apercebendo-se de que estava a sondar o horizonte em busca dos campanários de uma igreja. *Não sejas ridículo. Uma igreja dos Templários esquecida neste bairro?*

— É ali — disse Sophie, apontando.

Os olhos de Langdon seguiram a direcção do dedo dela.

Que diabo!

Era um edifício moderno. Uma cidadela atarracada, com uma gigantesca cruz quadrada, de néon, a encimar a fachada. Por baixo da cruz, as palavras:

BANCO DEPOSITÁRIO DE ZURIQUE

Langdon ficou contente por não ter partilhado com Sophie as suas esperanças a respeito de uma igreja dos Templários. Um dos riscos do ofício, para os simbologistas, era a tendência para procurar significados ocultos em situações onde eles não existiam. Naquele caso, esquecera completamente que a pacífica cruz de braços iguais fora adoptada com o símbolo ideal para a bandeira da neutral Suíça.

Esse mistério, pelo menos, estava resolvido.

Sophie e Langdon tinham em seu poder a chave de um cofre de depósito de um banco suíço.

CAPÍTULO QUARENTA E UM

No exterior de Castel Gandolfo, uma corrente de ar frio da montanha subiu pela face da falésia e varreu o topo da escarpa, provocando um arrepio ao bispo Aringarosa no momento em que se apeava do *Fiat. Devia ter vestido mais qualquer coisa além da sotaina,* disse ele para si mesmo enquanto dominava o reflexo de tiritar. A última coisa de que precisava naquela noite era parecer fraco ou receoso.

O castelo estava mergulhado na escuridão, excepto as janelas do último piso, que brilhavam ominosamente. *A biblioteca,* pensou Aringarosa. *Estão acordados e à espera.* Baixou a cabeça para enfrentar o vento e avançou, sem olhar sequer para as cúpulas do observatório.

O padre que o esperava à porta parecia ensonado. Era o mesmo que o acolhera cinco meses antes, embora naquela noite o fizesse com muito menos hospitalidade.

— Estávamos preocupados consigo, Eminência — disse o padre, consultando o relógio e parecendo mais perturbado do que preocupado.

— As minhas desculpas. As linhas aéreas são muito pouco fiáveis, nos dias que correm.

O padre murmurou qualquer coisa inaudível, e então disse:

— Esperam-no lá em cima. Vou acompanhá-lo.

A biblioteca era uma vasta sala quadrada, forrada a madeira escura do chão ao tecto. Em todas as paredes, altas estantes atulhadas de livros. O chão era de mármore com uma orla de basalto negro, uma bela recordação de que aquele edifício fora em tempos um palácio.

— Bem-vindo, Eminência — disse uma voz de homem do outro lado da sala.

Aringarosa tentou ver quem tinha falado, mas as luzes estavam ridiculamente baixas, muito mais do que quando da sua primeira visita, altura em que toda a sala refulgia. *A noite do duro despertar.* Naquela noite, os homens que o esperavam sentavam-se na sombra, como se de algum modo se envergonhassem do que ia acontecer.

Aringarosa entrou com passos lentos, quase majestosos. Via as silhuetas dos três homens sentados à comprida mesa, no extremo oposto da sala. A do meio era imediatamente reconhecível: o obeso *secretarius vaticana,* supervisor de todos os assuntos legais no interior da Cidade do Vaticano. Os outros dois eram importantes cardeais italianos.

Aringarosa atravessou a biblioteca em direcção a eles.

— As minhas humildes desculpas pela hora. Somos de zonas horárias diferentes. Devem estar cansados.

— De modo nenhum — respondeu o *secretarius*, com as mãos cruzadas sobre a enorme barriga. — Estamos gratos por ter vindo de tão longe. O mínimo que podíamos fazer era estar acordados à sua espera. Podemos oferecer-lhe um café, ou qualquer outro refresco?

— Prefiro que não finjamos que isto é uma visita social. Tenho outro avião para apanhar. Vamos ao assunto?

— Claro — concordou o *secretarius.* — Agiu mais rapidamente do que esperávamos.

— Sim?

— Ainda tem um mês.

— Deram-me nota das vossas preocupações há cinco meses. Porque havia de esperar?

— Sem dúvida. Estamos muito agradados com a sua diligência.

Os olhos de Aringarosa percorreram todo o comprimento da mesa até uma grande maleta preta.

— É aquilo que pedi?

— É. — O *secretarius* parecia pouco à-vontade. — Embora tenha de admitir que o seu pedido nos preocupou um pouco. Parece bastante...

— Perigoso — concluiu um dos cardeais. — Tem a certeza de que não podemos transferi-lo para um lugar qualquer? A soma é exorbitante.

A liberdade é cara.

— Não tenho preocupações quanto à minha própria segurança. Deus está comigo.

Os três homens fizeram um ar de descarada dúvida.

— Os fundos estão exactamente como os pedi?

O *secretarius* assentiu.

— Títulos ao portador de alto valor sacáveis sobre o Banco do Vaticano. Negociáveis como dinheiro em qualquer parte do mundo.

Aringarosa caminhou até ao extremo da mesa e abriu a maleta. Continha dois grossos maços de títulos, todos eles marcados com o selo do Vaticano e a palavra *PORTADORE*, o que os tornava convertíveis por quem quer que os detivesse.

O *secretarius* parecia tenso.

— Devo dizer, Eminência, que todos nós nos sentiríamos menos apreensivos se esses fundos fossem em *dinheiro.*

Nunca conseguiria transportar tanto dinheiro, pensou Aringarosa, fechando a mala.

— Os títulos são negociáveis como dinheiro. O senhor mesmo o disse.

Os cardeais trocaram um olhar embaraçado e, finalmente, um deles disse:

— Sim, mas esses títulos podem ser directamente associados ao Banco do Vaticano.

Aringarosa sorriu para dentro. Fora precisamente por isso que o *Professor* lhe sugerira que obtivesse o dinheiro em títulos do Banco do Vaticano. Era como uma apólice de seguro. *Agora estamos todos metidos nisto.*

— Trata-se de uma transacção perfeitamente legal — argumentou. — A Opus Dei é uma prelatura pessoal da Cidade do Vaticano, e Sua Santidade pode distribuir dinheiros como melhor lhe parecer. Não foi aqui violada qualquer lei.

— É verdade, e no entanto... — O *secretarius* inclinou-se para a frente, e a cadeira rangeu sob o peso. — Não temos qualquer conhecimento do que tenciona fazer com esses fundos, e se for de algum modo ilegal...

— Considerando o que me pedem — replicou Aringarosa —, o que eu fizer com este dinheiro não é da vossa conta.

Seguiu-se um longo silêncio.

Eles sabem que eu tenho razão, pensou Aringarosa.

— Muito bem, suponho que têm qualquer coisa para eu assinar?

Sobressaltaram-se os três, empurrando uma folha de papel na direcção dele, como se estivessem desejosos de vê-lo partir.

Aringarosa olhou para o papel que tinha à sua frente. Ostentava o selo do Papa.

— É igual à cópia que me enviaram?

— Exactamente.

Aringarosa ficou surpreendido por sentir tão pouca emoção ao assinar o documento. Os três homens presentes, pelo contrário, como que suspiraram de alívio.

— Obrigado, Eminência — disse o *secretarius*. — Os seus serviços à Igreja nunca serão esquecidos.

Aringarosa pegou na maleta, sentindo promessa de autoridade no seu peso. Os quatro homens olharam uns para os outros por um momento, como se houvesse mais alguma coisa a dizer, mas aparentemente não havia.

— Eminência? — chamou um dos cardeais quando Aringarosa chegou à porta.

Aringarosa deteve-se, fazendo meia volta.

— Sim?

— Para onde vai agora?

Aringarosa sentiu que a pergunta era mais espiritual do que geográfica, mas não tinha a mínima intenção de discutir moral àquela hora.

— Para Paris — disse, e saiu.

CAPÍTULO QUARENTA E DOIS

O Banco Depositário de Zurique era um *Geldshrankbank* que funcionava vinte e quatro horas por dia, oferecendo aos seus clientes toda a gama de serviços bancários anónimos na mais pura tradição das contas numeradas suíças. Com escritórios em Zurique, Kuala Lumpur, Nova Iorque e Paris, o banco expandira recentemente os seus serviços à área da guarda e transferência de valores por meios informáticos e ao apoio computorizado.

A nata da operação era, de longe, a mais antiga e simples das suas várias ofertas — os *anonyme Lager* —, ou seja, os cofres anónimos. Os clientes que desejassem guardar fosse o que fosse, desde certificados de acções a quadros valiosos, podiam depositar os seus bens anonimamente, através de uma série de véus de privacidade de alta-tecnologia, e levantá-los a qualquer momento, também no mais absoluto anonimato.

Quando Sophie parou o táxi, Langdon estudou a discreta arquitectura do edifício e sentiu que o Banco Depositário de Zurique era uma firma com muito pouco sentido de humor. O que via à sua frente era um paralelepípedo sem janelas que parecia ter sido inteiramente moldado em aço, um enorme tijolo de metal um pouco recuado em relação à rua e com uma cruz de braços iguais com quatro metros e meio de altura a coroar a fachada.

A reputação de secretismo em termos bancários de que a Suíça gozava acabara por tornar-se uma das exportações mais lucrativas do país. Instalações como aquela eram motivo de controvérsia entre a comunidade artística porque proporcionavam um esconderijo perfeito onde os ladrões de arte podiam esconder o produto dos seus roubos, durante anos se necessário, até as coisas acalmarem. Uma vez que os depósitos estavam protegidos da investigação policial pelas leis do sigilo bancário e ligados a contas numeradas e não a nomes, os ladrões podiam dormir descansados sabendo que os bens roubados estavam em segurança e que nada os relacionava com eles.

Sophie parou o táxi diante do imponente portão que fechava o caminho de acesso ao banco: uma rampa de cimento que desaparecia no subsolo do edifício. Uma câmara de vídeo, situada bem alto na parede, apontava directamente para eles, e Langdon teve a sensação de que, ao contrário das do Louvre, aquela era autêntica.

Sophie baixou a janela e observou a caixa electrónica do lado do condutor. Um visor LCD dava indicações em sete línguas, a primeira das quais era o inglês.

INSIRA A CHAVE

Sophie tirou do bolso a chave cinzelada a laser e voltou a dar atenção à caixa. Por baixo do visor havia um buraco triangular.

— Alguma coisa me diz que vai servir — observou Langdon.

Sophie alinhou a haste triangular da chave e introduziu-a, fazendo-a deslizar até ao fundo. Aparentemente, aquela chave não precisava de ser rodada. No mesmo instante, o portão começou a abrir-se. Sophie tirou o pé do travão e deixou o carro descair até um segundo portão e uma segunda caixa. Atrás deles, o primeiro portão fechou-se, encurralando-os como um barco numa comporta.

Langdon detestou a sensação de estar preso. *Esperemos que este segundo portão também funcione.*

O visor da segunda caixa apresentou uma instrução já familiar:

INSIRA A CHAVE

Logo que Sophie inseriu a chave, o segundo portão abriu-se. Momentos depois, desciam a rampa em espiral a caminho das entranhas do edifício.

A garagem privada era pequena e escura, com espaço para cerca de uma dúzia de carros. Langdon viu, no extremo oposto, a entrada principal do banco. Uma passadeira vermelha, estendida sobre o cimento, conduzia os visitantes a uma grande porta que parecia feita de sólido metal.

Por falar em mensagens dúbias, pensou Langdon. *Bem-vindo e não penses em entrar.*

Sophie estacionou o táxi no espaço mais próximo da porta e desligou o motor.

— É melhor deixar a arma aqui — disse.

Com todo o prazer, pensou Langdon, enfiando a pistola debaixo do banco.

Avançaram os dois pela passadeira vermelha em direcção à placa de metal. A porta não tinha puxador, mas na parede, mesmo ao lado, havia outro buraco triangular. Desta vez, não apareceram quaisquer instruções.

— Deve ser para desencorajar os que têm dificuldade em aprender — comentou Langdon.

Sophie riu, parecendo nervosa.

— Bom, cá vamos nós — disse, e inseriu a chave no orifício.

A porta abriu para dentro, com um leve zumbido. Trocando um olhar, Sophie e Langdon entraram. A porta fechou-se atrás dele, com um baque surdo.

O Banco Depositário de Zurique ostentava uma das mais imponentes decorações que Langdon alguma vez vira. Enquanto a maior parte dos bancos se contentava com o habitual mármore polido e o granito, aquele optara por metal e rebites de parede a parede.

Quem será o decorador deles?, perguntou Langdon a si mesmo. *A Allied Steel?*

Sophie parecia igualmente intimidada enquanto percorria o vestíbulo com o olhar.

O metal cinzento estava por todo o lado: no chão, nas paredes, nos balcões, nas portas: até as cadeiras pareciam ter sido feitas de aço moldado. Em todo o caso, o efeito era impressionante. E a mensagem clara: está a entrar num cofre.

Um homem alto e corpulento, atrás do balcão, olhou para eles quando entraram. Desligou o pequeno televisor que estivera a ver e acolheu-os com um agradável sorriso. Apesar dos músculos enormes e da arma que usava ostensivamente à cinta, a sua voz soou com toda a delicada cortesia de uma mandarete suíço.

— *Bonsoir* — disse. — Em que posso ajudá-los?

O acolhimento bilingue era o mais recente truque de hospitalidade do anfitrião europeu. Não fazia qualquer assunção e deixava ao convidado plena liberdade de responder na língua em que se sentisse mais à-vontade.

Sophie não respondeu em nenhuma das duas. Limitou-se a pôr a chave em cima do balcão, à frente do homem.

O sujeito olhou para a chave e pôs-se imediatamente mais direito.

— Com certeza. O vosso elevador é ao fundo do corredor. Vou avisar alguém de que vão a caminho.

Sophie assentiu e recuperou a chave.

— Que piso?

— A chave dá essa informação ao elevador.

Ela sorriu.

— Ah, sim.

O guarda ficou a ver os dois recém-chegados avançarem até ao elevador, inserirem a chave, entrarem na cabina e desaparecerem. Mal a porta se fechou, pegou no telefone. Não ia avisar ninguém da chegada deles. Um dos funcionários dos cofres fora já automaticamente alertado quando Sophie introduzira a chave na caixa electrónica junto ao primeiro portão.

Estava a ligar para o gerente nocturno. Enquanto ouvia o sinal de chamada, voltou a ligar o televisor e olhou para ele. A notícia que tinha estado a seguir chegava ao fim. Não tinha importância. Lançou um novo olhar aos dois rostos que apareciam no ecrã.

— *Oui* — disse o gerente.

— Surgiu um pequeno problema.

— Que se passa?

— A Polícia francesa procura dois fugitivos.

— E então?

— Acabam ambos de entrar no banco.

O gerente praguejou entredentes.

— *Okay*. Vou contactar *monsieur* Vernet imediatamente.

O guarda desligou e fez uma segunda chamada. Esta para a Interpol.

Langdon ficou surpreendido ao sentir que o elevador ia para baixo em vez de para cima. Não fazia a mínima ideia de quantos pisos tinham descido no subsolo do Banco Depositário de Zurique quando a porta finalmente se abriu. Nem lhe interessava. Estava feliz por se encontrar fora do elevador.

Numa impressionante demonstração de eficiência, estava alguém à espera para recebê-los. Era um senhor já de idade e aspecto agradável, vestindo um impecável fato de flanela que o fazia parecer estranhamente deslocado — um bancário dos velhos tempos no mundo da alta-tecnologia.

— *Bonsoir* — disse o homem. — Boa noite. Tenham a bondade de seguir-me, *s'il vous plaît.* — E, sem esperar por uma resposta, rodou sobre os calcanhares a afastou-se a passo rápido por um estreito corredor.

Langdon e Sophie percorreram atrás dele uma série de corredores, passando diante de grandes salas cheias de computadores.

— *Voici* — disse o homem, detendo-se diante de uma porta de aço e abrindo-a. — Cá estamos.

Langdon e Sophie entraram num outro mundo. A pequena divisão parecia a luxuosa sala de estar de um bom hotel. Os painéis de metal e os rebites eram ali substituídos por tapetes orientais, móveis de carvalho escuro e cadeiras almofadadas. Sobre a grande secretária que ocupava o meio da sala havia dois copos e uma garrafa aberta de *Perrier,* cujas bolhinhas ainda borbulhavam. Ao lado, fumegava uma cafeteira de peltre.

Precisão, pensou Langdon, *é com os Suíços.*

O homem dirigiu-lhes um sorriso cheio de compreensão.

— Deduzo que esta é a vossa primeira visita?

Sophie hesitou um instante, e acabou por assentir.

— Compreendo. As chaves são com frequência deixadas em herança e quem as usa pela primeira vez não tem invariavelmente muito a certeza do protocolo. — Fez um gesto na direcção da secretária e das bebidas. — Esta sala é vossa enquanto desejarem usá-la.

— Diz que as chaves são por vezes herdadas? — perguntou Sophie.

— Sem dúvida. A vossa chave é como as contas numeradas dos bancos suíços, que chegam a ser transmitidas de geração em geração. No caso das nossas contas douradas, o prazo mínimo de aluguer de um cofre é de cinquenta anos. Pago adiantadamente. Por isso é natural que assistamos a muita rotação familiar.

Langdon estava a olhar embasbacado para ele.

— Disse *cinquenta* anos?

— No mínimo. É, evidentemente, possível estabelecer prazos muito mais dilatados, mas, não havendo instruções em contrário, se a conta não registar qualquer movimento durante cinquenta anos, o conteúdo do respectivo cofre é automaticamente destruído. Desejam que explique o processo de acesso ao vosso cofre?

— Sim, por favor — anuiu Sophie.

O homem abarcou o salão com um amplo gesto do braço.

— Esta é a vossa sala privada. Depois de eu sair, poderão demorar todo o tempo de que necessitarem para rever ou alterar o conteúdo do vosso cofre, que chega... por aqui. — Levou-os até à extremidade mais distante, onde um largo tapete rolante entrava na sala descrevendo uma graciosa curva, vagamente semelhante ao carrossel da bagagem num aeroporto. — Inserem a vossa chave aqui nesta ranhura... — Indicou uma grande caixa electrónica situada em frente do tapete e que apresentava o já familiar orifício triangular. — Depois de o computador ter confirmado as marcas da chave, introduzem o vosso número de conta, o vosso cofre é retirado por um robô do cofre central, por baixo de nós, e trazido até aqui. Quando terminarem, voltam a colocar o cofre no tapete rolante, inserem a chave e o processo é invertido. Uma vez que é tudo automatizado, a vossa privacidade está garantida, mesmo relativamente ao pessoal do banco. Se precisarem de alguma coisa, basta premir o botão de chamada ali na secretária.

Sophie preparava-se para perguntar qualquer coisa quando um telefone tocou. O homem pareceu confuso e embaraçado.

— Desculpem-me, por favor. — Dirigiu-se ao telefone, pousado em cima da secretária ao lado do café e da *Perrier*.

— *Oui?* — respondeu.

Franziu o sobrolho enquanto ouvia o que lhe diziam do outro lado.

— *Oui... oui... d'accord.* — Desligou e dirigiu-lhes um sorriso contrafeito. — Lamento, tenho de deixá-los agora. Fiquem à-vontade. — Avançou rapidamente para a porta.

— Desculpe — chamou Sophie. — Poderia esclarecer uma coisa antes de ir? Falou em introduzir um número de *conta*?

O homem deteve-se junto da porta, parecendo pálido.

— Mas com certeza. Como acontece na maior parte dos bancos suíços, os nossos cofres de depósito estão associados a um *número*, não a um nome. O cliente tem uma chave e um número pessoal de conta que só ele conhece. A chave é apenas metade da vossa identificação. O número de conta é a outra metade. Caso contrário, se perdessem a vossa chave, qualquer pessoa poderia usá-la.

Sophie hesitou.

— E se o meu benfeitor não me tivesse dado qualquer número de conta?

O homem sentiu o coração bater com mais força. *Nesse caso, obviamente nada teriam que fazer aqui!* Dirigiu-lhes um calmo sorriso.

— Vou pedir a alguém que vos ajude. Estará aqui dentro de momentos.

Ao sair, rodou uma pesada fechadura, trancando-os lá dentro.

No outro extremo da cidade, Collet estava na Gare Saint-Lazare quando o telemóvel tocou. Era Fache.

— A Interpol recebeu uma informação — disse. — Esqueça o comboio. O Langdon e a Neveu acabam de entrar na filial parisiense do Banco Depositário de Zurique. Siga imediatamente para lá com os seus homens.

— Alguma pista a respeito do que o conservador Saunière estava a tentar dizer à agente Neveu e ao Robert Langdon?

O tom de Fache foi gelado.

— Se os prender, tenente Collet, perguntar-lhes-ei pessoalmente.

Collet percebeu a deixa.

— Rue Haxo, número vinte e quatro. É para já, capitão

Desligou o telemóvel e chamou os seus homens pelo rádio.

CAPÍTULO QUARENTA E TRÊS

André Vernet, presidente da filial francesa do Banco Depositário de Zurique, vivia num luxuoso apartamento por cima do próprio banco. Mal-grado o conforto dos aposentos, sempre sonhara ser dono de um apartamento à beira-rio na Ile Saint-Louis, onde poderia ombrear com os verdadeiros *ognoscenti*, e não ali, onde apenas encontrava os podres de ricos.

Quando me reformar, dizia Vernet para si mesmo, *vou encher a minha adega de bordéus raros, decorar a minha sala com um Fragonard e talvez um Boucher, e passar os meus dias a procurar mobílias antigas e livros raros no Quartier Latin.*

Naquela noite, Vernet fora acordado havia apenas seis minutos e meio. Mesmo assim, enquanto percorria apressadamente os corredores subterrâneos do banco, era como se o seu alfaiate e o seu cabeleireiro particulares tivessem passado horas a poli-lo para lhe dar aquele brilho. Impecavelmente vestido com um fato de seda, vaporizou a boca com um *spray* refrescante e ajeitou a gravata enquanto andava. Habituado a ser acordado a qualquer hora para atender clientes internacionais vindos das mais diversas zonas horárias, modelara os seus hábitos de sono pelos dos guerreiros massais, a tribo africana famosa pela sua capacidade de passar, numa questão de segundos, do sono mais profundo para um estado de total prontidão para o combate.

Prontidão para o combate, pensou, receando que a comparação pudesse vir a revelar-se naquela noite incaracteristicamente adequada. A chegada de um cliente de chave de ouro exigia sempre uma atenção especial, mas a chegada de um cliente de chave de ouro que era *procurado* pela Polícia Judiciária significava uma situação extremamente delicada. O banco já tinha conflitos suficientes com as forças da ordem por causa do direito dos seus clientes ao sigilo mesmo sem provas de que alguns deles eram criminosos.

Cinco minutos, disse Vernet a si mesmo. *Quero essa gente fora do meu banco antes que a Polícia chegue.*

Se agisse rapidamente, o desastre iminente poderia ainda ser evitado. Vernet poderia dizer à Polícia que os fugitivos em causa tinham de facto entrado no banco, mas por não serem clientes e não terem um número de conta, os tinha mandado embora. Bem desejava que o maldito guarda não tivesse ligado para a Interpol. A discrição não fazia aparentemente parte do vocabulário de um segurança pago a 15 euros à hora.

Detendo-se diante da porta, inspirou fundo e descontraiu os músculos. Então, forçando um sorriso radioso, abriu a porta e entrou na sala como uma brisa primaveril.

— Boa noite — disse, ao avistar os seus clientes. — Chamo-me André Vernet. Em que posso ser-lhes ú... — O resto da frase ficou entalada algures por baixo da maçã-de-adão. A mulher que tinha à sua frente era a visitante mais inesperada que alguma vez recebera.

— Desculpe, não nos conhecemos? — perguntou Sophie. Não reconhecia o banqueiro, mas, por um instante, fora como se tivesse visto um fantasma.

— Não... — tartamudeou o presidente do banco. — Não... creio. Os nossos serviços são anónimos. — Deixou escapar o ar dos pulmões e forçou um calmo sorriso. — O meu assistente diz-me que têm uma chave de ouro mas não um número de conta? Posso perguntar como entraram na posse dessa chave.

— Deu-ma o meu avô — respondeu Sophie, observando atentamente o homem, cuja atrapalhação era cada vez mais evidente.

— Palavra? O seu avô deu-lhe a chave mas esqueceu-se de dar-lhe o número da conta?

— Julgo que não teve tempo — disse Sophie. — Foi assassinado esta noite.

Estas palavras fizeram o banqueiro recuar um passo, cambaleante.

— Jacques Saunière está morto? — perguntou, com os olhos a encherem-se de horror. — Mas... como?

Foi a vez de Sophie estremecer, aturdida pelo choque.

— *Conhecia* o meu avô?

André Vernet parecia tão aturdido como ela. Endireitou-se, apoiando-se à beira da grande secretária.

— Eu e o Jacques éramos velhos amigos. Quando foi que isso aconteceu?

— Por volta das onze da noite, dentro do Louvre.

Vernet dirigiu-se a um fundo sofá de couro e deixou-se cair nele.

— Tenho de fazer aos dois uma pergunta extremamente importante. — Olhou para Langdon e depois de novo para Sophie. — Algum dos dois teve alguma coisa a ver com essa morte?

— Não! — respondeu Sophie. — Absolutamente não!

O rosto de Vernet ficou sombrio. Fez uma pausa, para pensar.

— A Interpol difundiu as vossas fotografias. Foi assim que os reconheci. São procurados por assassínio.

Sophie deixou descair os ombros. *O Fache já contactou a Interpol?* O capitão estava, aparentemente, mais motivado do que ela esperara. Explicou rapidamente a Vernet quem era Langdon e o que acontecera dentro do Louvre naquela noite.

Vernet parecia espantado.

— E o seu avô, antes de morrer, deixou-lhe uma mensagem a dizer que procurasse o senhor Langdon?

— Sim. E esta chave. — Sophie pousou a chave de ouro na mesa de café diante de Vernet, com o selo do Priorado voltado para baixo.

Vernet olhou para a chave, mas não fez menção de lhe tocar.

— Deixou-lhe apenas esta chave? Nada mais? Nenhum pedaço de papel?

Sophie sabia que estivera cheia de pressa dentro do Louvre, mas estava certa de que não havia mais nada escondido atrás da *Madonna dos Rochedos.*

— Não. Só a chave.

Vernet deixou escapar um suspiro de impotência.

— Todas as chaves estão electronicamente associadas a um número de conta com dez dígitos que funciona como *password.* Sem o número, essa chave é inútil.

Dez dígitos. Sophie calculou relutantemente as probabilidades criptográficas. Dez mil milhões de escolhas possíveis. Mesmo que pudesse usar os mais potentes computadores de processamento em rede da DCPJ, precisaria de semanas para decifrar o código.

— Certamente, *monsieur*, considerando as circunstâncias, poderá ajudar-nos.

— Lamento. Não há verdadeiramente nada que eu possa fazer. Os clientes escolhem o número de conta através de um terminal seguro, o que significa que esse número só é conhecido pelo titular e por um computador. É uma maneira de garantir o anonimato. E a segurança dos nossos empregados.

Sophie compreendeu. As lojas de conveniência faziam a mesma coisa. OS EMPREGADOS NÃO TÊM A CHAVE DO COFRE. O banco não queria obviamente correr o risco de alguém roubar uma chave e então tomar um empregado como refém para obter o número da conta correspondente.

Sentou-se ao lado de Langdon, baixou os olhos para a chave e voltou a erguê-los para Vernet.

— Faz alguma ideia do que o meu avô tinha guardado no seu banco?

— Nenhuma. É essa a definição de um banco *Geldschrank.*

— *Monsieur* Vernet — insistiu ela —, o nosso tempo esta noite é escasso. Vou ser muito directa, se me permite. — Estendeu a mão para a chave de ouro e voltou-a, perscrutando os olhos do homem no momento em que revelava o selo do Priorado de Sião. — O símbolo que está nesta chave significa alguma coisa para si?

Vernet olhou para a flor-de-lis e não teve qualquer reacção.

— Não, mas muitos dos nossos clientes mandam gravar logótipos de empresas ou iniciais nas suas chaves.

Sophie suspirou, continuando a vigiá-lo atentamente.

— Este selo é o símbolo de uma sociedade secreta conhecida como Priorado de Sião.

Mais uma vez, Vernet não mostrou qualquer reacção.

— Não sei nada disso. Eu e o seu avô éramos amigos, mas falávamos sobretudo de negócios. — O homem ajustou a gravata, parecendo agora um pouco nervoso.

— *Monsieur* Vernet — voltou Sophie à carga, num tom firme. — O meu avô telefonou-me esta noite e disse-me que eu corria um grave perigo. Disse que tinha uma coisa para me dar. Deu-me uma chave do seu banco. Agora está morto. Tudo o que possa dizer-nos será uma grande ajuda.

Vernet começou a suar.

— Têm de sair do edifício. Receio que a Polícia não tarde a chegar. O nosso guarda sentiu que devia avisar a Interpol.

Sophie receara isso mesmo. Fez uma última tentativa.

— O meu avô disse-me que tinha de contar-me a verdade a respeito da minha família. Isto significa alguma coisa para si?

— *Mademoiselle,* a sua família morreu num acidente de viação quando era ainda muito jovem. Lamento. Sei que o seu avô a amava muito. Disse-me diversas vezes como o entristecia o facto de os dois terem deixado de se falar.

Sophie ficou sem saber como responder.

— O conteúdo desta conta tem alguma coisa a ver com o Sangreal? — perguntou Langdon, inesperadamente.

Vernet lançou-lhe um olhar estranho.

— Não faço ideia do que isso possa ser. — E, nesse instante, o telemóvel tocou. Vernet arrancou-o do cinto. — *Oui.* — Escutou por um instante, com uma expressão de surpresa e crescente preocupação. — *La police? Si rapidement?* — Praguejou, deu algumas instruções em francês e disse que estaria no vestíbulo dentro de um minuto.

Desligando o telefone, voltou-se para Sophie.

— A Polícia respondeu muito mais rapidamente do que é habitual. Estão a chegar.

Sophie não tinha a mínima intenção de sair dali de mãos a abanar.

— Diga-lhes que já nos fomos embora. Se quiserem revistar o banco, exija um mandato de busca. Isso vai demorá-los.

— Ouça — disse Vernet —, o Jacques Saunière era meu amigo, e o meu banco não precisa deste tipo de publicidade. Por essas duas razões, não tenciono permitir que sejam detidos aqui dentro. Dêem-me um minuto, e verei o que posso fazer para ajudá-los a sair sem serem vistos. Não posso envolver-me mais do que isso. — Pôs-se de pé e dirigiu-se apressadamente à porta. — Fiquem aqui. Vou tratar disto e volto já.

— Mas, e o cofre de depósito? — protestou Sophie. — Não podemos ir embora.

— Não posso fazer nada. — Vernet abriu a porta. — Lamento muito — acrescentou, antes de sair.

Sophie ficou a olhar para a porta por um instante, perguntando a si mesma se o número da conta não estaria enterrado no monte de cartas e embrulhos que o avô lhe mandara ao longo dos anos e que ela nunca chegara a abrir.

Subitamente, Langdon pôs-se de pé, e Sophie viu-lhe nos olhos um inesperado brilho de contentamento.

— Robert? Está a sorrir.

— O seu avô era um génio.

— Desculpe?

— Dez dígitos?

Sophie não fazia ideia de que estava ele a falar.

— O número da conta — explicou Langdon, com o familiar sorriso torcido estampado no rosto. — Tenho a certeza de que no-lo deixou, ao fim e ao cabo.

— Onde?

Langdon tirou do bolso o *print* de computador da fotografia do local do crime e abriu-o em cima da mesa de café. Bastou a Sophie ler a primeira linha para saber que ele tinha razão.

13-3-2-21-1-1-8-5
O, Draconian devil!
Oh, lame saint!
P.S. Find Robert Langdon

CAPÍTULO QUARENTA E QUATRO

— Dez dígitos — disse Sophie, com todos os seus sentidos de criptóloga a vibrar enquanto olhava para o papel.

13-3-2-21-1-1-8-5

O grand-père *escreveu o número da conta no chão do Louvre!*

Quando vira pela primeira vez a sequência Fibonacci alterada escrita no soalho, Sophie assumira que o seu único objectivo era encorajar a DCPJ a chamar os criptólogos e envolvê-la a *ela* no assunto. Mais tarde, descobrira que os números eram também uma pista para a decifração das outras linhas: *uma sequência fora de ordem... um anagrama numérico.* Agora, absolutamente estupefacta, via que os números tinham um significado ainda mais importante. Eram, quase com certeza, a chave final para abrir o misterioso cofre do avô.

— O meu avô era um mestre dos duplos-sentidos — disse, voltando-se para Langdon. — Adorava tudo o que tivesse múltiplas camadas de significado. Códigos dentro de códigos.

Langdon já ia a caminho da caixa electrónica junto do tapete rolante. Sophie pegou no *print* de computador e seguiu-o.

A caixa tinha um teclado numérico semelhante ao dos terminais ATM. O visor mostrava o logótipo cruciforme do banco. Ao lado do teclado, havia um orifício triangular. Sem perder mais tempo, Sophie inseriu a chave no orifício.

O visor mudou instantaneamente.

CONTA NÚMERO

\- - - - - - - - - -

O cursor piscava, à espera.

Dez dígitos. Sophie leu os números, e Langdon teclou-os.

CONTA NÚMERO

1332211185

Quando acabou de teclar o último algarismo, o teclado voltou a mudar. Apareceu uma mensagem em várias línguas. Mais uma vez, o inglês era a primeira.

ATENÇÃO

Antes de premir Enter, verifique, por favor, se o número de conta está correcto.
Para sua própria segurança, se o computador não reconhecer o número de conta, o sistema desligar-se-á automaticamente.

— *Fonction terminer* — disse Sophie, de testa franzida. — Parece que só temos direito a uma tentativa. — As caixas automáticas permitem aos utilizadores *três* tentativas de introdução do PIN antes de «engolirem» o cartão. Aquela não era, muito claramente, uma vulgar caixa automática.

— O número está certo — disse Langdon, comparando cuidadosamente o que tinha teclado com o que estava no papel. Apontou para a tecla ENTER. — Dispare.

Sophie estendeu o dedo para o teclado, mas hesitou. Acabava de ter um estranho palpite.

— Depressa — incitou-a Langdon. — O Vernet não tarda aí.

— Não — disse ela, retirando a mão. — Não é este o número certo.

— Claro que é! Dez dígitos. Que outra coisa podia ser?

— É demasiado aleatório.

— *Demasiado aleatório?* — Langdon não podia estar mais em desacordo. Todos os bancos aconselhavam os respectivos clientes a escolher PIN aleatórios, para que ninguém pudesse adivinhá-los.

Com certeza que, *ali,* os clientes seriam aconselhados a escolher números de conta aleatórios.

Sophie apagou tudo o que tinham teclado e olhou para Langdon, com uma expressão de certeza no rosto.

— O facto de este número de conta supostamente aleatório poder ser rearranjado de modo a formar a sequência de Fibonacci é excessiva coincidência.

Langdon apercebeu-se de que ela tinha razão. Horas antes, Sophie redispusera aquele número de conta para formar a sequência Fibonacci. Quais eram as probabilidades de uma coisa dessas acontecer?

Sophie aproximou-se do teclado, introduzindo um número diferente, como se o soubesse de cor.

— Além disso, considerando a paixão do meu avô por simbolismos e códigos, seria de esperar que escolhesse um número de conta que significasse qualquer coisa para ele, qualquer coisa que pudesse recordar com facilidade. — Acabou de teclar o número e sorriu maliciosamente. — Qualquer coisa que parecesse aleatório... mas *não* fosse.

Langdon olhou para o visor.

CONTA NÚMERO

1123581321

Tardou um instante, mas quando percebeu, soube que ela tinha razão.

A sequência Fibonacci.

1-1-2-3-5-8-13-21

Quando fundida num único número de dez algarismos, a sequência Fibonacci tornava-se praticamente irreconhecível. *Fácil de recordar, e no entanto aparentemente aleatório.* Um brilhante código de dez dígitos que Saunière nunca esqueceria. Além disso, explicava perfeitamente por que razão os números rabiscados no chão do Louvre podiam ser rearranjados de modo a formar a famosa progressão.

Sophie estendeu o dedo e premiu a tecla ENTER.

Nada aconteceu.

Pelo menos, nada que eles pudessem detectar.

Nesse instante, no cavernoso cofre-forte subterrâneo do banco, uma garra mecânica pareceu despertar para a vida. Deslizando sobre um sistema de transporte de duplo carril preso ao tecto, começou a procurar as coordenadas adequadas. Lá em baixo, no chão de cimento, centenas de caixas de plástico idênticas estavam alinhadas numa enorme grelha... como filas de pequenos caixões numa cripta.

Parando com um zumbido sobre o ponto exacto do chão, a garra desceu e um olho electrónico verificou o código de barras impresso na caixa. Então, com precisão mecânica, a garra prendeu a pesada pega e ergueu a caixa na vertical. Novas engrenagens entraram em funcionamento, e a garra carregou a caixa para o outro extremo do cofre-forte, detendo-se sobre um tapete rolante imóvel.

Muito suavemente, o braço mecânico pousou a caixa e subiu.

Mal o braço se afastou, o tapete ganhou vida...

Sophie e Langdon suspiraram de alívio ao verem o tapete rolante começar a mover-se. Ali de pé, sentiam-se como dois viajantes cansados à espera de uma misteriosa mala cujo conteúdo desconheciam.

O tapete rolante entrava na sala pelo lado direito, através de uma estreita fresta por baixo de uma porta retráctil. A porta de metal deslizou para cima e uma grande caixa de plástico emergiu das sombras. Era preta, moldada em plástico extremamente duro, e muito maior do que Sophie imaginara. Fazia lembrar uma dessas caixas que as companhias aéreas usam para transportar animais de estimação, mas sem orifícios de ventilação.

Deteve-se exactamente em frente deles.

Langdon e Sophie ficaram a olhar, em silêncio, para o misterioso contentor.

Como tudo o mais naquele banco, a caixa era um produto da indústria — fechos de metal, um código de barras colado na tampa, uma pega moldada. Sophie achou que parecia uma gigantesca caixa de ferramentas.

Sem perder tempo, soltou as duas linguetas que tinha à sua frente. Olhou para Langdon. Juntos, levantaram a pesada tampa e deixaram-na cair para trás.

Avançando um passo, espreitaram para o interior da caixa.

Ao primeiro olhar, Sophie pensou que estava vazia. Então, viu qualquer coisa. No fundo da caixa. Um objecto solitário.

A caixa de madeira polida tinha o tamanho aproximado de uma caixa de sapatos e dobradiças muito ornamentadas. A madeira, de um púrpura rico e profundo, era lustrosa e de grão grosso. *Roseira,* apercebeu-se Sophie. A preferida do avô. Na tampa via-se, finamente embutida, a imagem de uma rosa. Sophie e Langdon trocaram olhares intrigados. Sophie inclinou-se para a frente e pegou na caixa, levantando-a.

Meu Deus, é pesada!

Com muito cuidado, foi pousá-la em cima de uma mesa. Langdon estava a seu lado, ambos com os olhos presos à pequena arca do tesouro que o avô dela aparentemente os mandara resgatar.

Langdon estava a olhar, fascinado, para a rosa embutida à mão na tampa da caixa: uma rosa com cinco pétalas. Tinha visto aquele tipo de rosa muitas vezes.

— A rosa de cinco pétalas — murmurou. — O símbolo do Priorado para o Santo Graal.

Sophie voltou-se e olhou para ele. Langdon adivinhou-lhe os pensamentos, porque eram também os seus. As dimensões da caixa, o peso aparente do seu conteúdo e o símbolo do Priorado para o Graal gravado na tampa, tudo parecia apontar para uma conclusão incrível. *A taça de Cristo está dentro desta caixa.* Langdon voltou a dizer a si mesmo que era impossível.

— Tem o tamanho perfeito — murmurou Sophie — para conter... um cálice.

Não pode ser um cálice.

Sophie puxou a caixa por cima do tampo da mesa, preparando-se para abri-la. Quando a moveu, algo de inesperado aconteceu. A caixa emitiu um estranho som gorgolejante.

Langdon examinou-a com mais atenção. *Há um líquido ali dentro?*

Sophie parecia igualmente confusa.

— Ouviu...?

Langdon assentiu, completamente perdido.

— Líquido.

Estendendo as mãos, Sophie soltou a lingueta da fechadura e abriu a tampa.

O objecto que estava lá dentro não se parecia com qualquer outro que Langdon tivesse alguma vez visto. Uma coisa, no entanto, se tornou de imediato evidente para ambos. Aquilo *não* era, definitivamente, a Taça de Cristo.

CAPÍTULO QUARENTA E CINCO

— A polícia bloqueou a rua — anunciou André Vernet, entrando na sala. — Vai ser difícil fazê-los sair. — Enquanto fechava a porta, viu a pesada caixa de plástico em cima do tapete rolante e deteve-se bruscamente. *Meu Deus! Acederam à conta do Saunière?*

Sophie e Langdon estavam junto da mesa, debruçados sobre o que parecia ser uma caixa de jóias de madeira. Sophie baixou imediatamente a tampa e ergueu os olhos.

— Afinal, sempre tínhamos o número da conta — disse.

Vernet estava sem palavras. Aquilo mudava tudo. Desviou respeitosamente os olhos da caixa e tentou delinear a próxima jogada. *Tenho de tirá-los do banco.* Mas com a Polícia já a bloquear as saídas, só via uma maneira de fazê-lo.

— *Mademoiselle* Neveu, se eu conseguir fazê-la sair do banco em segurança, vai levar esse objecto consigo ou devolvê-lo ao cofre-forte antes de partir?

Sophie olhou para Langdon, e depois de novo para Vernet.

— Precisamos de levá-lo connosco.

Vernet assentiu.

— Muito bem. Então, seja esse objecto o que for, sugiro que o embrulhe no seu casaco enquanto percorremos os corredores. Prefiro que ninguém mais o veja.

Enquanto Langdon despia o casaco, Vernet dirigiu-se ao tapete rolante. Fechou a caixa agora vazia e teclou uma série de instruções simples. O tapete começou a mover-se, levando o contentor de plástico de regresso às entranhas do cofre-forte. Em seguida, retirou a chave de ouro do orifício da caixa electrónica e devolveu-a a Sophie.

— Por aqui, por favor. Depressa.

Quando chegaram à plataforma de carga das traseiras, Vernet viu o reflexo das luzes rotativas da Polícia nas paredes da garagem subterrânea. Franziu o sobrolho. Muito provavelmente, estavam a bloquear a rampa. *Vou mesmo tentar fazer esta coisa?* Tinha começado a suar.

Indicou-lhes um dos pequenos carros blindados do banco. *Transport sûr* era mais um dos serviços que o Banco Depositário de Zurique oferecia.

— Entrem para a cabina de carga — disse, abrindo as maciças portas traseiras e apontando-lhes o brilhante compartimento metálico.

Enquanto Sophie e Langdon subiam para a carrinha, Vernet dirigiu-se ao gabinete do encarregado da plataforma, entrou, tirou umas chaves do chaveiro e encontrou um uniforme e um boné de motorista. Tirando o casaco e a gravata, começou a vestir o casaco do uniforme. Pensando melhor, colocou um coldre axilar por baixo do casaco. No caminho de saída, tirou uma pistola de motorista do armeiro, introduziu-lhe um carregador e enfiou-a no coldre, abotoando o uniforme por cima. Regressando à carrinha, puxou o boné de motorista para os olhos e foi espreitar Sophie e Langdon, que estavam de pé dentro da caixa de aço vazia.

— Vão querer isto aceso. — Estendeu o braço e accionou o interruptor situado na parede metálica e que acendia a pequena lâmpada do tecto. — E é melhor sentarem-se. Nem o mais pequeno som quando passarmos o portão.

Sophie e Langdon instalaram-se no chão. Langdon acomodou no colo o tesouro embrulhado no casaco de *tweed.* Fechando as pesadas portas, Vernet trancou-os lá dentro. Segundos depois, sentou--se ao volante e ligou o motor.

Enquanto a carrinha blindada avançava lentamente em direcção ao topo de rampa, já Vernet sentia o suor acumular-se debaixo do boné de motorista. Viu que havia à sua frente muito mais luzes da Polícia do que imaginara. À aproximação da carrinha, o portão interior abriu-se, rodando para dentro. Vernet passou para o outro lado e esperou que o portão atrás dele voltasse a fechar-se antes de avançar novamente e accionar o sensor seguinte. O segundo portão abriu-se, convidando-o a sair.

O único problema é o carro da Polícia que está a bloquear a rampa.

Vernet limpou a testa com a mão e avançou.

Um agente da Polícia, um sujeito alto e magro, saiu da berma para o meio da rampa e mandou-o parar a poucos metros da barreira. Havia quatro carros-patrulha estacionados à sua frente.

Vernet parou. Puxando o boné de condutor ainda mais para os olhos, adoptou o ar mais tosco que o seu nível cultural lhe permitia. Sem sair de trás do volante, abriu a porta e olhou de cima para o agente, cujo rosto parecia tenso e cansado.

— *Qu'est-ce qui se passe?* — perguntou Vernet, num tom belicoso.

— *Je suis Jérôme Collet* — respondeu o agente. — *Lieutenant Police Judiciaire.* — Apontou para a caixa de carga da carrinha. — *Qu'est-ce qu'il y a là dedans?*

— Raios me partam se sei — respondeu Vernet, num rude francês. — Sou só o condutor.

Collet não pareceu impressionado.

— Andamos à procura de dois criminosos.

Vernet soltou uma gargalhada.

— Então vieram ao sítio certo. Alguns dos filhos da mãe para quem trabalho têm tanta massa que devem ser criminosos.

Collet mostrou-lhe uma fotografia de passaporte de Robert Langdon.

— Este homem esteve no banco esta noite?

Vernet encolheu os ombros.

— Sei lá. Trabalho cá em baixo. Não nos deixam chegar nem perto dos clientes. O melhor é perguntar na portaria.

— O banco exige um mandato de busca para nos deixar entrar.

— Administradores — rosnou Vernet. — Não me façam falar.

— Abra a carrinha, por favor — pediu Collet, apontando para a caixa de carga.

Vernet olhou para o agente e forçou uma gargalhada de troça.

— Abrir a carrinha? Acha que tenho as chaves? Acha que eles confiam em nós? Devia ver a merda de ordenado que me pagam!

O agente inclinou a cabeça para um lado, obviamente céptico.

— Está a dizer-me que não tem as chaves da sua própria carrinha.

Vernet abanou a cabeça.

— Da caixa de carga, não. Só da ignição. Estas carrinhas são seladas por controladores na plataforma de embarque. Então ficamos à espera enquanto alguém leva a chave da caixa de carga até ao local de destino. Quando recebemos um telefonema a dizer que as chaves chegaram ao destinatário, dão-me autorização para arrancar. Nem um segundo antes. Nunca sei que raio de carga transporto.

— Quando é que esta carrinha foi selada?

— Deve ter sido há horas. Esta noite tenho de ir até St. Thurial. As chaves da caixa já lá estão.

O agente não disse palavra, olhando fixamente para Vernet, como que a tentar ler-lhe os pensamentos.

Uma gota de suor preparava-se para deslizar pelo nariz de Vernet.

— Importa-se? — disse ele, limpando o nariz com a manga do casaco e apontando para o carro da Polícia que bloqueava a passagem. Tenho um horário a cumprir.

— Todos os condutores usam *Rolexes?* — perguntou Collet, apontando para o pulso de Vernet.

Vernet olhou para baixo e viu a pulseira do seu ridiculamente caro relógio a espreitar por baixo da manga do casaco. *Merde.*

— O quê, esta merda? Comprei-o por vinte euros a um vendedor ambulante chinês em St. Germain des Prés. Vendo-lho por quarenta.

O agente hesitou um instante e finalmente afastou-se para o lado.

— Não, obrigado. Faça boa viagem.

Vernet só voltou a respirar quando a carrinha já se tinha afastado uns bons cinquenta metros. E agora tinha outro problema. A sua carga. *Para onde é que os levo?*

CAPÍTULO QUARENTA E SEIS

Silas estava deitado de bruços na esteira de lona do seu quarto, deixando que o ar secasse o sangue das feridas que tinha nas costas. A segunda sessão daquela noite com a Disciplina deixara-o tonto e fraco. Ainda não tirara o cilício, e sentia o sangue escorrer pela parte interior da coxa. Mas a verdade era que não encontrava justificação para desapertar a correia.

Deixei ficar mal a Igreja.

Muito pior ainda, deixei ficar mal o bispo.

Aquela noite era suposta ser a da salvação de Aringarosa. Cinco meses antes, o bispo regressara de uma reunião no Observatório do Vaticano, onde soubera qualquer coisa que o deixara profundamente mudado. Deprimido durante semanas, Aringarosa partilhara finalmente as novidades com Silas.

— Mas isso é impossível! — exclamara Silas. — Não posso aceitá-lo!

— É verdade — afirmara Aringarosa. — Impensável, mas verdadeiro. Dentro de apenas seis meses.

As palavras do bispo tinham deixado Silas aterrorizado. Rezara a pedir a redenção, e mesmo naqueles dias negros, a sua fé em Deus e no *Caminho* nunca vacilara. Fora só um mês mais tarde que as nuvens se tinham miraculosamente rasgado e a luz da possibilidade brilhara através delas.

Intervenção divina, dissera Aringarosa.

Pela primeira vez, o bispo parecera cheio de esperança.

— Silas — murmurara —, Deus concedeu-nos uma oportunidade de proteger *O Caminho*. A nossa batalha, como todas as batalhas, vai exigir sacrifícios. Estás disposto a ser um soldado de Deus?

Silas caíra de joelhos diante do bispo Aringarosa, o homem que lhe tinha dado uma nova vida, e dissera:

— Sou um cordeiro de Deus. Guie-me para onde o seu coração mandar.

Quando Aringarosa descreveu a oportunidade que se deparara, Silas soube que só podia ser a mão de Deus. *Destino miraculoso!* Aringarosa pôs Silas em contacto com o homem que propusera o plano — um homem que a si mesmo chamava o *Professor*. Embora Silas e o *Professor* nunca se tivessem encontrado cara-a-cara, sempre que falava com ele ao telefone Silas ficava assombrado pela profundidade da fé daquele homem e pela amplitude do seu poder. O *Professor* parecia saber tudo, ter olhos e ouvidos em todo o lado. Como conseguia as suas informações era algo que Silas ignorava, mas Aringarosa depositava uma enorme confiança nele e pedira a Silas que fizesse o mesmo. «Faz o que o *Professor* te ordenar», dissera a Silas, «e venceremos.»

Venceremos. Enquanto agora olhava para as tábuas do chão, Silas temeu que a vitória lhes tivesse escapado. *O Professor* fora enganado. A Chave de Abóbada era um ardiloso beco sem saída. E com o engano, toda a esperança se desvanecera.

Silas desejou poder ligar para o bispo Aringarosa e avisá-lo, mas o *Professor* eliminara todas as linhas de contacto directo entre eles naquela noite. *Para nossa segurança.*

Finalmente, vencendo o medo, Silas pôs-se laboriosamente de pé e apanhou o hábito, que estava caído no chão. Procurou no bolso o telemóvel. Com a cabeça baixa de vergonha, marcou o número.

— *Professor* — murmurou —, está tudo perdido. — E então contou como fora enganado.

— Perdes a fé demasiado rapidamente — respondeu o *Professor*. — Acabo de receber notícias. Inesperadas e magníficas. O segredo vive. Jacques Saunière transmitiu informações antes de morrer. Contactar-te-ei em breve. O nosso trabalho desta noite ainda não terminou.

CAPÍTULO QUARENTA E SETE

Viajar dentro da mal iluminada caixa de carga da carrinha blindada era como ser transportado no interior de uma cela de solitária. Langdon esforçou-se por controlar a tão conhecida ansiedade que o avassalava em espaços fechados. *Vernet disse que nos levaria para uma distância segura da cidade. Para onde? A que distância?*

Tinha as pernas rígidas de estar sentado tanto tempo no chão metálico da carrinha, e mudou de posição, fazendo uma careta quando o sangue recomeçou a circular-lhe na parte inferior do corpo. Continuava a aconchegar nos braços o bizarro tesouro que tinham tirado do banco.

— Acho que estamos na auto-estrada — sussurrou Sophie.

Langdon tinha a mesma sensação. A carrinha, depois de uma enervante paragem no topo da rampa, seguira em frente, serpenteando à direita e à esquerda durante um ou dois minutos, e agora corria ao que lhes parecia ser a sua velocidade máxima. Por baixo deles, os pneus à prova de bala zuniam sobre um pavimento liso. Concentrando-se na caixa de roseira que transportava nos braços, Langdon pousou a sua preciosa carga no chão, desembrulhou o casaco e tirou de lá a caixa, que puxou para si. Sophie mudou de posição de modo a ficarem sentados lado-a-lado. Langdon teve subitamente a sensação de que eram dois miúdos a abrir uma prenda de Natal.

Em contraste com os tons quentes da caixa de roseira, a rosa embutida era de uma madeira clara, provavelmente freixo, que parecia brilhar à fraca luz da lâmpada. *A Rosa.* Exércitos inteiros de religiões tinham sido construídos à volta daquele símbolo. E de sociedades secretas também. *Os Rosa-Cruz. Os Cavaleiros da Cruz Rosada.*

— Vá — incitou-o Sophie. — Abra-a.

Langdon inspirou fundo. Enquanto estendia a mão para a tampa, lançou mais um olhar de admiração ao fino trabalho de marchetaria e então, levantando a lingueta do fecho, abriu a tampa, expondo o objecto que estava lá dentro.

Langdon compusera diversas fantasias a respeito do que poderiam ir encontrar naquela caixa, mas era agora evidente que se enganara em toda a linha. Aninhado no interior almofadado e forrado a seda escarlate da caixa estava um objecto que não conseguia sequer começar a compreender.

Um cilindro feito de mármore branco e polido, com as dimensões aproximadas de uma lata de bolas de ténis. Mais complicado do que uma simples coluna de pedra, no entanto, aquele cilindro parecia ter sido montado com muitas peças. Cinco discos de mármore do tamanho de *donuts* tinham sido postos uns em cima dos outros e ligados entre si por uma delicada armação metálica. Fazia lembrar uma espécie de caleidoscópio tubular com vários anéis. As duas extremidades eram fechadas por remates de mármore, o que tornava impossível ver para o interior. Tendo ouvido o chocalhar de um líquido, Langdon assumia que o cilindro era oco.

Por muito intrigante que fosse a construção do cilindro, foram, porém, as gravações à volta da circunferência do tubo que atraíram mais fortemente a atenção de Langdon. Em cada um dos discos estava gravada a mesma e improvável série de letras: o alfabeto inteiro. Fez lembrar a Langdon um brinquedo da sua meninice, uma vara em que encaixavam vários aros com letras que se rodavam para formar diferentes palavras.

— Espantoso, não é — murmurou Sophie.

Langdon ergueu os olhos.

— Não sei. O que é?

Havia agora um brilho nos olhos de Sophie.

— O meu avô costumava construí-los como passatempo. Foram inventados por Leonardo da Vinci.

Mesmo à escassa luz, Sophie apercebeu-se da surpresa de Langdon.

— Por da Vinci? — murmurou, voltando a olhar para o cilindro.

— Sim. Chama-se um criptex. Segundo o meu avô, os planos para a sua construção faziam parte de um dos diários secretos de da Vinci.

— Para que serve?

Considerando os acontecimentos da noite, Sophie sabia que a resposta podia ter algumas implicações interessantes.

— É um cofre — disse. — Para guardar informações secretas.

Langdon abriu ainda mais os olhos.

Sophie explicou que criar modelos das invenções de da Vinci ora um dos passatempos preferidos do avô. Um talentoso artífice que passava horas na sua oficina de carpintaria e serralharia, Jacques Saunière gostava de imitar os mestres: Fabergé, vários especialistas do *cloisonné*, e o menos artístico mas muitíssimo mais prático Leonardo da Vinci.

Até um olhar de passagem pelos célebres diários permitia perceber por que razão da Vinci era tão famoso pela sua falta de persistência como pelo seu génio. Desenhara planos para centenas de invenções que nunca construíra. Um dos passatempos preferidos de Jacques Saunière fora trazer à vida algumas das mais obscuras criações do mestre: relógios, bombas de água, criptex, e até o modelo totalmente articulado de um cavaleiro medieval francês que ocupava agora um lugar de honra em cima da sua secretária. Concebido por da Vinci em 1495, como uma espécie de consequência dos seus estudos anteriores de anatomia e cinesiologia, o mecanismo interior do cavaleiro robô possuía articulações e tendões perfeitos que lhe permitiam sentar-se, agitar os braços e mover a cabeça, graças a um pescoço flexível, ao mesmo tempo que abria e fechava uma mandíbula anatomicamente correcta. Aquele cavaleiro de armadura, Sophie sempre o pensara, era o objecto mais belo que o avô alguma vez construíra... isto é, até ter visto o criptex na sua caixa de roseira.

— Fez um para mim quando eu era pequena — disse Sophie.
— Mas nunca tinha visto nenhum tão grande e ornamentado.

Langdon não desviava os olhos da caixa.

— Nunca ouvi falar de criptex.

Sophie não estava surpreendida. A maior parte das invenções não realizadas de Leonardo nunca tinham sido estudadas ou sequer baptizadas. A palavra «criptex» fora, muito provavelmente, uma criação do avô, um nome adequado àquele instrumento que usava a ciência da *criptologia* para proteger a informação escrita no rolo, ou *códex*, que continha.

Sophie sabia que da Vinci fora um dos pioneiros da criptologia, embora esse mérito raramente lhe fosse reconhecido. Na universidade, os professores, quando falavam dos métodos de cifragem de dados, referiam regra geral criptologistas modernos como Zimmerman e Schneier, mas esqueciam-se de mencionar que fora Leonardo quem inventara as primeiras formas rudimentares de cifragem, séculos antes. Fora, claro, o avô que lhe falara disso.

Enquanto a carrinha blindada corria pela estrada, Sophie explicou a Langdon que o criptex fora a solução de Leonardo para o dilema de enviar mensagens seguras a longas distâncias. Numa era sem telefones nem *e-mail*, quem quisesse enviar informações privadas a alguém que vivesse longe não tinha alternativa senão escrevê-las e confiar a carta a um mensageiro que a levasse. Infelizmente, se o mensageiro suspeitasse de que a missiva continha informações valiosas, podia ganhar muito mais dinheiro vendendo-a aos inimigos do remetente do que entregando-a ao destinatário.

Ao longo dos séculos, foram muitas as grandes figuras que inventaram soluções criptológicas para o problema da protecção de dados: Júlio César imaginou um esquema de escrita em código conhecido como Caixa de César; Maria, rainha da Escócia, criou uma cifra de substituição graças à qual enviava mensagens secretas da prisão, e o brilhante cientista árabe Abu Yusuf Ismail al-Kindi protegia os seus segredos com uma engenhosa cifra de substituição polialfabética.

Da Vinci, pelo contrário, preferiu uma solução *mecânica* à matemática e à criptologia. O criptex. Um contentor portátil capaz de proteger cartas, mapas, diagramas, fosse o que fosse. Uma vez a informação guardada dentro do criptex, só a pessoa que conhecesse a chave adequada podia aceder-lhe.

— É preciso uma *password* — explicou Sophie, apontando para os aros marcados com letras. — O criptex funciona mais ou menos como o cadeado de segredo de uma bicicleta. Quando alinhamos os anéis na posição correcta, o cadeado abre-se. O criptex tem cinco anéis. Quando os rodamos na sequência certa, as tranquetas no interior alinham-se e o cilindro desmancha-se.

— E lá dentro?

— Quando o cilindro se desmancha, a pessoa tem acesso a um compartimento central suficientemente grande para conter um rolo de papel onde está escrita a informação que se pretende manter secreta.

Langdon fez um ar incrédulo.

— E está a dizer-me que o seu avô fazia estas coisas para si quando era pequena.

— Fez-me vários mais pequenos. Pelo menos em duas ocasiões, nos meus anos, deu-me um criptex e uma adivinha. A resposta à adivinha era a senha para o criptex, e quando eu a descobria, podia abri-lo e encontrar o meu cartão de parabéns.

— Muito trabalho por um cartão.

— Não, os cartões continham sempre outra adivinha, ou uma pista. O meu avô adorava inventar complicadíssimas caças ao tesouro por toda a casa, com uma sequência de pistas que acabavam por conduzir-me à minha verdadeira prenda. Cada caça ao tesouro era um teste de carácter e de mérito, obrigando-me a merecer as minhas recompensas. E nunca eram fáceis.

Langdon voltou a olhar para o cilindro de mármore, ainda com uma expressão céptica.

— Mas porque não simplesmente forçá-lo? Ou parti-lo? Os fechos de metal parecem fraquinhos, e o mármore é uma rocha pouco resistente.

Sophie sorriu.

— Porque da Vinci era muito mais esperto do que isso. Concebeu o criptex de tal maneira que se alguém tentar forçá-lo, seja de que maneira for, a informação autodestrói-se. Veja. — Meteu as mãos na caixa e retirou cuidadosamente o cilindro. — Toda a informação era primeiro escrita num rolo de papiro.

— Papiro ou velino?

Sophie abanou a cabeça.

— Papiro. Eu sei que o velino era mais duradouro e mais comum naquele tempo, mas tinha de ser papiro, e quanto mais fino melhor.

— *Okay.*

— Antes de ser inserido no compartimento do criptex, o papiro era embrulhado à volta de uma fina ampola de vidro. — Virou o criptex, e o líquido lá dentro gorgolejou. — Uma ampola cheia de líquido.

— Que líquido?

Sophie sorriu.

— Vinagre.

Langdon hesitou um instante e então pôs-se a assentir com a cabeça.

— Brilhante.

Vinagre e papiro, pensou Sophie. Se alguém tentasse forçar o criptex, a ampola partia-se e o vinagre dissolvia rapidamente o papiro. Quando o violador chegasse à mensagem secreta, esta ter-se-ia transformado numa pasta sem qualquer significado.

— Como vê — continuou Sophie —, a única maneira de obter a informação é conhecer a senha, com cinco letras. E com cinco anéis, cada um deles com vinte e seis letras, temos vinte e seis elevado à quinta potência. — Fez rapidamente as contas. — Cerca de doze milhões de possibilidades.

— Se assim diz — respondeu Langdon, com ar de quem tinha cerca de doze milhões de perguntas a correr-lhe pela cabeça. — Que informação acha que está aí dentro?

— Seja o que for, parece evidente que o meu avô queria a todo o custo mantê-la secreta. — Fez uma pausa, fechando a tampa da caixa e ficando a olhar para a rosa de cinco pétalas que tinha embutida. Havia qualquer coisa a incomodá-la no fundo da cabeça. — Disse há pouco que a rosa é um símbolo do Graal?

— Exactamente. No simbolismo do Priorado, a rosa e o Graal são sinónimos.

Sophie franziu a testa.

— Isso é estranho, porque o meu avô sempre me disse que a rosa significava *segredo*. Costumava pendurar uma rosa na porta do escritório, lá em casa, quando estava a fazer algum telefonema confidencial e não queria que eu o interrompesse. E encorajava-me a fazer o mesmo.

Querida, dizia-lhe o avô, *em vez de nos fecharmos à chave, podemos pendurar uma rosa*, la fleur des secrets, *na nossa porta quando precisarmos de privacidade. Desse modo, aprenderemos a respeitar-nos mutuamente e a confiar um no outro. Pendurar uma rosa é um antigo costume romano.*

— *Sub-rosa* — disse Langdon. — Os Romanos penduravam uma rosa sobre o local onde se reuniam para indicar que essa reunião era confidencial. Os presentes sabiam que o que quer que fosse dito *sob a rosa* tinha de permanecer secreto.

Explicou rapidamente que não fora apenas pelas suas conotações sigilosas que o Priorado escolhera a rosa como símbolo do Graal. A *Rosa rugosa*, uma das espécies mais antigas da flor, tinha cinco pétalas e uma simetria pentagonal, tal como a estrela guia de Vénus, o que lhe dava uma forte ligação iconográfica com a *feminidade*. Além disso, a rosa tinha também uma estreita relação com o conceito de «verdadeira direcção» e a navegação. A Rosa-dos-Ventos ajudava os mareantes a navegar, tal como as Linhas da Rosa, as linhas de longitude marcadas nos mapas. Por este motivo, a rosa era um símbolo que falava do Graal a vários níveis — secretismo, feminidade e orientação — o cálice feminino e a estrela guia que conduzia à verdade secreta.

Quando Langdon acabou de falar, a sua expressão pareceu tornar-se repentinamente tensa.

— Robert? Sente-se bem?

Os olhos dele estavam cravados na caixa de roseira.

— *Sub... rosa* — engasgou-se, com um espanto assustado a espalhar-se-lhe pelo rosto. — Não pode ser.

— O quê?

Langdon ergueu lentamente o olhar.

— Sob o signo da Rosa — murmurou. — Este criptex... Julgo saber o que é.

CAPÍTULO QUARENTA E OITO

Langdon mal podia acreditar na sua própria suposição, e no entanto, considerando *quem* lhes dera a *eles* aquele cilindro de pedra, o *modo* como lhes fora dado e, agora, a rosa embutida na caixa, não era possível chegar a qualquer outra conclusão.

Tenho nas mãos a Chave de Abóbada do Priorado.

A lenda era específica.

A Chave de Abóbada é uma pedra codificada que se encontra sob o signo da Rosa.

— Robert? — Sophie estava a observá-lo. — Que se passa?

Langdon precisava de um instante para ordenar os pensamentos.

— O seu avô falou-lhe alguma vez de uma coisa chamada *la Clef de Voûte*?

— A chave do cofre? — traduziu ela.

— Não, isso é a tradução literal. *Clef de Voûte* é um termo arquitectónico comum. *Voûte* não se refere ao cofre de um banco mas ao arco de uma *abóbada*. Como um tecto *abobadado*.

— Mas os tectos abobadados não têm chaves.

— Por acaso, até têm. Todos os arcos de pedra precisam de uma pedra central, em forma de cunha, que, colocada no topo, trava as peças e suporta todo o peso. Esta pedra é, num sentido arquitectural, a chave da abóbada. Em inglês, chamamos-lhe *keystone*. — Langdon vigiou-lhe os olhos, à espera de qualquer centelha de reconhecimento.

Sophie encolheu os ombros, ainda a olhar para o criptex.

— Mas isto não é obviamente uma Chave de Abóbada.

Langdon não sabia por onde começar. A Chave de Abóbada como técnica para construir arcos de pedra fora um dos segredos mais bem guardados da primitiva irmandade Maçónica. *O Grau do Arco Real. Arquitectura. Chaves de Abóbada.* Estava tudo interligado. O conhecimento secreto de como usar uma pedra em cunha para construir um arco abobadado era parte do segredo que fizera dos *Maçons* artífices tão ricos, e era um segredo que eles guardavam ciosamente. As chaves de abóbada sempre tinham tido uma tradição de secretismo. E no entanto, o cilindro de mármore dentro da caixa de roseira era obviamente algo muito diferente. A Chave de Abóbada do Priorado, se de facto era isso que tinham nas mãos, não era nem de longe o que Langdon imaginara.

— A Chave de Abóbada do Priorado não é a minha especialidade — admitiu Langdon. — O meu interesse no Santo Graal é essencialmente simbológico, e de modo que tenho tendência para ignorar a infinidade de lendas a respeito de como o encontrar.

Sophie arqueou as sobrancelhas.

— *Encontrar* o Santo Graal?

Langdon assentiu, pouco à-vontade, pronunciando muito cuidadosamente as palavras seguintes:

— Sophie, segundo a tradição do Priorado, a Chave de Abóbada é um mapa gravado... um mapa que revela o lugar onde está escondido o Santo Graal.

O rosto de Sophie ficou por instantes sem expressão.

— E acha que é isso que aqui temos?

Langdon não sabia o que dizer. Aquilo parecia incrível até aos seus próprios ouvidos, e, no entanto, a Chave de Abóbada era a única conclusão lógica a que conseguia chegar. *Uma pedra codificada, escondida sob o signo da Rosa.*

A ideia de que o criptex fora concebido por Leonardo da Vinci — ex-Grão-Mestre do Priorado de Sião — brilhava como mais um incontornável indicador de que o cilindro era de facto a Chave de Abóbada. *O projecto de um ex-Grão-Mestre... trazido à vida centenas de anos depois por outro membro da irmandade.* A ligação era demasiado palpável para ser posta de parte.

Ao longo da última década, os historiadores tinham procurado a Chave de Abóbada em igrejas francesas. Os demandadores do Graal, conhecedores da história de crípticos duplos-sentidos do Priorado, tinham concluído que a *Clef de Voûte* era literalmente uma Chave de Abóbada — uma cunha arquitectónica —, uma pedra gravada em código inserida na abóbada de uma igreja. *Sob o signo da Rosa.* Em arquitectura, o que não faltava era rosas. *Janelas de rosácea. Relevos de roseta.* E, claro, uma abundância de *potentilhas* — as flores decorativas de cinco pétalas com frequência encontradas no topo dos arcos, directamente por cima da chave. O esconderijo parecia diabolicamente simples. O mapa para chegar ao Santo Graal estava incorporado no cimo de um arco ou de uma abóbada numa qualquer igreja esquecida, a zombar dos fiéis que passavam por baixo dela sem nada ver.

— O criptex *não* pode ser a Chave de Abóbada — argumentou Sophie. — Não é suficientemente antigo. Tenho a certeza de que foi o meu avô que o fez. Não pode fazer parte de uma qualquer antiga lenda do Graal.

— A verdade — respondeu Langdon, sentindo um formigueiro de excitação percorrer-lhe o corpo —, é que se supõe que a Chave de Abóbada terá sido criada pelo Priorado nas últimas duas décadas.

Os olhos de Sophie reflectiam incredulidade.

— Mas se o criptex revela o esconderijo do Santo Graal, porque mo teria o meu avô dado a *mim*? Não faço a mínima ideia de como abri-lo nem do que fazer com ele. Nem sequer sei o que *é* o Santo Graal!

Langdon compreendeu, para sua surpresa, que ela tinha razão. Ainda não tivera ocasião de explicar a Sophie a verdadeira natureza do Santo Graal. De momento, estavam concentrados na Chave de Abóbada.

Se é o que isto realmente é...

Tendo como fundo sonoro o zunido dos pneus à prova de bala, Langdon expôs rapidamente a Sophie tudo o que ouvira a respeito da Chave de Abóbada. Aquele que alegadamente fora, durante séculos, o maior segredo do Priorado — a localização do Santo Graal — não tinha sido escrito. Por questões de segurança, era oralmente transmitido a cada novo senescal no decurso de uma cerimónia secreta. No entanto, a dada altura durante o último século, tinham começado a transpirar rumores de que o Priorado alterara a sua política. Talvez por causa das novas possibilidades de escuta electrónica, o Priorado jurara nunca mais voltar a *dizer* a localização do esconderijo sagrado.

— Mas então, como transmitiam o segredo? — perguntou Sophie.

— É aí que entra a Chave de Abóbada — explicou Langdon. — Quando um dos quatro membros do escalão superior morre, os três restantes escolhem nos escalões inferiores um novo candidato para ascender a senescal. Em vez de *dizerem* ao novo senescal onde está escondido o Santo Graal, submetem-no a um teste através do qual ele pode provar se digno do cargo.

Sophie pareceu perturbada, e Langdon recordou subitamente o que ela lhe contara a respeito de o avô organizar caças ao tesouro — *preuves de mérite.* O criptex era, na realidade, um conceito semelhante. Por outro lado, provas como aquela eram extremamente comuns nas sociedades secretas. As mais conhecidas eram as da Maçonaria, em que os membros subiam na hierarquia provando ser capazes de guardar um segredo e submetendo-se a rituais e provas de mérito ao longo de muitos anos. As tarefas tornavam-se progressivamente mais difíceis até culminarem na admissão do candidato como *maçon* do trigésimo segundo grau.

— A Chave de Abóbada é então uma *preuve de mérite* — disse Sophie. — Se o novo senescal consegue abri-la, prova ser digno da informação que ela contém.

Langdon assentiu.

— Estava a esquecer que já tem experiência com esse tipo de coisa.

— E não só com o meu avô. Em criptologia, é aquilo a que se chama uma «linguagem auto-autorizadora». Ou seja, se a pessoa é suficientemente esperta para lê-la, pode saber o que está a ser dito.

Langdon teve um instante de hesitação.

— Sophie, compreende que se esta é de facto a Chave de Abóbada, o facto de o seu avô lhe ter acesso implica que era excepcionalmente poderoso dentro do Priorado. Teria de ser um dos quatro membros do escalão superior.

Sophie suspirou.

— Era poderoso numa sociedade secreta. Disso tenho eu a certeza. Só posso assumir que era o Priorado.

Langdon olhou para ela com mais atenção.

— *Sabia* que ele pertencia a uma sociedade secreta?

— Há dez anos, vi coisas que não era suposta ver. Não voltámos a falar-nos desde essa altura. — Fez uma pausa. — O meu avô não era apenas um dos membros superiores do grupo... Era *o* membro superior.

Langdon não podia acreditar no que ela acabava de dizer.

— Grão-Mestre? Mas... como é que pode saber uma coisa dessas?

— Prefiro não falar disso. — Sophie desviou o olhar, com uma expressão tão determinada como dorida.

Langdon manteve um silêncio aturdido. *Jacques Saunière? Grão--Mestre?* Apesar das espantosas repercussões, se fosse verdade, tinha a estranha sensação de que fazia perfeitamente sentido. Ao fim e ao cabo, os anteriores Grão-Mestres do Priorado tinham *também* sido distintas figuras públicas com alma de artista. Tinham sido descobertas provas do facto alguns anos antes, na Bibliothèque National de Paris, em documentos que ficaram conhecidos como *Les Dossiers Secrets.*

Não havia estudioso do Priorado nem maníaco do Graal que não tivesse lido os *Dossiers*. Catalogados sob o Número 4.º lml 249, os *Dossiers Secrets* tinham sido autenticados por muitos especialistas e confirmado de forma incontroversa aquilo de que os historiadores suspeitavam havia muito tempo: os Grão-Mestres do Priorado incluíam Leonardo da Vinci, Botticelli, *Sir* Isaac Newton, Victor Hugo e, mais recentemente, Jean Cocteau, o famoso artista parisiense.

Porque não Jacques Saunière?

A incredulidade de Langdon aumentou ao recordar que tivera um *encontro* marcado com Saunière para aquela noite. *O Grão--Mestre do Priorado pediu uma reunião comigo. Porquê? Para conversar a respeito de arte?* Pareceu-lhe, de súbito, muito improvável. Ao fim e ao cabo, se o instinto de Langdon estivesse certo, o Grão-Mestre do Priorado de Sião acabava de transferir a lendária Chave de Abóbada da irmandade para a neta ao mesmo tempo que lhe ordenava que procurasse Robert Langdon.

Inconcebível!

Não conseguia, por muito que forçasse a imaginação, conceber um conjunto de circunstâncias que explicasse o comportamento de Saunière. Mesmo que se julgasse ameaçado de morte, havia três outros senescais que também conheciam o segredo e consequentemente garantiam a segurança do Priorado. Porque havia Saunière de correr um risco tão grande ao confiar a Chave de Abóbada à neta, especialmente considerando que os dois não se davam? E porquê envolvê-lo a ele, Langdon, um completo desconhecido?

Falta uma peça do puzzle, pensou.

As respostas iam aparentemente ter de esperar. O som do motor a abrandar fê-los a ambos erguer os olhos. Saibro debaixo dos pneus. *Porque é que já está a parar?*, perguntou Langdon a si mesmo. Vernet dissera-lhes que os levaria para bem longe da cidade, onde estariam a salvo. A carrinha abrandou ainda mais e acabou por deter-se num terreno inesperadamente acidentado. Sophie lançou a Langdon um olhar preocupado, baixando apressadamente a tampa da caixa do criptex e trancando o fecho. Langdon voltou a vestir o casaco.

O motor continuava a funcionar quando as portas traseiras do veículo se abriram. Langdon ficou surpreendido ao verificar que se encontravam numa zona arborizada, bem afastados da estrada. Vernet surgiu à vista, com uma expressão tensa no rosto. Tinha uma pistola na mão direita.

— Lamento muito — disse. — Não tenho verdadeiramente por onde escolher.

CAPÍTULO QUARENTA E NOVE

Vernet parecia pouco à-vontade com uma pistola na mão, mas havia nos olhos dele uma determinação que Langdon sentiu não ser sensato pôr à prova.

— Receio ter de insistir — disse Vernet, apontando-lhes a arma da traseira da carrinha. — Pouse a caixa no chão.

Sophie apertou-a contra o peito.

— Disse que o senhor e o meu avô eram amigos.

— Tenho o dever de proteger os bens do seu avô — respondeu Vernet. — E é exactamente o que estou a fazer. Agora, pouse a caixa no chão.

— O meu avô confiou-ma a mim! — protestou Sophie.

— Faça o que lhe digo — ordenou Vernet, erguendo a arma.

Sophie pousou a caixa no chão.

Langdon viu o cano da pistola rodar na direcção dele.

— Senhor Langdon — continuou Vernet —, fará o favor de ma trazer. E tenha presente que lho peço a *si* porque, no seu caso, não hesitarei em disparar.

Langdon ficou a olhar para o banqueiro, incrédulo.

— Porque é que está a fazer isto?

— Porque será? — replicou Vernet, num inglês que a tensão tornava mais duro. — Para proteger os bens do meu cliente.

— *Nós* é que somos agora o seu cliente — disse Sophie.

O rosto de Vernet tornou-se frio como gelo, numa estranha transformação.

— *Mademoiselle* Neveu, ignoro *como* conseguiu esta noite essa chave e o número da conta, mas parece-me óbvio que não foi pelos meios mais lícitos. E se soubesse na altura a extensão dos vossos crimes, nunca os teria ajudado a sair do banco.

— Já lhe disse que não tivemos nada a ver com a morte do meu avô!

Vernet olhou para Langdon.

— E no entanto, a Polícia afirma que é procurado não só pelo assassínio de Jacques Saunière, mas também pelos de três outros homens.

— O quê? — Langdon estava siderado. *Três outros assassínios?* A coincidência do número foi um choque maior do que saber-se o principal suspeito. Não, não podia ser simples fruto do acaso. *Os três senescais?* Baixou os olhos para a caixa de nogueira. *Se os senescais foram assassinados, o Saunière não podia fazer outra coisa. Tinha de passar a Chave de Abóbada a alguém.*

— A Polícia que resolva o assunto quando eu os entregar — continuou Vernet. — Já comprometi demasiado o meu banco.

Sophie fuzilou-o com o olhar.

— É evidente que não tenciona entregar-nos. Se assim fosse, ter-nos-ia levado de volta ao banco. Em vez disso, traz-nos até aqui e aponta-nos uma arma.

— O seu avô contratou-me por uma razão: manter os bens que me confiou a salvo de cobiças e de indiscrições. Seja o que for que está dentro dessa caixa, não tenho a mínima intenção de permitir que vá fazer parte de uma lista de provas em qualquer investigação policial. Senhor Langdon, traga-me a caixa.

Sophie abanou a cabeça.

— Não.

A arma disparou e uma bala cravou-se na parede metálica por cima deles. A detonação ecoou na caixa da carrinha, seguida pelo ti lintar do invólucro vazio a cair no chão.

Merda! Langdon ficou petrificado.

— Senhor Langdon, pegue na caixa — ordenou Vernet, num tom mais confiante.

Langdon obedeceu.

— Agora traga-a até aqui. — Vernet apontava-lhes a arma de fora da carrinha, de pé junto ao pára-choques traseiro, com o braço estendido para dentro da caixa de carga.

Langdon avançou para as portas abertas.

Tenho de fazer qualquer coisa, pensou. *Estou a preparar-me para entregar a Chave de Abóbada do Priorado!* Ao caminhar para as portas, a sua posição a um nível mais elevado tornou-se mais pronunciada, e Langdon perguntou a si mesmo se haveria algum modo de tirar partido do facto. A arma de Vernet, mesmo levantada, ficava à altura dos joelhos dele. *Um pontapé bem colocado, talvez?* Infelizmente, à medida que Langdon se aproximava, Vernet pareceu adivinhar a perigosa dinâmica que estava a desenvolver-se e recuou vários passos, colocando-se a dois metros de distância. Bem fora do alcance de qualquer ataque.

— Pouse a caixa no chão, junto à porta — ordenou Vernet.

Sem outra alternativa, Langdon ajoelhou e pousou a caixa de roseira na beira da caixa de carga, directamente em frente das portas abertas.

— Agora ponha-se de pé.

Langdon começava a endireitar-se quando viu o pequeno invólucro ejectado pela arma de Vernet caído no chão junto ao batente inferior das portas da carrinha.

— Ponha-se de pé e afaste-se da caixa.

Langdon demorou um pouco mais, examinando a soleira de metal. Endireitou-se. E, ao fazê-lo, empurrou discretamente o pequeno invólucro por cima do batente e para o estreito rebordo onde as portas encaixavam hermeticamente. Já de pé, recuou um passo.

— Vá lá para trás e volte-se de costas.

Langdon obedeceu.

Vernet ouvia o martelar do seu próprio coração. Apontando a arma com a mão direita, estendeu a esquerda para a caixa de madeira. Descobriu que era demasiado pesada. *Preciso das duas mãos.* Olhou para os seus dois cativos e calculou o risco. Estavam ambos a uns bons quatro metros e meio de distância, no outro extremo da caixa de carga, de costas apara ele. Tomou uma decisão. Rapidamente, pousou a arma no pára-choques, levantou a caixa com as duas mãos, pousou-a no chão, voltou a pegar na arma e apontou-a para o fundo da carrinha. Nenhum dos seus dois prisioneiros se tinha mexido.

Perfeito. Agora, tudo o que lhe restava fazer era fechar e trancar as portas. Deixando a caixa no chão, agarrou as portas de metal e empurrou-as. Quando passaram por ele, levantou a mão direita para o único ferrolho de metal que tinha de correr para as trancar. As portas fecharam-se com um baque surdo. Vernet deitou rapidamente a mão à pega do ferrolho e puxou-a para a esquerda. O ferrolho deslizou alguns centímetros e parou, desalinhado com o encaixe. *Que se passa?* Vernet tornou a puxar, mas o ferrolho não se moveu. O mecanismo não estava adequadamente alinhado. *As portas não estão bem fechadas!* Sentindo-se invadir por uma onda de pânico, empurrou-as para dentro com toda a sua força, mas sem resultado. *Está qualquer coisa a bloqueá-las!* Pôs-se de lado, preparando-se para forçá-las com o ombro, quando elas pareceram explodir para fora, atingindo-o na cara e fazendo-o estatelar-se de costas no chão, com um uivo de dor. A arma voou para longe e Vernet levou as mãos à cara, sentindo o sangue quente escorrer-lhe do nariz partido.

Robert Langdon saltou para o chão algures perto dele e Vernet tentou levantar-se, mas não conseguia ver. Voltou a cair de costas. Sophie Neveu gritava. Momentos mais tarde, Vernet sentiu uma nuvem de pó e de fumos de escape envolvê-lo. Ouviu o ranger dos pneus no saibro e sentou-se mesmo a tempo de ver a larga e pesada carrinha falhar uma curva. Houve um estalo quando o pára-choques dianteiro embateu numa árvore. O motor rugiu, e a árvore vergou. Finalmente, foi o pára-choques que cedeu, partindo-se ao meio. A carrinha blindada saltou em frente, com metade do pára-choques a arrastar pelo chão. Quando chegou à estrada pavimentada, uma chuva de faíscas iluminou a noite, seguindo a carrinha que se afastava a toda a velocidade.

Vernet olhou para o lugar onde estivera estacionada. Mesmo à pálida luz da Lua, viu que não havia ali nada.

A caixa de madeira tinha desaparecido.

CAPÍTULO CINQUENTA

O *Fiat* preto afastou-se de Castel Gandolfo, começando a descer a sinuosa estrada em direcção ao vale lá em baixo. No banco traseiro, o bispo Aringarosa sorriu, sentindo o peso dos títulos ao portador na mala que segurava sobre os joelhos e perguntando a si mesmo quanto tempo faltaria para ele e o *Professor* poderem fazer a troca.

Vinte milhões de euros.

Aquele dinheiro ia permitir-lhe comprar um poder muito mais valioso do que isso.

Enquanto o carro corria de regresso a Roma, Aringarosa deu por si mais uma vez a estranhar o facto de o *Professor* ainda não o ter contactado. Tirou o telemóvel do bolso da sotaina e verificou o sinal de rede. Muito fraco.

— Aqui em cima a rede é muito intermitente — disse o condutor, observando-o pelo retrovisor. — Dentro de cinco minutos saímos da montanha e o serviço melhora.

— Obrigado. — Aringarosa sentiu uma repentina vaga de inquietação. *Não há rede nas montanhas?* Talvez o *Professor* tivesse estado a tentar ligar para ele durante todo aquele tempo. Talvez qualquer coisa tivesse corrido horrivelmente mal.

Com gestos apressados, verificou o *voice mail* do telefone. Nada. Mas, claro, apercebeu-se então, nunca o *Professor* deixaria uma mensagem gravada; era um homem que tinha um cuidado enorme com as suas comunicações. Ninguém compreendia melhor do que o *Professor* os perigos de falar abertamente neste mundo moderno. A escuta electrónica desempenhara um papel crucial no modo como reunira a espantosa soma de conhecimentos secretos de que era detentor.

É por isso mesmo que toma precauções extra.

Infelizmente, os protocolos de segurança do *Professor* incluíam a recusa de dar a Aringarosa qualquer número de contacto. *Só eu terei a iniciativa dos contactos,* dissera-lhe o *Professor. Portanto, conserve o telefone ligado e à mão.* Agora, sabendo que o seu telefone talvez não tivesse estado a funcionar devidamente, Aringarosa temia o que o *Professor* poderia pensar se tivesse tentado ligar-lhe várias vezes sem obter resposta.

Vai pensar que alguma coisa correu mal.

Ou que eu não consegui os títulos.

Uma fina camada de suor humedeceu-lhe a testa.

Ou pior... que peguei no dinheiro e fugi!

CAPÍTULO CINQUENTA E UM

Mesmo a uns modestos sessenta quilómetros horários, a metade do pára-choques que pendia da dianteira da carrinha blindada raspava pela deserta estrada suburbana com um barulho insuportável, lançando uma chuva de faíscas.

Temos de sair da estrada, pensou Langdon.

Quase não conseguia ver para onde iam. O único farol ainda a funcionar estava completamente de esguelha e iluminava agora, com um feixe enviesado, as árvores que ladeavam a estrada rural. Aparentemente, o *blindado* daquela «carrinha blindada» referia-se apenas à caixa de carga, e não ao habitáculo.

Sophie ocupava o banco do passageiro, a olhar com um ar inexpressivo para a caixa de roseira que levava pousada nos joelhos.

— Sente-se bem? — perguntou-lhe Langdon.

Sophie parecia abalada.

— Acreditou nele?

— A respeito dos outros três assassínios? Absolutamente. Responde a uma porção de perguntas... o desespero do seu avô em passar a Chave de Abóbada a alguém, e também o empenho com que o Fache me persegue.

— Não, referia-me a o Vernet querer proteger o banco.

Langdon lançou-lhe um olhar.

— Por oposição a?

— Ficar com a Chave de Abóbada para ele.

Langdon não tinha sequer considerado a hipótese.

— Como poderia ele saber sequer o que a caixa contém?

— Estava no banco dele. Conhecia o meu avô. Talvez soubesse coisas. Pode ter decidido que queria ficar com o Graal para ele.

Langdon abanou a cabeça. Vernet não lhe parecia o género.

— A experiência diz-me que há apenas duas razões para as pessoas procurarem o Graal. Ou são ingénuas e acreditam que andam à procura da há muito perdida Taça de Cristo...

— Ou?

— Ou sabem a verdade e sentem-se ameaçadas por ela. Muitos grupos, ao longo da História, tentaram destruir o Graal.

O silêncio entre eles aumentou o estrépito do pára-choques a arrastar pela estrada. Tinham já percorrido alguns quilómetros, e, ao olhar para a chuva de faíscas que vinha da frente da carrinha, Langdon perguntou a si mesmo se aquilo não seria perigoso. De todos os modos, se se cruzassem com outro carro, não deixariam de dar nas vistas. Tomou uma decisão.

— Vou ver se consigo endireitar aquele pára-choques.

Encostou à berma e parou a carrinha.

Silêncio, por fim.

Enquanto se dirigia à dianteira do veículo, sentia-se surpreendentemente alerta. Ver-se sob a mira de uma arma pela segunda vez naquela noite dera-lhe um novo fôlego. Inspirou um fundo hausto de fresco ar nocturno e tentou arrumar as ideias. Além da gravidade de ser um homem perseguido, começava a sentir o esmagador peso da responsabilidade, da perspectiva de ele e Sophie terem de facto nas mãos um conjunto de indicações cifradas que permitia desvendar um dos mais duradouros mistérios de todos os tempos.

E como se este fardo não fosse já suficientemente pesado, apercebia-se agora de que qualquer possibilidade de devolver a Chave de Abóbada ao Priorado acabava de se evaporar. A notícia das três outras mortes tinha implicações terríveis. *O Priorado foi infiltrado. Estão todos comprometidos.* A irmandade encontrava-se obviamente sob vigilância, ou então havia uma toupeira nas suas fileiras. O que talvez explicasse por que razão Jacques Saunière resolvera passar a Chave de Abóbada à neta e a Langdon... pessoas fora da confraria, pessoas que sabia de certeza não estarem comprometidas. *Não podemos devolver a Chave de Abóbada à irmandade.* Mesmo que fizesse alguma ideia de como encontrar um membro do Priorado, havia uma muito boa hipótese de que quem se apresentasse para recebê-la fosse o próprio inimigo. De momento, pelo menos, parecia que a Chave de Abóbada ia ter de continuar nas mãos dele e de Sophie, quer quisessem quer não.

A dianteira da carrinha estava em pior estado do que imaginara. O farol do lado esquerdo desaparecera e o do lado direito parecia um olho pendente da órbita. Endireitou-o, mas voltou a cair. A única boa notícia era que o pára-choques fora quase completamente arrancado. Langdon deu-lhe um pontapé teve a sensação de que talvez fosse capaz de acabar de parti-lo.

Enquanto dava pontapés na retorcida peça de metal, recordou a sua primeira conversa com Sophie. *O meu avô deixou-me uma mensagem telefónica,* dissera-lhe ela. *Disse que precisava de contar-me a verdade a respeito da minha família.* Na altura, aquilo nada significara para ele, mas agora, sabendo que o Priorado de Sião estava envolvido, sentia que havia ali novas e assustadoras possibilidades a emergir.

O pára-choques partiu-se subitamente, com um estalo. Langdon fez uma pausa, para recuperar o fôlego. Pelo menos, a carrinha ia deixar de parecer uma peça de fogo-de-artifício. Agarrou o pára-choques e começou a arrastá-lo para o meio das árvores, perguntando a si mesmo o que fazer a seguir. Não tinham ideia de como abrir o criptex, ou por que razão Saunière o confiara à guarda deles. Infelizmente, a sobrevivência de ambos naquela noite dependia de encontrarem respostas para aquelas perguntas.

Precisamos de ajuda, decidiu Langdon. *De um profissional.*

No mundo do Santo Graal e do Priorado de Sião, isto significava apenas um homem. O problema, claro, seria vender a ideia a Sophie.

Dentro da carrinha, enquanto esperava que Langdon regressasse, Sophie sentia o peso da caixa de roseira nas pernas, e isso irritava-a. *Porque foi que o meu avô me deu esta coisa?* Não tinha a mínima ideia do que fazer com ela.

Pensa, Sophie! Usa a cabeça. O grand-père *está a tentar dizer-te qualquer coisa!*

Abriu a caixa e estudou os anéis do criptex. *Uma prova de mérito.* Sentia ali a mão do avô. *A Chave de Abóbada é um mapa que só os dignos podem seguir.* Aquilo era avô de uma ponta à outra.

Tirou o criptex da caixa e passou os dedos pelos anéis. *Cinco letras.* Experimentou rodá-los, um a um. O mecanismo moveu-se suavemente. Acertou os discos de modo que as letras escolhidas ficassem alinhadas entre as duas setas metálicas situadas nas extremidades opostas do criptex. Os anéis formavam agora uma palavra de cinco letras que Sophie sabia ser absurdamente óbvia.

G-R-A-A-L.

Com muito cuidado, pegou nos extremos do cilindro e puxou. O criptex não se moveu. Ouviu o vinagre gorgolejar no interior e parou de puxar. Resolveu tentar outra vez.

V-I-N-C-I.

Nenhum movimento.

V-O-U-T-E.

Nada. O criptex permaneceu solidamente fechado.

De testa franzida, Sophie voltou a guardá-lo na caixa de roseira e fechou a tampa. Olhou lá para fora, para Langdon, e sentiu-se grata por ele estar ali naquela noite. *P.S. Encontra Langdon.* A razão que o avô tivera para o incluir era agora clara. Sophie não estava equipada para compreender as intenções do avô, que, sabendo-o, nomeara Robert Langdon como seu guia. Um tutor para lhe supervisar a educação. Infelizmente para Langdon, acabara por ser muito mais do que um tutor, naquela noite. Tornara-se o alvo de Bezu Fache... e de uma qualquer força invisível decidida a apoderar-se do Santo Graal.

Seja o lá o Graal o que for.

Sophie perguntou a si mesma se valeria a pena arriscar a vida para descobri-lo.

Quando a carrinha blindada voltou a arrancar, Langdon verificou, satisfeito, que era agora muito mais fácil de conduzir... e muito mais silenciosa.

— Sabe o caminho para Versalhes?

— Porquê, está com vontade de fazer turismo?

— Não, tenho um plano. Há um historiador de religião que conheço e que vive perto de Versalhes. Não recordo exactamente onde, mas podemos procurar. Fui várias vezes a casa dele. Chama-se Leigh Teabing. É um ex-historiador da British Royal Academy.

— E vive em Paris?

— A paixão da vida dele é o Graal. Quando começaram a aparecer rumores a respeito da Chave de Abóbada do Priorado, há cerca de quinze anos, mudou-se para França para poder visitar igrejas na esperança de descobri-la. Escreveu vários livros sobre a Chave de Abóbada e o Graal. Talvez possa ajudar-nos a descobrir como se abre isso e o que fazer com o que está lá dentro.

— Confia nele? — perguntou Sophie, receosa.

— Confio em que sentido? Em que não nos roubará a informação?

— E que não nos denunciará à Polícia.

— Não tenciono dizer-lhe que somos procurados pela Polícia. Estou na esperança de que nos acolha em casa até termos conseguido resolver esta baralhada.

— Robert, já lhe ocorreu que todas as estações de televisão de França estão provavelmente a preparar-se para divulgar as nossas fotografias? O Bezu Fache sempre soube usar os meios de informação em seu proveito. Vai fazer com que nos seja impossível ir aonde quer que seja sem sermos reconhecidos.

Formidável, pensou Langdon. *A minha estreia na TV francesa vai ser em «Os Mais Procurados de Paris».* Pelo menos, Jonas Faukman ia ficar satisfeito; sempre que Langdon aparecia nos noticiários, as vendas dos seus livros davam um pulo.

— Esse homem é suficientemente seu amigo? — insistiu Sophie.

Langdon duvidava que Teabing fosse do género de ver televisão, especialmente àquela hora da noite, mas mesmo assim a pergunta merecia ser considerada. O instinto dizia-lhe que podia confiar plenamente em Teabing. Um porto de abrigo ideal. Considerando as circunstâncias, o inglês ia provavelmente fazer o possível e o impossível para ajudá-los. Não só lhe devia um favor, como era um investigador do Graal, e Sophie afirmava que o avô fora o actual Grão-Mestre do Priorado de Sião. Quando Teabing soubesse disso, ia crescer-lhe água na boca à ideia de ajudá-los a desvendar o mistério.

— O Teabing pode ser um aliado poderoso — respondeu. — Dependendo de quanto estivermos dispostos a contar-lhe.

— O Fache vai provavelmente oferecer uma recompensa monetária.

Langdon riu-se.

— Acredite, dinheiro é a última coisa de que este sujeito precisa. — Leigh Teabing era rico da maneira que os pequenos países são ricos. Descendente do primeiro duque de Lancaster, ganhara o seu dinheiro à maneira antiga: herdando-o. A propriedade que tinha nos arredores de Paris era um palácio do século XVII, com dois lagos privados.

Langdon conhecera-o vários anos antes, através da BBC. Teabing abordara a cadeia televisiva com a proposta de um comentário histórico em que contaria a explosiva história do Santo Graal a um público de milhões de espectadores. Os produtores tinham adorado a escaldante premissa de Teabing, a pesquisa que levara a cabo e as suas credenciais, mas tinham também receado que um conceito tão chocante e difícil de digerir manchasse a reputação de jornalismo de qualidade de que a estação gozava em todo o mundo. Por sugestão de Teabing, a BBC resolvera os seus problemas de credibilidade pedindo e registando a opinião de três respeitados historiadores de diversas partes do mundo. Todos eles tinham corroborado com as suas próprias pesquisas a espantosa natureza do segredo do Santo Graal.

Langdon fora um dos escolhidos.

A BBC levara-o de avião até à propriedade de Teabing em Paris, para as filmagens. Sentara-se diante das câmaras, na opulenta sala de estar, e dissera o que tinha a dizer, admitindo o seu cepticismo inicial ao ouvir pela primeira vez a história alternativa do Santo Graal e descrevendo em seguida como anos de pesquisas o tinham convencido de que ela era de facto verdadeira. Finalmente, contribuíra com uma parte dos resultados das suas próprias pesquisas: uma série de ligações simbológicas que apoiavam de forma inquestionável as aparentemente controversas afirmações.

Quando o programa fora para o ar na Grã-Bretanha, a despeito das personalidades envolvidas e das provas bem documentadas, a premissa ia de tal modo contra o grão do cristianismo popular que suscitara imediatamente um vendaval de hostilidade. Nunca chegara a ser transmitido nos Estados Unidos, mas as repercussões tinham ecoado através do Atlântico. Pouco depois, Langdon recebera um postal de um velho amigo, o bispo católico de Filadélfia. O postal dizia apenas: *tu, Robert?*

— Robert, tem a *certeza* de que podemos confiar nesse homem?

— Absoluta. Somos colegas, ele não precisa de dinheiro e por acaso até sei que despreza as autoridades francesas. O governo francês cobra-lhe impostos exorbitantes por ele ter comprado um edifício histórico. Não vai ter vontade nenhuma de ajudar o Fache.

Sophie ficou a olhar em frente, para a negra fita da estrada.

— Se formos procurá-lo, quanto é que tenciona dizer-lhe?

Langdon fez um ar despreocupado.

— Acredite, o Leigh Teabing sabe mais a respeito do Priorado de Sião e do Santo Graal do que qualquer outra pessoa neste mundo.

Sophie voltou-se para ele.

— Mais do que o meu avô?

— Queria dizer mais do que qualquer pessoa *fora* da irmandade.

— Como é que sabe que o Teabing não é membro da irmandade?

— O Teabing tem passado a vida a tentar divulgar a verdade a respeito do Santo Graal. O juramento do Priorado é manter essa verdade secreta.

— Parece-me que há aí um conflito de interesses.

Langdon compreendeu a preocupação dela. Jacques Saunière dera o criptex directamente à neta, e embora ela não soubesse o que continha nem o que era suposta fazer com ele, hesitava em envolver um completo desconhecido. Considerando a informação que podia estar ali em causa, tinha provavelmente razão.

— Não precisamos de falar da Chave de Abóbada ao Teabing logo de entrada. Talvez até nunca. A casa dele proporcionar-nos-á um lugar onde poderemos descansar e pensar, e pode ser que quando lhe falarmos a respeito do Graal, comece a fazer uma ideia da razão por que o seu avô lhe deu o criptex.

— *Nos* deu o criptex — emendou ela.

Langdon sentiu um humilde orgulho e perguntou a si mesmo porque o teria Saunière incluído.

— Sabe mais ou menos onde vive esse senhor Teabing? — perguntou Sophie.

— A propriedade chama-se Château Villette.

Sophie voltou-se para ele, com uma expressão incrédula.

— *O* Château Villette?

— Esse mesmo.

— Tem bons amigos.

— Conhece a propriedade?

— Passei por lá. Fica na área dos castelos. A vinte minutos daqui.

Langdon franziu a testa.

— Tão longe?

— Sim, o que lhe dá tempo suficiente para me explicar o que é *realmente* o Santo Graal.

Langdon hesitou.

— Digo-lho em casa do Teabing. Eu e ele especializámo-nos em diferentes áreas da lenda, de modo que, entre os dois, ficará com a imagem completa. — Sorriu. — Além disso, o Graal tem sido a vida dele, e ouvir a teoria do Santo Graal da boca de Leigh Teabing será como ouvir a história da relatividade da boca de Einstein.

— Esperemos que o Leigh não se importe de receber visitas tardias.

— Para que conste, é *Sir* Leigh. — Langdon cometera aquele erro apenas uma vez. — O Teabing é uma personagem e tanto. Foi armado cavaleiro pela rainha, aqui há uns anos, depois de ter escrito uma extensiva história sobre a Casa de York.

Sophie olhou para ele.

— Está a brincar, não está? Vamos visitar um *cavaleiro*?

Langdon esboçou um sorriso contrafeito.

— Andamos na demanda do Graal, Sophie. Quem melhor do que um cavaleiro para nos ajudar?

CAPÍTULO CINQUENTA E DOIS

Château Villette espraiava os seus 75 hectares vinte e cinco minutos a noroeste de Paris, perto de Versalhes. Desenhado por François Mansart, em 1668, para o conde de Aufflay, era um dos mais significativos castelos históricos de Paris. Com dois lagos rectangulares e jardins concebidos por Le Nôtre, Château Villette era mais um modesto castelo do que um solar. A propriedade tornara-se carinhosamente conhecida como *la Petite Versailles*.

Langdon deteve subitamente a carrinha blindada junto ao início do caminho de acesso, que se estendia por quilómetro e meio. Do outro lado do imponente portão, a residência de *Sir* Leigh Teabing erguia-se ao longe, no meio de um prado. Na porta, uma tabuleta avisava, em inglês: PROPRIEDADE PRIVADA. PROIBIDA A ENTRADA.

Como que para proclamar que a sua casa era mais uma ilha britânica, Teabing não se limitara a mandar afixar a tabuleta em inglês. Também instalara o intercomunicador do portão do *lado direito* da entrada, o lado do passageiro em toda a parte na Europa, excepto em Inglaterra.

Sophie lançou um olhar de estranheza ao mal situado intercomunicador.

— E se chega alguém sem passageiro?

— Não me pergunte. — Langdon já discutira a questão com Teabing. — O nosso homem prefere as coisas como são lá na terra dele.

— É melhor ser o Robert a falar — disse Sophie, baixando a janela.

Langdon mudou de posição, inclinou-se pela frente de Sophie para chegar ao botão do intercomunicador. Quando o fez, o perfume dela encheu-lhe as narinas, e apercebeu-se de como estavam próximos. Esperou, naquela incómoda posição, enquanto começava a ouvir-se no pequeno altifalante o sinal de chamada de um telefone.

Finalmente, o intercomunicador crepitou e uma voz irritada perguntou, em francês:

— Château Villette. Quem é?

— Robert Langdon — gritou Langdon, quase deitado no colo de Sophie. — Sou um amigo de *Sir* Leigh Teabing. Preciso da ajuda dele.

— *Sir* Leigh está a dormir. Como eu estava. Qual é a natureza do seu assunto?

— Privada. De grande interesse para ele.

— Nesse caso, estou certo de que terá muito prazer em recebê-lo de manhã.

Langdon mudou o peso do corpo.

— É muito importante.

— Também o sono de *Sir* Leigh. Se é um amigo, sabe com certeza que a saúde dele é frágil.

Sir Leigh Teabing tivera polio quando criança e usava aparelhos nas pernas e muletas para andar, mas, quando da sua última visita, Langdon achara-o tão vivo e pitoresco que aquilo quase não parecia uma enfermidade.

— Diga-lhe, por favor, que descobri novas informações a respeito do Graal. Informações que não podem esperar até de manhã.

Seguiu-se uma longa pausa.

Langdon e Sophie esperaram, com o motor da carrinha a trabalhar ruidosamente.

Passou um minuto.

Finalmente, alguém falou.

— Meu bom homem, acho que continua a regular-se pela hora de Harvard. — A voz era clara e jovial.

Langdon sorriu, reconhecendo o cerrado sotaque britânico.

— Leigh, as minhas desculpas por acordá-lo a esta hora obscena.

— O meu mordomo diz-me que não só está em Paris, como falou do Graal.

— Achei que isso o arrancaria da cama.

— E arrancou.

— Alguma possibilidade de abrir o portão a um velho amigo?

— Aqueles que procuram a verdade são mais do que amigos, são irmãos.

Langdon voltou a cara para Sophie e rolou os olhos para cima. Já estava habituado à predilecção de Teabing pelas tiradas dramáticas.

— Claro que vou abrir o portão — proclamou Teabing —, mas primeiro tenho de confirmar que o seu coração é leal. Um teste à sua honra. Responderá a três perguntas.

Langdon gemeu, sussurrando a Sophie:

— Tenha paciência. Como lhe disse, é um tudo nada extravagante.

— Primeira pergunta — anunciou Teabing, num tom hercúleo. — Sirvo-lhe chá ou café?

Langdon conhecia a opinião de Teabing a respeito da relação dos Americanos com o café, que considerava um estranho fenómeno.

— Chá. *Earl Grey*.

— Excelente. Segunda pergunta. Leite ou açúcar?

Langdon hesitou.

— *Leite* — murmurou-lhe Sophie ao ouvido. — Acho que os britânicos bebem chá com leite.

— Leite — disse Langdon.

Silêncio.

— Açúcar?

Teabing não respondeu.

Espera! Langdon recordou a beberagem amarga que lhe fora servida quando da sua última visita e compreendeu que a pergunta era um truque.

— *Limão!* — gritou. — *Earl Grey* com limão.

— Sem dúvida. — Teabing parecia agora muitíssimo divertido. — E, finalmente, tenho de fazer a mais grave das perguntas. — Fez uma pausa e prosseguiu, num tom solene —: Em que ano um remador de Harvard bateu pela última vez um homem de Oxford em Henley?

Langdon não fazia ideia, mas só conseguia imaginar uma razão para que a pergunta fosse feita.

— Certamente uma tal enormidade nunca aconteceu.

O portão abriu-se com um estalido.

— O seu coração é leal, meu amigo. Pode entrar.

CAPÍTULO CINQUENTA E TRÊS

— *Monsieur Vernet!* — O gerente do turno da noite do Banco Depositário de Zurique ficou tremendamente aliviado ao ouvir através do telefone a voz do seu presidente. — Aonde foi, senhor? A Polícia está aqui. Estão todos à sua espera.

— Tenho um pequeno problema — disse Vernet, num tom de aflição. — Preciso da sua ajuda.

Tens mais do que um pequeno problema, pensou o gerente. A Polícia cercara completamente o edifício e ameaçava mandar o capitão da DCPJ em pessoa entregar o mandato de busca que o banco exigira. — Em que posso ajudá-lo?

— A carrinha blindada número três. Preciso de encontrá-la.

Intrigado, o gerente consultou o calendário de entregas.

— Está aqui. Lá em baixo, no cais de carga.

— Não, não está. A carrinha foi roubada pelos dois indivíduos que a Polícia procura.

— O quê? Como foi que eles conseguiram sair?

— Não posso entrar em pormenores pelo telefone, mas temos aqui uma situação que pode ser muito prejudicial para o banco.

— O que é que quer que faça, senhor?

— Quero que active o transmissor de emergência da carrinha.

Os olhos do gerente voaram para a caixa de comando *LoJack*, do outro lado da sala. Como muitas viaturas de transporte de valores, todas as carrinhas do banco estavam equipadas com um dispositivo de localização que podia ser activado por controlo remoto, via rádio, a partir da central. O gerente só usara o sistema de emergência uma vez, durante um assalto, e funcionara impecavelmente, localizando a carrinha e transmitindo as coordenadas para as autoridades. Naquela noite, no entanto, o gerente teve a impressão de que o presidente gostaria de um pouco mais de prudência.

— Está consciente, *monsieur*, de que se eu activar o sistema *LoJack*, o transmissor informará simultaneamente as autoridades de que temos um problema.

Vernet não disse nada durante vários segundos.

— Sim, eu sei. Faça-o, de todos os modos. Carrinha número três. Eu espero. Quero saber a localização exacta logo que a tiver.

— Imediatamente, *monsieur*.

Trinta segundos mais tarde, a quarenta quilómetros de distância, a luz vermelha de um pequeno emissor-receptor escondido por baixo do *chassis* da carrinha blindada começou a piscar.

CAPÍTULO CINQUENTA E QUATRO

Enquanto a carrinha percorria, por entre duas alas de freixos, o sinuoso caminho até à casa, Sophie sentia os músculos descontraírem-se-lhe. Era um alívio sair da estrada, e não conseguia imaginar muitos lugares mais seguros para repousar um pouco do que aquela grande mansão isolada, propriedade de um bem humorado estrangeiro.

Entraram na vasta praceta redonda, e Château Villette surgiu-lhes à vista do lado direito. Com três pisos e pelo menos sessenta metros de comprimento, o edifício tinha uma fachada de pedra iluminada por holofotes exteriores e erguia-se numa perfeita justaposição aos jardins impecavelmente cuidados e à superfície vítrea dos lagos.

As luzes interiores estavam a acender-se.

Em vez de parar diante da porta principal, Langdon estacionou a carrinha no meio de uma área rodeada de árvores.

— Não vale a pena correr o risco de alguém a ver da estrada — explicou a Sophie. — Ou deixar o Teabing a perguntar a si mesmo porque diabo chegamos a casa dele numa carrinha blindada meio destruída.

Sophie assentiu.

— O que é que fazemos com o criptex? Provavelmente não devíamos deixá-lo aqui, mas se o Leigh o vê, vai com certeza querer saber o que é.

— Não se preocupe — disse Langdon, despindo o casaco enquanto se apeava da carrinha. Enrolou-o à volta da caixa de madeira e segurou o embrulho nos braços, como se fosse um bebé.

Sophie fez um ar de dúvida.

— Muito subtil — comentou.

— O Teabing nunca recebe ninguém à porta; prefere fazer uma entrada teatral. Hei-de descobrir um sítio onde esconder isto antes de ele se nos juntar. — Fez uma pausa. — Suponho que talvez seja melhor avisá-la antes de o conhecer. *Sir* Leigh tem um sentido de humor que as pessoas acham com frequência um pouco... estranho.

Sophie duvidou que qualquer outra coisa que acontecesse naquela noite pudesse ainda parecer-lhe estranha.

O caminho de acesso à entrada principal era pavimentado a pedra, descrevendo uma curva até à grande porta de carvalho e cerejeira lavrados, dotada de uma aldraba de bronze do tamanho de uma toranja. Antes que Sophie pudesse levantar a aldraba, a porta foi aberta do interior.

Diante deles estava um afectado e elegante mordomo, a fazer os ajustes finais à gravata branca e ao *smoking* que aparentemente acabava de vestir. Devia ter cerca de cinquenta anos, com feições refinadas e uma expressão austera que deixava bem claro que não achava minimamente divertida a presença deles naquela casa.

— *Sir* Leigh desce dentro de momentos — anunciou, num inglês cuidadosamente carregado de sotaque francês. — Está a vestir-se. Prefere não receber as visitas de camisa de noite. Quer dar-me o seu casaco? — acrescentou, franzindo a testa ao embrulho que Langdon transportava nos braços.

— Não, obrigado. Estou bem assim.

— Com certeza. Por aqui, por favor.

Conduziu-os, atravessando o luxuoso vestíbulo de mármore, até uma sala de estar elegantemente decorada, banhada na luz suave de candeeiros vitorianos com *abat-jours* franjados. O ar ali dentro tinha um cheiro antediluviano, quase a realeza, com sugestões de tabaco de cachimbo, folhas de chá, xerez e alvenaria. Na parede mais distante, flanqueada por duas refulgentes armaduras de cota de malha, abria-se uma lareira de pedra suficientemente grande para assar um boi. Dirigindo-se à lareira, o mordomo ajoelhou e chegou um fósforo ao monte já preparado de toros de carvalho e acendalhas. Instantes depois, o lume crepitava.

O homem pôs-se de pé, endireitando o casaco.

— Sua Senhoria deseja que se instalem à vossa vontade. — E com esta saiu, deixando Sophie e Langdon sozinhos.

Sophie hesitou, sem saber em qual das antiguidades colocadas em frente da lareira devia sentar-se: o sofá renascença de veludo, a cadeira de balouço rústica ou o par de bancos de pedra que pareciam ter sido tirados de um qualquer templo bizantino.

Langdon tirou a caixa do criptex de dentro do casaco, aproximou-se do divã de veludo e enfiou-a debaixo dele, o mais fundo que pôde, bem fora das vistas. Em seguida, sacudiu o casaco, voltou a vesti-lo, alisou as lapelas e sorriu a Sophie enquanto se sentava directamente por cima do tesouro escondido.

O divã, decidiu Sophie, e sentou-se ao lado dele. Enquanto olhava para o lume que ia crescendo, a saborear-lhe o calor, Sophie teve a sensação de que o avô teria adorado aquela sala. As paredes forradas a madeira escura estavam cobertas de quadros dos Velhos Mestres, um dos quais reconheceu como sendo um Poussin, o segundo pintor preferido do avô. Na consola por cima da lareira, um busto de Ísis, de alabastro, vigiava a sala.

Por baixo da deusa egípcia, dentro da lareira, duas gárgulas de pedra serviam de suportes à grade, as goelas escancaradas para revelar as fauces ameaçadoras. Sophie sempre tivera um medo pavoroso de gárgulas, quando era criança. Até que o avô a curara do medo levando-a ao telhado da catedral de Notre Dame num dia de tempestade. «Princesa, olha para estas tolas criaturas», dissera-lhe, apontando para as gárgulas-algerozes de cujas bocas jorrava água. «Ouves aquele barulhinho engraçado que fazem com a garganta?» Sophie assentira, obrigada a sorrir ao som da água a gorgolejar nas gargantas de pedra. «Estão a *gargarejar*», explicara o avô. «*Gargariser.* É por isso que lhes chamam gárgulas.» E Sophie nunca mais voltara a ter medo.

A doce recordação provocou-lhe uma pontada de tristeza e a brutal realidade do assassínio apoderou-se uma vez mais dela. *O* grand-père *morreu.* Imaginou o criptex debaixo do divã e perguntou a si mesma se Leigh Teabing faria alguma ideia de como abri-lo. *Ou se devemos sequer perguntar-lhe.* As últimas palavras do avô tinham sido para dizer-lhe que encontrasse Robert Langdon. Não dissera nada a respeito de envolver mais quem quer que fosse. *Precisávamos de um sítio onde nos escondermos,* pensou, decidindo confiar no julgamento de Langdon.

— *Sir* Robert! — trovejou uma voz algures atrás deles. — Vejo que viaja com uma jovem.

Langdon pôs-se de pé. Sophie levantou-se de um salto. A voz viera do topo da escada que subia em curva e desaparecia nas trevas do piso superior. Lá em cima, uma sombra moveu-se, mais densa do que as outras, apenas uma silhueta.

— Boa noite, *Sir* Leigh — respondeu Langdon. — Permita que lhe apresente Sophie Neveu.

— Uma honra. — Teabing avançou para a luz.

— Obrigada por nos ter recebido — disse Sophie, reparando que o homem usava braçadeiras metálicas nas pernas e muletas. Descia a escada degrau a degrau. — Bem sei que é muito tarde.

— Tão tarde, minha querida, que é cedo. — *Sir* Leigh riu-se. — *Vous n'êtes pas américaine?*

Sophie abanou a cabeça.

— *Parisienne.*

— O seu inglês é excelente.

— Obrigada. Estudei no Royal Holloway.

— Ah, está então explicado. — Teabing continuava a descer a escada. — Talvez o Robert lhe tenha dito que eu fiz os meus estudos um pouco mais abaixo, em Oxford. — Cravou em Langdon um olhar malicioso. — Claro que também me candidatei a Harvard, como segunda escolha.

Tinha finalmente chegado ao fundo da escada, e Sophie achou que parecia tanto um cavaleiro como *Sir* Elton John. Gorducho e rubicundo, *Sir* Leigh Teabing tinha cabelos ruivos e uns joviais olhos cor de avelã que pareciam cintilar quando ele falava. Vestia umas calças pregueadas e uma ampla camisa de seda por baixo de um casaco de malha. Apesar das braçadeiras metálicas nas pernas, toda a sua postura revelava uma inquebrantável dignidade que parecia ser mais o subproduto de uma nobre ancestralidade do que o resultado de um esforço consciente.

Aproximou-se dos dois e estendeu a mão a Langdon.

— Robert, perdeu peso.

— E o meu amigo, em contrapartida, encontrou algum.

Teabing riu com gosto, dando uma palmada no rotundo ventre.

— *Touché.* Os meus únicos prazeres carnais, hoje em dia, parecem ser culinários. — Voltando-se então para Sophie, pegou-lhe gentilmente na mão e inclinou ao de leve a cabeça, respirando-lhe para os dedos e baixando os olhos. — *M'lady.*

Sophie olhou para Langdon, sem saber muito bem se tinha recuado no tempo ou entrado numa casa de loucos.

O mordomo que abrira a porta voltou a aparecer, transportando um serviço de chá que dispôs na mesa diante da lareira.

— Este é o Rémy Legaludec — disse Teabing. — O meu mordomo.

O esguio mordomo baixou rigidamente a cabeça e retirou-se.

— O Rémy é de Lyon — murmurou Teabing, como se isso fosse uma infeliz doença. — Mas faz uns molhos muito decentes.

Langdon parecia divertido.

— Sempre julguei que importaria pessoal inglês.

— Santo Deus, não! Não desejaria um *chef* inglês a ninguém, excepto aos cobradores de impostos franceses. — Lançou um olhar a Sophie. — *Pardonnez-moi, mademoiselle* Neveu. Asseguro-lhe que a minha aversão às coisas francesas se estende exclusivamente aos políticos e à selecção de futebol. O seu governo rouba-me o meu dinheiro e a vossa selecção nacional ainda recentemente humilhou a nossa.

Sophie respondeu com um sorriso amável.

Teabing observou-a por instante e então voltou-se para Langdon.

— Aconteceu qualquer coisa. Estão ambos com um ar abalado.

Langdon assentiu.

— Tem sido uma noite interessante, Leigh.

— Não duvido. Batem-me à porta sem se fazerem anunciar a meio da noite e falam do Graal. Diga-me, trata-se realmente do Graal, ou só o disse por saber que esse é o único assunto capaz de fazer-me sair da cama em plena madrugada?

Um pouco de ambas as coisas, pensou Sophie, lembrando-se do criptex escondido debaixo do divã.

— Leigh — começou Langdon —, gostávamos de falar consigo a respeito do Priorado de Sião.

As hirsutas sobrancelhas de Teabing arquearam-se numa expressão intrigada.

— Os guardadores. Então sempre tem a ver com o Graal. Diz que descobriu informações? Alguma coisa de novo, Robert?

— Talvez. Não temos a certeza. Poderíamos ficar com uma ideia mais clara se primeiro nos desse alguma informação.

Teabing agitou o indicador estendido.

— Sempre o mesmo americano espertalhão. Um jogo de toma-lá-dá-cá. Muito bem. Estou à vossa disposição. O que é que posso dizer-lhes?

Langdon suspirou.

— Estava na esperança de que pudesse explicar à menina Neveu a verdadeira natureza do Santo Graal.

Teabing pareceu espantado.

— Ela não *sabe*?

Langdon abanou a cabeça.

O sorriso que se espalhou pela cara de Leigh Teabing foi quase obsceno.

— Robert, trouxe-me uma *virgem*?

Langdon fez uma careta, olhando para Sophie.

— *Virgem* é o termo que os entusiastas do Graal usam para descrever alguém que nunca tenha ouvido a história verdadeira.

Teabing voltou-se gulosamente para Sophie.

— Diga-me o que já sabe, minha querida.

Rapidamente, Sophie esboçou o que Langdon lhe contara pouco antes: o Priorado de Sião, os Cavaleiros do Templo, os documentos Sangreal e o Santo Graal, que muitos afirmavam não ser uma taça... e sim qualquer coisa muito mais poderosa.

— *Só* isso? — Teabing lançou a Langdon um olhar escandalizado. — Robert, pensei que fosse um cavalheiro. Privou-a do clímax!

— Eu sei. Pensei que talvez os dois pudéssemos... — Langdon calou-se, tendo aparentemente decidido que a indecorosa metáfora já fora longe de mais.

Teabing já tinha Sophie presa no seu refulgente olhar.

— É uma virgem do Graal, minha querida. E, pode crer, nunca mais vai esquecer a sua primeira vez.

CAPÍTULO CINQUENTA E CINCO

Sentada no divã ao lado de Langdon, Sophie bebia o seu chá e comia um *scone*, sentindo os efeitos benéficos da cafeína e do alimento. *Sir* Leigh Teabing sorria enquanto passeava desajeitadamente de um lado para o outro diante da lareira, fazendo tilintar as braçadeiras metálicas sempre que passava por cima do rebordo protector de pedra.

— O Santo Graal — disse Teabing, num tom que se tornara professoral. — A maior parte das pessoas só me pergunta *onde* é que ele está. Receio bem que se trate de uma pergunta a que talvez nunca saiba responder. — Voltou-se e olhou directamente para Sophie. — No entanto... a pergunta muitíssimo mais relevante é a seguinte: o *que* é o Santo Graal?

Sophie sentiu um ar de excitação académica a crescer nos dois homens.

— Para compreender plenamente o Graal — continuou Teabing —, temos primeiro de compreender a Bíblia. Conhece bem o Novo Testamento?

Sophie encolheu os ombros.

— Não conheço de todo. Fui criada por um homem que venerava Leonardo da Vinci.

Teabing pareceu simultaneamente estupefacto e contente.

— Uma alma iluminada. Soberbo! Nesse caso, deve saber que Leonardo era um dos guardiães do segredo do Santo Graal. E que escondeu pistas na sua arte.

— O Robert falou-me disso, sim.

— E as opiniões de da Vinci sobre o Novo Testamento?

— Não faço ideia.

Teabing tinha um sorriso de alegria nos olhos quando apontou a estante do outro lado da sala.

— Robert, importa-se? Na prateleira de baixo. *La Storia di Leonardo.*

Langdon atravessou a sala, tirou da estante um grande livro de arte, voltou para trás e pousou-o em cima da pequena mesa entre os dois. Fazendo rodar o livro de modo a colocá-lo de frente para Sophie, Teabing levantou a capa e apontou para uma série de citações escritas na guarda.

— Do livro de notas de da Vinci sobre especulações e polémicas — disse, indicando uma citação em especial. — Julgo que vai achar esta relevante para a nossa discussão.

Sophie leu as palavras.

Muitos fizeram das ilusões e dos falsos milagres
o seu ofício, enganando a estúpida multidão.
— LEONARDO DA VINCI

Aqui tem outra — continuou Teabing, indicando uma citação diferente.

A cega ignorância é que nos engana.
Ó míseros mortais, abri os olhos!
— LEONARDO DA VINCI

Sophie sentiu um pequeno arrepio.

— Da Vinci está a falar da Bíblia?

Teabing assentiu.

— Os sentimentos de Leonardo quanto à Bíblia estão directamente relacionados com o Santo Graal. Na realidade, Leonardo pintou o verdadeiro Graal, que lhe vou mostrar dentro de momentos, mas primeiro temos de falar sobre a Bíblia. — Sorriu. — E tudo o que precisa de saber a respeito da Bíblia pode resumir-se ao que disse o grande doutor canónico Martyn Percy: «A Bíblia não foi enviada do céu por *fax.*»

— Desculpe?

— A Bíblia é um produto do *homem*, minha querida, não de Deus. Não caiu magicamente das nuvens. O homem criou-a como um registo histórico de tempos tumultuosos, e tem evoluído ao longo de inúmeras traduções, adições e revisões. A História nunca conheceu uma versão definitiva do livro.

— *Okay*.

— Jesus Cristo foi uma figura histórica tremendamente influente, talvez o líder mais enigmático e inspirador que o mundo alguma vez viu. Como o profetizado Messias, Jesus derrubou reis, inspirou milhões de pessoas e fundou novas filosofias. Como descendente das linhagens de Salomão e de David, tinha o direito legítimo de reclamar o título de rei dos Judeus. Compreensivelmente, a Sua vida foi registada por milhares de seguidores em todo o mundo. — Teabing fez uma pausa para beber um gole de chá e em seguida pousou a chávena na consola da lareira. — Foram considerados mais de *oitenta* evangelhos para o Novo Testamento, e no entanto, apenas uns poucos acabaram por ser escolhidos... entre eles os de Mateus, Marcos, Lucas e João.

— Quem escolheu que evangelhos incluir? — perguntou Sophie.

— Aaah! — exclamou Teabing, com incontível entusiasmo. — A ironia fundamental do cristianismo! A Bíblia, tal como hoje a conhecemos, foi coligida por um pagão, o imperador romano Constantino, *o Grande.*

— Julgava que Constantino era cristão — disse Sophie.

— Nem pouco mais ou menos — troçou Teabing. — Foi pagão toda a vida, baptizado no leito de morte quando já estava demasiado fraco para protestar. No tempo de Constantino, a religião oficial de Roma era o culto do Sol... o culto do *Sol Invictus*, de que Constantino era o sumo sacerdote. Infelizmente para ele, um crescente turbilhão religioso estava a apoderar-se de Roma. Três séculos depois da crucifixão de Jesus Cristo, os seus seguidores tinham-se multiplicado exponencialmente. Cristãos e pagãos começaram a guerrear-se, e o conflito atingiu proporções tais que ameaçava dividir Roma em duas. Constantino decidiu que era preciso fazer qualquer coisa. Em 325 d. C. resolveu unificar o império sob uma única religião: o cristianismo.

Sophie parecia espantada.

— Porque haveria um imperador pagão de escolher o *Cristianismo* como religião de Estado?

Teabing soltou um risinho.

— Constantino era um excelente homem de negócios. Percebeu que o Cristianismo estava em ascensão, e limitou-se a apostar no cavalo vencedor. Ainda hoje os historiadores ficam maravilhados com a forma brilhante como converteu os adoradores do Sol pagãos ao cristianismo. Fundindo símbolos, datas e rituais pagãos com a crescente tradição cristã, criou uma espécie de religião híbrida que era aceitável para ambas as partes.

— Uma adulteração grotesca — interveio Langdon. — Os vestígios da religião pagã na simbologia cristã são inegáveis. Os discos solares egípcios tornaram-se os halos dos santos católicos. Pictogramas de Ísis a cuidar do seu miraculosamente concebido filho Hórus tornaram-se o modelo das nossas modernas imagens da Virgem com o Menino. E praticamente todos os elementos do ritual católico... a mitra, o altar, a doxologia e a comunhão, o acto de «comer Deus»... foram directamente tirados de religiões pagãs anteriores.

Teabing gemeu.

— Nunca deixe um simbologista começar a falar de ícones cristãos. No cristianismo, nada é original. O deus pré-cristão Mitra... chamado *Filho do Sol* e *Luz do Mundo*... nasceu a vinte e cinco de Dezembro, morreu, foi sepultado num túmulo de rocha e ressuscitou três dias mais tarde. A propósito, 25 de Dezembro é também o dia de aniversário de Osíris, de Adónis e de Dionísio. O recém-nascido Krishna foi presenteado com ouro, incenso e mirra. Até o dia santo semanal do cristianismo foi roubado aos pagãos.

— Como?

— Originariamente — interveio novamente Langdon —, o cristianismo honrava o *Sabat* judeu, ao sábado, mas Constantino mudou-o de modo a coincidir com o dia da veneração do Sol dos pagãos. — Fez uma pausa, sorrindo. — Ainda hoje, a maior parte das pessoas que vão à missa ao domingo de manhã não sabe que está ali por causa do tributo semanal dos pagãos ao deus-Sol.

Sophie sentia a cabeça a andar à roda.

— E tudo isso tem a ver com o Graal?

— Com certeza — declarou Teabing. — Continuemos. Durante esta fusão de religiões, Constantino, que precisava da força da nova tradição cristã, convocou a famosa reunião ecuménica conhecida como Concílio de Niceia.

Sophie ouvira falar de Niceia apenas como tendo sido o lugar onde nascera o Credo Niceno.

— Nessa reunião — prosseguiu Teabing —, foram discutidos e votados muitos aspectos do cristianismo: a data da Páscoa, o papel dos bispos, a administração dos sacramentos e, claro, a *divindade* de Jesus.

— Não estou a perceber. A *divindade* de Jesus?

— Minha querida — disse Teabing —, até *àquele* momento da História, Jesus tinha sido visto pelos seus seguidores como um profeta mortal... um grande homem, e poderoso, mas apesar de tudo um *homem*. Um mortal.

— Não como o Filho de Deus?

— Exactamente. O estabelecimento de Jesus como «Filho de Deus» foi oficialmente proposto e votado no Concílio de Niceia.

— Espere um momento. Está a dizer-me que a divindade de Jesus resultou de uma *votação*?

— E bastante renhida, por sinal — respondeu Teabing. — Em todo o caso, estabelecer a divindade de Jesus era crucial para a unificação do Império Romano e para a base de poder do novo Vaticano. Ao avalizar oficialmente Jesus como Filho de Deus, Constantino estava a transformá-lo numa divindade que existia para lá do âmbito do mundo humano, uma entidade cujo poder era indiscutível. O que não só prevenia futuros desafios pagãos ao cristianismo, como estabelecia que os seguidores de Cristo passavam a *só* poder redimir-se através do canal sagrado acabado de criar: a Igreja Católica Romana.

Sophie olhou para Langdon, que lhe fez um ligeiríssimo aceno de concordância.

— Era tudo uma questão de poder — continuou Teabing. — Cristo como Messias era essencial ao funcionamento da Igreja e do Estado. Muitos estudiosos afirmam que a Igreja primitiva o *roubou* literalmente aos seus seguidores originais, apoderando-se da sua mensagem humana, envolvendo-a num impenetrável manto de divindade e usando-a para expandir o seu próprio poder. Escrevi vários livros sobre o tema.

— E suponho que todos os dias os cristãos devotos lhe enviam cartas a insultá-lo?

— Porque haveriam de o fazer? — surpreendeu-se Teabing. — A maior parte dos cristãos instruídos conhece a história da sua fé. Jesus foi sem dúvida um grande homem. As manobras de baixa política de Constantino em nada diminuem a majestade da vida de Cristo. Ninguém está a dizer que Jesus foi um trapaceiro, ou a negar que viveu neste mundo e inspirou milhões de pessoas a terem uma vida melhor. Tudo o que dizemos é que Constantino se aproveitou das suas substanciais influência e importância. E, ao fazê-lo, modelou a face do cristianismo tal como hoje o conhecemos.

Sophie olhou para o livro de arte que tinha à sua frente, ansiosa por ir adiante e ver o quadro de da Vinci do Santo Graal.

— O busílis da questão é o seguinte — disse Teabing, falando agora mais depressa. — Uma vez que Constantino «promoveu» Cristo a divindade quase quatro séculos *depois* de ele ter morrido, havia já milhares de documentos que relatavam a sua vida como um homem *mortal.* Constantino sabia que, para reescrever os livros de História, precisava de um golpe de ousadia. Foi daqui que nasceu o momento mais profundo da história do Cristianismo. Fez uma pausa, estudando o rosto de Sophie. — Constantino encomendou e financiou uma nova Bíblia, que omitia os evangelhos que falavam das características *humanas* de Cristo e dava destaque aos que faziam dele um deus. Os evangelhos mais antigos foram banidos, arrebanhados e queimados.

— Uma nota interessante — acrescentou Langdon. — Quem continuasse a preferir os evangelhos proibidos à versão de Constantino era declarado herético. A palavra *herético* nasceu nessa altura. O termo latino *hæriticus* significa «escolha». Os que «escolheram» a história original de Cristo foram os primeiros *heréticos* do mundo.

— Felizmente para os historiadores encadeou Teabing , alguns dos evangelhos que Constantino tentou erradicar conseguiram sobreviver. Os Manuscritos do Mar Morto foram encontrados, nos anos 50, numa gruta escondida perto de Qumran, no deserto da Judeia. E, claro, os Manuscritos Coptas, em 1945, em Nag Hammadi. Além de contarem a verdadeira história do Graal, estes documentos falam do ministério de Cristo em termos muito humanos. Claro que o Vaticano, fiel à sua tradição de desinformação, fez tudo o que pôde para evitar a divulgação desses textos. E porque não o faria? Os manuscritos denunciam gritantes discrepâncias e mentiras históricas, demonstrando claramente que a Bíblia moderna foi compilada por indivíduos que tinham um objectivo político: promover a divindade do homem Jesus Cristo e usar a influência dele para reforçar a sua própria base de poder.

— Em todo o caso — interpôs Langdon —, é importante ter presente que o desejo da Igreja moderna de suprimir estes documentos decorre de uma crença sincera na visão que tem de Cristo. O Vaticano é constituído por homens muito piedosos que acreditam verdadeiramente que estes documentos contrários só podem ser falsos testemunhos.

Teabing riu-se e instalou-se numa cadeira em frente de Sophie.

— Como vê, o nosso professor é muito mais compreensivo do que eu no que respeita a Roma. Seja como for, tem razão quando afirma que o clero moderno está convencido da falsidade destes documentos. O que é compreensível. A Bíblia de Constantino foi a verdade deles durante séculos. Ninguém está mais doutrinado do que o doutrinador.

— O que ele quer dizer — esclareceu Langdon — é que veneramos os deuses dos nossos pais.

— O que eu quero dizer — contrapôs Teabing — é que quase tudo o que os nossos pais nos ensinaram a respeito de Cristo é *falso*. Como falsas são as histórias a respeito do Santo Graal.

Sophie voltou a olhar para a citação de Leonardo da Vinci que tinha à sua frente. *A cega ignorância é que nos engana. Ó míseros mortais, abri os olhos!*

Teabing pegou no livro e folheou-o mais para a frente.

— E finalmente, antes de lhe mostrar as pinturas do Santo Graal de da Vinci, gostaria que desse uma vista de olhos a isto. — Abriu o livro numa colorida ilustração que ocupava duas páginas contíguas. — Assumo que reconhece este fresco?

Deve estar a brincar! Sophie estava a olhar para o mais famoso fresco de todos os tempos, *A Última Ceia*, a lendária pintura que da Vinci executara na parede de Santa Maria delle Grazie, perto de Milão. O fresco, muito degradado, representa Jesus e os discípulos no momento em que o primeiro anuncia que um deles o vai trair.

— Conheço o fresco, sim.

— Nesse caso, talvez me permita um pequeno jogo. Importa-se de fechar os olhos?

Insegura, Sophie fechou os olhos.

— Onde está Jesus sentado? — perguntou Teabing.

— No meio.

— Muito bem. E que alimento estão ele e os discípulos a partir e comer?

— Pão. — *Obviamente.*

— Óptimo. E o que é que estão a beber?

— Vinho. Estão a beber vinho.

— Excelente. Uma última pergunta. Quantos copos de vinho há em cima da mesa?

Sophie hesitou, apercebendo-se de que era uma pergunta armadilhada. *E depois da ceia, Jesus pegou na taça de vinho, partilhando-a com os Seus discípulos.*

— Uma taça — disse. — O cálice. — *A Taça de Cristo. O Santo Graal.* — Jesus passou à volta da mesa um único cálice de vinho, como os cristãos modernos fazem na comunhão.

Teabing suspirou.

— Abra os olhos.

Ela assim fez. Teabing estava a sorrir, com um ar satisfeito. Sophie olhou para a ilustração e viu, para seu grande espanto, que *todos* os convivas sentados à mesa tinham um copo de vinho, incluindo Cristo. Treze copos. Além disso, os copos eram de vidro, pequenos e sem pé. Não havia qualquer cálice no quadro. Nenhum Santo Graal.

Os olhos de Teabing cintilaram.

— Um pouco estranho, não lhe parece, considerando que tanto a Bíblia como a lenda padrão do Graal celebram este momento como o do aparecimento definitivo do Santo Graal. Estranhamente, da Vinci parece ter-se esquecido de pintar a Taça de Cristo.

— Com toda a certeza os estudiosos de arte devem tê-lo notado.

— Ficaria chocada se soubesse que anomalias da Vinci incluiu nesta pintura e que a maior parte dos estudiosos não vê ou prefere simplesmente ignorar. Este fresco é, na realidade, a chave para o mistério do Santo Graal. Da Vinci põe tudo a descoberto em *A Última Ceia.*

Sophie examinou ansiosamente a ilustração.

— Este fresco diz-nos o que o Graal realmente é?

— Não o *que* é — sussurrou Teabing —, mas antes *quem* é. O Santo Graal não é uma coisa. É, na realidade... uma *pessoa.*

CAPÍTULO CINQUENTA E SEIS

Sophie ficou a olhar para Teabing por um longo instante, e então voltou-se para Langdon.

— O Santo Graal é uma pessoa?

Langdon assentiu.

— Uma mulher, para ser mais exacto.

Pela expressão vazia do rosto de Sophie, Langdon percebeu que a tinham perdido. Lembrou-se de ter tido uma reacção semelhante da primeira vez que ouvira a afirmação. Fora só depois de compreender a *simbologia* por detrás do Graal que a ligação feminina se tornara clara.

Teabing estava, aparentemente, a pensar algo na mesma linha.

— Robert — disse — talvez seja a altura de o simbologista esclarecer? — Dirigiu-se a uma pequena mesa e regressou com uma folha de papel que pousou à frente de Langdon.

Langdon tirou uma caneta do bolso do casaco.

— Conhece, claro, os símbolos modernos para masculino e feminino? — começou, desenhando no papel os familiares ♂ e ♀.

— Claro — disse Sophie.

— Estes — continuou ele, calmamente — não são os símbolos originais de masculino e feminino. Muitas pessoas assumem erradamente que o símbolo masculino deriva de um escudo e uma lança, enquanto o feminino representa um espelho a reflectir a beleza. Na realidade, derivam dos antigos símbolos astronómicos do deus-planeta Marte e da deusa-planeta Vénus. Os símbolos originais são muito mais simples. — Langdon traçou outro desenho no papel.

— Este é o ícone original de masculino — explicou. — Um falo rudimentar.

— Muito apropriado — comentou Sophie.

— Sem dúvida — acrescentou Teabing.

— Este ícone é formalmente conhecido como a *lâmina*, e representa agressão e virilidade. Na realidade, este mesmíssimo símbolo fálico continua hoje a ser usado nos uniformes militares como indicação do posto.

— É verdade. — Teabing sorriu — Quantos mais pénis um fulano tem, mais alto é o seu posto. Coisas de rapazes.

Langdon fez uma careta.

— Continuando, o símbolo feminino, como imagina, é o exacto oposto. — Fez outro desenho no papel. — A este chama-se o *cálice*.

Sophie ergueu os olhos, parecendo surpreendida.

Langdon viu que ela tinha feito a ligação.

— O cálice — disse — assemelha-se a uma taça, ou vaso, e, mais importante ainda, evoca a forma do útero da mulher. Este símbolo transmite feminidade e fertilidade. — Olhou directamente para ela. — Sophie, a lenda diz-nos que o Santo Graal é um cálice... uma taça. Mas descrevê-lo como um *cálice* é na realidade uma alegoria destinada a proteger a sua verdadeira natureza. Ou seja, a lenda usa o cálice como uma *metáfora* para algo muito mais importante.

— Uma mulher — disse Sophie.

— Exactamente. — Langdon sorriu. — O Graal é literalmente o antigo símbolo da feminidade e o *Santo Graal* representa o sagrado feminino e a deusa, hoje perdidos, praticamente eliminados pela Igreja. O poder da fêmea e a sua capacidade de produzir vida eram outrora muito sagrados, mas representavam uma ameaça à ascensão de uma Igreja predominantemente masculina, e por isso o sagrado feminino foi demonizado e declarado impuro. Foi o *homem*, e não Deus, que criou o conceito do «pecado original», em que Eva prova a maçã e provoca a queda da raça humana. A mulher, em tempos a criadora de vida, passava a ser a inimiga.

— Devo acrescentar — acrescentou Teabing — que este conceito da mulher como criadora de vida era o alicerce da antiga religião. O parto era místico e poderoso. Infelizmente, a filosofia cristã decidiu defraudar o poder criativo da fêmea ignorando a verdade biológica e fazendo do homem o Criador. O Génesis diz-nos que Eva foi feita a partir de uma costela de Adão. A mulher tornou-se um rebento do homem. E um rebento pecaminoso, ainda por cima. O Génesis foi o começo do fim para a deusa.

— O Graal — engrenou Langdon — é simbólico da deusa perdida. Quando o Cristianismo apareceu, as antigas religiões pagãs não morreram facilmente. As lendas sobre demandas cavalheirescas do Graal perdido eram de facto histórias de demandas proibidas do sagrado feminino perdido. Os cavaleiros que afirmavam «procurar o cálice» falavam em código como uma forma de se protegerem contra uma Igreja que subjugara as mulheres, banira a Deusa, queimara os incréus e proibira a reverência pagã pelo sagrado feminino.

Sophie abanou a cabeça.

— Peço desculpa. Quando disseram que o Santo Graal é uma pessoa, pensei que fosse uma pessoa de carne e osso.

— E é — disse Langdon.

— E não uma pessoa *qualquer* — interpôs Teabing, pondo-se excitadamente de pé. — Uma mulher que transportava consigo um segredo tão poderoso que, se revelado, ameaçava arrasar os próprios alicerces do Cristianismo!

Sophie parecia esmagada.

— Uma mulher historicamente bem conhecida? — perguntou.

— Muito. — Teabing pegou nas muletas e apontou na direcção do corredor. — E se quiserem acompanhar-me ao estúdio, meus amigos, terei a honra de mostrar-lhes o retrato que da Vinci fez dela.

A duas salas de distância, na cozinha, Rémy Legaludec, o mordomo, mantinha-se de pé e em silêncio diante de um televisor. O noticiário mostrava as fotografias de um homem e de uma mulher... os mesmíssimos dois indivíduos a quem acabava de servir chá.

CAPÍTULO CINQUENTA E SETE

Junto à barricada que vedava a saída do Banco Depositário de Zurique, o tenente Collet perguntava a si mesmo porque diabo estaria o capitão Fache a demorar tanto tempo a conseguir um mandato de busca. Era evidente que os banqueiros escondiam qualquer coisa. Afirmavam que Langdon e Neveu tinham de facto estado no banco mas que lhes fora recusada a entrada por não possuírem a necessária identificação de conta.

Então por que é que não nos deixam entrar e dar uma vista de olhos?

Finalmente, o telefone do tenente tocou. Era o posto de comando, ainda situado no Louvre.

— Já temos o mandato de busca? — perguntou Collet.

— Esqueça o banco, tenente — disse-lhe o agente. — Acabamos de receber uma informação. Sabemos o lugar exacto onde o Langdon e a Neveu estão escondidos.

Collet sentou-se com força no capô do carro.

— Está a brincar.

— Tenho uma morada nos subúrbios. Algures perto de Versalhes.

— O capitão Fache já sabe?

— Ainda não. Está ocupado com uma chamada importante.

— Vou a caminho. Ele que me ligue logo que estiver despachado. — Collet tomou nota da morada e saltou para dentro do carro. Enquanto se afastava do banco com os pneus a guinchar, apercebeu-se de que se esquecera de perguntar quem informara a DCPJ sobre a localização de Langdon. Não que fizesse qualquer diferença. Tinha agora uma oportunidade de redimir-se do seu cepticismo e anteriores erros. Estava à beira de fazer a detenção mais espectacular da sua carreira.

Contactou pelo rádio os cinco carros que o seguiam.

— Nada de sereias. Não quero que o Langdon saiba que estamos a chegar.

A quarenta quilómetros dali, um *Audi* preto saiu da estrada rural e parou no meio da escuridão à beira de um campo. Silas apeou-se e espreitou por entre as barras de ferro forjado do gradeamento que cercava a vasta propriedade. Viu, ao longe, a mansão que se erguia no topo da suave vertente banhada pelo luar.

Todas as luzes do piso térreo estavam acesas. *Estranho para esta hora*, pensou Silas, sorrindo. A informação que o *Professor* lhe dera estava evidentemente correcta. *Não sairei desta casa sem a Chave de Abóbada*, jurou a si mesmo. *Não deixarei ficar mal o bispo e o* Professor.

Depois de verificar o carregador de treze tiros da sua *Heckler and Koch*, fez passar a arma por entre as grades e deixou-a cair no solo coberto de musgo do outro lado. Então, agarrando-se com as duas mãos ao topo dos varões de ferro, içou-se a pulso, passou por cima do gradeamento e saltou para o chão. Ignorando a dor excruciante do cilício, recuperou a arma e iniciou a longa caminhada em direcção à casa.

CAPÍTULO CINQUENTA E OITO

O «estúdio» de Teabing era diferente de qualquer outro que Sophie tivesse visto. Seis ou sete vezes mais amplo do que o mais luxuoso dos escritórios, o *cabinet de travail* de *Sir* Leigh parecia um desgracioso híbrido de laboratório científico, biblioteca, arquivo e feira da ladra interior. Iluminado por três lustres suspensos, o vasto chão de tijoleira mostrava-se salpicado de ilhas dispersas de mesas de trabalho vergadas ao peso de livros, obras de arte, artefactos e uma surpreendente quantidade de aparelhagem electrónica: computadores, projectores, microscópios, fotocopiadoras e *scanners* planos.

— Transformei o salão de baile — explicou Teabing, com um ar embaraçado, quando entraram na sala. — Não tenho assim muitas oportunidades de dançar.

Sophie sentiu como se toda aquela noite fosse uma espécie de quinta dimensão onde nada era o que ela esperava.

— Tudo isto é para o seu trabalho?

— Descobrir a verdade tornou-se a paixão da minha vida — respondeu Teabing. — E o Sangreal é a minha amante preferida.

O Santo Graal é uma mulher, pensou Sophie, e o seu espírito era uma colagem de ideias interligadas que pareciam não fazer qualquer sentido.

— Disse que tinha um *retrato* da mulher que afirma ser o Santo Graal.

— Sim, mas não sou *eu* que afirmo que ela é o Santo Graal. O próprio Cristo fez essa afirmação.

— Qual é o quadro? — perguntou Sophie, percorrendo as paredes com o olhar.

— Hmmm... — Teabing fez todo um espectáculo de fingir ter-se esquecido. — O Santo Graal. O Sangreal. O Cálice. — Voltou-se subitamente e apontou para a parede mais distante, da qual estava suspensa uma cópia com dois metros e quarenta de comprimento de *A Última Ceia*, exactamente a mesma imagem que Sophie acabava de ver no livro. — Lá está ela!

Sophie teve a certeza de que lhe escapara qualquer coisa.

— É o mesmo quadro que acaba de mostrar-me.

Teabing piscou-lhe um olho.

— Eu sei, mas a ampliação é muito mais excitante. Não acha?

Sophie voltou-se para Langdon, em busca de ajuda.

— Perdi-me.

Langdon sorriu.

— A verdade é que o Santo Graal marca de facto presença na *Última Ceia*. Leonardo deu-lhe um lugar de destaque.

— Espere aí — pediu Sophie. — Disse-me que o Santo Graal é uma *mulher*. *A Última Ceia* é um retrato de treze homens.

— Será? — perguntou Teabing. — Olhe com mais atenção.

Insegura, Sophie aproximou-se da reprodução, examinando as treze figuras: Jesus no centro, seis discípulos do lado esquerdo, outros seis do lado direito.

— São todos homens — confirmou.

— Oh? — exclamou Teabing. — E o que está sentado no lugar de honra, à direita do Senhor?

Sophie examinou a figura à direita de Jesus, concentrando a atenção. À medida que estudava o corpo e o rosto da personagem, sentiu uma onda de estupefacção crescer-lhe no peito. O indivíduo tinha longos cabelos vermelhos, mãos delicadamente entrelaçadas, a sugestão de um seio. Era, sem a mínima dúvida... uma mulher.

— É uma mulher! — exclamou Sophie.

Teabing estava a rir.

— Surpresa, surpresa. Não é engano, pode crer. Leonardo era muito hábil a pintar as diferenças entre os sexos.

Sophie não conseguia desviar os olhos da mulher sentada ao lado de Cristo. *A Última Ceia é suposta apresentar treze homens. Quem é a mulher?* Embora tivesse visto aquela imagem clássica vezes sem conta, nunca reparara na gritante discrepância.

— Ninguém repara — disse Teabing. — As nossas noções preconcebidas desta cena são tão poderosas que a mente bloqueia a incongruência e sobrepõe-se aos olhos.

— É um fenómeno conhecido como *escotoma* — acrescentou Langdon. — O cérebro fá-lo por vezes, com símbolos muito poderosos.

— Outra razão possível para não ter reparado na mulher — continuou Teabing — é o facto de a maior parte das fotografias que aparecem nos livros de arte terem sido tiradas antes de 1954, quando os pormenores estavam ainda escondidos sob camadas de sujidade e várias restaurações feitas por incompetentes durante o século XVIII. Agora, finalmente, o fresco foi limpo até à camada original de tinta de da Vinci. — Apontou para a fotografia. — *Et voilà!*

Sophie aproximou-se ainda mais da imagem. A mulher sentada à direita de Jesus era jovem e tinha um ar piedoso, com um rosto tímido, belos cabelos avermelhados e mãos tranquilamente entrelaçadas. *É esta a mulher que podia, sozinha, fazer desmoronar a Igreja?*

— Quem é ela? — perguntou.

— Essa senhora, minha querida — respondeu Teabing —, é Maria Madalena.

Sophie voltou-se.

— A prostituta?

Teabing teve uma curta inspiração entredentes, como se a palavra o tivesse ofendido pessoalmente.

— Maria Madalena não era nada disso. Esse falso juízo é um legado da campanha de calúnias lançada pela Igreja primitiva. A Igreja precisava de difamar Maria Madalena para encobrir o seu perigoso segredo: o papel dela como Santo Graal.

— O *papel* dela?

— Como já disse — esclareceu Teabing —, a Igreja primitiva precisava de convencer o mundo de que o profeta mortal Jesus era um ser *divino*. Por essa razão, os evangelhos que descreviam os aspectos *terrenos* da vida de Jesus tinham de ser omitidos da Bíblia. Infelizmente para os primeiros editores, havia um tema terreno particularmente perturbador que aparecia mencionado em todos os evangelhos. — Fez uma pausa. — O casamento de Jesus Cristo.

— Desculpe? — Os olhos de Sophie saltaram para Langdon, e depois de novo para Teabing.

— Está historicamente registado, e da Vinci tinha com toda a certeza conhecimento do facto. *A Última Ceia* praticamente grita ao espectador que Jesus e Madalena eram um casal.

Sophie voltou a olhar para a reprodução do fresco.

— Repare que Jesus e Madalena estão vestidos como imagens reflexas um do outro — disse Teabing, apontando para as duas personagens centrais.

Sophie estava fascinada. E, sem a mínima dúvida, as roupas dos dois eram de cores inversas. Jesus usava uma túnica vermelha e um manto azul; Maria Madalena usava uma túnica azul e um manto vermelho. *Yin e Yang*.

— Aventurando-nos no ainda mais bizarro — continuou Teabing —, repare que Jesus e a sua noiva parecem estar unidos pela anca e inclinam-se para longe um do outro, como que para criar entre ambos este espaço negativo claramente delineado.

Ainda antes que Teabing traçasse o contorno com o dedo, Sophie viu-o: a indiscutível forma de ∨ no ponto focal da pintura. Era o mesmo símbolo que Langdon desenhara momentos antes e que dissera representar o Graal, o cálice e o útero feminino.

— Finalmente — disse Teabing —, se vir Jesus e Madalena como elementos da composição e não como personagens, verá uma outra forma óbvia saltar-lhe aos olhos. — Fez uma pausa. — Uma *letra* do alfabeto.

Sophie viu-a imediatamente. Dizer que a letra lhe saltou aos olhos seria um eufemismo. Subitamente, não via mais nada senão a letra. Bem no centro da pintura destacava-se o inquestionável desenho de um enorme e impecavelmente traçado M.

— Um pouco perfeito de mais para ser coincidência, não acha? — perguntou Teabing.

Sophie estava estupefacta.

— E está ali porquê?

Teabing encolheu os ombros.

— Os teóricos da conspiração dir-lhe-ão que significa *Matrimonio* ou *Maria Madalena*. Para ser honesto, ninguém sabe. A única certeza é que o M escondido não é resultado de um acaso. Inúmeras obras relacionadas com o Graal contêm um M escondido... seja em marcas-de-água, camadas inferiores de pintura ou alusões composicionais. O mais evidente de todos os M é, claro, o que aparece no altar de Nossa Senhora de Paris, em Londres, concebido por um ex-Grão-Mestre do Priorado de Sião, Jean Cocteau.

Sophie pesou a informação.

— Admito que os M escondidos são intrigantes, embora assuma que ninguém afirma que constituem prova do casamento de Jesus com Madalena.

— Não, não — respondeu Teabing, que se dirigia a uma mesa próxima carregada de livros. — Como disse há pouco, o casamento de Jesus com Maria Madalena é um facto historicamente registado. — Pôs-se a remexer nas rimas de livros. — Além disso, Jesus como homem casado faz infinitamente mais sentido do que a tradicional visão bíblica de Jesus como homem solteiro.

— Porquê? — perguntou Sophie.

— Porque Jesus era judeu — disse Langdon, pegando no testemunho enquanto Teabing procurava o seu livro —, e o decoro social da época praticamente proibia que um judeu adulto não fosse casado. O costume judaico condenava o celibato, e a obrigação de qualquer pai era procurar uma esposa adequada para o filho. Se Jesus não fosse casado, pelo menos um dos evangelhos mencionaria o facto e proporia uma explicação qualquer para esta anormalidade.

Teabing localizou um enorme livro e puxou-o para si por cima do tampo da mesa. Encadernado a couro, tinha o tamanho de um cartaz, como um grande atlas. O título gravado na capa dizia: *Evangelhos Gnósticos*. Teabing abriu-o e Langdon e Sophie juntaram-se-lhe. Sophie viu que continha fotografias daquilo que parecia ser passagens ampliadas de documentos antigos: papiro esfarrapado com textos manuscritos. Não reconheceu a língua antiga, mas as páginas contíguas continham traduções impressas em letra de forma.

— São fotocópias do Nag Hammadi e dos Manuscritos do Mar Morto que referi há pouco — disse Teabing. — Os mais antigos registos cristãos. Não condizem com os evangelhos que aparecem na Bíblia, o que é extremamente perturbador. — Folheando as páginas mais para a frente, apontou para uma passagem. — O Evangelho de Filipe é sempre um bom sítio para se começar.

Sophie leu a passagem:

E a companheira do Salvador é Maria Madalena. Cristo amava-a mais do que a todos os discípulos e costumava beijá-la muitas vezes na boca. Os outros discípulos sentiam-se ofendidos por isto e expressavam a sua desaprovação. Perguntavam-lhe: «Porque é que a amas mais do que a todos nós?»

As palavras surpreenderam Sophie, mas não lhe pareceram de modo algum conclusivas.

— Não diz aqui nada a respeito de casamento.

— *Au contraire.* — Teabing sorriu, apontando para a primeira linha. — Como qualquer estudioso do aramaico lhe dirá, a palavra *companheira*, naquele tempo, significava literalmente *esposa.*

Langdon corroborou com um aceno de cabeça.

Sophie voltou a ler a primeira linha. *E a companheira do Salvador é Maria Madalena.*

Teabing voltou a folhear o livro, apontando várias outras passagens que, para espanto de Sophie, sugeriam claramente que Madalena e Jesus partilhavam uma relação romântica. Ao ler aqueles textos, recordou o irado padre que batera à porta do avô quando ela era uma colegial.

— É aqui que mora Jacques Saunière? — perguntou o padre, fulminando com o olhar a jovem Sophie quando ela abriu a porta. — Quero falar com ele a respeito deste editorial que escreveu! — E o padre agitou um jornal.

Sophie foi chamar o avô e os dois homens desapareceram no escritório e fecharam a porta. *O meu avô escreveu qualquer coisa num jornal?* Sophie correu imediatamente para a cozinha e folheou o jornal da manhã. Encontrou o nome do avô num artigo publicado na segunda página. Leu-o. Não compreendeu tudo o que era ali dito, mas parecia que o governo francês, cedendo às pressões dos padres, proibira um filme americano chamado *A Última Tentação de Cristo*, que era a respeito de Jesus ter relações sexuais com uma senhora chamada Maria Madalena. O avô dizia que a Igreja era arrogante e fizera mal ao proibir o filme.

Não admira que o padre esteja zangado, pensou Sophie.

— É pornografia! Sacrilégio! — gritou o padre, emergindo do escritório e avançando furiosamente para a porta da rua. — Como é que pode avalizar uma coisa destas? Este americano, este Martin Scorsese, é um blasfemo, e a Igreja não lhe permitirá um púlpito em França! — E o padre bateu com a porta ao sair.

Quando o avô entrou na cozinha e viu Sophie com o jornal, franziu o sobrolho.

— És rápida — observou.

— Achas que Jesus Cristo tinha uma namorada? — perguntou ela.

— Não, querida, só disse que a Igreja não devia ser autorizada a dizer-nos o que podemos ou não podemos pensar.

— Jesus tinha uma namorada?

O avô ficou silencioso por um longo momento.

— Seria assim tão mau se tivesse?

Sophie considerou o caso e encolheu os ombros.

— Por mim, não me importava.

Sir Leigh Teabing continuava a falar:

— Não vou aborrecê-la com todas as referências à união entre Jesus e Madalena. O tema tem sido explorado *ad nauseam* pelos historiadores modernos. Gostaria, no entanto, de fazer notar o seguinte. — Apontou para outra passagem. — É do Evangelho de Maria Madalena.

Sophie nem sequer sabia que havia um evangelho de Maria Madalena. Leu o texto:

E Pedro perguntou: «É verdade que o Salvador falou com uma mulher sem nos dar conhecimento? Teremos agora de voltar-nos para ela e escutar o que diz? Preferiu-a a nós?»

E Levi respondeu: «Pedro, sempre foste um exaltado. Agora vejo-te a combater esta mulher como se ela fosse um adversário. Se o Salvador a achou digna, quem és tu para rejeitá-la? Certamente o Salvador conhece-a muito bem. Por isso a amou mais do que a nós.»

— A mulher de que estão a falar é Maria Madalena — explicou Teabing. — Pedro tem ciúmes dela.

— Porque Jesus preferia Maria.

— Não só isso. O que estava em jogo era muito mais importante do que simples afectos. Neste ponto dos Evangelhos, Jesus suspeita de que em breve será preso e crucificado. Por isso dá a Madalena instruções sobre como conduzir a sua Igreja depois de Ele ter desaparecido. Pedro expressa o seu descontentamento por ter de obedecer a uma mulher. Diria que este Pedro era bastante sexista.

Sophie estava a tentar não se perder.

— Estamos a falar de *São* Pedro. A rocha sobre a qual Jesus construiu a sua Igreja?

— Ele mesmo, com uma pequena diferença. Segundo estes evangelhos não adulterados, não foi a *Pedro* que Jesus deu instruções sobre como estabelecer a Igreja Cristã. Foi a *Maria Madalena.*

Sophie olhou para ele.

— Está a dizer-me que a Igreja Cristã devia ter sido continuada por uma *mulher*?

— Era esse o plano. Jesus foi o primeiro dos feministas. Queria que o futuro da sua Igreja ficasse nas mãos de Maria Madalena.

— E Pedro não aprovava — interveio Langdon, apontando para *A Última Ceia.* — É aquele, ali. Vê-se que da Vinci sabia muito bem o que Pedro pensava de Maria Madalena.

Mais uma vez, Sophie ficou sem palavras. Na pintura, Pedro inclinava-se ameaçadoramente para Maria Madalena e passava a mão esticada pelo pescoço dela, como uma faca. O mesmo gesto que na *Madonna dos Rochedos!*

— E aqui também — continuou Langdon, indicando o grupo de discípulos mais perto de Pedro. — Não pressagia nada de bom, pois não?

Sophie concentrou a atenção e viu uma mão a emergir do grupo de discípulos.

— Aquela mão empunha uma *adaga*?

— Exactamente. E, o que é ainda mais estranho, se contar os braços, verificará que essa mão pertence... a ninguém. É uma mão sem corpo. Anónima.

Sophie começava a sentir-se esmagada.

— Peço desculpa, mas continuo a não ver como é que tudo isto faz de Maria Madalena o Santo Graal.

— Ah! — exclamou Teabing uma vez mais. — Aí é que está a questão! — Voltou-se de novo para a mesa e tirou do monte um grande mapa, que desdobrou diante dela. Era uma espécie de elaborada genealogia — Poucas pessoas sabem que Maria Madalena, além de ser o braço direito de Cristo, era já uma mulher poderosa.

Sophie leu o título da árvore genealógica.

A TRIBO DE BENJAMIM

— Maria Madalena está aqui — disse Teabing, apontando um lugar perto do topo da genealogia.

Sophie ficou surpreendida.

— Madalena pertencia à Casa de Benjamim?

— É verdade — respondeu Teabing. — Maria Madalena era de descendência real.

— Mas sempre pensei que fosse pobre.

Teabing abanou a cabeça.

— Madalena foi apresentada como prostituta com o objectivo de esconder as provas das suas poderosas ligações familiares.

Sophie deu por si a olhar para Langdon, que mais uma vez corroborou. Voltou-se de novo para Teabing.

— Mas que diferença fazia à Igreja primitiva que Maria Madalena tivesse sangue real?

Teabing sorriu.

— Minha querida, não era o sangue real de Maria Madalena que tanto preocupava a Igreja, e sim o seu casamento com Cristo, que *também* tinha sangue real. Como sabe, Mateus diz-nos que Jesus pertencia à Casa de David. Um descendente de Salomão... rei dos Judeus. Ao casar com uma mulher da poderosa Casa de Benjamim, Jesus fundia duas linhagens reais, criando uma união política com potencial para apresentar uma legítima pretensão ao trono e restaurar a linha de reis tal como vinha de Salomão.

Sophie sentiu que ele estava quase a chegar ao fulcro da questão. Teabing parecia agora extremamente excitado.

— A lenda do Santo Graal é uma lenda a respeito de sangue real. Quando a lenda do Graal fala do «cálice que conteve o sangue de Cristo...», está, na realidade, a falar de Maria Madalena... o útero feminino que conteve a linhagem real de Jesus.

As palavras pareceram ecoar nas paredes do salão de baile antes que o cérebro de Sophie as registasse. *Maria Madalena conteve a linhagem real de Jesus Cristo?*

— Mas como podia Cristo ter uma linhagem real a menos...? — Fez uma pausa e olhou par Langdon.

Langdon sorriu-lhe docemente.

— A menos que tivessem um filho.

Sophie ficou petrificada.

— Vede — proclamou Teabing — a maior operação de encobrimento de toda a História! Jesus não só era casado, como também era pai. Minha querida, Maria Madalena era o Vaso Sagrado. Era o cálice que conteve o sangue real de Jesus. Foi o útero que gerou a linhagem, e a vinha de onde nasceu o fruto sagrado!

Sophie sentiu os pêlos dos braços eriçarem-se-lhe.

— Mas como poderia um segredo dessa importância permanecer escondido durante todos estes anos?

— Céus! — exclamou Teabing. — Esteve tudo *menos* escondido! A linhagem real de Jesus Cristo está na origem da mais duradoura lenda de todos os tempos: o Santo Graal. A história de Madalena tem vindo a ser gritada do alto dos telhados desde há séculos através de todo o género de metáforas e em todas as línguas. Está em todo o lado, para quem tenha os olhos abertos.

— E os documentos Sangreal? — perguntou Sophie. — Contêm alegadamente provas de que Jesus teve uma linhagem real?

— Sim.

— Então, toda a lenda do Santo Graal tem a ver com sangue real?

— Muito literalmente — respondeu Teabing. — A palavra *Sangreal* deriva de *San Greal*... Santo Graal. Mas na sua forma mais antiga, a palavra *Sangreal* dividia-se de maneira diferente. — Teabing rabiscou num pedaço de papel, que lhe estendeu.

Sophie leu o que ele tinha escrito:

Sang Real

Reconheceu imediatamente a tradução.

Sang Real significava literalmente *Sangue Real*.

CAPÍTULO CINQUENTA E NOVE

O recepcionista instalado no átrio de entrada do quartel-general da Opus Dei em Nova Iorque ficou surpreendido ao ouvir pelo telefone a voz do bispo Aringarosa.

— Boa noite, Eminência.

— Alguma mensagem para mim? — perguntou o bispo, parecendo invulgarmente ansioso.

— Sim, Eminência. Ainda bem que telefonou. Não consegui apanhá-lo no seu apartamento. Teve uma mensagem telefónica urgente há cerca de uma hora.

— Sim? — Aringarosa pareceu aliviado pela notícia. — A pessoa que telefonou deixou algum nome?

— Não, Eminência, apenas um número. — E o recepcionista repetiu o número.

— Prefixo trinta e três? É França, não é?

— Exacto, Eminência. Paris. O senhor que telefonou disse que era de importância crucial que o contactasse imediatamente.

— Obrigado. Tenho estado à espera desse telefonema — disse, Aringarosa, e desligou imediatamente.

Enquanto pousava o auscultador, o recepcionista perguntou a si mesmo por que razão a ligação parecera tão má. O horário do bispo Aringarosa mostrava-o em Nova Iorque nesse fim-de-semana, mas parecera estar a meio mundo de distância. O homem encolheu os ombros. O bispo Aringarosa andava a comportar-se de uma maneira estranha havia já vários meses.

O meu telemóvel deve ter estado sem recepção, pensou Aringarosa enquanto o *Fiat* se aproximava da saída do aeroporto Ciampino, reservado a voos *charter*, em Roma. *O* Professor *esteve a tentar contactar-me.* Apesar de preocupado por ter perdido a chamada, o facto de o *Professor* se sentir suficientemente confiante para ligar directamente para o quartel-general da Opus Dei em Nova Iorque encorajava-o. *As coisas devem ter corrido bem em Paris esta noite.*

Marcou o número que lhe tinha sido dado, sentindo a excitação de saber que muito em breve estaria em Paris. *Chegarei lá antes da madrugada.* Um pequeno jacto alugado esperava-o para o curto voo até França. As companhias comerciais não eram uma opção àquela hora, sobretudo considerando o conteúdo da maleta.

Ouviu o toque de chamada.

— *Direction Centrale Police Judiciaire* — disse uma voz de mulher.

Aringarosa hesitou. Aquilo era inesperado.

— Ah, sim... Pediram-me para ligar para este número?

— *Qui êtes-vous?* — perguntou a mulher. — O seu nome, por favor?

Aringarosa não sabia muito bem se devia ou não fornecer esta informação. *A Polícia Judiciária francesa?*

— O seu *nome, monsieur*? — insistiu a mulher.

— Bispo Manuel Aringarosa.

— *Un moment.* — Houve um clique na linha.

Ao cabo de um longo momento, uma voz de homem, áspera e preocupada.

— Eminência, ainda bem que finalmente consigo contactá-lo. Eu e o senhor temos muito que discutir.

CAPÍTULO SESSENTA

Sangreal... *Sang Real... San Greal... Sangue Real... Santo Gral.* Estava tudo interligado.

O Santo Graal é Maria Madalena... a mãe da linhagem real de Jesus Cristo. Sophie sentiu uma nova onda de desorientação submergi-la, ali de pé no antigo salão de baile, a olhar para Robert Langdon. Quantas mais peças Langdon e Teabing punham em cima da mesa, mais imprevisível o *puzzle* se tornava.

— Como vê, minha querida — disse Teabing, coxeando até uma das estantes —, Leonardo não é o único que tem tentado dizer ao mundo a verdade a respeito do Santo Graal. A linhagem real de Cristo tem sido estudada ao pormenor por dezenas de historiadores. — Passou o dedo por uma fila de várias dúzias de livros.

Sophie inclinou a cabeça e leu alguns dos títulos:

A REVELAÇÃO DOS TEMPLÁRIOS:
Guardiães Secretos da Verdadeira Identidade de Cristo

A MULHER COM A JARRA DE ALABASTRO.
Maria Madalena e o Santo Graal

A DEUSA NOS EVANGELHOS
Reclamando o Sagrado Feminino

— Este é, talvez, o mais conhecido de todos — disse Teabing, tirando um já muito usado livro encadernado do monte e estendendo-lho.

Tinha escrito na capa.

SANTO SANGUE, SANTO GRAAL
O Best-seller Internacionalmente Aclamado

Sophie ergueu os olhos.

— Um *best-seller* internacional? Nunca ouvi falar dele.

— Era muito nova. Este livro causou enorme polémica nos anos 80. Em minha opinião, os autores fazem na sua análise algumas conjecturas pouco sustentadas, mas a premissa fundamental é sólida, e cabe-lhes o mérito de terem finalmente trazido para a ribalta a ideia de linhagem de Cristo.

— Qual foi a reacção da Igreja?

— Escandalizada, claro. Mas já era de esperar. Trata-se, ao fim e ao cabo, de um segredo que o Vaticano tinha tentado enterrar no século IV. Em parte, foi essa a intenção das cruzadas. Reunir e destruir informação. A ameaça que Maria Madalena representava para os homens da Igreja primitiva era potencialmente ruinosa. Era não só a mulher a quem Cristo confiara a missão de criar a sua Igreja, como também tinha provas físicas de que a recém-proclamada *divindade* da Igreja gerara um linhagem mortal. Para se proteger de Maria Madalena, a Igreja perpetuou a sua imagem como meretriz e escondeu as provas do casamento de Cristo com ela, despoletando deste modo quaisquer potenciais afirmações de que Cristo deixara descendência e era um profeta mortal.

Sophie olhou para Langdon, que assentiu.

— Sophie, as provas históricas que apoiam tudo isto são substanciais.

— Admito — continuou Teabing — que estas afirmações são assustadoras, mas tem de compreender que a Igreja tinha poderosas motivações para promover um encobrimento desta amplitude. Nunca teria conseguido sobreviver ao conhecimento público de que Cristo deixara descendência. Um filho de Jesus minaria a não crucial divindade de Cristo, e logo da Igreja Cristã, que se declarara o único vaso através do qual a humanidade podia aceder ao divino e obter entrada no reino dos céus.

— A rosa de cinco pétalas — disse Sophie, apontando subitamente para a lombada de um dos livros de Teabing. *Exactamente o mesmo desenho que está embutido na caixa de roseira.*

Teabing olhou para Langdon e sorriu.

— Tem bom olho. — Voltou-se de novo para Sophie. — É o símbolo do Priorado para o Graal. Maria Madalena. Porque o seu nome era proibido pela Igreja, Maria Madalena tornou-se secretamente conhecida por muitos pseudónimos... o Cálice, o Santo Graal e a Rosa. — Fez uma pausa. — A Rosa tem ligações com o pentáculo de Vénus e com a rosa-dos-ventos da bússola. A propósito, a palavra *rose* é idêntica em francês, inglês, alemão e em muitas outras línguas.

— *Rose* — acrescentou Langdon — é também o anagrama de Eros, o deus grego do amor sexual.

Sophie lançou-lhe um olhar surpreendido, e Teabing prosseguiu:

— A rosa sempre foi o principal símbolo da sexualidade feminina. Nos primitivos cultos da deusa, as cinco pétalas representavam os cinco estádios da vida feminina: nascimento, menstruação, maternidade, menopausa e morte. Nos tempos modernos, as ligações da rosa à feminilidade são consideradas mais visuais. — Olhou para Robert. — Talvez o simbologista possa explicar?

Robert hesitou. Demasiado tempo.

— Oh, céus! — bufou Teabing. — Vocês, os Americanos, são tão pudicos. — Olhou para Sophie. — Aquilo que tanto atrapalha o Robert é o facto de a rosa desabrochada fazer lembrar o órgão genital feminino, a flor sublime através da qual toda a humanidade chega a este mundo. E se alguma vez viu um quadro de Georgia O'Keeffe, sabe exactamente do que estou a falar.

— A questão aqui — interveio Langdon, apontando para a estante — é que todos estes livros substanciam a mesma afirmação histórica.

— Que Jesus era pai — disse Sophie, ainda insegura.

— Sim — corroborou Teabing —, e que Maria Madalena foi o útero que conteve a sua linhagem real. Ainda hoje, o Priorado de Sião continua a venerar Maria Madalena como a Deusa, o Santo Graal, a Rosa e a Mãe Divina.

O ritual a que assistira na cave voltou a passar como um relâmpago pelo espírito de Sophie.

— De acordo com os ensinamentos do Priorado — continuou Teabing, — Maria Madalena estava grávida na altura da crucifixão.

Para garantir a segurança do filho ainda não nascido de Jesus Cristo, não teve outro remédio senão fugir da Terra Santa. Com a ajuda do tio de Jesus, José de Arimateia, chegou a França, na altura conhecida como Gália, onde encontrou um refúgio seguro entre a comunidade judaica. Foi aqui, em França, que deu à luz uma filha. Que se chamou Sara.

Sophie ergueu vivamente a cabeça.

— Até sabem o *nome* da criança?

— Sabem muito mais do que isso. As vidas de Madalena e de Sara foram escrupulosamente registadas pelos seus protectores judeus. Não esqueça que a filha de Madalena pertencia à linhagem dos reis hebraicos: David e Salomão. Por este motivo, os judeus da Gália consideravam-na um membro sagrado da realeza e reverenciavam-na como progenitora de uma linhagem real. Inúmeros eruditos dessa época registaram a estada de Madalena em França, incluindo o nascimento de Sara e a subsequente árvore genealógica.

Sophie estava estupefacta.

— Há uma *árvore genealógica* de Jesus Cristo?

— Sem dúvida. Que é considerada uma das pedras basilares dos documentos Sangreal. Uma genealogia completa dos primeiros descendentes de Cristo.

— Mas para que serve uma genealogia documentada da linhagem de Cristo? — perguntou Sophie. — Não constitui prova. Os historiadores não têm qualquer possibilidade de confirmar-lhe a autenticidade.

Teabing riu-se.

— Exactamente a mesma que têm de confirmar a autenticidade da Bíblia.

— Querendo com isso dizer...?

— Querendo com isto dizer que a História é sempre escrita pelos vencedores. Quando duas culturas se chocam, a que perde é obliterada, e a que vence escreve os livros de História... livros que exaltam a sua própria causa e menosprezam a do inimigo derrotado. Como Napoleão certa vez disse, «O que é a História senão uma fábula em relação à qual todos estão de acordo?» — Sorriu. — Mas, pela sua própria natureza, a História é sempre um relato unilateral.

Sophie nunca tinha pensado no assunto naqueles termos.

— Os documentos Sangreal contam simplesmente o outro lado da história de Cristo. No fim, em que lado cada um acredita acaba por ser uma questão de fé e de exploração pessoal, mas pelo menos a informação sobreviveu. Os documentos Sangreal incluem dezenas de milhar de páginas de informação. Testemunhas oculares do tesouro Sangreal dizem-nos que era transportado em quatro grandes baús. Pensa-se que nesses baús se encontram os *Documentos Puristas*... milhares de páginas de documentos anteriores a Constantino, intocados, escritos pelos primeiros seguidores de Cristo, que o reverenciam como mestre e profeta inteiramente humano. Desse tesouro faria igualmente parte, diz-se, o lendário *Documento «Q»*... um manuscrito em cuja existência até o Vaticano admite acreditar. Alegadamente, é um livro que contém os ensinamentos de Jesus, talvez até escrito pelo seu próprio punho.

— Escrito pelo próprio Cristo? — exclamou Sophie

— Evidentemente — respondeu Teabing. — Porque não haveria Jesus de manter um registo do seu próprio ministério? A maior parte das pessoas fazia-o, naquele tempo. Outro documento explosivo que se acredita pertencer ao tesouro é um manuscrito chamado O Diário de Madalena... *o relato p*essoal de Maria Madalena do seu relacionamento com Cristo, da crucifixão e da sua estada em França.

Sophie ficou silenciosa por um longo momento.

— E esses quatro baús de documentos eram o tesouro que os Templários encontraram nas ruínas do Templo de Salomão?

— Exactamente. Os documentos que tornaram os Cavaleiros tão poderosos. Os documentos que têm sido objecto de inúmeras demandas do Graal ao longo da História.

— Mas disse que o Santo Graal era *Maria Madalena.* Se as pessoas andam à procura de documentos, porque lhe chama uma demanda do Santo Graal?

Teabing olhou para ela, e a expressão suavizou-se-lhe.

— Porque o esconderijo do Santo Graal inclui um sarcófago.

Lá fora, o vento uivava nas árvores.

— A demanda do Santo Graal é literalmente uma demanda para ajoelhar diante dos ossos de Maria Madalena — continuou Teabing, num tom agora mais calmo. — Uma jornada para rezar aos pés da ostracizada, do sagrado feminino perdido.

Sophie sentiu um espanto inesperado.

— O esconderijo do Santo Graal é... um *túmulo*?

Os olhos cor de avelã de Teabing adquiriram um ar sonhador.

— Sim, um túmulo que contém o corpo de Maria Madalena e os documentos que contam a verdadeira história da sua vida. No fundo, a demanda do Santo Graal sempre foi uma busca de Madalena... a rainha despojada, sepultada com as provas do legítimo direito da sua família ao poder.

Sophie aguardou um instante enquanto Teabing se recompunha. Havia tanta coisa a respeito do avô que continuava a não fazer sentido.

— E, durante todos estes anos, os membros do Priorado têm cumprido a missão de proteger o Sangreal e o Túmulo de Maria Madalena?

— Sim, mas a irmandade tinha também um outro dever, ainda mais importante: proteger a própria *linhagem* de Cristo. Que estava em perigo constante. A Igreja primitiva receava que se fosse permitido a essa linhagem desenvolver-se, o segredo de Jesus e Madalena acabaria eventualmente por vir à tona e pôr em causa a doutrina católica fundamental: a de um Messias divino que nunca casou nem nunca teve uma união sexual. — Fez uma pausa. — Apesar disso, a linha de Cristo cresceu secretamente em França até que, no século v, num golpe de ousadia, se misturou pelo casamento com o sangue real francês e deu origem a uma linhagem que conhecemos como dos Merovíngios.

A notícia surpreendeu Sophie. Merovíngios era uma palavra que todos os estudantes franceses conheciam.

— Os Merovíngios fundaram Paris.

— Exacto. Essa é uma das razões por que a lenda do Graal é tão rica em França. Muitas das demandas do Graal levadas a cabo pelo Vaticano neste país foram na realidade missões secretas que tinham como objectivo eliminar membros da linhagem real. Já ouviu falar do rei Dagoberto?

Sophie recordava vagamente o nome de um sanguinolento episódio ouvido numa aula de História.

— Dagoberto foi um rei merovíngio, não foi? Apunhalado num olho enquanto dormia?

— Exacto. Assassinado pelo Vaticano em conluio com Pepino de Heristal. Em finais do século vii. Com a morte de Dagoberto, a linhagem merovíngia quase se extinguiu. Felizmente, Sigisberto, filho de Dagoberto, escapou aos assassinos e manteve a linhagem... que mais tarde incluiu Godofredo de Bulhão, fundador do Priorado de Sião.

— O mesmo Godofredo — interpôs Langdon — que ordenou aos Cavaleiros do Templo que recuperassem os documentos Sangreal das ruínas do Templo de Salomão e deste modo forneceu aos Merovíngios provas das suas ligações hereditárias a Jesus Cristo.

Teabing assentiu, deixando escapar um fundo suspiro.

— Os deveres do moderno Priorado de Sião são esmagadores. Está encarregado de uma tripla tarefa. A irmandade tem de proteger os documentos Sangreal, tem de proteger o túmulo de Maria Madalena e, claro, tem de manter e proteger a linhagem de Cristo... os poucos membros da linha de sangue dos Merovíngios que chegaram até aos tempos modernos.

As palavras ficaram como que suspensas no espaço enorme, e Sophie sentiu uma estranha vibração, como se os seus ossos reverberassem com uma nova espécie de verdade. Descendentes de Jesus que sobreviveram até aos tempos modernos? Ouviu a voz do avô murmurar-lhe uma vez mais ao ouvido. *Princesa, tenho de dizer-te a verdade a respeito da tua família.*

Um arrepio percorreu-lhe a pele.

Sangue real.

Não conseguia sequer imaginá-lo.

Princesa Sophie.

— *Sir* Leigh? — A voz do mordomo crepitou no intercomunicador colocado na parede, e Sophie deu um salto. — Seria possível vir à cozinha por um instante?

A inoportuna intrusão fez Teabing franzir o sobrolho. Aproximou-se do intercomunicador e premiu o botão.

— Rémy, como sabes, estou ocupado com os meus convidados. Se precisarmos de alguma coisa da cozinha, nós próprios trataremos disso. Obrigado e boa noite.

— Preciso de dar-lhe uma palavra antes de me deitar, *Sir.* Se tiver a bondade.

Teabing resmungou e premiu o botão.

— Curto e conciso, Rémy.

— É uma questão que tem a ver com a casa, *Sir.* Não creio que interesse aos convidados.

Teabing fez um ar incrédulo.

— E não pode esperar até de manhã?

— Não, senhor. Tomo-lhe apenas um minuto.

Teabing rolou os olhos nas órbitas, voltando-se para Langdon e para Sophie.

— Há alturas em que pergunto a mim mesmo quem serve quem. — Voltou a premir o botão. — Vou já Rémy. Queres que te leve alguma coisa?

— Só libertação da opressão, senhor.

— Rémy, sabes bem que o teu *stake au poivre* é a única razão por que continuas a trabalhar para mim.

— Como não se cansa de me dizer, senhor.

CAPÍTULO SESSENTA E UM

Princesa Sophie.

Sophie sentiu-se vazia por dentro enquanto ouvia o cliquetear das muletas de Teabing afastar-se pelo corredor. Aturdida, voltou-se para enfrentar Langdon no salão de baile deserto. Ele já estava a abanar a cabeça, como se pudesse ler-lhe os pensamentos.

— Não, Sophie — murmurou, procurando tranquilizá-la com o olhar. — A ideia passou-me pela cabeça quando soube que o seu avô pertencia ao Priorado e a Sophie me disse que ele queria contar-lhe um segredo a respeito da sua família. Mas é impossível. — Langdon fez uma pausa. — Saunière não é um nome merovíngio.

Sophie não sabia muito bem se devia sentir-se aliviada ou desapontada. Horas antes, Langdon perguntara-lhe, como que de passagem, qual era o nome de solteira da mãe. Chauvel. A pergunta, que lhe parecera estranha, fazia agora sentido.

— E Chauvel? — perguntou, ansiosa.

Ele voltou a abanar a cabeça.

— Lamento. Sei que responderia a algumas das suas perguntas. Só restam duas descendências directas dos Merovíngios. Os apelidos são Plantard e Saint-Clair. Ambas as famílias vivem escondidas, provavelmente protegidas pelo Priorado.

Sophie repetiu silenciosamente os nomes para si mesma, e abanou a cabeça. Não havia ninguém na família dela chamado Plantard ou Saint-Clair. Um refluxo de cansaço parecia agora querer arrastá-la. Apercebeu-se de que não estava mais perto de compreender a verdade que o avô tinha querido revelar-lhe do que quando estivera no Louvre. Desejou que ele nunca tivesse falado da família, naquela tarde. Reabrira velhas feridas que continuavam tão dolorosas como sempre. *Morreram, Sophie. Não vão voltar.* Pensou na mãe a cantar para ela adormecer, no pai a carregá-la às cavalitas, na avó e no irmão mais novo a sorrirem-lhe com aqueles ardentes olhos verdes. Tudo isso lhe fora roubado. A única coisa que lhe restara fora o avô.

E agora também ele partiu. E eu estou sozinha.

Voltou-se em silêncio para *A Última Ceia* e ficou a olhar para os longos cabelos vermelhos e para os olhos tranquilos de Maria Madalena. Havia naqueles olhos qualquer coisa que reflectia a perda de um ser amado. Também Sophie a sentia.

— Robert? — chamou, em voz baixa.

Ele aproximou-se.

— Bem sei que o Leigh disse que a história do Graal está por todo o lado à nossa volta, mas esta noite foi a primeira vez que ouvi falar de tudo isto.

Langdon deu a impressão de querer pousar uma mão reconfortante no ombro dela, mas conteve-se.

— Já tinha ouvido a história, Sophie. Toda a gente ouviu. Só que as pessoas não se apercebem disso, quando a ouvem.

— Não compreendo.

— A história do Graal está por todo o lado, mas está escondida. Quando a Igreja proibiu que se falasse da banida Maria Madalena, a sua história e importância passaram a ter de ser transmitidas por canais mais discretos... canais que suportassem a metáfora e o simbolismo.

— Claro. As artes.

Langdon apontou para a reprodução de *A Última Ceia.*

— Um exemplo perfeito. Algumas das mais duradouras formas de arte, literatura e música do nosso tempo contam secretamente a história de Maria Madalena e de Jesus.

Langdon falou-lhe rapidamente de obras de da Vinci, Botticelli, Poussin, Bernini, Mozart e Victor Hugo que falavam em murmúrios do esforço feito para restaurar o sagrado feminino. Lendas persistentes, como a de *Sir* Gwain e do Cavaleiro Verde, do rei Artur, da Bela Adormecida, eram alegorias ao Graal. *Nossa Senhora de Paris* de Victor Hugo e *A Flauta Mágica* de Mozart estavam cheias de símbolos maçónicos e de segredos do Graal.

— Quando abrimos os olhos para o Santo Graal — disse —, vemo-lo por todo o lado. Em quadros. Na música. Em livros. Até em desenhos animados, em parques temáticos e em filmes populares.

Mostrou-lhe o relógio *Rato Mickey* e contou-lhe como Walt Disney dedicara secretamente a sua vida a transmitir a história do Graal às gerações futuras. Disney sempre fora exaltado como «o Leonardo da Vinci dos tempos modernos». Ambos estavam gerações à frente das respectiva épocas, eram artistas excepcionalmente dotados, membros de sociedade secretas e, mais notavelmente, insaciáveis brincalhões. Como Leonardo, Walt Disney adorava incluir mensagens escondidas e simbolismos na sua arte. Para o simbologista treinado, assistir a um dos primeiros filmes de Disney era como ser bombardeado por uma autêntica barragem de alusões e metáforas.

A maior parte das mensagens de Disney tinha a ver com religião, mitos pagãos e histórias da deusa subjugada. Não foi por acaso que Disney recontou histórias como *A Gata Borralheira*, *A Bela Adormecida* e *Branca de Neve* — todas elas relacionadas com a encarceração do sagrado feminino. Nem era preciso ter estudos de simbolismo para perceber que *Branca de Neve* — uma princesa que caía em desgraça depois de ter mordido uma maçã envenenada — era uma clara alusão à queda de Eva no Jardim do Éden. Ou que a princesa Aurora de *A Bela Adormecida* — que, sob o nome de código de «Rosa», as fadas escondiam nas profundezas da floresta para a protegerem das garras da bruxa má — era a história do Graal contada às crianças.

Apesar da sua imagem de grande corporação, a Disney continuava a contar elementos sabedores entre os seus empregados, e os seus artistas continuavam a divertir-se a inserir simbolismos escondidos nos produtos da empresa. Langdon nunca esqueceria o dia em que um dos seus alunos levara para a aula um DVD de *O Rei Leão* e parara o filme na imagem em que a palavra SEX é claramente visível, formada por partículas de pó a flutuar no ar sobre a cabeça de Simba. Embora Langdon suspeitasse de que era mais provável tratar-se de uma traquinice estudantil de algum desenhador do que de uma alusão erudita à sexualidade humana pagã, aprendera a não subestimar o domínio da simbologia que a Disney demonstrava. *A Pequena Sereia* era uma fascinante tapeçaria de símbolos espirituais tão especificamente relacionados com a deusa que não podia de modo algum tratar-se de uma coincidência.

Quando vira *A Pequena Sereia* pela primeira vez, Langdon não conseguira abafar uma exclamação de espanto ao verificar que o quadro na casa subaquática de Ariel era nem mais nem menos do que *A Madalena Arrependida* do artista francês do século XVII Georges de la Tour — uma famosa homenagem à banida Madalena —, uma decoração adequada, considerando que o filme era uma colagem com noventa minutos de óbvias referências à santidade perdida de Ísis, Eva, Pisces, a deusa-peixe, e, repetidamente, Madalena. O nome da Pequena Sereia, Ariel, tinha poderosas ligações ao sagrado feminino e, no Livro de Isaías, era sinónimo de «Cidade Santa sitiada». E claro que os ondulantes cabelos vermelhos da sereiazinha também não podiam ser uma coincidência.

O cliquetear das muletas de Teabing aproximava-se pelo corredor, a um passo invulgarmente vivo. Quando o dono da casa entrou no estúdio, a sua expressão era severa.

— É melhor explicar-se, Robert — disse, friamente. — Não foi honesto para comigo.

CAPÍTULO SESSENTA E DOIS

— Estou a ser falsamente incriminado, Leigh — disse Langdon, tentando manter-se calmo. *Conheces-me. Sabes que não matei ninguém.*

O tom de Teabing não se suavizou:

— Robert, a sua fotografia está na televisão, pelo amor de Deus. Sabia que era procurado pelas autoridades?

— Sabia.

— Então abusou da minha confiança. Espanta-me que tenha tido o desplante de vir a minha casa e incitar-me a dissertar sobre o Graal para poder esconder-se da Polícia.

— Não matei ninguém.

— O Jacques Saunière está morto e a Polícia diz que foi o Robert que o matou. — Teabing pareceu subitamente entristecido. — Um tão grande amigo das artes...

— *Sir?* — O mordomo tinha aparecido à porta do estúdio, de braços cruzados atrás de Teabing. — Deseja que os ponha na rua?

— Eu mesmo o faço. — Teabing coxeou até ao outro lado do estúdio e abriu as portadas de uma ampla janela de sacada que dava para um relvado natural. — Por favor, procurem o vosso carro e vão-se embora.

Sophie não se mexeu de onde estava.

— Temos informações sobre a *Clef de Voûte*. A Chave de Abóbada do Priorado.

Teabing ficou a olhar para ela durante vários segundos, e então sorriu desdenhosamente.

— Uma tentativa desesperada. O Robert sabe como eu a tenho procurado.

— Ela está a dizer a verdade — interveio Langdon. — Foi por isso que viemos aqui esta noite. Para falar sobre a Chave de Abóbada.

O mordomo avançou um passo.

— Saiam, ou terei de chamar as autoridades.

— Leigh — sussurrou Langdon. — Sabemos onde está.

Teabing pareceu ter um momentâneo desequilíbrio.

Rémy avançava, rígido, pela sala.

— Saiam imediatamente. Ou usarei da força...

— Rémy! — Teabing voltou-se vivamente para o mordomo. — Desculpa-nos por um momento.

O queixo de Rémy deu a impressão de ir cair.

— Senhor? Sou forçado a protestar. Estas pessoas são...

— Eu trato disto — disse Teabing, apontando para o corredor.

Ao cabo de um instante de aturdido silêncio, Rémy retirou-se, de cabeça baixa como um cão escorraçado.

A fresca brisa nocturna entrava pelas portas abertas. Teabing voltou-se para Sophie e para Langdon, com uma expressão ainda desconfiada.

— É melhor que isto seja bom. O que é que sabem a respeito da Chave de Abóbada?

Escondido na espessura dos arbustos fora do estúdio de Teabing, Silas apertou a coronha da pistola e espreitou através das portas de vidro. Apenas momentos antes, contornara a casa e vira Langdon e a mulher a conversar no grande estúdio. Antes que pudesse avançar, aparecera um homem de muletas, gritara com Langdon, abrira as portas e pedira aos dois que saíssem, *Então, a mulher falou da Chave de Abóbada, e tudo mudou.* Os gritos transformaram-se em sussurros. A tensão desaparecera. E as portas tinham sido rapidamente fechadas.

Agora, acocorado nas sombras, Silas espreitava através dos vidros. *A Chave de Abóbada está algures dentro desta casa.* Sentia-a.

Mantendo-se no escuro, aproximou-se muito lentamente, desejoso de ouvir o que estava a ser dito. Ia dar-lhes cinco minutos. Se não revelassem onde tinham escondido a Chave de Abóbada, teria de entrar e convencê-los à força.

Dentro do estúdio, Langdon sentia o espanto do seu anfitrião.

— Grão-Mestre? — engasgou-se Teabing, olhando para Sophie. — O Jacques Saunière?

Sophie assentiu, vendo o choque nos olhos dele.

— Mas como é que pode saber uma coisa dessas?

— Jacques Saunière era meu avô.

Teabing recuou um passo, como se lhe tivessem batido, e olhou para Langdon, que assentiu com a cabeça. Teabing voltou-se de novo para Sophie.

— Menina Neveu, estou sem palavras. Se isto é verdade, então lamento muito sinceramente a sua perda. Tenho de admitir que, para as minhas pesquisas, coligi listas de homens de Paris que me pareciam ser bons candidatos a estar envolvidos com o Priorado. Jacques Saunière fazia parte dessas listas, juntamente com muitos outros. Mas Grão-Mestre, diz? Quem imaginaria. — Ficou calado por um instante, e então abanou a cabeça. — Mas continua a não fazer sentido. Mesmo que o seu avô *fosse* o Grão-Mestre do Priorado e tivesse criado com as suas próprias mãos a Chave de Abóbada, *nunca* lhe diria como encontrá-la. A Chave de Abóbada indica o caminho para o maior tesouro da irmandade. Neta ou não, não estava à altura de receber um tal conhecimento.

— O senhor Saunière estava a morrer quando transmitiu as informações — explicou Langdon. — Não tinha muito por onde escolher.

— Não *precisava* de escolher — argumentou Teabing. — Há três senescais que também conhecem o segredo. É aí que reside a beleza do sistema. Um deles ascenderá a Grão-Mestre e escolherão outro senescal, a quem revelarão o segredo.

— Suponho que não viu o noticiário completo — disse Sophie. — Além do meu avô, três outros destacados parisienses foram assassinados esta noite. Todos da mesma maneira. Todos parecem ter sido interrogados.

Teabing deixou cair o queixo.

— E está convencida de que eram...

— Os senescais — completou Langdon.

— Mas como? Era absolutamente impossível a um assassino descobrir as identidades de todos os quatro membros do escalão superior do Priorado de Sião! Olhem para *mim*, ando a investigar há décadas, e não sei o nome de *um* único membro do Priorado. Parece inconcebível que todos os senescais e o Grão-Mestre pudessem ser descobertos e mortos num só dia.

— Duvido que a informação tenha sido recolhida num só dia — disse Sophie. — Tem todo o ar de uma *décapitation* bem planeada. É uma técnica que usamos para combater os sindicatos do crime organizado. Quando a DCPJ quer atacar um dos grupos, senta-se e observa e escuta silenciosamente durante meses, identifica todos os principais jogadores, e quando avança, apanha-os todos ao mesmo tempo. Decapitação. Sem chefes, o grupo mergulha no caos e divulga novas informações. É possível que alguém tenha vigiado atentamente o Priorado e então dado o golpe, na esperança de que os membros do topo revelassem a localização da Chave de Abóbada.

Teabing não parecia convencido.

— Mas os irmãos nunca falariam. Todos eles juram guardar segredo. Mesmo com risco da própria vida.

— Exactamente — disse Langdon. — Quero dizer, se nunca revelassem o segredo, e fossem todos mortos...

Teabing deixou escapar uma exclamação.

— A localização da Chave de Abóbada perder-se-ia para sempre!

— E com ela — completou Langdon — a localização do Santo Graal.

O corpo de Teabing pareceu vacilar sob o peso das palavras de Langdon. Então, como se estivesse demasiado exausto para continuar de pé mais um instante que fosse, deixou-se cair numa cadeira e ficou a olhar para a janela.

Sophie aproximou-se e falou-lhe docemente:

— Considerando a situação em que o meu avô se encontrava, parece possível que, em desespero de causa, tenha tentado passar o segredo a alguém fora da irmandade. Alguém em que julgasse poder confiar. Alguém da família.

Teabing estava pálido.

— Mas alguém capaz de um tal ataque... de descobrir tanta coisa a respeito da irmandade... — Fez uma pausa, irradiando um novo medo. — Só pode tratar-se de uma força. Este tipo de infiltração só podia ter vindo do mais antigo inimigo do Priorado.

Langdon ergueu os olhos.

— A Igreja.

— Quem mais? Há séculos que Roma procura o Graal.

Sophie estava céptica.

— Acham que a *Igreja* matou o meu avô?

— Não seria a primeira vez na História que a Igreja matava para se proteger — respondeu Teabing. — Os documentos que acompanham o Santo Graal são explosivos, e há muito que a Igreja quer destruí-los.

Langdon estava a ter dificuldade em aceitar a premissa de Teabing de que a Igreja era capaz de matar abertamente pessoas para obter aqueles documentos. Tendo conhecido o novo Papa e muitos dos cardeais, sabia que eram homens profundamente espirituais que nunca consentiriam num assassínio. *Fosse o que fosse que estivesse em jogo.*

Sophie era, aparentemente, da mesma opinião.

— Não será possível que os membros do Priorado tenham sido mortos por alguém *exterior* à Igreja? Alguém que não compreenda o que o Graal realmente é? A Taça de Cristo seria, ao fim e ao cabo, um tesouro muito aliciante. Certamente que já houve caçadores de tesouros que mataram por muito menos.

— A experiência diz-me — declarou Teabing — que as pessoas são capazes de ir muito mais longe por causa daquilo que temem do que por causa daquilo que desejam. Detecto algum desespero neste ataque ao Priorado.

— O argumento é paradoxal — contrariou Langdon. — Porque haveriam os membros do clero católico de *assassinar* membros do Priorado numa tentativa de obter e destruir documentos que, de todos os modos, consideram falsos testemunhos?

Teabing deixou escapar um risinho.

— As torres de marfim de Harvard amoleceram-no, Robert. Sim, o clero de Roma foi abençoado com uma fé poderosa, e, por causa disso, as suas crenças conseguem suportar qualquer tormenta, incluindo documentos que contradizem tudo o que consideram sagrado. Mas, e o resto do mundo? E aqueles que não foram abençoados com uma certeza tão absoluta? E aqueles que olham para a crueldade de que o mundo é hoje palco e perguntam, onde está Deus? Os que olham para os escândalos da Igreja e perguntam, quem *são* estes homens que afirmam dizer a verdade a respeito de Cristo e no entanto mentem para esconder o abuso sexual de crianças praticado pelos seus sacerdotes? — Teabing fez uma pausa. — O que é que acontece a *essas* pessoas, Robert, se vêm a lume provas científicas convincentes de que a versão da Igreja da história de Cristo é falsa e que a maior história jamais contada é na verdade a maior história jamais *impingida*?

Langdon não respondeu.

— Eu digo-lhe o que acontece se esses documentos são revelados — continuou Teabing. — O Vaticano enfrenta uma crise de fé sem precedentes nos seus dois mil anos de história.

— Mas se é a Igreja a responsável por este ataque — perguntou Sophie, ao cabo de um longo silêncio —, porque foi que só agiram agora? Passados todos estes anos? O Priorado mantém os documentos Sangreal escondidos. Não representam qualquer ameaça directa para a Igreja.

Teabing deixou escapar um ominoso suspiro e lançou um olhar a Langdon.

— Robert, assumo que está a par da missão final do Priorado.

O pensamento fez Langdon conter a respiração.

— Estou — disse.

— Menina Neveu — continuou Teabing —, há muitos anos que a Igreja e o Priorado mantêm um entendimento tácito. Ou seja, a Igreja não ataca o Priorado, e o Priorado conserva os documentos Sangreal escondidos. — Fez uma pausa. — No entanto, parte da história do Priorado sempre incluiu um plano para desvendar o segredo. A irmandade planeia, numa data específica, quebrar o silêncio e consumar o seu triunfo final mostrando ao mundo os documentos Sangreal e gritando a verdadeira história de Jesus Cristo do cume das montanhas.

Sophie ficou a olhar para Teabing em silêncio. Por fim, também ela se sentou.

— E pensa que essa data se aproxima? E que a Igreja sabe disso?

— Uma especulação — respondeu Teabing. — Mas que proporcionaria à Igreja a motivação para desencadear um ataque desesperado na tentativa de encontrar os documentos antes que seja demasiado tarde.

Langdon teve a desagradável sensação de que aquilo que Teabing dizia fazia todo o sentido.

— Acha que a Igreja seria realmente capaz de descobrir a data do Priorado?

— Porque não?... Se estamos a assumir que descobriu as identidades dos membros do Priorado, então seria seguramente capaz de descobrir-lhes os planos. E mesmo que não conheçam a data exacta, é possível que estejam a deixar-se levar pelas suas próprias superstições.

— Superstições? — surpreendeu-se Sophie.

— Em termos de profecia — explicou Teabing —, estamos actualmente numa época de enorme mudança. O milénio acaba de passar, e com ele terminaram os dois mil anos da idade astrológica de *Pisces*, o peixe, que é também o signo de Jesus. Como qualquer simbologista astrológico lhe dirá, o ideal pisceano acredita que *tem* de haver um poder superior a dizer ao homem o que fazer, uma vez que ele é incapaz de pensar pela sua própria cabeça. Foi, por isso, uma era de religião fervorosa. Agora, no entanto, estamos a entrar na Idade de *Aquarius*, o carregador de água, cujos ideais afirmam que o homem aprenderá a verdade e será capaz de pensar por si mesmo. A mudança ideológica é enorme, e está a acontecer neste preciso momento.

Langdon sentiu um arrepio. Nunca vira grande interesse ou credibilidade na profecia astrológica, mas sabia haver na Igreja quem a seguisse de muito perto.

— A Igreja chama a este período de transição o Fim dos Dias.

Sophie fez um ar céptico.

— Como no fim do mundo? O Apocalipse?

— Não — respondeu Langdon. — Esse é um erro bastante comum. Muitas religiões falam do Fim dos Dias. Não se refere ao fim do mundo, e sim ao fim da Idade actual, a dos Peixes, que começou por altura do nascimento de Cristo, cobriu dois mil anos e acabou com a passagem do milénio. Agora que entrámos na Idade de Aquário, o Fim dos Dias chegou.

— Numerosos historiadores do Graal — acrescentou Teabing — acreditam que *se* o Priorado está de facto a planear revelar a verdade, *este* ponto da História seria uma altura simbolicamente adequada. A maior parte dos académicos do Priorado, incluindo eu próprio, pensava que a revelação da irmandade coincidiria precisamente com a passagem do milénio. Obviamente, não coincidiu. É certo que o calendário romano não encaixa precisamente com os marcadores astrológicos, pelo que há várias áreas cinzentas na previsão. Se a Igreja possui agora informações precisas de que a data se aproxima ou se estão apenas a ficar nervosos por causa da previsão astrológica, é algo que não sei dizer. Seja como for, não tem importância. Qualquer dos cenários explica por que razão a Igreja pode ter decidido lançar um ataque preventivo contra o Priorado. — Franziu a testa. — E, acredite, se a Igreja descobrir o Santo Graal, destruí-lo-á. Os documentos e as relíquias da abençoada Maria Madalena. — Os olhos dele ensombreceram. — Então, minha querida, com o desaparecimento do Santo Graal, deixará de haver provas. A Igreja ganhará a sua luta milenar para reescrever a História. O passado será apagado para sempre.

Lentamente, Sophie tirou do bolso do camisolão a chave cruciforme e estendeu-a a Teabing.

Teabing pegou nela e examinou-a.

— Céus, o selo do Priorado. Onde arranjou isto?

— O meu avô deu-ma esta noite, antes de morrer.

Teabing passou os dedos pela chave.

— A chave de uma igreja?

Sophie inspirou fundo.

— Essa chave dá acesso à Chave de Abóbada.

Teabing ergueu vivamente a cabeça.

— Impossível! Qual foi a igreja que falhei? Visitei todas as que há de França!

— Não está numa igreja — disse Sophie. — Está num banco depositário suíço.

O ar de excitação de Teabing desvaneceu-se.

— A Chave de Abóbada está num banco?

— Num cofre — acrescentou Langdon.

— No cofre de um *banco*? — Teabing abanou violentamente a cabeça. — É impossível. A Chave de Abóbada é suposta estar escondida sob o signo da Rosa.

— E está — disse Langdon. — Estava guardada numa caixa de madeira de roseira com uma rosa de cinco pétalas embutida na tampa.

Teabing estava siderado.

— Vocês *viram* a Chave de Abóbada?

Sophie assentiu.

— Fomos ao banco.

Teabing aproximou-se deles, com os olhos tresloucados de medo.

— Meus amigos, temos de fazer qualquer coisa. A Chave de Abóbada está em perigo! Temos o dever de protegê-la. E se há outras chaves? Talvez roubadas aos senescais assassinados? Se a Igreja consegue chegar ao banco, como vocês...

— Chegarão demasiado tarde — disse Sophie. — Tirámos de lá a Chave de Abóbada.

— O quê? Tiraram a Chave de Abóbada do seu esconderijo?

— Não se preocupe — interveio Langdon. — A Chave de Abóbada está bem escondida.

— *Extremamente* bem escondida, espero eu!

— Na verdade — continuou Langdon, incapaz de reprimir um sorriso —, tudo depende da frequência com que manda limpar o pó debaixo do divã.

Lá fora, o vento refrescara, agitando o hábito de Silas, que continuava acocorado o mais perto possível das portas da janela de sacada. Embora não tivesse conseguido ouvir a maior parte da conversa, as palavras: *Chave de Abóbada* tinham passado através dos vidros em diversas ocasiões.

Está lá dentro.

Tinha as palavras do *Professor* frescas na memória. *Entra em Château Villette. Apodera-te da Chave de Abóbada. Não magoes ninguém.*

Agora, Langdon e os outros tinham mudado subitamente para outra sala, apagando as luzes do estúdio ao saírem. Sentindo-se como uma pantera a perseguir a sua presa. Silas aproximou-se das portas vidradas. Não estavam trancadas. Deslizou para o interior e voltou a fechá-las sem ruído. Ouvia vozes abafadas vindas de uma outra divisão. Empunhou a pistola, baixou a patilha de segurança e avançou cautelosamente pelo corredor.

CAPÍTULO SESSENTA E TRÊS

Sozinho junto ao início do caminho de acesso à casa de Leigh Teabing, o tenente Collet olhava para a vasta mansão. *Isolada. Escuro. Boa cobertura no terreno.* Viu a sua meia dúzia de agentes espalharem-se em silêncio ao longo do gradeamento. Podiam transpô-lo e cercar a casa numa questão de minutos. Langdon não podia ter escolhido um melhor lugar para um assalto de surpresa.

Collet preparava-se para ligar para Fache quando, finalmente, o seu telemóvel tocou.

Fache parecia quase tão contente com o rumo dos acontecimentos quanto Collet imaginara.

— Porque não me disse que tínhamos uma pista para chegar ao Langdon?

— Estava ocupado com uma chamada, e eu...

— Onde está exactamente, tenente Collet?

Collet deu-lhe a morada.

— A propriedade pertence a um cidadão britânico chamado Leigh Teabing. O Langdon percorreu uma distância considerável para chegar até aqui, e o veículo está no interior, sem sinais de entrada forçada, de modo que há boas possibilidades de ele conhecer o ocupante.

— Vou para aí — disse Fache. — Não faça nada. Vou tratar disto pessoalmente.

O queixo de Collet descaiu.

— Mas, capitão, está a vinte minutos de distância! Podemos agir imediatamente. Tenho-o vigiado, disponho de oito homens. Quatro têm espingardas e os outros pistolas.

— Espere por mim.

— Capitão, e se o Langdon tem um refém lá dentro? Se nos descobre e resolve fugir a pé? Temos de agir *já!* Os meus homens estão em posição e prontos para avançar.

— Tenente Collet, vai esperar pela minha chegada antes de iniciar qualquer acção. É uma ordem. — E Fache cortou a ligação.

Aturdido, o tenente Collet desligou o telemóvel. *Porque raio é que o Fache quer que eu espere?* Collet sabia a resposta. Fache, apesar de famoso pelo seu instinto, era notório pelo seu orgulho. *Quer os louros da detenção.* Depois de ter pespegado com a cara do americano em todas as televisões, tencionava assegurar-se de que a sua própria disporia do mesmo tempo de antena. A missão de Collet era apenas aguentar o forte até o chefe aparecer para salvar a situação.

Logo a seguir, porém, ocorreu-lhe uma segunda explicação possível para o adiamento. *Controlo de estragos.* A hesitação em deter um fugitivo só acontecia quando surgiam dúvidas quanto à culpa do suspeito. *Estará o Fache pouco seguro de que o Langdon seja o homem certo?* A perspectiva era assustadora. Só faltara ao capitão Fache fazer o pino para deter Langdon naquela noite: *surveillance cachée*, Interpol, e agora televisão. Nem sequer o grande Bezu Fache sobreviveria ao terramoto político se, por engano, tivesse exibido a cara de um eminente cidadão americano em todas as televisões, acusando-o de assassínio. Se Fache se tivesse apercebido de que cometera um erro, faria todo o sentido ordenar-lhe a ele, Collet, que ficasse quieto. A última coisa de que precisava era de ter um subordinado seu a invadir a casa de um inocente cidadão britânico e pôr Langdon a ferros.

Além disso, apercebeu-se Collet, se Langdon estivesse inocente, isso explicaria um dos mais estranhos paradoxos daquele caso: que razão teria levado Sophie Neveu, *neta* da vítima, a ajudar o suposto assassino a fugir? A menos que Sophie soubesse que Langdon estava a ser falsamente acusado. Fache postulara todo o tipo de explicações para justificar o estranho comportamento de Sophie, incluindo a de que a jovem, como única herdeira, convencera o seu amante secreto, Robert Langdon, a assassinar Jacques Saunière por causa da herança. Se Saunière suspeitasse disto, era possível que tivesse deixado a mensagem *P.S. Encontrem Robert Langdon.* Mas Collet tinha praticamente a certeza de que havia ali mais qualquer coisa. Sophie Neveu parecia ser uma pessoa demasiado íntegra para estar envolvida numa jogada tão sórdida.

— Tenente! — chamou um dos agentes, aproximando-se a correr. — Encontrámos um carro.

Collet seguiu o agente, que, cerca de cinquenta metros mais à frente, apontou para uma espécie de desvio do lado oposto da estrada. Ali, escondido entre os arbustos, quase fora das vistas, estava parado um *Audi* preto. Tinha matrícula de aluguer. Collet tocou na tampa do motor. Estava quente. Bastante quente.

— Deve ter sido assim que o Langdon chegou até aqui. Ligue para a empresa de aluguer. Descubra se foi roubado.

— Sim, senhor.

Um outro agente fez sinal a Collet, pedindo-lhe que se aproximasse do gradeamento.

— Tenente, dê uma vista de olhos a isto. — E entregou-lhe um par de binóculos de visão nocturna. — Aquele grupo de árvores, perto do topo do caminho de acesso.

Collet apontou os binóculos na direcção indicada e focou a imagem. Lentamente, as formas esverdeadas tornaram-se mais nítidas. Localizou a curva do caminho e seguiu-a até ao grupo de árvores. E ficou a olhar, embasbacado. Ali, no meio das árvores, estava uma carrinha blindada. Uma carrinha blindada igual à que ele deixara sair do Banco Depositário de Zurique um par de horas antes. Pediu aos céus que aquilo fosse uma qualquer bizarra coincidência, mas sabia perfeitamente que não podia ser.

— Parece óbvio — disse o agente — que foi naquela carrinha que o Langdon e a Neveu conseguiram sair do banco.

Collet estava sem fala. Pensou no condutor da carrinha que mandara parar na barricada. O *Rolex*. A pressa de partir. *Nunca verifico a caixa de carga.*

Incrédulo, Collet compreendeu que alguém do banco mentira deliberadamente à DCPJ a respeito do paradeiro de Langdon e de Sophie e os ajudara a fugir. *Mas quem? E porquê?* Disse para si mesmo que talvez fosse *aquela* a razão por que Fache lhe dissera para ficar quieto. Talvez Fache se tivesse apercebido de que havia mais gente envolvida naquilo do que apenas Langdon e Sophie. *Se o Langdon e a Sophie vieram na carrinha blindada, quem trouxe o* Audi *preto?*

Centenas de quilómetros a sul dali, um *Beechcraft Baron 58* alugado voava para norte por cima do mar Tirreno. Apesar da quietude dos céus, o bispo Aringarosa agarrava com as duas mãos um saco para o enjoo, seguro de que ia precisar dele de um momento para o outro. A conversa que tivera com Paris não fora nada do que tinha imaginado.

Sozinho na pequena cabina, Aringarosa fez girar o anel de ouro à volta do dedo e tentou acalmar a esmagadora sensação de medo e desespero. *Em Paris, correu tudo terrivelmente mal.* Fechando os olhos, Aringarosa rezou para que Bezu Fache tivesse os meios necessários para remediar a situação.

CAPÍTULO SESSENTA E QUATRO

Teabing estava sentado no divã, com a caixa de roseira pousada no colo, a admirar a rosa intricadamente embutida na tampa. *Esta noite acabou por ser a mais estranha e a mais mágica de toda a minha vida.*

— Levante a tampa — sussurrou Sophie, de pé diante dele, ao lado de Langdon.

Teabing sorriu. *Não me apressem.* Depois de passar mais de dez anos à procura daquela Chave de Abóbada, queria saborear cada milissegundo do momento.

— A Rosa — murmurou. — *A Rosa é Madalena é o Santo Graal. A Rosa é a bússola que aponta o caminho.* Sentiu-se tolo. Durante anos, viajara pelas catedrais e igrejas de França, pagando para ter direito a um acesso especial, examinando centenas de arcos e abóbadas por baixo de rosáceas, procurando a Chave de Abóbada codificada. *La Clef de Voûte... uma chave de pedra sob o signo da Rosa.*

Abriu lentamente o fecho e levantou a tampa.

Quando finalmente pousou os olhos no conteúdo da caixa, soube que só podia ser a Chave de Abóbada. Estava a olhar para um cilindro de pedra, constituído por anéis interligados e marcados com letras. O objecto pareceu-lhe estranhamente familiar.

— Construído a partir dos diários de da Vinci — explicou Sophie. — O meu avô fazia-os como passatempo.

Claro, compreendeu Teabing. Tinha visto os esboços e os planos. *A chave para encontrar o Santo Graal está dentro desta pedra.* Retirou o pesado criptex de dentro da caixa, segurando-o gentilmente. Apesar de não fazer a mínima ideia de como abrir o cilindro, sentiu que o seu destino estava ali dentro. Em momentos de desesperança, muitas vezes perguntara a si mesmo se o esforço de uma vida inteira seria alguma vez recompensado. Agora, essas dúvidas tinham desaparecido para sempre. Ouvia as antigas palavras... a base da lenda do Graal:

Vous ne trouvez pas le Saint-Graal, c'est le Saint-Graal qui vous trouve.

Ninguém encontra o Santo Graal, é o Santo Graal que nos encontra.

E naquela noite, incrivelmente, a chave para encontrar o Santo Graal entrara-lhe pela porta dentro.

Enquanto Sophie e Teabing, sentados no divã com o criptex, falavam do vinagre, dos anéis e de qual poderia ser a senha, Langdon levou a caixa de roseira para uma mesa bem iluminada, do outro lado da sala, para examiná-la melhor. Uma frase que Teabing dissera andava-lhe às voltas na cabeça.

A chave do Graal está escondida sob o signo da Rosa.

Ergueu a caixa de madeira para a luz e examinou o símbolo embutido. Embora a sua familiaridade com a arte não incluísse marcenaria nem marchetaria, acabava de recordar o famoso tecto de azulejos de um mosteiro espanhol dos arredores de Madrid, de onde, três séculos depois de ter sido construído, os azulejos tinham começado a cair, revelando textos sagrados escritos pelos monges no estuque que tapavam.

Voltou a olhar para a rosa.

Sob a Rosa.

Sub-Rosa.

Segredo.

Um ruído no corredor, atrás dele, fê-lo voltar-se. Não viu nada senão sombras. O mordomo de Teabing tinha muito provavelmente acabado de passar. Voltou a dedicar a sua atenção à caixa. Passou os dedos pelo suave contorno do embutido, perguntando a si mesmo se seria possível retirar a Rosa, mas a junção era perfeita. Duvidou que até uma lâmina de barbear coubesse entre a rosa embutida e a depressão milimetricamente escavada onde estava encaixada.

Abriu a caixa e examinou o interior da tampa. Era liso e suave. Ao mudá-la de posição, no entanto, a luz apanhou o que parecia ser um minúsculo orifício, situado exactamente no centro. Fechou a tampa e examinou o motivo embutido na face superior. Nenhum orifício.

Não atravessa a tampa.

Pousou a caixa em cima da mesa e, olhando em redor, descobriu um monte de papéis presos por um *clip* metálico. Retirou o *clip* e voltou à caixa, abriu-a e estudou novamente o orifício. Com extremo cuidado, endireitou o *clip* e introduziu uma ponta no orifício. Empurrou muito ao de leve. Quase não foi preciso fazer força. Ouviu qualquer coisa cair com um ligeiro ruído em cima da mesa. Fechou a tampa e olhou. Era uma pequena peça de madeira, semelhante à peça de um *puzzle*. A Rosa de madeira soltara-se da tampa e caíra em cima da mesa.

Incapaz de falar, Langdon olhou para o espaço na tampa da caixa onde a Rosa estivera. Ali, gravadas na madeira, escritas numa caligrafia perfeita, havia quatro linhas de texto numa língua que nunca vira.

Os caracteres parecem vagamente semitas, disse Langdon para consigo mesmo, *e, no entanto, não reconheço a língua!*

Um súbito movimento atrás dele chamou-lhe a atenção. Vinda de parte nenhuma, uma súbita pancada na cabeça fê-lo cair de joelhos.

Enquanto caía, julgou por instantes ver um fantasma pálido a pairar por cima dele, empunhando uma pistola. Depois, ficou tudo escuro.

CAPÍTULO SESSENTA E CINCO

Apesar de ser tecnicamente uma agente da lei, nunca, até àquela noite, Sophie Neveu se vira sob a mira de uma arma. Quase inconcebivelmente, a arma para que estava a olhar naquele momento era empunhada pela pálida mão de um grande albino de longos cabelos brancos. O homem cravava nela uns olhos vermelhos que irradiavam uma qualidade desencorpada, assustadora. Vestindo um hábito de lã preso na cintura por uma corda, parecia um monge medieval. Sophie não fazia a mínima ideia de quem ele pudesse ser, mas começava a sentir um súbito respeito pelas suspeitas de Teabing de que a Igreja estava provavelmente por detrás de tudo aquilo.

— Sabem o que vim buscar — disse o monge, e a sua voz soou cava.

Sophie e Teabing estavam sentados no divã, de braços erguidos, como o inesperado visitante ordenara. Langdon jazia estendido no chão, a gemer. Os olhos do monge pousaram imediatamente na Chave de Abóbada que Teabing tinha no colo.

— Não será capaz de abri-lo — disse Teabing, num tom de desafio.

— O meu *Professor* é um homem sábio — respondeu o monge, avançando um passo, com a arma a oscilar de Teabing para Sophie.

Sophie perguntou a si mesma onde estaria o mordomo. *Será que não ouviu o Robert cair?*

— Quem é o seu professor? — perguntou Teabing. — Talvez possamos chegar a um acordo financeiro.

— O Graal não tem preço — disse o homem, e avançou mais um passo.

— Está a sangrar — observou Teabing calmamente, apontando com a ponta do queixo o tornozelo esquerdo do monge, onde um fio de sangue escorrera pela perna. — E coxeia.

— Também você — replicou o monge, olhando para as muletas de alumínio encostadas ao lado do divã. — Agora, entregue-me a Chave de Abóbada.

— Sabe da Chave de Abóbada? — perguntou Teabing, parecendo surpreendido.

— Não interessa o que eu sei. Levante-se, muito devagar, e entregue-ma.

— Levantar-me é uma operação difícil para mim.

— Precisamente. Preferia que ninguém tentasse quaisquer movimentos rápidos.

Teabing enfiou o braço direito por uma das muletas e segurou a Chave de Abóbada com a mão esquerda. Inclinando-se para a frente, conseguiu pôr-se de pé, segurando o pesado cilindro na palma da mão esquerda e apoiando-se instavelmente à muleta com a direita.

O monge aproximou-se mais, mantendo a arma apontada à cabeça de Teabing. Sophie viu, sentindo-se impotente, o monge estender a mão para pegar no cilindro.

— Não vai conseguir — disse Teabing. — Só os que disso são dignos podem abrir esta pedra.

Só Deus julga quem é e não é digno, pensou Silas.

— É muito pesado — disse o homem das muletas, com o braço a ceder. — Se não lhe pega depressa, receio deixá-lo cair! — E cambaleou perigosamente.

Silas avançou rapidamente para pegar na pedra, e, no momento em que o fez, o homem das muletas perdeu o equilíbrio. A muleta escorregou para o lado e ele começou a cair para a direita. *Não!* Silas saltou em frente para salvar a pedra, baixando involuntariamente a mão armada. Mas a Chave de Abóbada estava a afastar-se dele. Enquanto caía para a direita, o homem rodou o braço esquerdo para trás e o cilindro caiu-lhe da mão em cima do divã. Ao mesmo tempo, a muleta metálica que estava a escorregar pareceu acelerar o movimento, descrevendo um amplo arco em direcção à perna de Silas.

Uma onda de dor intolerável subiu pelo corpo de Silas quando a muleta acertou com uma precisão assassina no cilício, cravando as farpas na carne já martirizada. A pistola disparou-se com uma detonação ensurdecedora, mas o projéctil enterrou-se, inofensivo, no soalho de madeira enquanto Silas caía. Antes que pudesse voltar a levantar a arma, o pé da mulher apanhou-o em cheio por baixo do queixo.

No seu posto junto ao início do caminho de acesso, Collet ouviu o tiro. A detonação abafada disparou-lhe uma onda de pânico através das veias. Com Fache a caminho, já perdera toda a esperança de reclamar qualquer crédito por ter encontrado Langdon. Mas que o matassem ia permitir que o ego de Fache o levasse perante uma comissão de inquérito por procedimento policial negligente.

Foi disparada uma arma dentro de uma casa particular, e o senhor esperou junto ao caminho de acesso?

Collet sabia que a oportunidade de uma aproximação discreta tinha há muito passado. E também sabia que se continuasse ali sem fazer nada por mais um segundo que fosse, quando rompesse a manhã toda a sua carreira teria passado à história. Olhando para o portão de ferro, tomou uma decisão.

— Amarrem-lhe o guincho e atirem-no abaixo.

Nos distantes recessos do seu cérebro atordoado, Langdon ouvira o tiro. E ouvira também um grito de dor. Seu? Tinha um martelo-pneumático a abrir-lhe um buraco na nuca. Algures ali perto, havia pessoas a falar.

— Onde diabo estavas tu? — gritava Teabing.

— Que aconteceu? — Era a voz do mordomo. — Oh, meu Deus! Quem é esse? Vou chamar a Polícia.

— O inferno! Não chamas nada a Polícia. Torna-te útil e arranja-nos qualquer coisa para amarrar este monstro.

— E gelo! — gritou Sophie.

Langdon voltou a derivar para a inconsciência. Mais vozes. Movimento. Agora, estava sentado no divã. Sophie segurava um saco de gelo contra a nuca dele. Doía-lhe o crânio todo. Quando conseguiu finalmente focar os olhos, viu um corpo caído no chão. *Estarei com alucinações?* O corpo pertencia a um enorme monge albino, amarrado e amordaçado com fita isoladora. Tinha o queixo aberto por um profundo lanho e o hábito ensopado em sangue, do lado direito, sobre a coxa. Também ele parecia estar a recuperar os sentidos.

Langdon voltou-se para Sophie.

— Quem é ele? Que... aconteceu?

Teabing aproximou-se a coxear.

— Foi salvo por um cavaleiro que empunhava uma *Excalibur* fabricada pela Acme Orthopedic.

Huh? Langdon tentou endireitar-se.

Sophie pousou-lhe no braço uma mão trémula mas meiga.

— É melhor repousar por um minuto, Robert.

— Receio — continuou Teabing — ter acabado de demonstrar à sua amiga as infelizes vantagens da minha condição. Parece que todos nos subestimam.

Sentado no divã, Langdon baixou os olhos para o monge e tentou imaginar o que tinha acontecido.

— Ele estava a usar um cilício — explicou Teabing.

— Um quê?

Teabing apontou para a ensanguentada tira de couro eriçada de puas que estava caída no chão.

— Uma correia de Disciplina. Usava-a na coxa. Apontei com todo o cuidado.

Langdon esfregou a cabeça. Sabia o que eram as correias de Disciplina.

— Mas como... como soube?

Teabing sorriu.

— O Cristianismo é a minha área de estudo, Robert, e há certas seitas que trazem um sinal na testa. — Apontou com a muleta para a mancha de sangue no hábito do monge. — Por assim dizer.

— A Opus Dei — murmurou Langdon, recordando a história recentemente divulgada nos meios de comunicação social a respeito de vários destacados homens de negócios de Boston que eram membros da Opus Dei. Colegas e subordinados apreensivos tinham-nos falsamente acusado de usarem cilícios por baixo dos elegantes fatos de casaco e colete. Na realidade, nenhum dos três homens em causa os usava. Como muitos membros da Opus Dei, tinham o grau de «supranumerários» e não praticavam qualquer espécie de mortificação corporal. Eram católicos devotos, pais exemplares e membros profundamente empenhados da comunidade. Como seria de esperar, os *media* não se tinham atardado muito a destacar estas virtudes, concentrando-se de preferência nos membros «numerários» da seita, muito mais interessantes do ponto de vista de valor de choque... homens como o monge que agora jazia amarrado diante dele.

Teabing estava a olhar atentamente para a correia ensanguentada.

— Mas porque estaria a Opus Dei interessada em encontrar o Santo Graal? — perguntou, como que para si mesmo.

Langdon estava demasiado tonto para considerar sequer a questão.

— Robert — disse Sophie, dirigindo-se à mesa em cima da qual ficara a caixa de madeira. — O que é isto? — Estava a segurar a pequena rosa embutida que ele retirara da tampa.

— Cobria uma gravação na tampa da caixa. Penso que o texto nos dirá como abrir a Chave de Abóbada.

Antes que Sophie ou Teabing pudessem responder, um mar de luzes azuis da Polícia invadiu a base do ligeiro declive e iniciou a subida do caminho de acesso.

Teabing franziu o sobrolho.

— Meus amigos, parece que temos de tomar uma decisão. E é bom que a tomemos rapidamente.

CAPÍTULO SESSENTA E SEIS

Collet e os seus agentes irromperam pela porta da frente da casa de *Sir* Leigh Teabing de armas empunhadas. Espalhando-se, começaram a revistar todas as divisões do piso térreo. Encontraram um buraco de bala no soalho da sala de estar, sinais de luta, uma pequena quantidade de sangue, uma estranha correia de couro coberta de farpas e um rolo de fita isoladora parcialmente usado. O piso parecia completamente deserto.

Quando Collet se preparava para dividir os seus homens e mandá-los revistar a cave e os jardins, ouviu vozes no piso superior,

— Estão lá em cima!

Depois de galgarem a dois e dois os degraus da ampla escadaria, o tenente e os seus homens percorreram, de divisão em divisão, a vasta casa, revistando quartos e corredores mergulhados em sombras enquanto convergiam para o ponto onde soavam as vozes. O som parecia vir do último quarto de um excepcionalmente comprido corredor. Os agentes começaram a avançar com cuidado, fechando todas as saídas alternativas.

Ao aproximarem-se do último quarto, Collet viu que a porta estava aberta. As vozes tinham cessado subitamente e sido substituídas por um estranho ronronar, como o de um motor.

De pistola levantada, o tenente deu o sinal. Estendendo cuidadosamente a mão para lá da ombreira, encontrou o interruptor da luz e accionou-o. Seguido pelos seus homens, entrou no quarto a gritar e apontou a arma... a coisa nenhuma.

Um quarto de hópedes vazio. Impecavelmente arrumado.

De um painel electrónico situado junto à cama, vinha o som de um motor de automóvel a trabalhar. Collet já vira aqueles painéis noutros pontos da casa. Um sistema qualquer de intercomunicadores. Correu para lá. O painel tinha cerca de uma dúzia de interruptores devidamente assinalados:

ESTÚDIO... COZINHA... LAVANDARIA... CAVE...

Onde diabo é que estou a ouvir um carro?

QUARTO PRINCIPAL... SOLÁRIO... CAVALARIÇAS... BIBLIOTECA...

Cavalariças! Collet desceu as escadas em segundos e correu para a porta das traseiras, arrebanhando um dos seus homens pelo caminho. Atravessaram o relvado e chegaram ofegantes diante de um velho estábulo desbotado pelas intempéries. Ainda antes de entrarem, Collet ouviu o som cada vez mais distante do motor de um carro que se afastava. Levantou a arma, entrou de rompante e acendeu as luzes.

O lado direito do estábulo era uma oficina rudimentar: cortadores de relva, ferramentas, utensílios de jardinagem. Próximo, na parede, um painel electrónico. Um dos interruptores estava para baixo, na posição de transmitir.

QUARTO DE HÓSPEDES II

Collet girou sobre si mesmo, a espumar de raiva. *Atraíram-nos ao segundo piso usando o intercomunicador!* Investigando o outro lado do estábulo, descobriu uma comprida fila de baias, mas nenhum cavalo. Aparentemente, o dono da casa preferia outro tipo de transporte; as baias tinham sido transformadas numa impressionante garagem. A colecção era fabulosa: um *Ferrari* preto, um refulgente *Rolls-Royce,* um *Aston-Martin sport coupé,* um *Porsche 356.*

A última baia estava vazia.

Collet correu para lá e viu manchas de óleo no chão. *Não vão conseguir sair da propriedade.* O caminho e o portão estavam barricados por dois carros-patrulhas, para impedir precisamente essa eventualidade.

— Tenente? — O agente apontava para o fundo do estábulo.

As portas traseiras, de correr, estavam abertas de par em par, mostrando um pedaço do terreno lamacento e acidentado que descia em suave declive até se perder na escuridão. Collet correu para as portas, tentando sondar o negrume. A única coisa que conseguiu ver foi a mancha de sombra um pouco mais densa de uma floresta, à distância. Nenhuns faróis. O vale era provavelmente atravessado por dezenas de caminhos e trilhos de caça que não apareciam em qualquer mapa, mas Collet estava confiante em que a sua presa não conseguiria chegar ao bosque.

— Mande alguns homens bater o terreno até lá abaixo. O mais certo é estarem atolados num buraco qualquer aqui perto. Os carros de desporto não se dão bem com este tipo de terreno.

— Hum, tenente? — O agente estava a apontar para um chaveiro do qual pendiam vários conjuntos de chaves. As etiquetas por cima das chaves ostentavam nomes familiares.

DAIMLER... ROLLS-ROYCE... ASTON-MARTIN... PORSCHE...

O último gancho estava vazio.

Quando Collet leu a etiqueta por cima do prego vazio, soube que tinha um problema.

CAPÍTULO SESSENTA E SETE

O *Range Rover* era *Java Black Pearl, 4X4,* transmissão normal, com faróis de alta potência de polipropileno, montes de luzes na traseira e volante à direita.

Langdon estava contente por não ter de ser ele a conduzir.

Seguindo as indicações do patrão, Rémy, o mordomo de Teabing, estava a fazer um impressionante trabalho de condução ao manobrar o veículo através dos campos iluminados pelo luar que se estendiam para lá das traseiras de Château Villette. Sem faróis, atravessara um descampado e descia agora um longo declive, afastando-se cada vez mais da propriedade. Parecia dirigir-se à recortada silhueta de uma zona de bosque, ao longe.

Langdon, segurando a Chave de Abóbada em cima dos joelhos, voltou-se no lugar do passageiro e olhou para Teabing e Sophie, instalados no banco de trás.

— Como está a sua cabeça, Robert? — perguntou Sophie, num tom preocupado.

Langdon forçou um sorriso dolorido.

— Melhor, obrigado. — Estava a matá-lo.

Ao lado dela, Teabing espreitou por cima do ombro para o monge, amarrado e amordaçado, apertado no espaço destinado à bagagem situado atrás do banco. Tinha a arma do homem no colo e parecia uma dessas velhas fotos de um caçador britânico a posar junto da peça abatida no decurso de um safari.

— Estou muito contente por ter passado por cá esta noite, Robert — disse Teabing, sorrindo como se estivesse a divertir-se pela primeira vez em anos.

— Lamento tê-lo envolvido nisto, Leigh.

— Oh, por favor, esperei a vida inteira ser envolvido. — Teabing olhou para lá de Langdon, através do pára-brisas, para a sombra de uma longa sebe. Bateu no ombro de Rémy. — Lembra-te, nada de luzes de travões. Se for necessário, usa o travão de mão. Quero internar-me um pouco no bosque. Não há qualquer razão para corrermos o risco de ser vistos da casa.

Rémy reduziu a velocidade para marcha lenta e fez o *Range Rover* passar por uma abertura na sebe. No instante em que o veículo entrou, com um solavanco, num caminho quase coberto de mato, as copas das árvores taparam completamente a luz da Lua.

Não vejo nada, pensou Langdon, esforçando-se por distinguir quaisquer formas à frente deles. Estava escuro como breu. Rasparam ramos pelo lado esquerdo do jipe e Rémy corrigiu na direcção oposta. Mantendo o volante mais ou menos direito, avançou, a passo de caracol, cerca de trinta metros.

— Estás a ir muito bem, Rémy — disse Teabing. — Já devemos estar suficientemente afastados. Robert, importa-se de carregar nesse botãozinho azul aí por baixo do ventilador? Está a vê-lo?

Robert encontrou o botão e premiu-o.

Uma mortiça luz amarelada iluminou o trilho à frente deles, revelando uma densa parede de matagal de ambos os lados. *Faróis de nevoeiro,* apercebeu-se Langdon. Davam apenas a luz suficiente para mantê-los no caminho, apesar de já estarem suficientemente embrenhados no bosque para que as luzes os não denunciassem.

— Muito bem, Rémy — declarou Teabing, alegremente. — Já temos luz. As nossas vidas estão nas tuas mãos.

— Para onde vamos? — perguntou Sophie.

— Este caminho continua cerca de três quilómetros mais pelo interior da floresta — respondeu Teabing —, atravessando a propriedade e inflectindo depois para norte. Desde que não encontremos charcos muito profundos nem árvores caídas, iremos sair ilesos junto à auto-estrada 5.

Ilesos. Langdon teve vontade de dizer que a sua cabeça pedia licença para discordar. Baixou os olhos para o colo, onde a Chave de Abóbada continuava a salvo dentro da sua caixa de madeira. A rosa embutida voltara ao respectivo lugar e, apesar de sentir as ideias ainda um pouco baralhadas, Langdon estava desejoso de voltar a retirar o embutido e examinar com mais atenção as palavras gravadas por baixo dele. Abriu o fecho e começou a levantar a tampa da caixa quando Teabing lhe pousou a mão num ombro.

— Um pouco de paciência, Robert — pediu Teabing. — Está escuro e o caminho é cheio de buracos. Deus nos ajude se partimos qualquer coisa. Se não reconheceu a língua à luz, não vai com certeza conseguir melhor no escuro. Concentremo-nos em sair daqui inteiros, está bem? Haverá tempo para isso muito em breve.

Langdon sabia que Teabing tinha razão. Com um aceno de cabeça, voltou a baixar a tampa.

Lá atrás, o monge gemia, debatendo-se com a fita que lhe tolhia os movimentos. De repente, pôs-se a espernear furiosamente.

Teabing voltou-se e apontou-lhe a pistola por cima das costas do banco.

— Não percebo de que se queixa, caro senhor — disse. — Invadiu a minha casa e fez um enormíssimo galo na cabeça de um querido amigo meu. Acho que teria todo o direito de dar-lhe um tiro agora mesmo e deixá-lo a apodrecer no meio do bosque.

O monge ficou imóvel e silencioso.

— Tem a certeza de que fizemos bem em trazê-lo? — perguntou Langdon.

— Absoluta! — exclamou Teabing. — É procurado por assassínio, Robert. Este biltre é o seu bilhete para a liberdade. Aparentemente, a Polícia deseja tanto deitar-lhe a mão que não hesitou em segui-lo até minha casa.

— A culpa foi minha — disse Sophie. — A carrinha devia ter um transmissor.

— Não é essa a questão — respondeu Teabing. — Não me surpreende o facto de a Polícia o ter encontrado, o que me surpreende é o facto de este fulano da Opus Dei ter feito o mesmo. Por aquilo que me disse, não imagino como conseguiu este homem segui-lo até minha casa, a menos que tenha um contacto na Polícia Judiciária ou no Banco Depositário de Zurique.

Langdon considerou o assunto. Bezu Fache parecia sem a mínima dúvida decidido a arranjar um bode expiatório para os crimes daquela noite. E Vernet voltara-se contra eles de uma forma totalmente inesperada, ainda que, tendo em conta que ele, Langdon, era acusado de quatro mortes, a mudança de atitude do banqueiro talvez fosse compreensível.

— Este monge não trabalha sozinho, Robert — continuou Teabing —, e até descobrirem *quem* está por detrás de tudo isto, correm ambos perigo. A boa notícia, meu amigo, é que está agora numa posição de força. Este monstro que aqui temos possui essa informação, e quem quer que esteja a puxar os cordelinhos deve estar a sentir-se muito nervoso neste preciso instante.

Rémy conduzia agora mais depressa, tendo-se habituado ao trilho. Atravessaram alguns charcos, treparam uma pequena elevação e começaram a descer outra vez.

— Robert, importa-se de me passar esse telefone? — pediu Teabing, apontando para o telefone do jipe montado no painel de instrumentos. Langdon entregou-lho e Teabing marcou um número. Esperou bastante tempo antes que alguém respondesse. — Richard? Acordei-o? Claro que acordei. Pergunta tola. Tenho um pequeno problema. Sinto-me um pouco em baixo. Eu e o Rémy temos de dar um pulo às Ilhas por causa dos meus tratamentos... Bem, imediatamente. Desculpe não o ter avisado mais cedo. Pode ter o *Elizabeth* pronto dentro de cerca de vinte minutos?... Eu sei, o melhor que puder fazer. Até já. — E desligou.

— O *Elizabeth*? — estranhou Langdon.

— O meu avião. Custou-me o resgate de uma rainha.

Langdon voltou-se completamente no banco para olhar para ele.

— O que foi? — perguntou Teabing. — Vocês os dois não podem esperar continuar em França com a Polícia Judiciária em peso a procurá-los. Londres será muito mais seguro.

Também Sophie se tinha voltado para Teabing.

— Acha que devemos abandonar o país?

— Meus amigos, tenho muito mais influência no mundo civilizado do que aqui em França. Além disso, diz-se que o Graal está na Grã-Bretanha. Se conseguirmos abrir essa Chave de Abóbada, estou certo de que encontraremos um mapa que nos dirá que avançámos na direcção correcta.

— Está a correr um grande risco ao ajudar-nos — observou Sophie. — Não vai granjear-lhe muitos amigos entre a Polícia francesa.

Teabing agitou a mão num gesto de desdém.

— Já fiz o que tinha a fazer em França. Mudei-me para cá para encontrar a Chave de Abóbada. Esse trabalho está feito. Pode crer que não ficarei nem um bocadinho triste se não voltar a ver Château Villette.

Sophie parecia insegura.

— Como é que vamos passar pela segurança no aeroporto?

Teabing riu-se.

— Partimos de Le Bourget... um aeródromo executivo não muito longe daqui. Os médicos franceses põem-me nervoso, de modo que, todos os quinze dias, vou a Inglaterra fazer os meus tratamentos. Pago para ter certos privilégios especiais de um lado e do outro. Quando estivermos no ar, podem decidir se querem ou não que alguém da embaixada dos Estados Unidos vá ter connosco.

Subitamente, Langdon não queria ter nada a ver com a embaixada. Só conseguia pensar na Chave de Abóbada, na inscrição e em se ela os conduziria ou não ao Santo Graal. Perguntou a si mesmo se Teabing teria razão a respeito da Grã-Bretanha. Era certo que a maior parte das lendas modernas situava o Graal algures no Reino Unido. Pensava-se inclusivamente que a mítica ilha de Avalon do rei Artur, tão cheia do Graal, não era outra senão Glastonbury, em Inglaterra. Fosse onde fosse que o Graal estivesse, nunca Langdon imaginara que andaria um dia à procura dele. *Os documentos Sangreal. A verdadeira história de Jesus Cristo. O túmulo de Maria Madalena.* De súbito, sentiu como se naquela noite estivesse a viver numa qualquer espécie de limbo... uma bolha onde o mundo real não podia alcançá-lo.

— Senhor? — disse Rémy. — Está na verdade a pensar em regressar definitivamente a Inglaterra?

— Não tens motivos para preocupações, Rémy — tranquilizou-o Langdon. — Lá porque vou regressar ao reino de Sua Majestade a Rainha, não se segue que tencione sujeitar o meu palato a salsichas e puré pelo resto dos meus dias. Espero que fiques comigo. Estou a planear comprar uma esplêndida *villa* no Devonshire, e mandaremos vir todas as tuas coisas imediatamente. Uma aventura, Rémy. Uma aventura, digo eu!

Langdon teve de sorrir. Ao ouvir Teabing falar dos seus planos para um triunfante regresso à Grã-Bretanha, sentiu-se ele próprio apanhado pelo contagiante entusiasmo do homem.

Ficou a ver, olhando distraidamente pela janela, as árvores a passar, fantasmas pálidos iluminados pela luz amarelada dos faróis de nevoeiro. O retrovisor lateral estava metido para dentro, empurrado pelos ramos, e Langdon viu o reflexo de Sophie silenciosamente sentada no banco de trás. Observou-a por um longo momento e sentiu uma inesperada vaga de contentamento. Apesar de tudo o que lhe acontecera naquela noite, estava satisfeito por ter encontrado uma tão agradável companhia.

Ao cabo de vários minutos, como se de repente sentisse os olhos de Langdon postos nela, Sophie inclinou-se para frente e pousou as mãos nos ombros dele, fazendo-lhe uma rápida massagem.

— Está bem?

— Estou — respondeu Langdon. — Nem sei como.

Sophie voltou a recostar-se no banco, e Langdon viu um sorriso tranquilo distender-lhe os lábios. Apercebeu-se então de que também ele estava a sorrir.

Entalado na traseira do *Range Rover,* Silas mal conseguia respirar. Tinha os braços dobrados para trás das costas e fortemente amarrados aos tornozelos com fio de cozinha e fita isoladora. A cada buraco do caminho, uma lançada de dor verrumava-lhe os ombros torcidos. Pelo menos, os seus captores tinham-lhe tirado o cilício. Impedido de inspirar através do pedaço de fita que lhe tapava a boca, só podia respirar pelas narinas, que estavam a ficar pouco a pouco entupidas devido ao pó que enchia o espaço de carga para onde o tinham atirado. Começou a tossir.

— Acho que ele está a sufocar — disse o motorista francês, parecendo preocupado.

O inglês que lhe batera com a muleta voltou-se e espreitou por cima das costas do banco, franzindo friamente a testa.

— Felizmente para si, nós, os Britânicos, julgamos a civilidade de um homem não pela sua compaixão para com os amigos, mas pela sua compaixão para com os inimigos. — O homem estendeu a mão, pegou numa ponta da fita que lhe tapava a boca e, com um rápido movimento, arrancou-a.

Silas teve a sensação de que os lábios se lhe tinham incendiado, mas o ar que lhe encheu os pulmões foi uma dádiva dos céus.

— Para quem trabalha? — perguntou o inglês.

— Faço o trabalho de Deus — replicou Silas, apesar da dor no queixo, onde a mulher lhe acertara com o pé.

— Pertence à Opus Dei — disse o homem. Não era uma pergunta.

— Não sabe nada de quem eu sou.

— Porque é que a Opus Dei quer a Chave de Abóbada?

Silas não fazia a mínima tenção de responder. A Chave de Abóbada era a ligação ao Santo Graal, e o Santo Graal era a chave para a protecção da fé.

Faço o trabalho de Deus. O Caminho está em perigo.

Agora, na traseira do *Range Rover,* a debater-se com as suas amarras, Silas receou ter desiludido para todo o sempre o *Professor* e o bispo. Não tinha sequer maneira de contactá-los e avisá-los daquela terrível reviravolta dos acontecimentos. *Os meus captores têm a Chave de Abóbada. Vão chegar ao Graal antes de nós!* Envolto na sufocante escuridão, Silas rezou. Deixou que a dor que lhe atormentava o corpo desse força às suas preces.

Um milagre, Senhor. Preciso de um milagre. Silas não tinha modo de saber que, poucas horas mais tarde, lhe seria dado o que pedia.

— Robert? — Sophie continuava a observá-la. — Está com uma expressão estranha.

Langdon voltou-se para olhar para ela, apercebendo-se de que tinha os dentes cerrados e o coração a bater mais depressa. Acabava de lhe ocorrer uma ideia incrível. *Será possível que seja uma explicação tão simples?*

— Preciso de usar o seu telemóvel, Sophic.

— Agora?

— Acho que descobri uma coisa.

— O que foi?

— Já lhe digo. Preciso do seu telefone.

Sophie fez um ar de cautela.

— Duvido que o Fache o tenha posto sob escuta, mas, pelo sim pelo não, não fale mais de um minuto.

E entregou-lhe o telefone.

— Como é que se liga para os Estados Unidos?

— Vai ter de ser a pagar no destinatário. O meu serviço não cobre chamadas transatlânticas.

Langdon marcou o zero, sabendo que os próximos sessenta segundos podiam responder à pergunta que estivera a intrigá-lo durante toda a noite.

CAPÍTULO SESSENTA E OITO

Em Nova Iorque, Jonas Faukman acabava de enfiar-se na cama quando o telefone tocou. *Um pouco tarde para telefonemas,* resmungou, enquanto levantava o auscultador.

— Aceita uma chamada a pagar no destinatário de Robert Langdon? — perguntou a voz da operadora da central.

Intrigado, Jonas acendeu a luz.

— Hum... sim, claro.

A linha fez um clique.

— Jonas?

— Robert? Acorda-me e ainda por cima quer que eu pague?

— Peço desculpa. Vou ter de ser muito rápido. Preciso mesmo de saber. O manuscrito que lhe deixei...

— Robert, peço desculpa, bem sei que disse que lhe mandava as provas revistas esta semana, mas estou até ao pescoço. Na próxima segunda-feira. Prometo.

— Não estou preocupado com as provas. O que quero saber é se mandou cópias a alguém sem me dizer.

Faukman hesitou. O mais recente manuscrito de Langdon — uma exploração da história do culto da deusa — continha várias passagens a respeito de Maria Madalena que iam levantar celeuma. Embora o material estivesse bem documentado e já tivesse sido tratado por outros autores, Faukman não tencionava mandar imprimir provas de leitura do livro de Langdon sem ter pelo menos o aval de alguns historiadores sérios e luminárias do mundo das artes. Escolhera dez nomes sonantes e enviara a todos eles partes do manuscrito acompanhadas por uma delicada carta a perguntar se se importariam de escrever um curto comentário para a sobrecapa. Sabia bem de mais que a maior parte das pessoas não perdia uma oportunidade de ver o nome impresso em letra de forma.

— Jonas — pressionou Langdon —, enviou ou não o meu manuscrito?

Faukman franziu a testa, sentindo que Langdon estava descontente com o facto.

— O manuscrito estava limpo, Robert, e eu queria surpreendê-lo com algumas críticas estupendas.

Uma pausa.

— Enviou alguma coisa ao conservador do Louvre, em Paris?

— O que é que acha? O seu manuscrito faz várias referências às colecções do Louvre, os livros dele aparecem na sua bibliografia e o homem tem uma influência enorme em matéria de vendas no estrangeiro. O Saunière era de caras.

O silêncio do outro lado durou um longo tempo.

— Quando foi isso?

— Há cerca de um mês. Também mencionei que ia estar em Paris e sugeri que os dois conversassem. Ele chegou a telefonar-lhe para se encontrarem? — Faukman fez uma pausa, esfregando os olhos. — Espere lá, não é suposto *estar* em Paris esta semana?

— *Estou* em Paris.

Faukman sentou-se na cama.

— E está a ligar-me a pagar no destinatário de *Paris*?

— Desconte nos meus direitos de autor, Jonas. O Saunière disse-lhe qualquer coisa? Gostou do manuscrito?

— Não faço ideia. Não soube mais nada dele.

— Bom, o melhor é não esperar de pé. Tenho de ir, mas isto explica muita coisa. Obrigado.

— Robert...

Langdon, porém, já tinha desligado.

Faukman pousou o auscultador, abanando incredulamente a cabeça. *Autores,* pensou. *Até os mais ajuizados são malucos.*

Dentro do *Range Rover,* Teabing lançou uma gargalhada.

— Robert, está a dizer que escreveu um manuscrito que trata de uma certa sociedade secreta e que o seu editor mandou uma cópia a *essa* sociedade secreta?

Langdon deixou descair os ombros.

— Exactamente.

— Uma cruel coincidência, meu amigo.

A coincidência não teve nada a ver com isto, pensou Langdon. Pedir a Jacques Saunière que avalizasse um manuscrito sobre o culto da deusa era tão evidente como pedir a Tiger Woods que avalizasse um manuscrito a respeito de golfe. Além disso, era praticamente garantido que qualquer livro sobre o culto da deusa teria de referir o Priorado de Sião.

— E agora a pergunta do milhão de dólares — disse Teabing, ainda a rir. — Nesse manuscrito, a sua posição em relação ao Priorado é favorável ou desfavorável?

Langdon compreendeu claramente o que Teabing queria na verdade dizer. Muitos historiadores questionavam o facto de o Priorado manter escondidos os documentos Sangreal. Havia quem pensasse que era já mais do que tempo de aquela informação ser partilhada com o resto do mundo.

— Não tomo qualquer posição relativamente às acções do Priorado.

— À inacção do Priorado, quererá dizer.

Langdon encolheu os ombros. Teabing estava aparentemente do lado dos que queriam tornar públicos os documentos.

— Limitei-me a contar a história da irmandade, descrevendo-a como uma sociedade moderna do culto da deusa, guardiã do Graal e de documentos antigos.

Sophie olhou para ele.

— Fala da Chave de Abóbada?

Langdon fez uma careta. Falava. Muitas vezes.

— Refiro a suposta Chave de Abóbada como um exemplo daquilo que o Priorado está disposto a fazer para proteger os documentos Sangreal.

Sophie parecia espantada.

— Acho que isso explica o *P.S. Procura Robert Langdon.*

Langdon tinha a sensação de que fora na realidade *outra coisa* no manuscrito que despertara o interesse de Saunière, mas esse tópico era algo que discutiria com Sophie quando estivessem os dois sozinhos.

— Nesse caso — continuou Sophie —, mentiu ao capitão Fache.

— Como?

— Disse-lhe que nunca teve qualquer contacto com o meu avô.

— E não tive! Foi o meu editor quem lhe enviou o manuscrito.

— Pense nisto, Robert. Se o capitão Fache não encontrasse o sobrescrito em que o seu editor enviou o manuscrito, teria de concluir que foi *você* que o mandou. — Sophie fez uma pausa. — Ou, pior ainda, que o entregou em mão e depois mentiu.

Quando o *Range Rover* chegou ao aeródromo de Le Bourget, Rémy levou-o directamente para um pequeno hangar no extremo mais distante da pista. Enquanto se aproximavam, um homem de cabelos despenteados, vestindo umas amarrotadas calças e camisa de caqui, saiu a correr do hangar, acenou-lhes e empurrou para o lado as grandes portas de chapa ondulada, mostrando o esguio jacto branco que estava lá dentro.

Langdon ficou a olhar para a refulgente fuselagem.

— *Aquilo* é o *Elizabeth?*

Teabing sorriu.

— Muito melhor do que usar o raio do Túnel.

O homem vestido de caqui aproximou-se apressadamente deles, pestanejando por causa da luz dos faróis.

— Está quase pronto — disse, num inglês com forte sotaque francês. — Peço desculpa pelo atraso, mas apanhou-me de surpresa e... — Calou-se quando o grupo se apeou. Olhou para Sophie e para Langdon, e depois de novo para Teabing.

— Eu e os meus associados temos assuntos urgentes a tratar em Londres — anunciou Teabing. — Não há tempo a perder. Por favor, prepare-o para partir imediatamente. — E, enquanto falava, tirou a pistola do jipe entregou-a a Langdon.

O piloto esbugalhou os olhos ao ver a arma. Aproximou-se de Teabing e murmurou:

— As minhas humildes desculpas, *Sir* Leigh, mas a minha licença diplomática para voar refere-se apenas a si e ao seu mordomo. Não posso levar os seus convidados.

— Richard — disse Teabing, sorrindo amavelmente —, duas mil libras esterlinas e aquela arma carregada dizem que *pode* levar os meus amigos. — Apontou para o *Range Rover*. — E aquele infeliz que está na parte de trás do jipe.

CAPÍTULO SESSENTA E NOVE

Os dois motores *Garrett TFE-731* do *Hawker 731* rugiram, impelindo o avião para o céu com uma força que colou os passageiros aos assentos. Lá fora, o aeródromo de Le Bourget desapareceu da vista a uma velocidade impressionante.

Estou a fugir do país, pensou Sophie. Até àquele momento, acreditara que o jogo do gato e do rato que estava a jogar com Fache acabaria de algum modo por parecer justificável aos olhos do Ministério do Interior. *Estava a proteger um inocente. Estava a tentar cumprir as últimas vontades do meu avô.* Essa janela de oportunidade, Sophie bem o sabia, acabava de fechar-se. Estava a sair do país, sem documentação, na companhia de um homem procurado pela Polícia e levando consigo um refém amarrado. Se alguma vez existira uma «linha de razão», acabava de transpô-la. *Quase à velocidade do som.*

Sophie estava sentada com Langdon e Teabing perto da parte da frente da cabina — na *Fan Jet Executive Elite Design*, segundo o medalhão dourado aposto na porta. Os confortáveis assentos giratórios deslizavam sobre carris no chão do aparelho e podiam ser reposicionados e travados à volta de uma mesa de madeira rectangular. Uma minissala de reuniões. O ambiente de tranquila dignidade que ali reinava pouco contribuía, no entanto, para dissimular a situação muito menos digna que se vivia na cauda do avião, onde, numa área de assentos separada e próxima da casa de banho, Rémy, o mordomo, se sentava de pistola na mão, cumprindo relutantemente as ordens do patrão de manter debaixo de olho o ensanguentado monge que jazia enrolado no chão a seus pés, como um saco de viagem.

— Antes de dedicarmos a nossa atenção à Chave de Abóbada — disse Teabing —, gostaria que me permitissem umas poucas palavras. — Parecia apreensivo, como um pai a preparar-se para fazer aos filhos uma prelecção sobre bebés e cegonhas. — Meus amigos, compreendo que sou apenas um convidado nesta viagem, e sinto-me honrado por isso. E no entanto, como alguém que passou toda a sua vida à procura do Graal, sinto que é meu dever avisá-los de que estão prestes a meter por um caminho de onde não há retrocesso possível, sejam quais forem os perigos. — Voltou-se para Sophie. — Menina Neveu, o seu avô deu-lhe este criptex na esperança de que mantivesse vivo o segredo do Santo Graal.

— Sim.

— Compreensivelmente, sente-se obrigada a seguir o caminho, aonde quer que ele a conduza.

Sophie assentiu, embora sentisse uma segunda motivação a arder dentro de si. *A verdade a respeito da minha família.* A despeito das garantias de Langdon de que a Chave de Abóbada nada tinha a ver com o seu passado, Sophie sentia que havia qualquer coisa profundamente pessoal entretecida naquele mistério, como se aquele criptex, que o avô construíra com as suas próprias mãos, estivesse a tentar falar-lhe a ela, a oferecer uma qualquer espécie de resolução para o vazio que a assombrava havia tantos anos.

— O seu avô e três outros homens morreram esta noite — continuou Teabing —, e morreram para impedir que esta Chave de Abóbada caísse nas mãos da Igreja. A Opus Dei esteve à beira de apoderar-se dela. Compreende, espero, que isto a coloca numa posição de excepcional responsabilidade. O archote foi-lhe passado. Uma chama com dois mil anos que não podemos deixar extinguir. Este archote não pode cair em mãos erradas. — Fez uma pausa, olhando para a caixa de roseira. — Compreendo que não teve opção nesta matéria, Menina Neveu, mas considerando o que está aqui em jogo, tem de aceitar plenamente esta responsabilidade... ou passá-la para outra pessoa.

— O meu avô deu-me o criptex a mim. Estou certa de que me considerava capaz de arcar com a responsabilidade.

Teabing pareceu encorajado, mas não totalmente convencido.

— Óptimo. Uma vontade forte é necessária. E no entanto, sinto a curiosidade de saber se já se apercebeu de que conseguir abrir esta Chave de Abóbada trará consigo uma prova bem mais dura.

— Como assim?

— Minha querida, imagine que tem de repente nas suas mãos um mapa que revela a localização do Santo Graal. Nesse momento, estará na posse de um segredo capaz de alterar a História para todo o sempre. Será a guardiã de uma verdade que o Homem procura há séculos. Será confrontada com a responsabilidade de revelar essa verdade ao mundo. Quem o fizer será reverenciado por muitos e desprezado por outros tantos. A questão é saber se terá a força necessária para levar a cabo essa tarefa.

Sophie fez uma curta pausa antes de dizer:

— Não estou certa de que me caiba a *mim* tomar essa decisão.

Teabing arqueou as sobrancelhas.

— Não? Se não o possuidor da Chave de Abóbada, então quem?

— A irmandade que protegeu com êxito o segredo durante tanto tempo.

— O Priorado? — Teabing parecia céptico. — Mas como? A irmandade foi desfeita esta noite. *Decapitada*, como muito bem disse. Se foram traídos por uma qualquer espécie de sistema de escuta ou por um espião nas suas fileiras, é algo que nunca saberemos, mas o facto é que alguém chegou até eles e descobriu as identidades dos quatro membros do topo. Neste ponto, não confiaria em ninguém que se apresentasse da parte do Priorado.

— Nesse caso, que sugere? — perguntou Langdon.

— Robert, sabe tão bem como eu que o Priorado não protegeu a verdade todos estes anos para que ela ficasse a acumular pó até à eternidade. Têm estado à espera do momento certo da História para revelar o segredo. Da altura em que o mundo esteja preparado para enfrentar a verdade.

— E acredita que esse momento chegou?

— Absolutamente. Não podia ser mais óbvio. Estão presentes todos os sinais históricos, e se o Priorado não tencionasse tornar o seu segredo conhecido muito em breve, porque teria a Igreja atacado agora?

— O monge ainda não nos disse qual era o seu objectivo — argumentou Sophie.

— O objectivo do monge é o objectivo da Igreja — respondeu Teabing. — Destruir os documentos que desmascaram a grande mentira. A Igreja esteve esta noite mais perto de consegui-lo do que em qualquer outro momento no passado, e o Priorado depositou a sua confiança em si, menina Neveu. A tarefa de salvar o Santo Graal inclui claramente cumprir a última vontade do Priorado e partilhar a verdade com o mundo.

— Leigh — interveio Langdon —, pedir à Sophie que tome essa decisão é pôr uma carga excessiva sobre os ombros de alguém que há uma hora não sabia sequer da existência dos documentos Sangreal.

Teabing suspirou.

— Peço desculpa por estar a pressionar, menina Neveu. Como é evidente, sempre acreditei que esses documentos devem ser tornados públicos, mas, no fim, a decisão cabe-lhe a si. Apenas sinto que é importante que comece a pensar no que vai acontecer se conseguirmos abrir a Chave de Abóbada.

— Meus senhores — disse Sophie, num tom firme. — Para citar as suas palavras, «Ninguém encontra o Santo Graal, é o Santo Graal que nos encontra.» Vou confiar em que o Graal me encontrou por uma razão e que, quando chegar o momento, saberei o que fazer.

Ambos os homens pareceram sobressaltar-se.

— Portanto — continuou ela, apontando para a caixa de roseira —, sigamos em frente.

CAPÍTULO SETENTA

De pé na sala de estar de Château Villette, o tenente Collet contemplava tristemente as brasas que esmoreciam na lareira. O capitão Fache chegara momentos antes e estava agora na sala ao lado, a gritar ao telefone, tentando coordenar a tentativa falhada de encontrar o *Range Rover* em falta.

A esta hora, pode estar sabe-se lá onde, pensou Collet.

Depois de ter desobedecido a uma ordem directa de Fache e deixado escapar Langdon pela segunda vez, Collet estava grato por a PTC ter conseguido encontra a bala cravada no soalho do estúdio, o que ao menos corroborava a sua afirmação de que fora disparado um tiro. Mesmo assim, Fache estava de péssimo humor, e Collet sentia que ia haver repercussões graves quando o pó assentasse.

Infelizmente, as pistas que estavam a descobrir naquela casa pareciam não lançar qualquer luz sobre o que se passava nem sobre quem estava envolvido. O *Audi* preto fora alugado sob um nome falso e com um cartão de crédito falso, e as impressões digitais encontradas no carro não condiziam com nenhumas da base de dados da Interpol.

Um outro agente entrou a correr na sala, com uma expressão de urgência no rosto.

— Onde está o capitão Fache?

Collet quase não ergueu os olhos das brasas moribundas.

— Está ao telefone.

— Já não estou ao telefone — ladrou Fache, entrando. — O que é que tem?

— A Central acaba de ser contactada por André Vernet, do Banco Depositário de Zurique — disse o agente. — Quer falar consigo em particular. Mudou de história.

— Sim? — perguntou Fache.

Desta vez, Collet ergueu os olhos.

— Agora admite que o Langdon e a Neveu passaram algum tempo dentro do banco esta noite.

— Isso já nós sabíamos — comentou Fache. — Porque foi que mentiu a esse respeito?

— Diz que só fala consigo, mas prometeu cooperar plenamente.

— A troco de quê?

— De mantermos o nome do banco longe dos noticiários e de o ajudarmos a recuperar algo que foi roubado. Parece que o Langdon e a Neveu tiraram qualquer coisa do cofre do Saunière.

— O quê? — gritou Collet. — Como?

Fache nem sequer pestanejou, com os olhos cravados no segundo agente.

— O que foi que roubaram?

— O Vernet não se explicou, mas parece disposto a fazer o que for preciso para o recuperar.

Collet tentou imaginar como poderia aquilo ter acontecido. Talvez Langdon e Sophie tivessem dominado um empregado do banco com uma arma? Talvez tivessem obrigado Vernet a abrir a conta de Saunière e a facilitar-lhes a fuga na carrinha blindada. Por muito exequível que tudo aquilo fosse, Collet tinha dificuldade em acreditar que Sophie Neveu pudesse estar envolvida em semelhante coisa.

— Capitão! — chamou um outro agente, da cozinha. — Estive a verificar as memórias do telefone do senhor Teabing e neste instante estou em contacto com o aeroporto de Le Bourget. Tenho más notícias.

Trinta segundos mais tarde, Fache estava pronto para deixar Château Villette. Acabava de saber que Teabing tinha um jacto particular no aeródromo de Le Bourget e que esse mesmo avião levantara voo cerca de meia hora antes.

O representante do aeródromo que falara com ele afirmara não saber quem ia no avião nem aonde se dirigia. A descolagem não estava prevista e não fora registado qualquer plano de voo. Altamente ilegal, mesmo para um pequeno aeródromo. Fache tinha a certeza de que aplicando pressão nos lugares certos, conseguiria obter as respostas que procurava.

— Tenente Collet — ladrou, já da porta. — Não tenho alternativa senão deixá-lo a conduzir as investigações da PTC nesta casa. Tente fazer qualquer coisa certa, para variar.

CAPÍTULO SETENTA E UM

Enquanto o *Hawker* nivelava à altitude de cruzeiro, com o nariz apontado para Inglaterra, Langdon levantou cuidadosamente a caixa de roseira que tinha no colo, onde estivera a protegê-la durante a descolagem. Agora, ao pousá-la em cima da mesa, sentiu Sophie e Teabing inclinarem-se para a frente, tensos de expectativa.

Depois de soltar o fecho e abrir a caixa, concentrou a sua atenção não nos anéis marcados com letras do criptex, mas no pequeno orifício na face interior da tampa. Usando o bico de uma caneta, retirou cuidadosamente a rosa embutida e revelou o texto que estava por baixo. *Sub-Rosa,* murmurou, na esperança de que um novo olhar àquele texto fizesse alguma luz. Focando todas as suas energias, examinou a estranha escrita.

Ao cabo de vários segundos, começou a sentir a frustração inicial ressurgir à superfície.

— Não consigo situá-la, Leigh.

Do lugar onde estava sentada, do outro lado da mesa, Sophie não conseguia ver o texto, mas a incapacidade de Langdon de identificar imediatamente a língua em que estava escrito surpreendeu-a. *O meu avô falava uma língua tão obscura que nem sequer um simbologista consegue identificá-la?* Apercebeu-se no mesmo instante de que aquilo não devia surpreendê-la. Não era aquele o primeiro segredo que Jacques Saunière escondera da neta.

Sentado em frente de Sophie, Teabing parecia prestes a explodir. Ansioso pela sua oportunidade de ver o texto, tremia de excitação, inclinando-se para a frente, espreitando por detrás de Langdon, que continuava debruçado para a caixa.

— Não sei — murmurou Langdon, profundamente concentrado. — A minha primeira impressão é que é semita, mas não estou muito certo. A maior parte das línguas semitas primárias incluía *nekkudot*. Esta não tem nenhum.

— Provavelmente antiga — sugeriu Teabing.

— *Nekkudot?* — perguntou Sophie.

Teabing não desviou os olhos da caixa.

— A maior parte dos alfabetos semitas modernos não tem vogais e usa *nekkudot*... pequenos pontos ou traços escritos por baixo ou dentro das consoantes... para indicar que são acompanhadas pelo som de uma vogal. Em termos históricos, os *nekkudot* são uma adição relativamente recente à linguagem.

Langdon continuava a examinar a escrita.

— Uma transliteração sefárdica, talvez...?

Teabing não aguentou mais.

— Talvez se eu... — Estendendo as mãos, pegou na caixa e puxou-a para diante de si. Langdon tinha sem dúvida uma sólida familiaridade com as antigas línguas clássicas... grego, latim, românico..., mas, pelo rapidíssimo vislumbre que tivera *daquela* língua, Teabing ficara com a impressão de que podia tratar-se de algo mais especializado, possivelmente uma escrita rashi, ou uma STA"M com coroas.

Inspirou fundo e olhou para a gravação. Durante muito, muito tempo, não disse uma palavra. À medida que os segundos passavam, sentia a confiança que o animara esvaziar-se como um balão.

— Estou espantado — admitiu, por fim. — Esta língua não se parece com qualquer outra que eu alguma vez tenha visto.

Langdon deixou descair os ombros.

— Posso ver? — pediu Sophie.

Teabing fingiu que não tinha ouvido.

— Robert, disse há pouco que lhe parecia já ter *visto* qualquer coisa parecida?

Langdon estava com um ar embaraçado.

— Pareceu-me que sim. Não tenho a certeza. Seja pelo que for, tem qualquer coisa de familiar.

— Leigh? — repetiu Sophie, claramente pouco satisfeita por estar a ser deixada à margem da discussão. — Posso dar uma vista de olhos à caixa que o meu avô fez?

— Claro, minha querida — respondeu Teabing, empurrando a caixa para ela. Não quisera dar a impressão de estar menosprezá-la, mas a verdade era que Sophie se encontrava, naquele caso, a anos--luz da sua competência. Se um historiador da Royal Academy e um simbologista de Harvard não conseguiam sequer identificar a língua...

— Ah! — disse Sophie, segundos depois de ter olhado para a tampa da caixa. — Já devia ter calculado.

Teabing e Langdon voltaram-se em uníssono e ficaram a olhar para ela.

— Calculado *o quê*? — perguntou Teabing.

Sophie encolheu os ombros.

— Que seria esta a linguagem que o meu avô utilizaria.

— Está a dizer que consegue *ler* esse texto? — assombrou-se Teabing.

— Com toda a facilidade — respondeu Sophie, obviamente a divertir-se à grande. — O meu avô ensinou-me esta língua quando eu tinha seis anos. Falo-a fluentemente. — Inclinou-se para cima da mesa e cravou em Teabing um olhar de censura. — E francamente, *Sir* Leigh, tendo em conta a sua lealdade à coroa, espanta-me um pouco que a não tenha reconhecido.

Num relâmpago, Langdon soube.

Não admira que o raio da escrita me tenha parecido tão familiar!

Vários anos antes, tinha assistido a um evento no Harvard's Fogg Museum. Um ex-aluno da universidade que nunca chegara a completar o curso, Bill Gates, voltara à *alma mater* para emprestar ao museu uma das suas valiosíssimas aquisições: dezoito folhas de papel que adquirira recentemente no leilão da Armand Hammar Estate.

Lance vencedor: 30,8 milhões de dólares.

Autor das páginas: Leonardo da Vinci.

As dezoito folhas — agora conhecidas como *Codex Leicester*, do nome do seu famoso proprietário, o conde de Leicester — eram tudo o que restava de um dos mais fascinantes blocos-de-notas de Leonardo: ensaios e desenhos em que da Vinci esboçava as suas teorias progressistas em matéria de astronomia, geologia, arqueologia e hidrologia.

Langdon nunca esqueceria a sua reacção, quando, depois de ter esperado na fila, vira finalmente o precioso documento. Total desilusão. As páginas eram ininteligíveis. Apesar de magnificamente conservadas e escritas numa caligrafia impecável — tinta vermelha sobre papel creme — o códice parecia uma algaraviada. Ao princípio pensara que não conseguia lê-las porque da Vinci as tinha escrito num italiano arcaico. Mas depois de as ter estudado com mais atenção, apercebera-se de que não conseguia identificar uma única palavra italiana, ou sequer uma letra.

— Experimente com aquilo — murmurara-lhe a professora da universidade presente junto do expositor, indicando um espelho preso por uma corrente ao rebordo da caixa. Langdon pegara no espelho e examinara o texto reflectido na sua superfície.

Instantaneamente, tornara-se claro.

Langdon estivera tão ansioso por conhecer algumas das ideias do grande pensador que esquecera que entre os inúmeros talentos artísticos de Leonardo se contava o de utilizar uma escrita invertida que era praticamente ilegível para qualquer outra pessoa. Os historiadores ainda continuavam a debater se da Vinci escrevia assim para se divertir ou para impedir alguém de espreitar-lhe por cima do ombro e roubar-lhe as ideias, mas a questão era estéril. Da Vinci fazia pura e simplesmente o que lhe apetecia.

Sophie sorriu para dentro ao perceber que Langdon compreendera o que ela queria dizer.

— Consigo ler as primeiras palavras — disse. — Está em inglês.

Teabing ainda estava a gaguejar.

— Mas o que é que se passa?

— Escrita invertida — explicou Langdon. — Precisamos de um espelho.

— Não, não precisamos — disse Sophie. — Aposto que esta camada de verniz é suficientemente fina. — Ergueu a caixa de roseira à altura de uma das luzes da parede e pôs-se a examinar a face inferior da tampa. O avô não era verdadeiramente capaz de escrever ao contrário, de modo que fazia sempre batota escrevendo *normalmente* e então voltando a folha e desenhando por cima da impressão invertida. Naquele caso, devia ter pirogravado o texto normal num bloco de madeira e em seguida passado a parte de trás do bloco por uma lixadora eléctrica até reduzi-lo à espessura de um papel, permitindo *ver* as palavras gravadas através da madeira. Bastava-lhe então pegar nela, invertê-la e encaixá-la no seu lugar.

Ao aproximar a tampa da lâmpada, viu que acertara. O feixe de luz atravessou a fina película de madeira e a escrita apareceu invertida na face inferior da tampa.

Instantaneamente legível.

— Inglês — gemeu Teabing, esmagado pela vergonha. — A minha língua materna.

Na cauda do avião, Rémy Legaludec esforçava-se por ouvir acima do barulho dos motores, mas a conversa que decorria lá à frente era inaudível. Rémy não gostava do modo como a noite estava a decorrer. Nem um bocadinho. Baixou os olhos para o monge enrodilhado a seus pés. O homem estava agora perfeitamente imóvel, como que num transe de aceitação, ou a rezar uma silenciosa prece a pedir a libertação.

CAPÍTULO SETENTA E DOIS

A quatro mil e quinhentos metros de altitude, Robert Langdon sentiu o mundo físico desvanecer-se e todos os seus pensamentos convergiram para o poema escrito por Jacques Saunière, iluminado através da tampa da caixa.

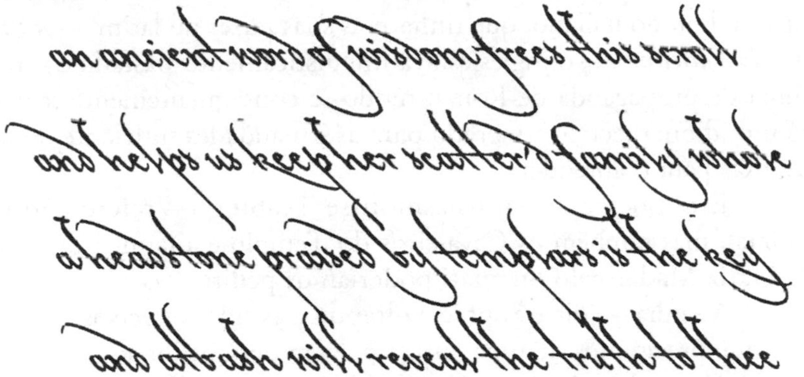

Sophie encontrou rapidamente uma folha de papel e copiou-o. Quando acabou, leram-no à vez. Parecia uma espécie de palavras cruzadas arqueológicas... uma charada que prometia revelar como abrir o criptex. Langdon voltou a ler os versos, devagar.

Um antiga palavra de sabedoria este rolo liberta... e ajuda-nos a manter unida a sua família dispersa... uma lápide venerada pelos Templários é a chave... e o atbash *revelar-te-á a verdade.*

Antes que Langdon pudesse sequer ponderar que antiga senha pretendia o verso revelar, sentiu algo de muito mais fundamental ressoar-lhe no espírito: a métrica do poema. *Um pentâmetro jâmbico.*

Encontrara muitas vezes aquela métrica nas suas pesquisas sobre sociedades secretas por toda a Europa, incluindo, tão recentemente como no ano anterior, nos Arquivos Secretos do Vaticano. Durante séculos, o pentâmetro jâmbico fora a métrica preferida dos letrados progressistas de todo o mundo, desde o antigo escritor grego Arquíloco a Shakespeare, Milton, Chaucer e Voltaire — homens ousados que tinham optado por escrever os seus comentários sociais numa métrica que na altura muitos acreditavam possuir propriedades místicas. As raízes do pentâmetro jâmbico eram profundamente pagãs.

Jambos. Duas partes com ênfases opostas. Forte e fraca. Yin *e* yang. *Um par equilibrado. Dispostas em filas de cinco. Pentâmetro. Cinco para o pentáculo de Vénus e para o sagrado feminino.*

— São pentâmetros! — gaguejou Teabing, voltando-se para Langdon. — E o verso está escrito em inglês! *La língua pura!*

Langdon assentiu. Havia séculos que o Priorado, como muitas outras sociedades secretas em conflito com a Igreja, considerava o inglês a única língua europeia *pura.* Ao contrário do francês, do espanhol ou do italiano, que tinham as suas raízes no latim — *a língua do Vaticano* —, o inglês estava linguisticamente afastado da máquina de propaganda de Roma, tendo-se consequentemente tornado um idioma secreto e sagrado para as irmandades suficientemente eruditas para o aprenderem.

— Este poema — entusiasmou-se Teabing — refere não só o Graal, mas também os Cavaleiros do Templo e a família dispersa de Maria Madalena! Que mais poderíamos pedir?

— A senha — disse Sophie, voltando a estudar os versos. — Parece que precisamos de uma antiga palavra de sabedoria?

— Abracadabra? — sugeriu Teabing, com os olhos a brilhar.

Uma palavra com cinco letras, pensou Langdon, considerando o estonteante número de palavras antigas que podiam ser consideradas *palavras de sabedoria* — palavras tiradas de cânticos místicos, de previsões astrológicas, de ritos de sociedades secretas, de encantações Wicca, de feitiços egípcios, de mantras pagãs... a lista era interminável.

— A senha — continuou Sophie — tem aparentemente alguma coisa a ver com os Templários. — Leu o texto em voz alta —: «Uma lápide venerada pelos Templários é a chave.»

— Leigh — disse Langdon —, em matéria de Templários, é você o especialista. Alguma ideia?

Teabing manteve-se silencioso durante vários segundos, e então suspirou.

— Bem, uma lápide é obviamente uma pedra tumular. É possível que o poema fale de uma pedra tumular que os Templários veneram como sendo o túmulo de Madalena, o que não nos ajuda muito, uma vez que não fazemos a mínima ideia de onde fica esse túmulo.

— A última linha — interveio mais uma vez Sophie —, diz que o *atbash* revelará a verdade. Já ouvi essa palavra. *Atbash.*

— Não me surpreende — respondeu Langdon. — Provavelmente, ouviu-a em Criptologia 101. A Cifra *Atbash* é um dos mais antigos códigos que a humanidade conhece.

Claro, pensou Sophie. *O famoso sistema de codificação hebraico.*

A Cifra *Atbash* fizera de facto parte dos primeiros estudos de Criptologia de Sophie. Datava do ano 500 a. C. e era actualmente usada como um exemplo de um esquema de substituição rotativo básico. Forma muito comum de criptograma judaico, a Cifra *Atbash* era um simples código de substituição baseado no alfabeto hebraico de vinte e duas letras. Em atbash, *a primeira* letra era substituída pela última, a segunda pela penúltima, e assim sucessivamente.

— O *atbash* é sublimemente apropriado — declarou Teabing. — Encontramos textos codificados com *atbash* na Cabala, nos Manuscritos do Mar Morto e até no Antigo Testamento. Os eruditos judeus ainda hoje continuam a descobrir novos significados usando o *atbash*. O Priorado incluía-o seguramente como parte do seu ensino.

— O único problema — fez Langdon notar — é que não temos nada a que aplicar o código.

Teabing suspirou.

— Deve haver uma palavra-chave na tal pedra tumular. Temos de encontrar a lápide venerada pelos Templários.

Sophie adivinhou, pela expressão soturna da cara da Langdon, que encontrar a pedra tumular não seria pequena façanha.

O atbash *é a chave,* pensou. *Mas não temos a porta.*

Passaram-se três minutos até que Teabing deixou escapar um suspiro de frustração e abanou a cabeça.

— Meus amigos, bloqueei. Deixem-me pensar um pouco nisto enquanto arranjo qualquer coisa para petiscarmos e vejo como estão o Rémy e o nosso convidado. — E com estas palavras, pôs-se de pé e dirigiu-se à cauda do avião.

Sophie sentiu-se exausta ao vê-lo afastar-se.

Do lado de lá da janela, a escuridão que precedia a aurora era absoluta. Sophie sentia-se como se tivesse a ser projectada através do espaço sem fazer a mínima ideia de onde ia cair. Tendo crescido a resolver as charadas do avô, tinha a incómoda sensação de que aquele poema continha informação que ainda não tinham visto.

Há aqui mais qualquer coisa, disse para si mesma. *Engenhosamente escondida... mas apesar disso presente.*

Também a atormentar-lhe os pensamentos estava o medo de que aquilo que acabassem eventualmente por descobrir dentro do criptex não fosse tão simples como «um mapa para o Santo Graal». A despeito da convicção de Langdon e de Teabing de que a verdade se encontrava dentro do cilindro de mármore, Sophie resolvera uma quantidade suficiente das caças ao tesouro do avô para saber que Jacques Saunière não entregava facilmente os seus segredos.

CAPÍTULO SETENTA E TRÊS

O controlador de tráfego aéreo do turno da noite do aeródromo Le Bourget estivera a dormitar diante de um ecrã de radar vazio quando o capitão da Polícia Judiciária praticamente lhe arrombara a porta.

— O jacto do Teabing — gritou Fache, entrando de rompante na pequena torre de controlo —, para onde foi?

A primeira reacção do controlador foi uma titubeante e infeliz tentativa de proteger a privacidade do seu cliente britânico, um dos mais respeitados do aeródromo. Falhou miseravelmente.

— Muito bem — disse Fache —, fica detido por ter permitido que um avião particular levantasse sem registar um plano de voo. — Fez sinal a um agente, que se aproximou fazendo balouçar umas algemas, e o controlador aéreo sentiu uma vaga de terror invadi-lo. Pensou nos artigos dos jornais em que se debatia se o capitão da Polícia nacional era um herói ou uma ameaça. Para ele, a pergunta acabava de ter resposta.

— Espere! — ouviu-se a si mesmo gemer, à vista das algemas. — Uma coisa posso dizer-lhe. *Sir* Leigh Teabing faz frequentes viagens a Londres para tratamento médico. Tem um hangar no aeródromo executivo de Biggin Hill, em Kent. Nos arredores de Londres.

Com um gesto, Fache afastou o homem das algemas.

— É para lá que vai esta noite?

— Não sei — respondeu o controlador, sinceramente. — O avião seguiu o rumo habitual e o último contacto por radar indica o Reino Unido. Biggin Hill é uma hipótese extremamente provável.

— Ia mais alguém com ele?

— Juro que não tenho modo de saber. Os nossos clientes podem seguir directamente para os respectivos hangares e embarcar quem quiserem. Quem segue a bordo é responsabilidade dos funcionários da alfândega no aeroporto de destino.

Fache consultou o relógio e lançou uma olhar aos vários jactos estacionados em frente do terminal.

— Se foram para Biggin Hill, dentro de quanto tempo aterrarão?

O controlador remexeu nervosamente na papelada.

— É um voo curto. O avião poderá estar no chão às... por volta das seis e meia. Dentro de quinze minutos.

Fache franziu o sobrolho e voltou-se para um dos seus homens.

— Arranje-me um transporte. Vou a Londres. E entre em contacto com a Polícia local de Kent. Não o MI5. Quero manter esta história o mais discreta possível. A Polícia local. Diga-lhes que eu quero que o avião de Teabing seja autorizado a aterrar. Depois quero-o cercado na pista. Ninguém desembarca antes de eu chegar.

CAPÍTULO SETENTA E QUATRO

— Está muito calada — observou Langdon, olhando para Sophie, sentada do outro lado da cabina.

— Apenas cansada — respondeu ela. — E o poema. Não sei.

Langdon sentia o mesmo. O barulho dos motores e o suave balouçar do avião eram hipnóticos, e ainda lhe doía a cabeça no sítio onde o monge lhe batera. Teabing continuava lá para trás e Langdon resolveu aproveitar o facto de estar sozinho com Sophie para lhe falar de uma coisa que tinha estado a pensar.

— Julgo saber parte da razão por que o seu avô conspirou para nos juntar. Penso que há qualquer coisa que ele queria que eu lhe explicasse.

— A história do Santo Graal e de Maria Madalena não é o bastante?

Langdon não sabia muito bem como fazer aquilo.

— A zanga entre os dois. A razão por que não falou com ele durante dez anos. Penso que talvez tivesse a esperança de que eu pudesse resolver essa parte explicando-lhe o que os afastou.

Sophie agitou-se no assento.

— Não lhe contei o que foi que nos afastou.

Langdon estava a observá-la atentamente.

— Assistiu a um rito sexual, não foi?

Sophie encolheu-se.

— Como sabe?

— Sophie, disse-me que assistiu a qualquer coisa que a convenceu de que o seu avô pertencia a uma sociedade secreta. E aquilo que viu perturbou-a tanto que não voltou a falar com ele desde então. Tenho um conhecimento razoável a respeito de sociedades secretas. Não é preciso ter o cérebro de um da Vinci para adivinhar o que viu.

Sophie ficou a olhar para ele, sem dizer nada.

— Foi na Primavera? — perguntou Langdon. — Mais ou menos por altura do equinócio? Meados de Março?

Sophie voltou a cabeça para olhar pela janela.

— Foi nas férias da Páscoa. Cheguei a casa uns dias mais cedo.

— Quer contar-me o que se passou?

— Preferia não o fazer. — Voltou-se subitamente para Langdon, com os olhos cheios de emoção. — Não sei o que foi que vi.

— Havia homens e mulheres presentes?

Sophie assentiu, depois de uma brevíssima hesitação.

— Vestidos de branco e de preto?

Ela limpou os olhos e voltou a assentir com a cabeça, parecendo abrir-se um pouco.

— As mulheres tinham vestidos de tule branco... com sapatos dourados. Seguravam nas mãos esferas douradas. Os homens usavam túnicas pretas e sapatos pretos.

Langdon esforçou-se por esconder a emoção, e no entanto mal podia acreditar no que estava a ouvir. Sophie Neveu testemunhara involuntariamente uma cerimónia sagrada com dois mil anos de idade.

— Máscaras? — perguntou, mantendo a voz calma. — Máscaras andróginas?

— Sim. Todos eles. Máscaras iguais. Brancas para as mulheres. Pretas para os homens.

Langdon lera descrições da cerimónia e compreendia as suas raízes místicas.

— Chama-se *Hieros Gamos* — disse, gentilmente. — Data de há mais de dois mil anos. Os sacerdotes e sacerdotisas egípcios celebravam-na frequentemente para honrar o poder reprodutivo da fêmea. — Fez uma pausa, inclinando-se para ela. — E se testemunhou um *Hieros Gamos* sem ter sido devidamente preparada para compreender o seu significado, imagino que tenha sido um grande choque.

Sophie não disse nada.

— *Hieros Gamos* é grego — continuou ele. — Significa *casamento sagrado*.

— O rito a que assisti não era um casamento.

— Casamento no sentido de união, Sophie.

— No sentido de sexo, quer dizer.

— Não.

— Não? — Os olhos verde-azeitona dela estavam a sondá-lo.

Langdon fez marcha-atrás.

— Bem... sim, de certa maneira, mas não como hoje o entendemos. — Explicou-lhe que embora o que ela tinha testemunhado pudesse *parecer* um rito sexual, o *Hieros Gamos* não tinha nada a ver com erotismo. Era um acto espiritual. Historicamente, a relação sexual era o acto através do qual o macho e a fêmea experimentavam Deus. Os Antigos acreditavam que o homem era espiritualmente incompleto até conhecer carnalmente o sagrado feminino. A união física com a mulher recordava o único meio através do qual o homem podia tornar-se espiritualmente completo e, em última análise, chegar à *gnosis*, o conhecimento do divino. Desde os tempos de Ísis que os ritos sexuais eram considerados a única ponte da humanidade entre a terra e o céu. — Ao comungar com a mulher — continuou Langdon —, o homem conseguiu atingir um instante climático em que a sua mente ficava totalmente vazia e ele conseguia ver Deus.

Sophie parecia pouco convencida.

— O orgasmo como oração?

Langdon encolheu os ombros, apesar de, no fundo, Sophie ter razão. Em termos fisiológicos, o clímax masculino era acompanhado por uma fracção de segundo inteiramente vazia de pensamento. Um brevíssimo vácuo mental. Um momento de clareza durante o qual era possível vislumbrar Deus. Os gurus da meditação atingiam estados similares de ausência de pensamento sem a ajuda do sexo e descreviam frequentemente o Nirvana como um interminável orgasmo espiritual.

— Sophie — disse, num tom calmo —, é importante ter presente que o modo como os Antigos encaravam o sexo era diametralmente oposto ao nosso. O sexo gerava nova vida... o milagre absoluto... e os milagres só podiam ser realizados por um deus. A capacidade da mulher de produzir vida a partir do útero tornava-a sagrada. Um deus. A relação sexual era a venerada união das duas metades do espírito humano, o masculino e o feminino, através da qual o macho podia chegar à plenitude espiritual e à comunhão com

Deus. Aquilo que viu não tinha nada a ver com sexo, tinha a ver com espiritualidade. O rito do *Hieros Gamos* não é uma perversão. É uma cerimónia profundamente sacrossanta.

As palavras dele tinham aparentemente tocado num nervo. Sophie mostrara-se muito controlada durante toda a noite, mas agora, pela primeira vez, Langdon via a aura de compostura começar a estalar. Os olhos encheram-se-lhe uma vez mais de lágrimas, que ela limpou com a manga do camisolão.

Langdon deu-lhe um momento para se recompor. O conceito do sexo como caminho para Deus podia, de facto, ser inicialmente bastante confuso. Os seus estudantes judeus ficavam sempre com um ar muito espantado quando ele lhes dizia que a primitiva tradição judaica envolvia sexo ritual. *No Templo, nada menos.* Os antigos Judeus acreditavam que o Santo dos Santos no Templo de Salomão albergava não apenas Deus, mas também a sua poderosa igual feminina, Shekinah. Os homens em busca de plenitude espiritual iam ao Templo visitar sacerdotisas — as *hierodules* — com as quais faziam amor e experimentavam o divino através da união física. O tetragrama hebraico YHWH — o nome sagrado de Deus — derivava na realidade de Jehovah, uma união física andrógina entre o masculino *Jah* e o nome pré-hebraico de Eva, *Havah*.

— Para a Igreja primitiva — continuou Langdon, no mesmo tom suave —, o facto de a humanidade usar o sexo para comungar directamente com Deus representava uma séria ameaça para a base de poder católica. Deixava a Igreja fora do circuito, minando a sua autoproclamada condição de *único* canal para Deus. Por razões óbvias, os padres fizeram tudo o que puderam para demonizar o sexo e apresentá-lo como um acto nojento e pecaminoso. Várias outras grandes religiões fizeram o mesmo.

Sophie manteve-se silenciosa, mas Langdon sentia que começava a compreender melhor o avô. Ironicamente, expusera aquele mesmo ponto numa aula, no início do semestre.

— Será surpreendente que nos sintamos confusos no que respeita ao sexo? — perguntou Langdon aos seus alunos. — A nossa herança psíquica, e até a nossa própria fisiologia, dizem-nos que o sexo é natural... um caminho para a realização espiritual... e no entanto, as religiões modernas declaram-no vergonhoso e ensinam-nos a temer o nosso desejo sexual como a mão do diabo.

Decidiu não os chocar com o facto de mais de uma dúzia de sociedades secretas espalhadas por todo o mundo, algumas delas muito influentes, continuarem a praticar ritos sexuais e manterem vivas as antigas tradições. A personagem de Tom Cruise no filme *De Olhos Bem Fechados* descobria isto mesmo da maneira mais difícil quando se infiltrava numa reunião privada da ultra-elite de Manhattan e assistia a um *Hieros Gamos*. Infelizmente, os autores do filme tinham interpretado mal a maior parte dos pormenores específicos, mas a parte essencial estava lá: uma sociedade secreta a comungar para celebrar a magia da união sexual.

— Professor Langdon? — Um aluno sentado numa das últimas filas levantou a mão, com uma nota de feliz expectativa na voz. — Está a dizer que em vez de irmos à igreja, devíamos ter mais sexo?

Langdon riu-se, nada disposto a engolir o isco. Pelo que ouvia contar das festas de Harvard, aqueles miúdos estavam a ter sexo mais do que suficiente.

— Meus senhores — disse, sabendo que pisava terreno perigoso —, posso fazer uma sugestão a todos? Sem querer ser ousado ao ponto de aprovar o sexo pré-marital nem ingénuo ao ponto de acreditar que são todos uns castos anjinhos, vou dar-lhes um conselho relativamente à vossa vida sexual.

Todos os rapazes da turma se inclinaram para a frente, escutando atentamente.

— Da próxima vez que estiverem com uma mulher, procurem no vosso coração e vejam se não conseguem abordar o sexo como um acto espiritual e místico. Façam a vocês mesmos o desafio de encontrar essa centelha de divindade que o homem só pode alcançar através da união com o sagrado feminino.

As raparigas sorriram com o ar de quem sabe, assentindo com a cabeça.

Os rapazes trocaram risinhos ambíguos e piadas de mau gosto.

Langdon suspirou. Mesmo universitários, os rapazes continuavam a ser rapazes.

Sophie sentiu o frio do vidro na testa que apertava contra a janela do avião enquanto voltava um olhar ausente para o vazio e tentava processar o que Langdon acabava de lhe dizer. Tinha um novo remorso lá bem no fundo de si mesma. *Dez anos.* Recordou os montes de cartas por abrir que o avô lhe tinha enviado. *Vou contar tudo ao Robert.* Sem se voltar, começou a falar. Em voz baixa, a medo.

À medida que relatava o que acontecera naquela noite, sentiu-se recuar no tempo... voltar ao bosque fora da casa de férias do avô na Normandia... passar em revista, confusa, as salas desertas, ouvir as vozes vindas do chão... e então encontrar a porta escondida. Voltou a descer, degrau a degrau, a escada de pedra, até à gruta subterrânea. Voltou a sentir o cheiro a terra do ar. Leve e frio. Era o mês de Março. Da escuridão do seu esconderijo na escada, viu os desconhecidos balouçarem-se e cantarem à luz bruxuleante e alaranjada dos archotes.

Estou a sonhar, disse Sophie para si mesma. *Isto é um sonho. Que outra coisa pode ser?*

Os homens e as mulheres balouçavam-se, preto, branco, preto, branco. As belas túnicas de tule das mulheres ondeavam de cada vez que elas erguiam na mão direita os globos de ouro e entoavam em uníssono: «*Eu estava contigo no começo, na aurora de tudo o que é sagrado, trouxe-te no ventre antes do início do dia.*»

As mulheres baixavam os globos, e todos balouçavam para a frente e para trás, como que em transe. Reverenciavam qualquer coisa que estava no centro do círculo.

Para que estão eles a olhar?

As vozes aceleraram. Mais altas. Mais rápidas.

«*A mulher que estás a ver é amor!*», cantaram as mulheres, erguendo de novo os globos.

«*Tem a sua morada na eternidade!*», responderam os homens.

O cântico voltou a acelerar. Era agora atroador. Ainda mais rápido. Os participantes avançaram um passo e ajoelharam.

Nesse instante, Sophie pôde finalmente ver aquilo para que todos eles estavam a olhar.

Em cima de um altar baixo e ricamente decorado, no meio do círculo, estava um homem. Nu, deitado de costas, com uma máscara preta. Sophie reconheceu instantaneamente o corpo e o sinal de nascença no ombro. Quase gritou. *Grand-père!* Só aquela imagem teria bastado para chocá-la para lá do imaginável, mas havia mais.

Montada no avô estava uma mulher, com o rosto coberto por uma máscara branca, os compridos cabelos prateados caídos para as costas. O corpo dela era cheio, longe de ser perfeito, e movia-se ao ritmo do cântico... a fazer amor com o avô de Sophie.

Sophie quis fazer meia volta e fugir, mas não foi capaz. As paredes de rocha da gruta prendiam-na como uma prisão enquanto o cântico atingia um ritmo febril, o som a subir num *crescendo* até ao frenesi. Com um súbito rugido, a cave inteira pareceu explodir num orgasmo. Sophie não conseguia respirar. Apercebeu-se, de súbito, de que estava a chorar baixinho. Voltou-se, subiu as escadas a cambalear, em silêncio, saiu da casa e regressou, trémula, a Paris.

CAPÍTULO SETENTA E CINCO

O turbo-jacto fretado sobrevoava as tremeluzentes luzes do Mónaco quando o bispo Aringarosa desligou o telemóvel, terminando a sua segunda conversa com Fache naquela noite. Voltou a estender a mão para o saco de enjoo, mas estava demasiado exausto até para vomitar.

Só quero que isto acabe!

As últimas informações de Fache tinham-lhe parecido incompreensíveis, apesar de naquela noite já nada fazer sentido. *O que é que se está a passar?* Os acontecimentos tinham escapado a qualquer espécie de controlo. *Em que foi que meti o Silas? No que foi que me meti a mim mesmo?*

Com passos trémulos, dirigiu-se à cabina de pilotagem.

— Preciso de mudar de destino — disse.

O piloto olhou por cima do ombro e riu-se.

— Está a brincar, não está?

— Não, tenho de ir imediatamente para Londres.

— Padre, isto é um voo fretado, não é um táxi.

— Pagarei a diferença, claro. Quanto? Londres fica apenas uma hora mais para norte e quase não exige mudança de rumo, de modo que...

— Não é uma questão de dinheiro, padre, há outras coisas envolvidas.

— Dez mil euros. Já.

O piloto voltou-se, com uma expressão de choque no rosto.

— Quanto? Que espécie de padre traz consigo tanto dinheiro?

Aringarosa voltou para junto da maleta preta, abriu-a, tirou lá de dentro um dos títulos ao portador e estendeu-o ao piloto.

— O que é isto? — perguntou o homem.

— Um título ao portador de dez mil euros sacável sobre o Banco do Vaticano.

O piloto fez um ar de dúvida.

— É igual a dinheiro.

— Só dinheiro é dinheiro — disse o piloto, e devolveu o título.

Aringarosa sentiu as pernas fraquejarem-lhe enquanto se apoiava à porta do *cockpit*.

— É uma questão de vida ou de morte. Tem de ajudar-me. Preciso de ir a Londres.

O piloto olhou para o anel de ouro do bispo.

— Os diamantes são verdadeiros?

Aringarosa baixou os olhos para o anel.

— Não posso de modo algum separar-me dele.

O piloto encolheu os ombros, voltou-se e ficou a olhar em frente.

Aringarosa sentiu uma profunda tristeza. Olhou para o anel. Fosse como fosse, estava à beira de perder tudo o que ele representava. Ao cabo de um longo tempo, tirou o anel do dedo e pousou-o cuidadosamente no painel de instrumentos.

Saiu do *cockpit* e voltou para o seu lugar. Segundos depois, sentiu o piloto iniciar uma curva de alguns graus para norte.

Mesmo assim, o seu momento de glória tinha sido destruído.

Tudo aquilo começara como uma causa santa. Um plano brilhantemente gizado. Agora, como um castelo de cartas, estava a desmoronar-se... e o fim não estava sequer à vista.

CAPÍTULO SETENTA E SEIS

Langdon bem via que Sophie estava ainda abalada depois de lhe ter contado a sua experiência de *Hieros Gamos*. Pelo seu lado, estava espantado por tê-la ouvido. Sophie não só testemunhara todo o ritual, como o seu próprio avô fora o celebrante... o Grão-Mestre do Priorado de Sião. A companhia era ilustre. *Da Vinci, Botticelli, Isaac Newton Victor Hugo, Jean Cocteau... Jacques Saunière.*

— Não sei que mais possa dizer-lhe — murmurou Langdon, docemente.

Os olhos de Sophie estavam agora verdes-escuros, cheios de lágrimas.

— Criou-me como se fosse sua filha.

Langdon reconheceu então a emoção que estivera a crescer nos olhos dela enquanto falava. Era remorso. Distante e profundo. Sophie Neveu rechaçara o avô e estava agora a vê-lo a uma luz completamente nova.

Lá fora, a aurora aproximava-se a passos de gigante, pintalgando de vermelho o céu a estibordo. Por baixo deles, a terra continuava escura.

— Vitualhas, meus caros? — Teabing juntou-se-lhes com um floreado, pousando em cima da mesa várias latas de *Coca-Cola* e uma caixa de biscoitos já velhos. Pediu profusamente desculpas pela escassez dos comestíveis, enquanto os distribuía. — O nosso amigo monge ainda não quer falar, mas demos-lhe tempo. — Deu uma dentada num biscoito e olhou para o poema. — Então, minha querida, algum progresso? — Olhava para Sophie. — Que está o seu avô a tentar dizer-nos? Onde diabo fica essa pedra tumular? A lápide venerada pelos Templários?

Sophie abanou a cabeça e permaneceu silenciosa.

Enquanto Teabing voltava a embrenhar-se nos versos, Langdon abriu uma *Cola* e voltou-se para a janela, com o espírito cheio de imagens de rituais secretos e códigos indecifráveis. *Uma lápide venerada pelos Templários é a chave.* Bebeu um longo gole directamente da lata. *Uma lápide venerada pelos Templários.* A *Cola* estava morna.

O negro véu da noite parecia estar a evaporar-se rapidamente, e, observando a transformação, Langdon viu um oceano refulgente estender-se por baixo deles. *O Canal.* Já não podia faltar muito tempo.

Desejou que a luz do dia trouxesse consigo outro tipo de iluminação, mas quanto mais claro se tornava o céu lá fora, mais longe ele se sentia da verdade. Ouvia os ritmos dos pentâmetros jâmbicos e de cânticos, de *Hieros Gamos* e de ritos sagrados ressoarem juntamente com o rugido dos motores.

Uma lápide venerada pelos Templários.

O avião voava de novo sobre terra firme quando a revelação o atingiu como um raio. Pousou com força a lata vazia de *Coca-Cola.*

— Não vão acreditar nisto — disse, voltando-se para os outros. — A lápide dos Templários... Descobri o que é.

Os olhos de Teabing ficaram grandes como pires.

— *Sabe* onde está a lápide?

Langdon sorriu.

— Não *onde* está. O *que* é.

Sophie inclinou-se para ouvir.

— Acho que a palavra *headstone*, que todos interpretámos como lápide, refere literalmente uma *cabeça de pedra... stone head* — explicou Langdon, saboreando a familiar excitação da descoberta académica. — Não se trata de uma pedra tumular.

— Uma cabeça de pedra? — perguntou Teabing.

Sophie parecia igualmente confusa.

— Leigh — disse Langdon, voltando-se —, durante a Inquisição, a Igreja acusou os Templários de todo o tipo de heresias, certo?

— Correcto. Inventaram todo o tipo de acusações. Sodomia, urinar na cruz, culto do diabo, uma lista e tanto.

— E dessa lista constava a veneração de *falsos ídolos*, não é verdade? Especificamente, a Igreja acusava os Templários de praticarem rituais secretos em que rezavam a uma cabeça de pedra esculpida... o deus pagão...

— Baphomet! — gritou Teabing. — Céus, Robert, tem razão! Uma cabeça de pedra venerada pelos Templários!

Langdon explicou rapidamente a Sophie que Baphomet era um deus pagão da fertilidade associado à força criativa da reprodução, representado com uma cabeça de carneiro ou de bode, um símbolo comum de procriação e fecundidade. Os Templários honravam Baphomet formando círculo à volta de uma réplica de pedra da sua cabeça e entoando preces.

— Baphomet. — Teabing sorria beatificamente. — A cerimónia celebrava a magia criativa da união sexual, mas o Papa Clemente convenceu toda a gente de que a cabeça de Baphomet era na realidade a cabeça do diabo. E usou-a como remate final no seu ataque contra os Templários.

Langdon confirmou com um aceno de cabeça. A crença moderna num diabo *cornudo* conhecido como Satanás tem as suas origens em Baphomet e nas tentativas da Igreja de apresentar o chifrudo deus da fertilidade como um símbolo do demónio. A Igreja tinha sido obviamente bem sucedida, ainda que não de todo. Na América, as tradicionais mesas de Acção de Graças continuavam a ostentar símbolos pagãos da fertilidade dotados de chifres. A «cornucópia da abundância» era um tributo à fertilidade de Baphomet e remontava ao mito de Zeus ter sido amamentado por uma cabra cujo chifre, acidentalmente partido, se enchia de frutos. Baphomet também aparecia em fotografias de grupo quando um engraçado qualquer erguia dois dedos por detrás da cabeça de um amigo; sem dúvida que poucos dos brincalhões se apercebiam que o seu gesto de troça estava na realidade a publicitar a robusta contagem de espermatozóides da vítima..

— Sim, sim — dizia Teabing, excitadíssimo. — Deve ser a Baphomet que o poema se refere. Uma cabeça de pedra venerada pelos Templários.

— Muito bem — alegou Sophie —, mas se Baphomet é a cabeça de pedra venerada pelos Templários, temos um novo dilema. — Apontou para os anéis do criptex. — Baphomet tem oito letras. E nós só temos espaço para cinco.

— Minha querida — disse Teabing, sorrindo amplamente —, é aqui que a Cifra *Atbash* entra em cena.

CAPÍTULO SETENTA E SETE

Langdon estava impressionado. Teabing acabava de escrever de memória as vinte e duas letras do alfabeto — *alef-beit* — hebreu. É certo que usara os equivalentes latinos e não os carácteres hebraicos, mas mesmo assim... Estava agora a lê-los com uma pronúncia impecável.

A B G D H V Z Ch T Y K L M N S O P Tz Q R Sh Th

— *Alef, Beit, Gimel, Dalet, Hei, Vav, Zayin, Chet, Tet, Yud, Kaf, Lamed, Mem, Nun, Samech, Ayin, Pei, Tzadik, Kuf, Reish, Shin* e *Tav*. — Teabing limpou dramaticamente a testa e continuou. — Na ortografia formal hebraica, não se usa vogais. Por conseguinte, quando escrevemos a palavra *Baphomet* usando o alfabeto hebreu, ela perde as suas três vogais na tradução, deixando-nos...

— Cinco letras — murmurou Sophie.

Teabing assentiu e pôs-se outra vez a escrever.

— *Okay*, aqui temos a ortografia correcta de Baphomet em hebreu. Vou desenhar as vogais que faltam, para maior clareza.

B a P V o M e Th

— Tenham presente, claro — acrescentou —, que o hebreu é normalmente escrito em sentido contrário, mas também podemos usar o *atbash* assim como está. Agora, tudo o que temos de fazer é criar o nosso esquema de substituição reescrevendo todo o alfabeto, em ordem inversa, ao lado do original.

— Há uma maneira mais fácil — disse Sophie, tirando a caneta da mão de Teabing. — Resulta com todas as cifras reflexas de substituição, incluindo o *atbash*. Um pequeno truque que aprendi no Royal Holloway. — Sophie escreveu a primeira metade do alfabeto da esquerda para a direita, e então, por baixo, a segunda metade da direita para a esquerda. — Os criptoanalistas chamam a isto «fazer a dobra». Duas vezes mais fácil, duas vezes mais claro.

A	B	G	D	H	V	Z	Ch	T	Y	K
Th	Sh	R	Q	Tz	P	O	S	N	M	L

Teabing deu uma vista de olhos ao resultado e riu-se.

— Toda a razão. Fico contente por verificar que os rapazes de Holloway estão a fazer o seu trabalho.

Ao olhar para a matriz de substituição de Sophie, Langdon sentiu uma crescente excitação que imaginou poder rivalizar com a que tinham sentido os investigadores de outros tempos ao usarem pela primeira vez a Cifra *Atbash* para descodificar o actualmente famoso *Mistério de Sheshach*. Durante anos, as referências bíblicas a uma cidade chamada Sheshach tinham resistido a todos os esforços de identificação levados a cabo pelos estudiosos. O nome da cidade não aparecia em qualquer mapa nem em qualquer outro documento, e no entanto era repetidamente referido no Livro de Jeremias — o rei de Sheshach, a cidade de Sheshach, o povo de Sheshach. Finalmente, um investigador aplicara a Cifra *Atbash* à palavra, com resultados surpreendentes. A cifra revelara que Sheshach era na verdade o *nome de código* de uma outra cidade muito conhecida. O processo de descodificação era simples.

Sheshach, em hebreu, escreve-se Sh-Sh-K.

Sh-Sh-K, quando colocado na matriz de substituição, tornava-se B-B-L.

B-B-L, em hebreu, lê-se *Babel.*

A misteriosa cidade de Sheshach era, pois, a cidade de Babel, e a descoberta provocou um frenesi de investigação bíblica. No espaço de semanas, tinham sido descobertas no Antigo Testamento várias outras palavras em Código *atbash*, revelando uma infinidade de significados escondidos que os eruditos não imaginavam sequer que lá estivessem.

— Estamos a aproximar-nos — murmurou Langdon, incapaz de conter a excitação.

— A centímetros — corroborou Teabing. Olhou para Sophie e sorriu. — Está pronta?

Ela assentiu.

— Muito bem. Baphomet, em hebreu, sem as vogais, escreve-se B-P-V-M-Th. Tudo o que temos agora de fazer é aplicar a sua matriz de substituição *atbash* para obter a nossa senha de cinco letras.

Langdon sentia o coração martelar-lhe o peito. *B-P-V-M-th.* A luz do Sol entrava agora a jorros pelas janelas. Olhou para a matriz de substituição de Sophie e começou lentamente a fazer a conversão. *B é Sh... P é V...*

Teabing sorria como um miúdo no dia de Natal.

— E a Cifra *Atbash* revela... — Calou-se de repente. — Grande Deus! — exclamou, branco como um lençol.

Langdon ergueu vivamente a cabeça.

— Que se passa? — perguntou Sophie.

— Não vão acreditar nisto. — Teabing olhou para Sophie. — Especialmente você, minha querida.

— Que quer dizer com isso?

— Isto é... engenhoso — murmurou ele. — Extremamente engenhoso! — Teabing voltou a escrever no papel. — Rufar de tambores, por favor. Aqui têm a vossa senha. — E mostrou-lhes o que tinha escrito.

Sh-V-P-Y-A

— O que é isso? — perguntou Sophie, franzindo a testa.

Langdon também não reconheceu a palavra.

A voz de Teabing pareceu tremer de admiração.

— Isto, minha amiga, é na verdade uma antiga palavra de sabedoria.

Langdon voltou a ler as letras. *Uma antiga palavra de sabedoria este rolo liberta.* Um instante depois, compreendeu. Nunca teria pensado naquilo.

— Uma antiga palavra de sabedoria!

Teabing estava a rir.

— Muito literalmente!

Sophie olhou para a palavra e depois para o criptex. Apercebeu--se imediatamente que nem Langdon nem Teabing tinham visto um grave problema.

— Esperem! Não pode ser esta a senha — argumentou. — O criptex não tem nenhum Sh nos anéis. Usa o tradicional alfabeto latino.

— *Leia* a palavra — aconselhou Langdon. — Sem esquecer duas coisas. Em hebraico, o símbolo para o som Sh pode-se também pronunciar como S, dependendo da tónica. Tal como a letra P se pode pronunciar como F.

SVFYA? pensou ela, confusa.

— Genial! — acrescentou Teabing. — A letra Vav usa-se frequentemente em vez do som da vogal O!

Sophie voltou a olhar para as letras, tentando vocalizá-las.

— *S...o...f...y...a.*

Ouviu o som da sua própria voz, e não queria acreditar no que acabava de dizer.

— Sophia? Isso lê-se Sophia?

Langdon estava a assentir entusiasticamente.

— Sim! *Sophia* significa literalmente *sabedoria*, em grego. A raiz do seu nome, Sophia, é literalmente «uma palavra de sabedoria».

Sophie teve de súbito uma saudade imensa do avô. *Codificou a Chave de Abóbada do Priorado com o meu nome.* Formou-se-lhe um nó na garganta. Parecia tudo tão perfeito. Mas quando voltou o olhar para os cinco anéis do criptex, apercebeu-se de que ainda havia um problema.

— Mas esperem... a palavra Sophia tem seis letras.

O sorriso de Teabing não desapareceu como ela esperava.

— Olhe bem para o poema. O seu avô escreveu, «Uma *antiga* palavra de sabedoria».

— Sim?

Teabing piscou-lhe um olho.

— Em grego antigo, sabedoria escreve-se S-O-F-I-A.

CAPÍTULO SETENTA E OITO

Sophie sentiu-se invadida por uma louca excitação quando, com o criptex pousado no colo, começou a alinhar as letras. *Uma antiga palavra de sabedoria este rolo liberta.* Langdon e Teabing, que lhe seguiam todos os gestos, pareciam ter suspendido a respiração.

S...O...F...

— Com cuidado — pediu Teabing. — Com muito cuidado.

...I...A.

Sophie acertou o último anel.

— *Okay* — disse, olhando para os outros dois. — Vou puxar.

— Lembre-se do vinagre — sussurrou Langdon, com temerosa euforia. — Tenha cuidado.

Sophie sabia que se aquele criptex era igual aos que abrira na sua juventude, tudo o que tinha de fazer era segurar o cilindro por ambas as extremidades, depois dos anéis, e puxar, aplicando uma pressão lenta e regular em direcções opostas. Se os anéis tivessem adequadamente alinhados com a senha, um dos extremos deslizaria para fora, como a tampa de uma lente, e ela poderia enfiar a mão no interior e retirar o papiro enrolado à volta da ampola de vinagre. No entanto, se a senha que tinham introduzido estivesse *incorrecta*, a força exercida para fora em ambas as extremidades seria transferida a uma alavanca que rodaria para baixo dentro do cilindro e faria pressão sobre o vidro, acabando eventualmente por parti-lo.

Devagarinho, disse a si mesma.

Teabing e Langdon inclinaram-se para a frente quando ela fechou as mãos à volta das extremidades do cilindro. Com a excitação de decifrar a senha, Sophie quase esquecera o que esperavam encontrar lá dentro. *Isto é a Chave de Abóbada do Priorado.* Segundo Teabing, continha um mapa para chegar ao Santo Graal, revelando a localização do túmulo de Maria Madalena e do tesouro Sangreal... a autêntica gruta do tesouro da verdade secreta.

Com o tubo de pedra seguro nas mãos, Sophie voltou a certificar-se de que todas as letras estavam devidamente alinhadas com os indicadores. Então, lentamente, puxou. Nada aconteceu. Fez um pouco mais de força. De repente, o cilindro estendeu-se como um telescópio bem construído. A pesada extremidade de pedra soltou-se e ficou-lhe na mão. Teabing e Langdon quase deram um salto. O coração de Sophie começou a bater mais depressa quando ela pousou a tampa em cima da mesa e inclinou ligeiramente o cilindro para espreitar lá para dentro.

Um rolo!

Viu que tinha sido enrolado à volta de um objecto cilíndrico — a ampola de vinagre, assumiu — mas que, estranhamente, não era o habitual e delicado papiro. Era velino. *É estranho,* pensou. *O vinagre não dissolve o velino.* Olhando com mais atenção, descobriu que o objecto à volta do qual o velino fora enrolado não era, afinal, uma ampola de vinagre. Era algo completamente diferente.

— Que se passa? — perguntou Teabing, impaciente. — Tire o rolo para fora.

De testa franzida, Sophie segurou com os dedos o rolo de velino e o objecto à volta do qual fora enrolado, tirando-os a ambos de dentro do contentor.

— Isso não é papiro — disse Teabing. — É demasiado pesado.

— Eu sei. É uma protecção.

— Para quê? Para a ampola de vinagre?

— Não. — Sophie desenrolou o pedaço de velino e mostrou o que ele embrulhava. — Para *isto.*

Quando Langdon viu o objecto, sentiu o coração afundar-se-lhe no peito.

— Deus nos ajude — murmurou Teabing, deixando descair os ombros. — O seu avô era um arquitecto implacável.

Langdon continuava a olhar, estupefacto. *Estou a ver que o Saunière não tinha a mínima intenção de tornar isto fácil.*

Em cima da mesa, estava um segundo criptex. Mais pequeno. Feito de ónix. A paixão de Saunière pela dualidade. *Dois criptex.* Tudo aos pares. *Duplos-sentidos. Masculino-feminino. Preto dentro de branco.* Langdon sentiu a teia de simbolismos estender-se à sua frente. *O branco dá à luz o preto.*

Todo o homem nasce da mulher.

Branco — fêmea.

Preto — macho.

Estendeu a mão e pegou no pequeno criptex. Parecia idêntico ao primeiro, exceptuando o facto de ser preto e ter metade do tamanho. Ouviu o familiar gorgolejo. Aparentemente, a ampola de vinagre estava dentro do segundo criptex.

— Bem, Robert — disse Teabing, empurrando na direcção dele a folha de velino —, vai gostar de saber que pelo menos estamos a voar na direcção certa.

Langdon examinou a espessa folha de velino. Continha, escrito numa caligrafia ornamentada, outro poema com quatro linhas, também em inglês. Mais uma vez, a métrica era o pentâmetro jâmbico. O poema era críptico, mas Langdon só precisou de ler o primeiro verso para se aperceber de que a decisão de Teabing de voar para Inglaterra fora acertada.

IN LONDON LIES A KNIGHT A POPE INTERRED

Em Londres jaz um cavaleiro que um papa enterrou. O resto do poema indicava claramente que a senha para abrir o segundo criptex seria encontrada no túmulo do cavaleiro, algures na cidade.

Langdon voltou-se excitadamente para Teabing.

— Faz alguma ideia de a que cavaleiro o poema se refere?

Teabing sorriu.

— Nenhuma. Mas sei exactamente em que cripta devemos procurar.

Nesse instante, vinte e quatro quilómetros à frente deles, seis carros da Polícia de Kent corriam pelas ruas que a chuva encharcara em direcção ao aeródromo de Biggin Hill.

CAPÍTULO SETENTA E NOVE

O tenente Collet tirou uma *Perrier* do frigorífico de *Sir* Leigh e voltou a sair, atravessando a sala de estar. Em vez de acompanhar Fache a Londres, onde a acção decorria, estava agora a fazer de *baby--sitter* à equipa da PTC que se espalhara por Château Villette.

Até ao momento, as provas encontradas pouco ou nada ajudavam: um projéctil cravado no soalho, um papel com vários símbolos rabiscados, as palavras *lâmina* e *cálice* escritas e uma correia de couro ensanguentada e cheia de puas que, segundo a PTC, estava associada ao grupo conservador católico Opus Dei, cujas agressivas práticas de recrutamento em Paris, denunciadas num programa de televisão, tinham causado um certo sururu.

Collet suspirou. *Desejo muita sorte a quem tentar tirar alguma coisa que faça sentido desta misturada.*

Seguiu o luxuoso corredor e entrou no vasto salão de baile transformado em estúdio, onde o perito-chefe da PTC estava ocupado a recolher impressões digitais. Era um homem corpulento, que usava suspensórios.

— Alguma coisa? — perguntou Collet.

O perito abanou a cabeça.

— Nada de novo. Vários conjuntos congruentes com os que encontrámos no resto da casa.

— E as impressões no tal cilício?

— A Interpol está a tratar disso. Mandei-lhes tudo o que encontrámos.

Collet apontou para os dois sacos de plástico, selados, pousados em cima de uma mesa.

— E isto?

O homem encolheu os ombros.

— Força de hábito. Recolho tudo o que seja peculiar.

Peculiar?, pensou Collet, aproximando-se.

— Este inglês é um tipo esquisito — continuou o perito. — Olhe para isto. — Examinou os sacos onde guardava as provas e escolheu um, entregando-o a Collet.

A fotografia mostrava o pórtico principal de uma catedral gótica — o tradicional arco recolhido, estreitando através de faixas sucessivas até uma pequena porta.

Collet examinou cuidadosamente a fotografia e acabou por perguntar:

— O que é que isto tem de peculiar?

— Veja nas costas.

No verso da fotografia, Collet encontrou anotações, rabiscadas em inglês, que descreviam a longa e cavernosa nave da catedral como um tributo pagão secreto ao útero feminino. Aquilo era estranho. Foram, no entanto as anotações sobre o pórtico que o fizeram dar um salto.

— Espere aí! Ela acha que a entrada da igreja representa uma...

O perito assentiu com a cabeça.

— Com bordos labiais e um bonito clítoris de cinco folhas por cima da entrada. — Suspirou. — Quase nos dá vontade de voltar a frequentar a igreja.

Collet pegou no segundo saco selado. Viu, através do plástico, uma fotografia ampliada do que parecia ser um documento antigo. O cabeçalho dizia:

Les Dossiers Secrets — Número 4.º lm1 249.

— O que é isto? — perguntou.

— Não faço ideia. Tem cópias por todo o lado, de modo que a meti no saco.

Collet estudou o documento.

PRIEURE DE SION — LES NAUTONIERS/GRÃO-MESTRES

JEAN DE GISORS	*1188-1220*
MARIE DE SAINT-CLAIR	*1220-1266*
GUILLAUME DE GISORS	*1266-1307*

Edouard de Bar	*1307-1336*
Jeanne de Bar	*1336-1351*
Jean de Saint-Clair	*1351-1366*
Blance d'Evreux	*1366-1398*
Nicolas Flamel	*1398-1418*
Rene d'Anjou	*1418-1480*
Iolande de Bar	*1480-1483*
Sandro Botticelli	*1483-1510*
Leonardo da Vinci	*1510-1519*
Connetable de Bourbon	*1519-1527*
Ferdinand de Gonzaque	*1527-1575*
Louis de Nevers	*1575-1595*
Robert Fludd	*1595-1637*
J. Valentin Andrea	*1637-1654*
Robert Boyle	*1654-1691*
Isaac Newton	*1691-1727*
Charles Radclyffe	*1727-1746*
Charles de Lorraine	*1746-1780*
Maximilian de Lorraine	*1780-1801*
Charles Nodier	*1801-1844*
Victor Hugo	*1844-1885*
Claude Debussy	*1885-1918*
Jean Cocteau	*1918-1963*

— *Prieuré de Sion?* — espantou-se Collet.

— Tenente? — Um outro agente acabava de assomar à porta. — A central tem uma chamada urgente para o capitão Fache, mas não conseguem contactá-lo. Atende?

Collet voltou à cozinha e pegou no telefone.

Era André Vernet.

A voz refinada do banqueiro não bastava para dissimular a tensão que o dominava:

— Pensei que o capitão Fache me tinha dito que telefonaria, mas, até agora, não voltei a saber dele.

— O capitão Fache está muito ocupado — disse Collet. — Posso ajudá-lo em qualquer coisa?

— Tinha-me sido garantido que me manteriam ao corrente dos vossos progressos.

Por um instante, Collet teve a impressão de reconhecer o timbre da voz do homem, mas não conseguia identificá-lo.

— *Monsieur* Vernet, estou de momento a dirigir as investigações em Paris. Sou o tenente Collet.

Houve uma longa pausa.

— Peço imensa desculpa, tenente, tenho outra chamada em linha. Ligo-lhe mais tarde. — E desligou.

Durante vários segundos, Collet ficou imóvel, com o auscultador na mão. E então fez-se luz. *Eu bem me parecia que estava a reconhecer aquela voz!* A revelação deixou-o de boca aberta.

O condutor da carrinha blindada.

O do Rolex *falso.*

Collet compreendia agora por que razão o banqueiro desligara tão precipitadamente. Lembrara-se do nome do tenente Collet... o polícia a quem horas antes mentira tão descaradamente.

Ponderou as implicações daquele bizarro desenvolvimento. *O Vernet está envolvido.* Instintivamente, sabia que devia telefonar ao capitão Fache. Emocionalmente, sabia que aquele golpe de sorte ia ser a sua oportunidade de brilhar.

Ligou de imediato para a Interpol e pediu-lhes tudo o que tivessem a respeito do Banco Depositário de Zurique e do respectivo presidente, André Vernet.

CAPÍTULO OITENTA

— Cintos de segurança, por favor — anunciou o piloto de Teabing, enquanto o *Hawker 731* começava a descer no meio de um chuvisco matinal. — Aterramos dentro de cinco minutos.

O espectáculo das enevoadas colinas de Kent a espraiarem-se por baixo do avião despertou em Teabing uma agradável sensação de «regresso a casa». A Inglaterra ficava a menos de uma hora de voo de Paris, e todavia a um mundo de distância. Naquela manhã, o húmido verde primaveril da terra natal pareceu-lhe particularmente acolhedor. *O meu tempo em França acabou. Regresso a Inglaterra como vencedor. A Chave de Abóbada foi encontrada.* Restava, claro, a questão de saber aonde os conduziria. *Algures no Reino Unido.* Onde, exactamente, Teabing não fazia a mínima ideia, mas já saboreava a glória.

Sob os olhares de Langdon e de Sophie, Teabing levantou-se e dirigiu-se ao outro lado da cabina, onde, fazendo deslizar um painel, pôs a descoberto um discretamente escondido cofre de parede. Marcou a combinação, abriu o cofre e tirou de lá dois passaportes.

— A minha documentação e do Rémy — explicou. Tirou em seguida um grosso maço de notas de cinquenta libras e acrescentou: — E a vossa documentação também.

Sophie ergueu a cabeça.

— Um suborno?

— Diplomacia criativa. Os aeródromos executivos dão direito a certas mordomias. Um funcionário da alfândega receber-nos-á no meu hangar e pedirá autorização para subir a bordo. Em vez de deixá-lo entrar, vou dizer-lhe que viajo com uma celebridade francesa que prefere que não se saiba que está em Inglaterra... por causa dos jornais, compreende?... e ofereço-lhe esta generosa gratificação como expressão dos meus agradecimentos.

Langdon parecia espantado.

— E o funcionário vai *aceitar?*

— De qualquer outra pessoa, não. Mas esta gente conhece-me. Não sou nenhum traficante de armas, pelo amor de Deus. Fui feito cavaleiro. — Teabing sorriu. — Um clube que tem os seus privilégios.

Rémy aproximou-se pela coxia, com a *Heckler and Koch* suspensa do braço caído ao longo do corpo.

— As suas ordens, *Sir* Leigh?

Teabing olhou para o mordomo.

— Vou ter de pedir-te que fiques a bordo com o nosso convidado até nós regressarmos. Não podemos andar por Londres a arrastá-lo de um lado para o outro.

Sophie estava com uma expressão preocupada.

— Leigh, a Polícia francesa vai encontrar o seu avião antes de nós voltarmos.

Teabing riu-se.

— Sim, imagine a surpresa deles se viessem a bordo e encontrassem o Rémy.

Esta atitude displicente surpreendeu-a.

— Leigh, transportou um refém amarrado através de uma fronteira internacional. Isto é muito sério.

— Também os meus advogados. — Teabing franziu o sobrolho, olhando para o monge amarrado na cauda do avião. — Aquele animal entrou à força em minha casa e quase me matou. É um facto, que o Rémy confirmará.

— Mas você amarrou-o e trouxe-o para Londres.

Teabing levantou a mão direita, numa paródia de um juramento em tribunal.

— Peço-lhe, Meritíssimo, que perdoe a um velho e excêntrico cavaleiro o seu tolo preconceito a favor do sistema judicial inglês. Compreendo que devia ter chamado as autoridades francesas, mas sou um *snob* e não acreditei que os desleixados franceses resolvessem este caso como deve ser. Este homem quase me assassinou. Sim, tomei uma decisão precipitada ao forçar o meu mordomo a ajudar-me a trazê-lo para Inglaterra, mas encontrava-me sob uma grande pressão. *Mea culpa. Mea culpa.*

Langdon fez um ar de incredulidade.

— Vinda de si, Leigh, essa é bem capaz de pegar.

— *Sir* Leigh — chamou o piloto. — A torre acaba de entrar em contacto. Tem um problema qualquer de manutenção junto ao seu hangar e estão a pedir-me para levar avião directamente para junto do terminal.

Havia mais de uma década que Teabing voava para Biggin Hill, e era a primeira vez que aquilo acontecia.

— Disseram qual era o problema?

— O controlador foi muito vago. Qualquer coisa a respeito de uma fuga de combustível no sistema de bombagem? Pediu-me que estacionasse em frente do terminal e mantivesse toda a gente a bordo até nova ordem. Por uma questão de segurança. Não somos supostos desembarcar sem autorização das autoridades do aeroporto.

Teabing estava céptico. *Deve ser uma fuga e tanto.* O depósito de combustível ficava a uns bons oitocentos metros do hangar.

Também Rémy parecia preocupado.

— Tudo isto me parece muito estranho, senhor — comentou.

Teabing voltou-se para Sophie e para Langdon.

— Meus amigos, tenho o desagradável pressentimento de que há uma comissão de recepção à nossa espera.

Langdon deixou escapar um suspiro cansado.

— Suponho que o Fache continua convencido de que eu sou culpado — disse.

— Ou isso — respondeu Sophie —, ou está demasiado envolvido nisto para admitir o erro.

Teabing não os ouvia. Pensasse Fache o que pensasse, era preciso tomar medidas, e depressa. *Não percas de vista o nosso objectivo. O Graal. Estamos tão perto!* Por baixo deles, o trem de aterragem desceu com um ruído mecânico.

— Leigh — disse Langdon, num tom profundamente pesaroso —, vou entregar-me e resolver isto pelos meios legais. Não quero envolvê-los nisto.

— Oh, pelo amor de Deus, Robert! — exclamou Teabing. — Acredita verdadeiramente que nos deixam ir a algum lado? Acabo de transportá-lo ilegalmente. A menina Neveu ajudou-o a fugir do

Louvre e temos um homem amarrado na cauda do avião. Palavra! Estamos todos metidos nisto.

— Talvez tentar outro aeroporto? — sugeriu Sophie.

Teabing abanou a cabeça.

— Se fugimos agora, da próxima vez que nos derem autorização para aterrar, a comissão de recepção incluirá tanques do Exército.

Sophie deixou descair os ombros.

Teabing sentiu que se quisessem ter alguma hipótese de adiar a confrontação com as autoridades o tempo suficiente para encontrarem o Graal, ia ter de tomar medidas drásticas.

— Dêem-me um minuto — pediu, afastando-se em direcção ao *cockpit.*

— Que vai fazer? — perguntou Langdon.

— Uma reunião de vendas — respondeu Teabing, perguntando a si mesmo quanto iria custar-lhe convencer o piloto a fazer uma manobra altamente irregular.

CAPÍTULO OITENTA E UM

O Hawker *iniciou a aproximação final.*

Simon Edwards, director executivo do aeródromo de Biggin Hill, andava de um lado para o outro na torre de controlo, piscando nervosamente os olhos enquanto observava a pista encharcada pela chuva. Sempre detestara que o acordassem cedo ao sábado de manhã, mas achava particularmente desagradável o facto de ter sido chamado para assistir à detenção de um dos seus clientes mais lucrativos. *Sir* Leigh Teabing pagava a Biggin Hill não só um hangar privado, mas também uma «taxa de aterragem» pelas suas frequentes chegadas e partidas. Como regra, o aeródromo tinha conhecimento antecipado dos seus horários, o que lhe permitia seguir um estrito protocolo para as chegadas. Teabing gostava de tudo muito certinho. A limusina *Jaguar* que guardava no hangar devia estar impecavelmente lavada, com o depósito cheio e um exemplar do *London Times* no banco de trás. Um funcionário da alfândega estaria à espera no hangar, para despachar a papelada obrigatória e inspeccionar a bagagem. Ocasionalmente, estes funcionários aceitavam generosas gratificações para fecharem os olhos ao transporte de certos produtos inofensivos, quase sempre luxos da culinária francesa: *escargots*, um *Roquefort* de cheiro especialmente intenso, determinados frutos. Muitas das leis alfandegárias eram perfeitamente ridículas e, além disso, se Biggin Hill não consentisse alguns caprichos aos seus clientes, não faltavam aeródromos concorrentes que teriam muito gosto em fazê-lo. Teabing encontrava aquilo que queria ali em Biggin Hill, e toda a gente ficava a ganhar com isso.

Edwards sentia os nervos em franja ao ver o jacto aproximar-se. Perguntou a si mesmo se a tendência de Teabing para espalhar riqueza o teria metido em algum sarilho; as autoridades francesas pareciam muito interessadas em falar com ele. Ignorava a natureza das acusações contra *Sir* Leigh, mas calculava que seriam graves. A pedido dos franceses, a Polícia de Kent ordenara ao controlador aéreo de Biggin Hill que mandasse o piloto do *Hawker* estacionar directamente em frente do terminal, e não no hangar do cliente. O piloto concordara, acreditando aparentemente na inverosímil história da fuga de combustível.

Embora os polícias ingleses não usassem geralmente armas, a gravidade da situação justificara a presença de uma equipa de resposta armada. Oito agentes de pistola à cinta aguardavam, dentro do terminal, o momento em que o jacto desligasse os motores. Logo que isso acontecesse, o operador de rampa colocaria os calços à frente das rodas, impedindo o avião de voltar a mover-se. Então, os polícias mostrar-se-iam e obrigariam os ocupantes a permanecer a bordo até que a Polícia francesa chegasse e tomasse conta da situação.

O *Hawker* voava agora muito baixo, rasando as copas das árvores à direita. Simon Edwards desceu as escadas para assistir lá de baixo à aterragem. Os polícias estavam prontos, fora das vistas, e o homem da manutenção esperava com os calços. O *Hawker* empinou o nariz e os pneus tocaram no alcatrão, com uma pequena nuvem de fumo. O avião baixou o nariz e começou a desacelerar, passando da direita para a esquerda em frente do terminal, a fuselagem branca a brilhar no ar húmido. Mas, em vez de travar e virar na direcção da torre, o jacto passou calmamente pelo desvio de saída e seguiu em direcção ao hangar de Teabing, no fim da pista.

Os polícias rodaram sobre os calcanhares e olharam para Edwards.

— Pensei que tinha dito que o piloto concordara com estacionar diante do terminal?

Edwards estava estupefacto.

— E *concordou!* — disse.

Instantes depois, viu-se metido num carro da Polícia e a correr pela pista em direcção ao distante hangar. A caravana da Polícia estava ainda a uns bons quinhentos metros de distância quando o *Hawker* entrou tranquilamente no hangar e desapareceu. Quando os carros finalmente chegaram e travaram com os pneus a chiar diante das grandes portas abertas, os polícias saltaram para o chão, de armas empunhadas.

Edwards imitou-os.

O barulho era ensurdecedor.

Os motores do *Hawker* continuavam a rugir enquanto o jacto terminava a sua habitual rotação dentro do hangar, colocando-se com o nariz apontado para a saída, pronto para a próxima partida. Quando o aparelho completou a volta de 180 graus e avançou em direcção à porta do hangar, Edwards viu a cara do piloto, compreensivelmente surpreendido e assustado ao ver a barricada de carros da Polícia.

O avião deteve-se finalmente e o uivo dos motores esmoreceu e calou-se. Os polícias entraram a correr e tomaram posição à volta do aparelho. Edwards juntou-se ao inspector-chefe que avançava, desconfiado, para a porta. A qual, passados alguns segundos, se abriu.

Leigh Teabing apareceu na abertura, enquanto a pequena escada, accionada por um motor eléctrico, descia suavemente até ao chão. Ao ver o mar de armas apontadas para ele, apoiou-se nas muletas e coçou a cabeça.

— Que se passa, Simon? — perguntou, num tom mais surpreendido do que preocupado. — Ganhei a lotaria da Polícia enquanto estive fora?

Simon Edwards avançou, engolindo o sapo que tinha na garganta.

— Bom dia, *Sir* Leigh. Peço desculpa pela confusão, Temos uma fuga de combustível e o seu piloto disse que estacionaria diante do terminal.

— Sim, sim, bem, fui eu que lhe disse que viesse para aqui. Já estou atrasado para um encontro. Pago por este hangar, e esse disparate a respeito de uma fuga de combustível pareceu-me excesso de precaução.

— Receio que a sua chegada nos tenha apanhado um pouco desprevenidos.

— Eu sei. Estou fora do meu calendário habitual. Aqui entre nós, o novo medicamento faz-me fazer imenso chichi. Achei melhor vir até cá afinar a coisa.

Os polícias entreolharam-se. Edwards estremeceu.

— Compreendo, *Sir* Leigh.

— *Sir* Leigh — disse o inspector-chefe de Kent, avançando um passo. — Vejo-me obrigado a pedir-lhe que permaneça a bordo durante cerca de mais meia hora.

Teabing desceu a escada, parecendo agora muito menos divertido.

— Receio que não seja possível — disse, chegando ao chão de cimento. — Tenho uma consulta médica e não tenciono perdê-la.

O inspector-chefe colocou-se de modo a impedi-lo de afastar-se do avião.

— Estou aqui às ordens da Polícia Judiciária francesa, segundo a qual o senhor transporta no seu avião fugitivos à lei.

Teabing ficou a olhar para o inspector por um longo instante, e então desatou a rir.

— É uma daquelas brincadeiras dos apanhados da televisão, não é? Muito divertido!

O inspector-chefe nem sequer pestanejou.

— O assunto é sério, *Sir* Leigh. A Polícia francesa afirma que é possível que traga também um refém a bordo.

Rémy, o mordomo, apareceu no alto da escada.

— A verdade é que por vezes me sinto como um *refém* a trabalhar para *Sir* Leigh, embora ele me garanta que posso ir-me embora quando quiser. — Consultou o relógio. — São horas de ir, senhor. Já estamos atrasados. — Fez um sinal na direcção da limusina estacionada no canto mais afastado do hangar, um enorme automóvel preto, com vidros fumados e pneus enfeitados com faixas brancas. — Vou buscar o carro. — E começou a descer a escada.

— Receio não poder deixá-los ir — disse o inspector-chefe. — Por favor, regressem ambos ao avião. Os representantes da Polícia francesa estarão aqui muito em breve.

Teabing voltou-se então para Simon Edwards.

— Simon, pelo amor de Deus, isto é ridículo! Não temos mais ninguém a bordo. Só o habitual... o Rémy, o nosso piloto e eu próprio. Talvez possa servir de intermediário? Suba a bordo e verifique que o avião está vazio.

Edwards soube que tinha sido apanhado.

— Muito bem, *Sir* Leigh. Posso dar uma vista de olhos.

— O diabo é que pode! — declarou o inspector-chefe, sabendo aparentemente o suficiente a respeito de aeródromos executivos para suspeitar de que Simon Edwards seria capaz de mentir a respeito dos ocupantes do aparelho para não perder um cliente como *Sir* Leigh Teabing. — Vou eu mesmo ver.

Teabing abanou a cabeça.

— Não, não vai, inspector. Este avião é propriedade privada e, até que arranje um mandato de busca, não põe os pés lá dentro. Estou a oferecer-lhe uma opção razoável. Senhor Edwards pode fazer a inspecção.

— Não.

O ar de Teabing tornou-se gélido.

— Inspector, receio não ter tempo para as suas brincadeiras. Estou atrasado, e vou-me embora. Se é assim tão importante para si deter-me, vai ter de dar-me um tiro. — E com esta, Teabing e Rémy contornaram o inspector-chefe e atravessaram o hangar em direcção à limusina estacionada.

Ao vê-lo passar desafiadoramente à sua frente, o inspector-chefe da Polícia de Kent sentiu que detestava as pessoas como *Sir* Leigh Teabing. Privilegiados, sempre convencidos de que estavam acima da lei.

Mas não estão! O inspector voltou-se e apontou a arma às costas de Teabing.

— Alto, ou disparo!

— Faça favor — respondeu Teabing, sem abrandar o passo e sem se voltar. — Os meus advogados vão cozinhar os seus testículos de fricassé para o pequeno-almoço. E se se atrever a entrar no meu avião sem um mandato, cozinham também o baço.

Não sendo exactamente um novato em jogos de poder, o inspector não se deixou impressionar. Tecnicamente, Teabing tinha razão e a Polícia precisava de um mandato para entrar no avião, mas uma vez que o voo partira de França, e porque o poderoso Bezu Fache delegara nele a autoridade, o inspector-chefe de Kent estava seguro de que seria muito melhor para a sua carreira descobrir o que estava dentro daquele jacto e que Teabing parecia tão apostado em esconder.

— Detenham-nos — ordenou. — Vou revistar o avião.

Os agentes correram, de armas na mão, e impediram fisicamente Teabing e Rémy de chegar à limusina.

Teabing fez meia volta.

— Inspector, este é o último aviso. Não pense sequer em entrar nesse avião. Vai arrepender-se.

Ignorando a ameaça, o inspector-chefe apertou com mais força a coronha da pistola e subiu a escada do avião. Depois de uma brevíssima hesitação, entrou na cabina. *Que diabo?*

Com excepção do assustado piloto, sentado no *cockpit*, o aparelho estava vazio. Completamente vazio de vida humana. Revistando rapidamente a casa de banho, os assentos e a área de bagagem, o inspector não encontrou vestígios de alguém escondido... e muito menos vários indivíduos.

Que raio estaria o Bezu Fache a pensar? Aparentemente, Leigh Teabing dissera a verdade.

O inspector-chefe de Kent, sozinho na cabina vazia, engoliu em seco. *Merda.* Muito vermelho, voltou à escada, olhando para o outro extremo do hangar, onde Teabing e o mordomo continuavam sob a mira das armas dos seus agentes.

— Deixem-nos ir — ordenou. — Recebemos uma falsa informação.

Os olhos de Teabing estavam carregados de ameaça mesmo àquela distância.

— Pode contar com um telefonema dos meus advogados. E, para referência futura, saiba que a Polícia francesa não é de confiança.

O mordomo abriu a porta traseira da limusina e ajudou o patrão a instalar-se no banco. Em seguida, voltou para a dianteira do carro, sentou-se ao volante e ligou o motor. Os polícias saíram apressadamente da frente quando o *Jaguar* arrancou com os pneus a guinchar.

— Bem jogado, meu bom homem — disse Teabing do banco de trás, enquanto a limusina acelerava, afastando-se do aeroporto. Voltou-se então para os escuros recônditos do espaçoso interior. — Toda a gente confortável?

Langdon assentiu com a cabeça. Ele e Sophie continuavam agachados no chão, ao lado do amarrado e amordaçado albino.

Momentos antes, quando o *Hawker* entrara no hangar deserto, Rémy abrira a porta enquanto o avião parava com uma sacudidela a meio da volta. Com a Polícia a aproximar-se rapidamente, Langdon e Sophie tinham arrastado o monge escada abaixo e corrido a esconder-se atrás da limusina. Então, os motores tinham voltado a rugir, completando a rotação no instante em que os carros da Polícia entravam no hangar, em derrapagem.

Agora, a caminho de Kent, Langdon e Sophie gatinharam pelo longo interior da limusina, deixando o monge estendido no chão, e foram sentar-se no comprido banco fronteiro ao de Teabing. O inglês dirigiu-lhes um sorriso rasgado e abriu o bar do carro.

— Posso oferecer-lhes uma bebida? Uns aperitivos? Batatas fritas? Nozes? *Seltzer?*

Sophie e Langdon abanaram a cabeça.

Ainda a sorrir, Teabing fechou a porta do bar,

— Ora bem, quanto ao túmulo do cavaleiro...

CAPÍTULO OITENTA E DOIS

— Fleet Street? — espantou-se Langdon, olhando para Teabing sentado à sua frente no banco traseiro da limusina. *Há uma cripta em Fleet Street?* Até ao momento, Teabing mostrara-se jovialmente confiante quanto ao lugar onde pensava que poderiam encontrar o «túmulo do cavaleiro», o qual, segundo o poema, lhes proporcionaria a chave para abrirem o criptex mais pequeno.

Teabing sorriu e voltou-se para Sophie.

— Menina Neveu, importa-se de deixar aqui o nosso rapaz de Harvard dar mais uma vista de olhos ao poema?

Sophie rebuscou no bolso e tirou de lá o criptex negro, que continuava embrulhado na folha de velino. Tinham os três concordado em deixar a caixa de roseira e o primeiro criptex no cofre do avião, levando consigo apenas aquilo de que precisavam, o muito mais pequeno e discreto criptex negro. Sophie desenrolou o velino e entregou-o a Langdon.

Apesar de já ter lido várias vezes aqueles versos a bordo do jacto, Langdon fora incapaz de deduzir deles uma localização precisa. Agora, enquanto lia novamente as palavras, processou-as lenta e cuidadosamente, na esperança de que o ritmo dos pentâmetros revelasse um significado mais claro agora que estava em terra.

In London lies a knight a Pope interred.
His labor's fruit a Holy wrath incurred.
You seek the orb that ought to be on is tomb.
It speaks of Rosy flesh and seeded womb.

A linguagem parecia bastante simples. Havia um cavaleiro sepultado em Londres. Um cavaleiro cujos esforços para conseguir qualquer coisa tinham irado a Igreja. Um cavaleiro em cujo túmulo faltava um globo que devia lá estar. A última referência — carne Rosada e um útero a germinar — era uma clara alusão a Maria Madalena, a Rosa que transportava no ventre a semente de Jesus.

Apesar da aparente clareza dos versos, Langdon continuava a não fazer ideia de *quem* era o cavaleiro nem de onde estaria sepultado. Parecia, ainda por cima, que, quando localizassem o túmulo, teriam de procurar qualquer coisa que não estava lá. *O globo que no seu túmulo devia estar?*

— Nenhuma ideia? — Teabing riu num tom de desapontamento, embora Langdon sentisse que o historiador da Royal British Academy estava a saborear a situação. — Menina Neveu?

Ela abanou a cabeça.

— Que seria de vocês sem mim? — perguntou Teabing. — Muito bem, eu mostro-lhes o caminho. É muito simples, na realidade. A primeira linha é a chave. Importa-se de voltar a lê-la?

— Em Londres jaz um cavaleiro que um papa enterrou — leu Langdon, em voz alta.

— Precisamente. Um cavaleiro que um papa enterrou. — Olhou para Langdon. — O que é que isto significa para si?

Langdon encolheu os ombros.

— Um cavaleiro enterrado por um papa. Um cavaleiro cujo funeral foi presidido por um papa?

Teabing riu com gosto.

— Oh, essa é muito boa. Sempre optimista, Robert. Veja o segundo verso. É óbvio que este cavaleiro fez qualquer coisa que lhe mereceu a sagrada ira da Igreja. Pense outra vez. Considere a dinâmica entre a Igreja e os Cavaleiros do Templo. Um cavaleiro que um papa enterrou?

— Um cavaleiro que um papa *matou*? — perguntou Sophie.

Teabing sorriu e deu-lhe uma palmadinha no joelho.

— Muito bem, minha querida. Um cavaleiro que um papa *enterrou*. Ou matou.

Langdon pensou na famosa caça aos Templários de 1307 — uma sexta-feira 13 —, em que o Papa Clemente mandou matar e enterrar centenas de Cavaleiros do Templo.

— Mas deve haver um número enorme de túmulos de cavaleiros mortos por papas!

— Aha, nada disso! — respondeu Teabing. — Muitos deles foram queimados na fogueira e os seus restos lançados ao Tibre sem mais cerimónias. Mas este poema fala de um *túmulo*. Um túmulo em Londres. E não há muitos cavaleiros sepultados em Londres. — Fez uma pausa e ficou a olhar para Langdon, como que à espera que se fizesse luz. — Robert, pelo amor de Deus! — acabou por ralhar. — A igreja construída em Londres pelo braço militar do Priorado... pelos próprios Cavaleiros do Templo!

— Temple Church? — Langdon inspirou fundo. — Tem uma cripta?

— Dez dos túmulos mais assustadores que alguma vez viu.

Langdon nunca a visitara, apesar de ter encontrado inúmeras referências à igreja no decurso da sua pesquisa sobre o Priorado. Situada no epicentro de todas as actividades dos Templários/Priorado no Reino Unido, era assim chamada em honra do templo de Salomão, de onde os Templários tinham tirado o seu próprio nome, bem com os documentos Sangreal que lhes davam tanta influência em Roma. Abundavam as histórias a respeito de os cavaleiros praticarem estranhos rituais secretos ao abrigo do invulgar santuário de Temple Church.

— A Temple Church fica em Fleet Street?

— Mais exactamente, numa transversal, a Inner Templo Lane. — Teabing fez um ar malicioso. — Quis vê-lo suar mais um pouco antes de lho dizer.

— Obrigado.

— Nenhum de vocês lá esteve?

Sophie e Langdon abanaram a cabeça.

— Não admira. A igreja está actualmente escondida atrás de edifícios muito maiores. Poucas pessoas sabem onde fica. Um lugar estranho. A arquitectura é pagã até ao caroço.

Sophie pareceu surpreendida.

— Pagã?

— Panteonicamente pagã! — exclamou Teabing. — Para começar, é *redonda*. Os Templários ignoraram o tradicional traçado cruciforme e construíram uma igreja perfeitamente circular, em honra do Sol. — As sobrancelhas dele executaram uma dança diabólica. — É um passem-bem bastante pouco subtil aos rapazes de Roma. Foi quase como reconstruir Stonehenge em plena Baixa de Londres.

Sophie olhou para ele.

— E o resto do poema?

O ar divertido do historiador desvaneceu-se.

— Não estou certo. É intrigante. Vamos ter de examinar com muita atenção cada um dos dez túmulos. Com sorte, um deles terá um globo conspicuamente a menos.

Langdon apercebeu-se de como estavam na verdade perto. Se o globo em falta revelasse a senha, poderiam abrir o segundo criptex. Não conseguia sequer imaginar o que encontrariam lá dentro.

Voltou a olhar para o poema. Era como uma espécie de problema de palavras-cruzadas primordial. *Uma palavra de cinco letras que fala do Graal?* Ainda no avião, tinham já tentado todas as senhas mais óbvias — GRAAL, GREAL, VENUS, MARIA, JESUS, SARAH — mas o cilindro não cedera uma fracção de milímetro. *Demasiado óbvias.* Aparentemente, havia outra referência com cinco letras ao útero germinado da Rosa. O facto de estar a resistir aos esforços de um especialista como Leigh Teabing significava que não se tratava de uma referência vulgar.

— *Sir* Leigh? — chamou Rémy, por cima do ombro. Estava a observá-los pelo retrovisor, através da divisória de vidro aberta. — Disse que Fleet Street fica perto da Blackfriars Bridge?

— Sim, mete pelo Cais Victoria.

— Peço desculpa, não sei muito bem onde isso fica. Geralmente vamos só ao hospital.

Teabing revirou os olhos para cima.

— Palavra, por vezes, é como tomar conta de uma criança — resmungou. — Um momento, por favor. Sirvam-se de uma bebida e dos deliciosos aperitivos. — E com esta deixou-os, debruçando-se desajeitadamente através da divisória para falar com Rémy.

Sophie voltou-se para Langdon e disse, em voz baixa;

— Robert, ninguém sabe que nós os dois estamos em Inglaterra.

Langdon apercebeu-se de que ela tinha razão. A Polícia de Kent diria a Fache que o avião estava vazio, e Fache assumiria que eles continuavam em França. *Somos invisíveis.* O pequeno truque de Leigh comprara-lhes uma porção de tempo.

— O Fache não vai desistir facilmente — continuou Sophie. — Tem demasiadas coisas dependentes desta detenção.

Langdon tinha estado a tentar não pensar em Fache. Sophie prometera fazer tudo o que estivesse ao seu alcance para ilibá-lo quando aquele assunto estivesse resolvido, mas ele começava a recear que talvez não fosse o suficiente. *É muito possível que o Fache faça parte da tramóia.* Embora não estivesse a ver a Polícia Judiciária francesa misturada com o Santo Graal, sentia que houvera naquela noite demasiadas coincidências para poder descartar Fache como um possível cúmplice. *O Fache é um homem religioso, e está decidido a atirar os assassínios para cima de mim.* Sophie, pelo seu lado, argumentava que o capitão podia estar simplesmente a ser movido por um excesso de zelo. Ao fim e ao cabo, os indícios contra Langdon eram substanciais. Além de o nome dele ter aparecido escrito no chão do Louvre e na agenda de Saunière, parecia agora ter mentido a respeito do manuscrito e depois fugido. *Por sugestão minha.*

— Robert, lamento que esteja tão profundamente envolvido — disse, pousando uma mão no joelho dele. — Mas estou muito contente por o ter aqui comigo.

O comentário pareceu mais pragmático do que romântico, mas mesmo assim Langdon sentiu uma inesperada faísca de atracção entre eles. Dirigiu-lhe um sorriso cansado.

— Sou muito mais divertido quando me deixam dormir.

Sophie ficou calada durante vários segundos.

— O meu avô pediu-me para confiar em si. Ainda bem que lhe dei ouvidos, para variar.

— O seu avô nem sequer me conhecia.

— Mesmo assim, não consigo deixar de pensar que fez tudo o que ele quereria que fizesse. Ajudou-me a encontrar a Chave de Abóbada, explicou-me o Sangreal, falou-me do ritual na cave. — Fez uma pausa. — De certo modo, sinto-me esta noite perto do meu avô como já não sentia há muitos anos. Sei que isso o faria feliz.

O recorte dos telhados de Londres começava a materializar-se ao longe, esbatido pelo chuvisco matinal. Outrora dominado pelo Big Ben e pela Tower Bridge, o horizonte pertencia agora ao Millenium Eye — uma colossal e ultramoderna roda que se elevava a cento e cinquenta metros de altura, proporcionando espectaculares vistas da cidade. Langdon ainda tentara, certa vez, fazer a «viagem», mas as «cabinas panorâmicas» pareciam-se demasiado com sarcófagos selados, de modo que optara por ficar com os pés assentes em terra e apreciar as vistas a partir das arejadas margens do Tamisa.

Sentiu um aperto no joelho, a chamá-lo de volta ao presente, e os olhos verdes de Sophie pousados nele. Apercebeu-se de que ela estivera a falar-lhe.

— O que é que acha que devemos fazer com os documentos Sangreal, se alguma vez os encontrarmos? — murmurou ela.

— O que eu acho não tem a mínima importância — respondeu Langdon. — O seu avô deu-lhe o criptex a si, e deve usá-lo como o seu instinto lhe disser que ele teria feito.

— Estou a pedir-lhe uma opinião. É para mim óbvio que escreveu qualquer coisa naquele manuscrito que fez o meu avô confiar no seu discernimento. Marcou um encontro privado consigo. Era uma coisa muito rara.

— Talvez quisesse dizer-me que estava completamente enganado.

— Porque haveria ele de pedir-me que o procurasse se não gostasse das suas ideias? No seu manuscrito, defende a ideia de que os documentos Sangreal devem ser divulgados, ou que devem permanecer enterrados.

— Nem uma coisa nem outra. Não faço qualquer espécie de julgamento. O manuscrito trata da simbologia do sagrado feminino... procura traçar-lhe a iconografia através da História. Com toda a certeza não presumi saber onde estava o Santo Graal escondido nem se devia ou não ser revelado.

— E no entanto, está a escrever um livro sobre o assunto, portanto acha obviamente que a informação devia ser partilhada.

— Há uma enorme diferença entre discutir hipoteticamente uma história alternativa de Cristo e... — Calou-se.

— E o quê?

— E apresentar ao mundo milhares de antigos documentos como prova científica de que o Novo Testamento é um falso testemunho.

— Mas o Robert disse-me que o Novo Testamento é baseado em invenções.

Langdon sorriu.

— Sophie, *todas* as fés do mundo se baseiam em invenções. É essa a definição de *fé*: aceitação daquilo que imaginamos ser verdade, daquilo que não podemos provar. Todas as religiões descrevem Deus através de metáforas, de alegorias, de exageros, desde os antigos Egípcios até às catequistas dos nossos dias. As metáforas são uma maneira de ajudar as nossas mentes a processar o improcessável. Os problemas surgem quando começamos a acreditar literalmente nas nossas próprias metáforas.

— É então a favor de os documentos Sangreal ficarem sepultados para sempre?

— Sou um historiador. Oponho-me à destruição de documentos, e gostaria muito que os estudiosos das religiões tivessem mais informação para ponderarem sobre a excepcional vida de Jesus Cristo.

— Está a argumentar de ambos os lados da questão.

— Estou? A Bíblia representa um guia fundamental para milhões de pessoas deste planeta, tal como o Corão, a Tora ou o Cânone Pali oferecem orientação aos crentes de outras religiões. Se a Sophie e eu pudéssemos descobrir documentação que contradissesse a história sagrada do credo islâmico, do credo judaico, do credo pagão, deveríamos fazê-lo? Assistir-nos-ia o direito de agitar uma bandeira e dizer aos budistas que temos provas de que o Buda não surgiu de uma flor de lótus? Ou que Jesus não nasceu literalmente de uma virgem? Aqueles que compreendem de verdade a fé que professam compreendem que essas histórias são metafóricas.

Sophie parecia pouco convencida.

— Os meus amigos que são cristãos devotos acreditam de verdade que Cristo caminhou literalmente sobre as águas, transformou literalmente água em vinho e nasceu literalmente de uma virgem.

— Exactamente aonde eu quero chegar. A alegoria religiosa tornou-se parte da tecitura da realidade. E viver nessa realidade ajuda milhões de pessoas a suportar a vida e a serem melhores.

— Mas, segundo parece, a realidade delas é falsa.

Langdon riu-se.

— Tão falsa como a de uma criptóloga matemática que acredita no imaginário número *«i»* porque ele a ajuda a decifrar códigos.

Sophie franziu a testa.

— Isso não é justo.

Passou um momento.

— Qual era a sua pergunta, afinal? — perguntou Langdon.

— Não me lembro.

Ele sorriu.

— Resulta sempre.

CAPÍTULO OITENTA E TRÊS

O relógio *Rato Mickey* de Langdon marcava quase sete e meia quando ele se apeou da limusina *Jaguar*, juntamente com Sophie e Teabing, na Inner Temple Lane. Pouco depois, tendo percorrido a pé um labiríntico caminho por entre altos edifícios, chegaram ao pequeno adro de Temple Church. As pedras toscas brilhavam à chuva e havia bandos de pombos abrigados sob os ressaltos da arquitectura.

A velha Temple Church de Londres fora inteiramente construída com pedra de Caen. O dramático edifício circular, com uma fachada imponente, um torreão central e uma nave a sobressair de um dos lados, parecia mais um bastião militar do que um local de culto. Consagrada a 10 de Fevereiro de 1185 por Heráclio, patriarca de Jerusalém, Temple Church sobrevivera a oito séculos de convulsões políticas, ao Grande Incêndio de Londres e à I Guerra Mundial, para acabar por ser danificada, em 1940, pelas bombas incendiárias alemãs. Fora restaurada depois da guerra, recuperando a austera altivez original.

A simplicidade do círculo, pensou Langdon, admirando o edifício pela primeira vez. A arquitectura era rude e despojada, mais reminiscente do áspero castelo romano de Sant'Angelo que do refinado Panteão. O acrescento em forma de caixa que sobressaía de um dos lados era um mamarracho que feria a vista, embora não bastasse para ocultar a forma pagã original da estrutura primitiva.

— É sábado de manhã e muito cedo — disse Teabing, coxeando em direcção à entrada —, de modo que presumo que não precisamos de preocupar-nos com missas e coisas desse tipo.

O pórtico da igreja era um nicho recolhido ao fundo do qual se erguia uma grande porta da madeira. À esquerda da porta, parecendo totalmente deslocado, estava suspenso um painel de contraplacado coberto de horários de concertos e anúncios de serviços religiosos.

Teabing leu as indicações do painel e franziu o sobrolho.

— Só abrem para os visitantes daqui a um par de horas. — Aproximou-se da porta e experimentou empurrá-la. A porta não se mexeu. Encostando o ouvido à madeira, pôs-se à escuta. Um momento depois, recuou e apontou para o painel, com o ar de quem estava a tramar alguma.

— Robert, importa-se de dar uma olhadela ao horário dos serviços? Quem é que oficia esta semana?

Dentro da igreja, o ajudante de missa quase acabara de aspirar os genuflexórios da comunhão quando ouviu bater à porta do templo. Ignorou as pancadas. O padre Harvey Knowles tinha as suas próprias chaves e só chegaria um par de horas mais tarde. Quem batia era provavelmente algum turista curioso, ou um pobre. Continuou a aspirar, mas as pancadas na porta não paravam. *Será que não sabem ler?* O papel afixado no painel indicava claramente que, aos sábados, a igreja só abria às nove e meia. O ajudante de missa resolveu não interromper as suas tarefas.

De súbito, as pancadas transformaram-se num estrépito ensurdecedor, como se alguém estivesse a bater na madeira com uma barra de metal. O jovem desligou o aspirador e marchou furioso para a porta. Correndo o ferrolho interior, abriu-a. Estavam três pessoas à entrada. *Turistas*, resmungou.

— Abrimos às nove e meia.

Um homem corpulento, aparentemente o líder do trio, avançou um passo, ajudado por um par de muletas metálicas.

— Sou *Sir* Leigh Teabing — disse, num tom de voz altivo, do mais puro saxonesco britânico. — Como sem dúvida sabe, acompanho o senhor e a senhora Cristopher Wren the Fourth. — Afastou-se para um lado, indicando com um floreado do braço o elegante casal que esperava um pouco mais atrás. A mulher tinha feições suaves e uns belos cabelos castanhos. O homem era alto, de cabelos escuros e parecia vagamente familiar.

O ajudante de missa não fazia ideia de como reagir. *Sir* Christopher Wren era o mais famoso dos benfeitores de Temple Church. Tornara possível todas as restaurações que se tinham seguido ao Grande Incêndio. Por outro lado, tinha morrido no... hum... século XVIII.

— Hum... hã... é uma honra conhecê-lo?

O homem das muletas franziu a testa.

— Ainda bem que não está nas vendas, jovem, não é lá muito convincente. Onde está o padre Knowles?

— É sábado. Só vem mais tarde.

As rugas do sobrolho do homem das muletas tornaram-se ainda mais fundas.

— É o que se chama gratidão. Garantiu-nos que estaria aqui, mas parece que vamos ter de passar sem ele. Não demora muito.

O ajudante de missa continuou a bloquear a passagem.

— Desculpe, o *que* é que não demora muito?

Os olhos do visitante endureceram, e o homem inclinou-se para a frente, murmurando como se quisesse evitar a toda a gente uma situação embaraçosa:

— Jovem, aparentemente, está cá há pouco tempo. Todos os anos, os descendentes de *Sir* Christopher Wren trazem uma pitada das cinzas do velho para espalhar no santuário. Assim está prescrito no testamento dele. Ninguém aprecia particularmente a viagem, mas que se há-de fazer?

O ajudante de missa estava na igreja havia dois anos e nunca ouvira falar de tal costume.

— É melhor esperarem até às nove e meia. A igreja ainda não está aberta e eu não acabei de aspirar.

O homem das muletas fulminou-o com um olhar.

— Jovem, se ainda resta desta igreja alguma coisa para aspirar, é graças ao cavalheiro que está ali no bolso daquela senhora.

— Perdão?

— Senhora Wren — continuou o homem das muletas —, quererá ter a bondade de mostrar a este jovem impertinente o relicário das cinzas?

A mulher hesitou um instante, e então, como que despertando de um transe, meteu a mão no bolso do camisolão e tirou de lá um pequeno cilindro embrulhado num tecido protector.

— Vê? — perguntou secamente o homem das muletas. — Agora, ou cumpre a última vontade do moribundo e nos deixa espalhar um pouco das suas cinzas pelo santuário, ou eu conto ao padre Knowles a maneira como fomos tratados.

O ajudante de missa hesitou. Conhecia bem o profundo respeito do padre Knowles pelas tradições da igreja... e, mais importante do que isso, as iras de que era capaz quando qualquer coisa projectava a mais pequena sombra sobre a fama do venerando templo. Talvez o padre Knowles se tivesse simplesmente esquecido de o avisar da visita daqueles familiares. Se fosse esse o caso, seria muito mais arriscado mandá-los embora do que deixá-los entrar. *Ao fim e ao cabo, disseram que não demorava muito. Que mal pode fazer?*

Quando se afastou para deixá-los entrar, o ajudante de missa seria capaz de jurar que o senhor e a senhora Wren estavam tão confusos com tudo aquilo como ele próprio. Desconfiado, voltou às suas tarefas, vigiando-os pelo canto do olho.

Langdon não pôde conter um sorriso enquanto o trio entrava na igreja.

— Leigh — murmurou —, em minha opinião, mente excessivamente bem.

Os olhos de Teabing chisparam.

— Clube de Teatro de Oxford. Ainda hoje falam do meu Júlio César. Tenho a certeza de que nunca ninguém representou a primeira cena do terceiro acto com maior dedicação.

— Julgava que César já está morto *nessa* cena.

— Pois está. Mas a minha toga rasgou-se quando caí, e tive de ficar estendido no palco durante meia hora com a pilinha de fora. Mesmo assim, não mexi um músculo. Foi brilhante, digo-lhe eu.

Langdon fez uma careta. *Tenho pena de não ter visto.*

Enquanto o grupo percorria o anexo rectangular em direcção ao arco de acesso ao corpo principal do templo, Langdon foi surpreendido pela árida austeridade do lugar. Embora a disposição do altar se assemelhasse à de qualquer outra igreja cristã, o ambiente era despido e frio, sem qualquer dos tradicionais ornamentos.

— Triste — murmurou.

Teabing riu-se.

— Igreja de Inglaterra — disse. — Os Anglicanos bebem a religião pura. Nada que os distraia da sua tristeza.

Sophie apontou na direcção do vasto arco que abria para a parte circular da igreja.

— Parece uma fortaleza — murmurou.

Langdon concordou. Mesmo vistas dali, as paredes pareciam invulgarmente robustas.

— Os Cavaleiros do Templo eram guerreiros — recordou-lhes Teabing, e o bater das suas muletas de alumínio ecoava no amplo espaço. — Uma sociedade religiosa-militar. As igrejas deles eram os seus bastiões e os seus bancos.

— Bancos? — perguntou Sophie, olhando para *Sir* Leigh.

— Céus, sim. Foram os Templários que *inventaram* o conceito da banca moderna. Para a nobreza europeia, era perigoso viajar com ouro, de modo que os Templários permitiam que os nobres o depositassem na igreja do Templo mais próximo e o levantassem em qualquer outra igreja do Templo em qualquer parte da Europa. Tudo o que precisavam era de ter a documentação adequada. E de pagar uma pequena comissão. Os Templários foram as primeiras caixas automáticas. — Apontou para um vitral no qual a luz do Sol que despontava se refractava através da figura de um cavaleiro vestido de branco e montado num cavalo cor-de-rosa. — Alanus Marcel. Mestre do Templo por volta de 1200. Ele e os seus sucessores detiveram no Parlamento o cargo de *Primus Baro Angiae.*

Langdon estava surpreendido.

— Primeiro barão do reino?

Teabing assentiu.

— O Grão-Mestre do Templo, não falta quem o afirme, tinha mais poder do que o próprio rei. — Ao chegarem à orla da câmara circular, Teabing olhou por cima do ombro para o ajudante de missa, que continuava a aspirar. — Sabe — sussurrou, dirigindo-se a Sophie —, diz-se que o Santo Graal passou aqui uma noite, enquanto os Templários o mudavam de um esconderijo para outro. Consegue imaginar os quatro grandes baús dos documentos Sangreal aqui nesta igreja, juntamente com o sarcófago de Maria Madalena? A mim, faz-me pele-de-galinha.

Também Langdon estava a sentir pele-de-galinha quando entraram na câmara circular. Seguiu com os olhos a curvatura das paredes de pedra pálida, vendo as esculturas de gárgulas, demónios, monstros e rostos humanos que eram espelhos de dor, todos voltados para dentro. Por baixo das esculturas, um único banco de pedra corria ao longo de toda a circunferência.

— Um teatro redondo — murmurou Langdon.

Teabing ergueu uma muleta, apontando para os extremos opostos da igreja, à direita e à esquerda. Langdon já os tinha visto.

Dez cavaleiros de pedra.

Cinco do lado esquerdo. Cinco do lado direito.

Deitadas de costas no chão, as figuras esculpidas, em tamanho natural, pareciam repousar em posturas tranquilas. Os cavaleiros tinham sido representados envergando a armadura completa, com escudo e espada, e os túmulos deram a Langdon a desagradável impressão de que alguém entrara ali sem ser visto e despejara gesso em cima deles enquanto dormiam. Todas as figuras estavam muito marcadas pela passagem do tempo, e no entanto todas elas eram claramente únicas: as armaduras eram diferentes, as posições dos braços e das pernas, as feições e os brasões dos escudos eram diferentes.

Em Londres jaz um cavaleiro que um papa enterrou.

Langdon sentiu-se tremer à medida que avançava.

Tinha de ser aquele o lugar.

CAPÍTULO OITENTA E QUATRO

Rémy Legaludec estacionou o *Jaguar* atrás de uma fila de caixotes de lixo industriais, num sujo beco muito próximo de Temple Church. Desligando o motor, inspeccionou a área. Deserta. Apeou--se, dirigiu-se à traseira do carro e entrou na ampla cabina da limusina, onde estava o monge.

Ao sentir a presença de Rémy, o albino pareceu emergir de uma espécie de transe de oração e ergueu para ele uns olhos onde havia mais curiosidade do que temor. Durante toda a noite, Rémy sentira--se impressionado pela capacidade do homem amarrado para manter a calma. Depois de alguma resistência inicial, no *Range Rover*, parecia ter-se resignado à sua sorte e confiado o futuro a um poder superior.

Desapertando o laço de pescoço, Rémy desabotoou o alto colarinho engomado, de pontas reviradas, e sentiu-se como se pudesse finalmente respirar pela primeira vez em anos. Abriu a porta do bar e serviu a si mesmo um vodca *Smirnoff*, que bebeu de um só trago, logo seguido de um segundo.

Em breve serei um homem rico.

Procurou no bar até encontrar o saca-rolhas. Abriu a lâmina, normalmente usada para cortar o envoltório de folha de chumbo das garrafas de bom vinho. Naquela manhã, porém, ia servir um propósito bem mais dramático. Voltou-se para Silas, mostrando-lhe a lâmina refulgente.

Um clarão de medo perpassou pelos olhos vermelhos do homem.

Rémy sorriu e aproximou-se da traseira do carro. O monge encolheu-se e forcejou por libertar-se das amarras que o prendiam.

— Quieto — sussurrou Rémy, erguendo a lâmina.

Silas não queria acreditar que Deus o tivesse abandonado. Até a dor física de estar amarrado transformara em exercício espiritual, pedindo ao latejar dos músculos privados de sangue que lhe recordasse a dor que Cristo suportara. *Toda a noite rezei a pedir a libertação.* Naquele instante, enquanto a lâmina descia, Silas fechou os olhos com força.

Uma chicotada de dor atravessou-lhe as omoplatas. Gritou, incapaz de acreditar que ia morrer ali, na parte de trás daquela limusina, sem poder defender-se. *Estava a fazer o trabalho de Deus. O* Professor *disse que me protegeria.*

Sentiu o calor mordente espalhar-se-lhe pelos ombros e imaginou o seu próprio sangue a escorrer-lhe pelas costas. No instante seguinte, uma dor dilacerante verrumou-lhe as coxas, e sentiu o início da familiar vaga de desorientação — o mecanismo de defesa do corpo contra a dor.

Enquanto o ardor alastrava a todos os seus músculos, Silas fechou os olhos ainda com mais força, decidido a que a última imagem da sua vida não fosse a do homem que o matara. Em vez disso, imaginou um bispo Aringarosa mais jovem, diante de uma pequena igreja, em Espanha... a igreja que ele e Silas tinham construído com as suas próprias mãos. *O começo da minha vida.*

Silas sentia todo corpo em fogo.

— Beba isto — murmurou o homem de *smoking*, com um sotaque francês — Ajuda a restabelecer a circulação.

Silas abriu os olhos, surpreendido. Uma imagem confusa inclinava-se para ele, oferecendo-lhe um copo cheio de líquido. No chão do carro, ao lado da lâmina sem uma gota de sangue, havia um monte de fita isoladora.

— Beba — repetiu o homem. — A dor que sente é do sangue a voltar aos músculos.

Silas sentiu o latejar ardente começar e transformar-se num formigueiro doloroso, como se estivesse a ser picado por milhares de agulhas. O vodca sabia horrivelmente mal, mas bebeu-o, agradecido. A sorte dera-lhe um bom naco de má sorte naquela noite, mas Deus salvara tudo com uma miraculosa reviravolta.

Deus não me abandonou.

Sabia como o bispo Aringarosa chamaria àquilo.

Intervenção divina.

— Queria tê-lo libertado mais cedo — disse o mordomo —,

mas foi impossível. Com a Polícia a chegar a Château Villette, e depois ao aeródromo de Biggin Hill, esta foi a primeira oportunidade que tive. Compreende isto, não é verdade, Silas?

Silas recuou o corpo, sobressaltado.

— Sabe o meu nome?

O homem sorriu.

Silas sentou-se direito, a massajar os músculos rígidos, e as suas emoções eram uma torrente de incredulidade, gratidão e confusão.

— É o... *Professor*?

Rémy abanou a cabeça, rindo da ideia.

— Quem me dera ter esse tipo de poder. Não, não sou o *Professor*. Sirvo-o, tal como você. Mas o *Professor* fala muito elogiosamente de si.

Silas estava estupefacto.

— Não compreendo. Se trabalha para o *Professor*, porque foi que o Langdon levou a Chave para a *sua* casa?

— Não é a minha casa. É a casa do mais eminente historiador do Graal do mundo, *Sir* Leigh Teabing.

— Mas você *vive* lá. As probabilidades...

Rémy sorriu, parecendo não ter qualquer problema com a aparente coincidência do refúgio escolhido por Langdon.

— Era tudo perfeitamente previsível. O Robert Langdon tinha a Chave de Abóbada, e precisava de ajuda. Que lugar lhe pareceria mais lógico como esconderijo do que a casa de Leigh Teabing? Foi precisamente pelo facto de eu lá viver que o *Professor* me contactou. — Fez uma pausa. — Como é que acha que o *Professor* sabe tanto a respeito do Graal?

Silas compreendeu, e ficou aturdido. O *Professor* recrutara um criado que tinha acesso a todas as investigações de *Sir* Leigh Teabing. Era brilhante.

— Tenho muito para lhe contar — continuou Rémy, devolvendo a Silas a *Heckler and Koch,* carregada. Depois, estendeu o braço através da divisória e tirou um pequeno revólver do porta-luvas. — Mas, antes disso, há uma coisa que tenho de fazer.

O capitão Fache desceu do avião que o levara ao aeródromo de Biggin Hill e ouviu, incrédulo, o relato do inspector-chefe de Kent sobre o que se passara no hangar de *Sir* Teabing.

— Eu próprio revistei o avião — insistiu o inspector —, e não estava lá ninguém. — O tom tornou-se-lhe altivo. — E devo acrescentar que se *Sir* Leigh Teabing apresentar queixa contra mim, vou...

— Interrogou o piloto?

— Claro que não. É francês, e a nossa jurisdição exige...

— Leve-me ao avião.

Chegado ao hangar, Fache precisou apenas de sessenta segundos para detectar uma anómala mancha de sangue no chão, perto do lugar onde a limusina estivera estacionada. Dirigiu-se ao jacto e bateu com força na fuselagem.

— Sou o capitão Fache, da Polícia Judiciária francesa. Abra a porta!

O aterrorizado piloto abriu a porta e baixou a escada.

Fache subiu. Cinco minutos depois, com a ajuda da pistola, tinha conseguido uma confissão completa, incluindo uma descrição do monge albino amarrado e amordaçado. Além disso, ficou a saber que o piloto vira Langdon e Sophie deixarem qualquer coisa no cofre de Teabing, uma caixa de madeira. Embora negasse saber o que estava dentro da caixa, o homem admitira que, fosse o que fosse, concentrara toda a atenção de Langdon durante o voo até Londres.

— Abra o cofre — exigiu Fache.

O piloto estava cada vez mais aterrorizado.

— Não sei a combinação!

— É uma pena. Preparava-me para lhe oferecer a possibilidade de conservar a sua licença de voo.

O piloto torcia as mãos, desesperado.

— Conheço alguns homens da manutenção aqui do aeródromo. Talvez eles consigam abri-lo?

— Tem meia hora.

O piloto saltou para o rádio.

Fache foi até à traseira do avião e serviu-se de uma bebida. Era cedo, mas como não chegara a deitar-se, não contava como beber antes do meio-dia. Sentado num dos confortáveis assentos, fechou os olhos, tentando perceber o que se tinha passado. *A borrada da Polícia de Kent pode custar-me caro.* Agora, andava toda a gente à procura de uma limusina *Jaguar* preta.

O telemóvel tocou, e Fache desejou um momento de paz.

— Sim?

— Vou a caminho de Londres. — Era o bispo Aringarosa. — Chego dentro de uma hora.

Fache endireitou-se no assento.

— Pensei que ia para Paris.

— Estou muitíssimo preocupado. Alterei os meus planos.

— Não devia tê-lo feito.

— Tem o Silas?

— Não. Os captores conseguiram enganar a Polícia local antes de eu aterrar.

O tom de Aringarosa subiu, irritado.

— Tinha-me garantido que deteria o avião.

Fache baixou a voz.

— Eminência, considerando a sua situação, aconselho-o a não pôr hoje a minha paciência à prova. Encontrarei o Silas e os outros logo que for possível. Onde vai aterrar?

— Um momento. — Aringarosa tapou o microfone do telemóvel por um momento. — O piloto está a tentar conseguir autorização de Heathrow. Sou o único passageiro, mas a alteração do plano de voo não estava prevista.

— Diga-lhe que venha para o aeródromo executivo de Biggin Hill, em Kent. Eu arranjo-lhe autorização. Se não estiver aqui quando aterrar, terei um carro à sua espera.

— Obrigado.

— Como tive ocasião de dizer-lhe quando falámos pela primeira vez, Eminência, faria bem em lembrar-se de que não é o único que corre o risco de perder tudo.

CAPÍTULO OITENTA E CINCO

Procura o globo que no seu túmulo devia estar.

Todas as dez estátuas dos cavaleiros estavam deitadas de costas, com a cabeça apoiada numa almofada rectangular de pedra. Sophie sentiu um arrepio. A referência do poema a um «globo» evocou imagens daquela noite na cave da casa do avô na Normandia.

Hieros Gamos. Os globos.

Sophie perguntou a si mesma se o ritual teria sido executado naquele santuário. O espaço circular parecia feito à medida para um rito pagão. Um banco de pedra rodeava um pedaço de chão nu. *Um teatro redondo,* como Langdon lhe chamara. Imaginou a igreja à noite, cheia de pessoas mascaradas a entoar cânticos à luz de archotes. Todas a testemunhar uma «comunhão sagrada» no centro do círculo.

Expulsou a imagem do espírito e dirigiu-se, com Langdon e Teabing, ao primeiro grupo de cavaleiros. Apesar da insistência de Teabing na necessidade de conduzir a investigação de uma forma meticulosa, a ânsia era muita e adiantou-se aos dois homens, passando rapidamente em frente dos cinco cavaleiros do lado esquerdo.

Ao escrutinar os cinco primeiros túmulos, notou as similitudes e as diferenças entre eles. Todos os jacentes estavam deitados de costas, mas três tinham as pernas estendidas e direitas, ao passo que os outros dois as tinham cruzadas. A singularidade parecia não ter qualquer relevância em termos do globo em falta. Examinando as vestimentas, reparou que dois dos cavaleiros usavam uma túnica por cima da armadura, enquanto os outros três envergavam vestes que lhes chegavam aos tornozelos. Mais uma vez, sem qualquer significado especial. Voltou então a atenção para a única outra diferença óbvia: a posição das mãos. Dois cavaleiros seguravam o punho da espada, dois rezavam e o quinto tinha os braços estendidos ao longo do corpo. Depois de ter olhado para as mãos por um longo instante, Sophie encolheu os ombros. Não via ali qualquer sugestão de um globo conspicuamente ausente.

A sentir o peso do criptex no bolso do camisolão, voltou-se para olhar para Langdon e Teabing. Progredindo mais devagar, ainda só iam no terceiro cavaleiro, aparentemente sem terem tido mais sorte do que ela. Sem paciência para esperar, afastou-se deles e dirigiu-se ao segundo grupo de estátuas. Enquanto atravessava o espaço vazio, recitou para si mesma o poema que acabara por decorar, à força de o ler tantas vezes.

Em Londres jaz um cavaleiro que um papa enterrou.
O fruto do seu labor uma sagrada fúria granjeou.
Procura o globo que no seu túmulo devia estar.
Ele fala de carne Rosada e de um útero a germinar.

Quando chegou junto do segundo grupo, descobriu que era igual ao primeiro. Todos os cavaleiros jaziam em variadas posições, envergando armaduras e segurando espadas.

Isto é, todos, excepto o último.

Sophie aproximou-se apressadamente e olhou para baixo.

Nem almofada. Nem armadura. Nem túnica. Nem espada.

— Robert? Leigh? — chamou, com a voz a ecoar na vasta câmara. — Falta aqui qualquer coisa.

Os dois homens ergueram a cabeça e começaram imediatamente a atravessar a igreja em direcção a ela.

— Um globo? — perguntou Teabing, excitadamente, e as muletas bateram um rápido *staccato* no chão de pedra. — Falta-nos um globo?

— Não exactamente — respondeu Sophie parada diante do décimo túmulo, de testa franzida. — Parece que nos falta um cavaleiro inteiro.

Ao chegarem junto dela, ambos os homens olharam, confusos, para a décima sepultura. Em vez de ter, como as outras, a estátua jacente de um cavaleiro em cima da pedra, aquele túmulo era um caixão de pedra selado. Trapezoidal, mais estreito nos pés, mais largo em cima, com uma tampa em bico.

— Porque é que este cavaleiro não tem estátua? — perguntou Langdon.

— Fascinante — murmurou Teabing, esfregando o queixo. — Tinha-me esquecido desta singularidade. Há anos que não vinha aqui.

— Este caixão — disse Sophie — parece ter sido feito na mesma época e pelo mesmo escultor que esculpiu os outros nove túmulos. Porque é então que o cavaleiro está dentro da caixa e não cá fora?

Teabing abanou a cabeça.

— Um dos mistérios desta igreja. Tanto quanto saiba, nunca ninguém conseguiu descobrir uma explicação.

— Senhores — disse o ajudante de missa, aproximando-se com uma expressão preocupada no rosto —, perdoem-me se pareço mal-educado, mas disseram que queriam espalhar umas cinzas, e afinal parece que estão a ver as vistas.

Teabing franziu o sobrolho ao rapaz e voltou-se para Langdon.

— Senhor Wren, parece que a filantropia da sua família já não lhe merece tanto tempo como costumava, de modo que talvez o melhor seja pegarmos nas cinzas e acabar com isto. — Voltou-se para Sophie. — Senhora Wren?

Sophie fez-lhe o jogo, tirando do bolso o criptex embrulhado em velino.

— Muito bem — disse Teabing secamente, voltando-se para o rapaz. — Importa-se de nos conceder alguns instantes de privacidade?

O ajudante de missa não se mexeu. Estava a olhar atentamente para Langdon.

— Conheço a sua cara.

Teabing bufou desdenhosamente.

— Talvez porque o senhor Wren vem cá todos os anos!

Ou talvez, pensou Sophie, *por ter visto o Robert na televisão por causa do caso do Vaticano, no ano passado.*

— Nunca vi o senhor Wren — declarou o rapaz.

— Está enganado — disse Langdon, delicadamente. — Julgo que nos encontrámos de passagem no ano passado. O padre Knowles não nos apresentou formalmente, mas reconheci a sua cara mal entrei. Compreendo que isto é uma intrusão, mas se me conceder mais alguns minutos... Vim de muito longe para espalhar um pouco de cinza entre estes túmulos. — A declaração foi feita com uma credibilidade perfeitamente teabianesca.

A expressão do ajudante de missa tornou-se ainda mais céptica.

— Isto não são *túmulos*.

— Como? — exclamou Langdon.

— Claro que são túmulos — irritou-se Teabing. — Que está você a dizer?

O ajudante de missa abanou a cabeça.

— Os túmulos contêm corpos. Isto são efígies. Tributos de pedra a homens que já morreram. Não há nenhum corpo debaixo dessas figuras.

—Isto é uma cripta! — exclamou Teabing.

— Só nos livros de História desactualizados. Pensava-se que era uma cripta, mas a restauração de 1950 provou que não. — Voltou-se novamente para Langdon. — E suponho que o senhor Wren deveria sabê-lo. Considerando que foi a família dele que descobriu o facto.

Fez-se um silêncio embaraçoso.

Que foi quebrado pelo barulho de uma porta a bater no anexo.

— Deve ser o padre Knowles. — disse Teabing. — Não será melhor ir ver?

O ajudante de missa fez um ar de dúvida, mas acabou por afastar-se, deixando Langdon, Sophie e Teabing a olhar sombriamente uns para os outros.

— Leigh — murmurou Langdon. — Não há corpos? De que está ele a falar?

Teabing parecia perturbado.

— Não sei. Sempre pensei... *tem* de ser este o lugar. Acho que esse rapaz não sabe do que está a falar. Não faz sentido!

— Posso ver outra vez o poema? — pediu Langdon.

Sophie tirou cuidadosamente o criptex do bolso e entregou-lho.

Langdon desembrulhou o velino, segurando o criptex com a mão esquerda enquanto examinava o poema.

— Sim, o poema refere especificamente um túmulo. Não uma efígie.

— Poderá estar enganado? — sugeriu Teabing. — Será possível que Jacques Saunière tenha cometido o mesmo erro que eu?

Langdon pensou um pouco e abanou a cabeça.

— Não, você mesmo o disse, Leigh. Esta igreja foi construída pelos Templários, o braço militar do Priorado. Alguma coisa me diz que o Grão-Mestre do Priorado havia de saber muito bem se havia ou não cavaleiros aqui sepultados.

Teabing parecia desorientado.

— Mas este lugar é perfeito. — Voltou-se para os cavaleiros. — Deve estar a escapar-nos qualquer coisa!

Quando entrou no anexo, o ajudante de missa ficou surpreendido ao encontrá-lo deserto.

— Padre Knowles?

Tenho a certeza de que ouvi a porta, pensou, avançando até poder ver a entrada.

Viu um homem magro, de *smoking*, parado junto à porta, a coçar a cabeça com o ar de quem estava perdido. O ajudante de missa bufou irritado, compreendendo que se tinha esquecido de voltar a trancar a porta depois de deixar entrar os outros. E agora, um cretino qualquer entrara por ali dentro, para pedir indicações sobre um qualquer casamento, a julgar pelas roupas.

— Desculpe — disse, passando por um grosso pilar. — Estamos fechados.

Ouviu um restolhar de roupas atrás de si e, antes que pudesse voltar-se, sentiu a cabeça violentamente puxada para trás e uma mão enorme tapou-lhe a boca, abafando-lhe o grito. A mão que lhe tapava a boca era branca como a neve, e o proprietário cheirava a álcool.

O homem do *smoking* tirou calmamente um pequeníssimo revólver do bolso e apontou-o à testa do rapaz.

O rapaz sentiu um calor entre as pernas e percebeu que acabava de urinar nas calças.

— Ouve com muito cuidado — murmurou o homem do *smoking*. — Vais sair desta igreja sem fazer barulho e vais pôr-te a correr. E não vais parar. Percebeste bem?

O rapaz assentiu o melhor que pôde, com aquela mão enorme a tapar-lhe a boca.

— Se chamares a Polícia... — o homem do *smoking* fez pressão com o cano do revólver contra a pele dele — eu encontro-te.

Quando voltou a dar por si, o ajudante de missa atravessava o adro a correr como um gazela, sem fazer tenção de parar até que as pernas lhe faltassem.

CAPÍTULO OITENTA E SEIS

Como um fantasma, Silas deslizou silenciosamente para a sua presa. Sophie Neveu só o pressentiu demasiado tarde. Antes que pudesse voltar-se, Silas encostou-lhe o cano da arma à espinha e passou-lhe um poderoso braço pelo peito, puxando-a para trás. Sophie gritou de surpresa. Teabing e Langdon voltaram-se, com expressões de espanto e medo.

— Que...? — Engasgou-se Teabing. — Que fez ao Rémy?

— A sua única preocupação — respondeu Silas, calmamente — é que eu saia daqui com a Chave de Abóbada. — Aquela missão de recuperação, como Rémy lhe chamara, ia ser limpa e simples: *Entrar na igreja, pegar na Chave de Abóbada e voltar a sair; nada de mortes, nada de lutas.*

Sem deixar de segurar Sophie com firmeza, Silas desceu a mão até à cintura dela e enfiou-a no fundo bolso do camisolão, procurando. Cheirava a fragrância suave dos cabelos dela e o seu próprio hálito carregado de álcool.

— Onde está? — murmurou. A Chave de Abóbada estava no bolso dela. Onde está agora?

— Está aqui — ressoou a voz profunda de Langdon, do outro lado da igreja.

Silas voltou-se e viu Langdon a segurar o criptex negro à sua frente, agitando-o de um lado para o outro como um matador a citar um touro.

— Ponha-o no chão — exigiu Silas.

— Deixe a Sophie e *Sir* Leigh saírem da igreja — respondeu Langdon. — Podemos resolver isto entre nós os dois.

Silas empurrou Sophie para longe de si e apontou a arma a Langdon, avançando para ele.

— Nem mais um passo — ordenou Langdon — enquanto eles não abandonarem o edifício.

— Não está em posição de fazer exigências.

— Discordo. — Langdon ergueu o criptex acima da cabeça. — Não hesitarei em atirar isto ao chão e partir a ampola que tem lá dentro.

Embora troçasse exteriormente da ameaça, Silas sentiu um relâmpago de medo. Aquilo era inesperado. Apontou a arma à cabeça de Langdon e manteve a voz tão firme como a mão.

— Nunca partiria a Chave de Abóbada. Quer encontrar o Graal tanto como eu.

— Está enganado. Você quere-o muito mais do que eu. Já provou estar disposto a matar para consegui-lo.

A doze metros de distância, escondido entre as primeiras filas de bancos do anexo junto ao arco de entrada, Rémy Legaludec estava cada vez mais alarmado. A manobra não decorrera conforme o planeado e, mesmo dali, podia ver que Silas não sabia muito bem como lidar com a situação. Por ordem do *Professor*, tinha proibido o albino de disparar a sua arma.

— Deixe-os ir — voltou Langdon a exigir, mantendo o criptex bem erguido acima da cabeça e sem desviar os olhos da arma de Silas.

Os olhos vermelhos do monge encheram-se de fúria e de frustração, e Rémy encolheu-se com medo de que Silas disparasse mesmo contra Langdon enquanto este segurava o criptex. *O criptex não pode cair!*

Aquele criptex seria o seu passaporte para a liberdade e a riqueza. Pouco mais de um ano antes, era apenas um mordomo de cinquenta e cinco anos que vivia entre as paredes de Château Villette, suportando os caprichos do insuportável aleijado *Sir* Leigh Teabing. Fora então que lhe tinham feito uma proposta extraordinária. A sua ligação a *Sir* Leigh Teabing — o mais eminente historiador do Graal do mundo — ia proporcionar-lhe tudo aquilo com que sempre sonhara. Desde então, cada momento que passara dentro da mansão tinha-o encaminhado para aquele preciso instante.

Estou tão perto, disse Rémy para si mesmo, vigiando o santuário de Temple Church e a Chave de Abóbada na mão de Robert Langdon. Se Langdon a deixasse cair, estaria tudo perdido.

Estou disposto a mostrar a cara? Era algo que o *Professor* proibira expressamente. Rémy era o único que conhecia a sua identidade.

— Tem a certeza de que quer que seja o Silas a tratar disso? — perguntara ao *Professor* havia menos de uma hora, quando ele lhe ordenara que roubasse a Chave de Abóbada. — Sou perfeitamente capaz de fazê-lo eu próprio.

A resposta não deixara margem para dúvidas:

— O Silas serviu-nos bem com os quatro membros do Priorado. Ele recupera a Chave de Abóbada. *Tu,* Rémy, tens de permanecer anónimo. Se outros te virem, terão de ser eliminados, e já houve mortes suficientes neste caso. Não mostres a cara.

A minha cara pode mudar, pensou Rémy. *Com aquilo que prometeu pagar-me, serei um homem completamente novo.* A cirurgia podia até modificar-lhe as impressões digitais, dissera-lhe o *Professor.* Em breve estaria livre — mais um belo e irreconhecível rosto a encharcar-se de sol numa praia.

— Entendido — dissera Rémy. — Ajudarei o Silas sem me mostrar.

— Para teu próprio conhecimento, Rémy — acrescentara o *Professor* —, o túmulo em questão não está em Temple Church. Por isso não temas. Eles andam a procurar no lugar errado.

Rémy ficara espantado.

— E sabe onde ele está?

— Claro. Dir-to-ei, mas mais tarde. De momento, é preciso agir rapidamente. Se os outros descobrem a verdadeira localização do túmulo e saem da igreja antes de tu te apoderares do criptex, perderemos o Graal para sempre.

Rémy não queria saber do Graal para coisa nenhuma, mas o *Professor* recusara pagar-lhe fosse o que fosse antes de ele ser encontrado. Rémy ficava tonto só de pensar no dinheiro que em breve teria. *Um terço de vinte milhões de euros. Mais do que o suficiente para desaparecer para sempre.* Sonhava com as praias da Côte d'Azur onde planeava passar o resto dos seus dias a apanhar sol e a deixar que outros o servissem a ele, para variar.

Agora, porém, ali em Temple Church, com Langdon a ameaçar partir a Chave de Abóbada, o futuro de Rémy estava em risco. Incapaz de suportar a ideia de chegar tão perto e perder tudo, Rémy decidiu agir. A arma que tinha na mão era um minúsculo revólver *Medusa* de pequeno calibre, mas suficientemente mortífero a curta distância.

Emergindo das sombras, Rémy entrou na câmara circular e apontou o revólver à cabeça de Teabing.

— Velho — disse —, esperei muito tempo por isto.

Sir Leigh Teabing quase sofreu uma paragem cardíaca quando viu Rémy a apontar-lhe uma arma. *Que está ele a fazer?* Reconheceu o pequeno revólver *Medusa*. Era o que guardava no porta-luvas do Jaguar, por uma questão de precaução.

— Rémy! — tartamudeou Teabing, em choque. — Que se passa?

Rémy deu a volta de modo a colocar-se atrás dele e cravou-lhe o cano do revólver nas costas, em cima e do lado esquerdo, directamente sobre o coração.

Teabing sentiu os músculos contraírem-se de terror.

— Rémy, não estou...

— Vou ser muito claro — disse Rémy, vigiando Langdon por cima do ombro de Teabing. — Pouse a Chave de Abóbada no chão, ou aperto o gatilho.

Langdon pareceu momentaneamente paralisado.

— A Chave de Abóbada não tem qualquer valor para si — disse. — Não sabe abri-la.

— Loucos arrogantes — desdenhou Rémy. — Não repararam que estive a ouvi-los toda a noite, enquanto discutiam esses poemas? Tudo o que ouvi, partilhei com outros. Outros que sabem mais do que vocês. Nem sequer estão a procurar no sítio certo! O túmulo que querem está noutro lugar completamente diferente!

Teabing sentiu o pânico invadi-lo. *Que está ele a dizer?*

— Para que quer o Graal? — perguntou Langdon. — Para destruí-lo? Antes do Fim dos Dias?

— Silas, tire a Chave de Abóbada das mãos do senhor Langdon — ordenou Rémy.

Quando o monge deu um passo em frente, Langdon recuou, erguendo bem alto o criptex, parecendo absolutamente preparado para atirá-lo ao chão.

— Prefiro destruí-lo — disse — a vê-lo cair nas mãos erradas.

O que Teabing sentia agora era puro horror. Via a sua vida inteira evaporar-se diante dele. Todos os seus sonhos prestes a serem desfeitos.

— Robert, não! — gritou. — Não faça isso! Isso que tem na mão é o Graal! O Rémy *nunca* seria capaz de disparar contra mim. Conhecemo-nos há dez...

Rémy apontou para o tecto e disparou o *Medusa*. A detonação foi enorme para uma arma tão pequena, ecoando como um trovão dentro da câmara de pedra.

Ninguém se mexeu.

— Não estou a brincar — disse Rémy. — O próximo é para as costas. Entregue a Chave de Abóbada ao Silas.

Relutantemente, Langdon estendeu a mão que segurava o criptex. Silas avançou e pegou-lhe, os olhos vermelhos a brilharem com a satisfação da vingança. Enfiando a Chave de Abóbada no bolso do hábito, Silas recuou, continuando a manter Langdon e Sophie sob a mira da sua arma.

Teabing sentiu o braço do mordomo fechar-se-lhe à volta do pescoço quando Rémy começou a recuar, arrastando-o consigo, ainda a espetar-lhe o cano do revólver nas costas.

— Deixe-o — exigiu Langdon.

— O senhor Teabing vai dar um passeio connosco — disse Rémy, continuando a recuar. — Se chamar a Polícia, ele morre. Se tentar alguma coisa para interferir, ele morre. Fui suficientemente claro?

— Leve-me a mim — pediu Langdon, com a voz quebrada pela emoção. — Liberte *Sir* Leigh.

Rémy soltou uma gargalhada.

— Não me parece. Eu e ele temos uma história tão bonita. Além disso, ainda pode vir a revelar-se útil.

Silas estava também a recuar, sem desviar os olhos e a arma de Langdon e Sophie, enquanto Rémy puxava Leigh para a porta, com as muletas a arrastar pelo chão.

— Para quem trabalha? — perguntou Sophie, numa voz que não tremeu.

A pergunta pôs um sorriso no rosto de Rémy.

— Ficaria surpreendida se soubesse, *mademoiselle* Neveu.

CAPÍTULO OITENTA E SETE

A lareira da sala de estar de Château Villette estava apagada e fria, mas apesar disso o tenente Collet andava de um lado para o outro diante dela enquanto lia os faxes da Interpol.

Nada do que tinha esperado.

André Vernet, de acordo com os registos oficiais, era um cidadão exemplar. Nenhuma espécie de cadastro policial — nem sequer uma multa de estacionamento. Educado numa escola particular e na Sorbonne, tinha um doutoramento *cum laude* em Finanças Internacionais. A Interpol dizia que Vernet aparecia ocasionalmente nos noticiários, mas sempre a uma luz muito favorável. Segundo parecia, o homem ajudara a estabelecer os parâmetros que faziam do Banco Depositário de Zurique um líder no mundo ultramoderno da segurança electrónica. Os registos dos cartões de crédito mostravam uma preferência por livros de arte, vinhos caros e CDs de música clássica — sobretudo Brahms — que ouvia num sofisticadíssimo sistema de alta-fidelidade que comprara anos antes.

Zero, suspirou Collet.

A única bandeira vermelha vinda da Interpol era um conjunto de impressões digitais que aparentemente pertenciam ao mordomo de Teabing. O perito-chefe da PTC estava naquele preciso instante a estudar o *fax*, instalado num dos confortáveis cadeirões da sala.

— Alguma coisa? — perguntou Collet.

O homem encolheu os ombros.

— As impressões pertencem a Rémy Legaludec. Procurado por pequenos crimes. Nada de grave. Parece que foi expulso da universidade por ter «arranjado» a central de modo a poder telefonar à borla... Mais tarde, praticou alguns pequenos furtos. Assaltos por arrombamento. Fugiu de um hospital sem pagar a conta depois de uma traqueotomia de urgência. — Ergueu os olhos, com uma pequena gargalhada. — Alergia aos amendoins.

Collet assentiu, recordando o caso de um restaurante que se esquecera de fazer constar da ementa que a receita do chili da casa incluía óleo de amendoim. Um cliente incauto morrera à mesa, de choque anafilático, logo à primeira garfada.

— Provavelmente, vive aqui, para evitar ser apanhado. — O perito parecia divertido. — Hoje foi a sua noite de sorte.

Collet voltou a suspirar.

— Muito bem. O melhor é remeter essa informação para o capitão Fache.

O perito acabava de sair quando um outro agente entrou a correr.

— Tenente! Encontrámos qualquer coisa nas cavalariças!

Pela expressão ansiosa no rosto do homem, Collet deitou-se a adivinhar.

— Um corpo.

— Não. Qualquer coisa mais... — o agente hesitou. — Inesperada.

A esfregar os olhos, Collet seguiu-o até às cavalariças. Quando entraram no húmido e cavernoso espaço, o homem apontou para uma escada de madeira que se erguia até às traves do tecto, encostada à beira de um palheiro suspenso bem lá em cima.

— Aquela escada não estava ali — observou Collet.

— Pois não, tenente. Fui eu que a pus lá. Estávamos a recolher impressões digitais junto do *Rolls* quando reparei na escada deitada no chão. Não teria olhado para ela duas vezes se os degraus não estivessem gastos e cheios de lama. O que significa que a escada é regularmente usada. A altura do palheiro corresponde à da escada, de modo que a levantei e fui lá acima dar uma vista de olhos.

Collet seguiu com o olhar a inclinação da escada até ao alto palheiro. *Alguém vai lá acima regularmente?* Dali de baixo, o palheiro parecia uma plataforma deserta, mas, claro, a sua maior parte não era visível do chão.

Um agente superior da PTC apareceu no topo da escada, a olhar para baixo.

— Vai querer ver isto, tenente — disse, indicando a Collet, com um gesto da mão enluvada em borracha, que subisse.

Collet assentiu cansadamente. Dirigiu-se à base da velha escada e agarrou um dos primeiros degraus. A escada era de um modelo antigo, que ia estreitando à medida que subia. Já perto do topo, o tenente quase falhou um estreito degrau. O chão lá em baixo pareceu rodopiar. Agora mais atento, Collet continuou a subir, até que finalmente chegou ao topo. O agente que estava lá em cima estendeu-lhe prestimosamente uma mão. Collet agarrou-a e fez a desajeitada passagem da escada para a plataforma.

— Está ali — disse o homem da PTC, apontando para um canto do impecavelmente limpo palheiro. — Só encontrámos um conjunto de impressões digitais cá em cima. Teremos a identificação daqui a nada.

De pálpebras semicerradas para ver melhor na penumbra que ali reinava, Collet olhou para o extremo oposto do palheiro. *Que diabo?* Junto à parede, havia um elaborado posto de trabalho informático: duas CPU, um grande monitor de visor plano com microfones, várias *drives* para discos rígidos, uma consola áudio multicanais que parecia dispor da sua própria fonte de energia.

Porque diabo haveria alguém de vir trabalhar aqui para cima? Collet aproximou-se do equipamento.

— Examinou o sistema?

— É um posto de escuta.

Collet rodou sobre os calcanhares.

— Vigilância?

O agente assentiu.

— Vigilância muito avançada. — Apontou para uma comprida mesa de trabalho coberta de peças, manuais, ferramentas, fios, ferros de soldar e componentes electrónicos. — Alguém que sabe muito claramente o que está a fazer. Muito do que aqui está é tão sofisticado como o nosso próprio equipamento. Microfones miniatura, células fotoeléctricas recarregáveis, *chips* RAM de alta capacidade. Até tem alguns dos novos *nanodrives*.

Collet estava impressionado.

— Aqui tem um sistema completo — disse o agente, entregando-lhe uma montagem não muito maior do que uma calculadora de bolso. Do aparelho pendia um fio com trinta centímetros de comprimento e um fino pedaço de folha metálica, do tamanho de um selo, preso na ponta. — A base é um disco rígido de gravação áudio de alta capacidade com baterias recarregáveis. Essa peça de metal na ponta do fio é uma combinação de microfone e célula fotoeléctrica recarregável.

Collet conhecia-os bem. Aqueles microfones fotocelulares tinham sido uma grande invenção, alguns anos antes. Passara a ser possível fixar um gravador de disco rígido atrás de um candeeiro, por exemplo, com o microfone de folha moldado e pintado de modo a tornar-se invisível. Desde que o microfone ficasse posicionado de modo a receber algumas horas de luz solar por dia, as células fotoeléctricas continuavam a recarregar o sistema. Aparelhos como aquele podiam manter uma escuta indefinidamente.

— Método de recepção? — perguntou.

O agente apontou para um fio isolado que saía da parte de trás do computador, subia pela parede e saía por um orifício aberto no tecto.

— Uma simples onda de rádio. Pequena antena no telhado.

Collet sabia que aqueles sistemas de gravação eram geralmente colocados em gabinetes, activados pela voz para poupar espaço no disco rígido, e gravavam as conversas durante o dia, transmitindo os ficheiros áudio comprimidos durante a noite, para evitar a detecção. Depois de transmitir, o disco rígido limpava-se a si mesmo e ficava pronto para repetir o trabalho no dia seguinte.

Os olhos de Collet desviaram-se para a prateleira onde estavam arrumadas várias centenas de cassetes áudio, todas elas etiquetadas com datas e números. *Alguém tem estado muito ocupado.* Voltou-se para o agente.

— Faz alguma ideia de quem é o alvo?

— Bem, tenente — disse o agente, dirigindo-se ao computador e abrindo um programa. — É estranhíssimo...

CAPÍTULO OITENTA E OITO

Langdon sentia-se completamente exausto quando ele e Sophie passaram pela borboleta na estação de metropolitano de Temple e se internaram no sombrio labirinto de túneis e plataformas. A culpa dilacerava-o.

Meti o Leigh nisto e coloquei-o em perigo de vida.

O envolvimento de Rémy, apesar de ter sido um choque, fazia sentido. A pessoa que perseguia o Graal, fosse ela quem fosse, recrutara alguém no interior da praça. *Procuraram o Teabing pela mesma razão que eu.* Ao longo da História, sempre os possuidores de conhecimentos sobre o Graal tinham sido como ímanes que atraíam ladrões e estudiosos em quantidades mais ou menos iguais. O facto de Teabing nunca ter deixado de ser um alvo deveria fazer com que Langdon se sentisse um pouco menos culpado por tê-lo envolvido. Mas não fazia. *Temos de encontrar o Leigh e ajudá-lo. Imediatamente.*

Langdon seguiu Sophie até à gare do sentido oeste da District and Circle Line, onde a jovem se dirigiu imediatamente a um telefone público para alertar a Polícia, apesar dos avisos de Rémy, enquanto ele se sentava num desengonçado banco mesmo ao lado, roído pelos remorsos.

— A melhor maneira de ajudar o Leigh — reiterou Sophie, enquanto marcava o número — é envolver imediatamente as autoridades de Londres. Acredite em mim.

Inicialmente, Langdon não concordara com a ideia, mas à medida que iam gizando um plano, a lógica de Sophie começara a fazer sentido. Teabing não corria um perigo imediato. Mesmo que Rémy e os outros conhecessem a localização do túmulo, continuariam a precisar dele para decifrar a referência ao globo. O que o preocupava era o que aconteceria *depois* de o mapa do Graal ter sido encontrado. *O Leigh passará a representar um risco que eles não vão querer correr.*

Se queria ter alguma hipótese de ajudar Teabing, ou de voltar a ver a Chave de Abóbada, era essencial que fosse ele o primeiro a descobrir o túmulo. *Infelizmente, o Rémy leva-me um avanço considerável.*

Atrasar Rémy seria a tarefa de Sophie.

A dele seria encontrar o túmulo.

Sophie faria de Rémy e de Silas fugitivos à Polícia de Londres, forçando-os a esconderem-se ou, melhor ainda, levando-os a ser capturados. O plano de Langdon era menos seguro: apanhar o metropolitano para o King's College, famoso pela sua base de dados teológica informatizada. *A ferramenta de pesquisa perfeita,* ouvira dizer. *Respostas instantâneas a qualquer questão sobre história das religiões.* Perguntou a si mesmo o que teria a base de dados a dizer sobre «um cavaleiro que um papa enterrou».

Pôs-se de pé e começou a andar de um lado para o outro, a desejar que o comboio chegasse depressa.

Na cabina telefónica, Sophie conseguiu finalmente contactar a Polícia de Londres.

— Divisão de Snow Hill — disse a telefonista. — Com quem deseja falar?

— Quero participar um rapto. — Sophie sabia ser concisa.

— Nome, por favor?

Sophie hesitou por um brevíssimo instante.

— Agente Sophie Neveu, da Polícia Judiciária francesa.

O título teve o efeito desejado.

— Imediatamente, minha senhora. Vou passar-lhe um detective.

Enquanto a telefonista fazia a ligação, Sophie começou a perguntar a si mesma se a Polícia iria sequer acreditar na sua descrição dos raptores de Teabing. *Um homem de* smoking. Não devia haver muitos suspeitos mais fáceis de identificar. E mesmo que Rémy mudasse de roupa, fazia-se acompanhar por um monge albino. *Impossí-*

vel passar despercebido. Além disso, tinham como refém um homem que não podia utilizar os transportes públicos. Quantas limusinas *Jaguar* haveria em Londres?

A ligação ao detective parecia estar a demorar uma eternidade. *Vamos lá!* Sophie ouvia os estalidos e zumbidos da linha, como se a chamada estivesse a ser transferida.

Passaram quinze segundos.

Finalmente, uma voz de homem.

— Agente Neveu?

Estupefacta, Sophie reconheceu imediatamente o tom rebarbativo.

— Agente Neveu, onde diabo se meteu? — perguntou Bezu Fache.

Sophie ficou sem fala. Aparentemente, o capitão Fache pedira à central da Polícia de Londres que o alertasse se ela entrasse em contacto.

— Ouça — disse Fache, falando rapidamente em francês. — Cometi um erro terrível esta noite. O Robert Langdon está inocente. Todas as acusações contra ele foram retiradas. Mesmo assim, correm ambos um grande perigo. Têm de apresentar-se.

Sophie sentiu que o queixo lhe caía. Não fazia ideia de como reagir. Fache não era homem para pedir desculpa fosse pelo que fosse.

— Não me disse — continuou Fache — que o conservador Jacques Saunière era seu avô. Estou disposto a deixar passar a sua insubordinação de ontem à noite, tendo em conta a pressão emocional a que devia estar sujeita. Para já, no entanto, você e o Langdon devem procurar refúgio na esquadra mais próxima da Polícia de Londres.

O Fache sabe que eu estou em Londres? Que mais saberá? Sophie ouviu em fundo o que lhe pareceu ser o barulho de um berbequim eléctrico a trabalhar. Ouviu também um estranho clique na linha.

— Está a localizar esta chamada, capitão?

A voz de Fache soou firme.

— Precisamos de cooperar um com o outro, agente Neveu. Temos ambos muito a perder. Estou a tentar controlar os estragos. Cometi erros de julgamento ontem à noite, e se desses erros resultar a morte de um professor americano e de uma criptologista da DCPJ, a minha carreira ficará arruinada. Há várias horas que estou a tentar pô-los aos dois em segurança.

Uma baforada de vento quente atravessou a estação quando um comboio se aproximou, com um rugido abafado. Sophie estava decidida a seguir nele quando partisse. Aparentemente, Langdon tivera a mesma ideia, uma vez que se levantara e avançava para ela.

— O homem que procura chama-se Rémy Legaludec — disse. — É o mordomo de *Sir* Leigh Teabing. Acaba de raptar *Sir* Leigh em Temple Church, e...

— Agente Neveu! — berrou Fache no instante em que o comboio entrava a ribombar na estação. — Isto não é assunto para discutir numa linha aberta. Você e o Langdon, entreguem-se imediatamente. Para vossa própria segurança! Estou a dar-lhe uma ordem directa!

Sophie desligou e correu com Langdon para o comboio.

CAPÍTULO OITENTA E NOVE

A imaculada cabina do *Hawker* de Teabing estava agora cheia de aparas de aço e cheirava a ar comprimido e a propano. Bezu Fache mandara sair toda a gente e sentava-se sozinho diante de uma bebida e da caixa de madeira tirada do cofre do avião.

Passou os dedos pela rosa embutida e levantou a ornamentada tampa. Lá dentro, encontrou um cilindro de pedra com cinco anéis marcados com letras. Os cinco anéis estavam dispostos de maneira a formar a palavra SOFIA. Fache ficou a olhar para a palavra durante um longo momento, e então tirou o cilindro da caixa almofadada e examinou-o centímetro a centímetro. Em seguida, puxando cuidadosamente pelas pontas, retirou uma das extremidades. Estava vazio.

Voltou a guardá-lo na caixa e olhou com uma expressão ausente pela janela do jacto, ponderando a curta conversa que tivera com Sophie e as informações que recebera da equipa da PTC em Château Villette. O som do telefone arrancou-o ao seu devaneio.

Era da central da DCPJ, em Paris. O telefonista estava apologético. O presidente do Banco Depositário de Zurique telefonara repetidamente, e apesar de lhe ter sido várias vezes dito que o capitão se encontrava ausente do país, em serviço, ele insistia em ligar. Relutantemente, Fache ordenou ao telefonista que passasse a chamada.

— *Monsieur* Vernet — disse, antes que o homem pudesse sequer pronunciar uma palavra —, peço desculpa por não lhe ter ligado mais cedo. Tenho estado ocupado. Como lhe prometi, o nome do seu banco não apareceu nos órgãos de informação. Portanto, qual é exactamente o seu problema?

Num tom ansioso, Vernet contou como Langdon e Sophie tinham retirado do banco uma pequena caixa de madeira e o tinham depois persuadido a ajudá-los a fugir.

— Quando soube pela rádio que eram criminosos, parei o carro e exigi que devolvessem a caixa, mas eles atacaram-me e roubaram a carrinha.

— Está preocupado com uma caixa de madeira — disse Fache, olhando para a rosa embutida e levantando mais uma vez a tampa para estudar o cilindro branco. — Sabe dizer-me o que essa caixa continha?

— O conteúdo da caixa não vem ao caso — replicou secamente Vernet. — Estou preocupado com a reputação do meu banco. Nunca tivemos um roubo. *Nunca.* Ficaremos arruinados se não conseguirmos recuperar a propriedade do meu cliente.

— Disse-me que a agente Neveu e o senhor Langdon tinham o número da conta e uma chave. O que o leva a dizer que roubaram a caixa?

— *Assassinaram* pessoas a noite passada. Incluindo o avô de Sophie Neveu. A chave e o número foram evidentemente obtidos por meios ilícitos.

— *Monsieur* Vernet, mandei investigar o seu passado e os seus interesses. É obviamente um homem de grande cultura e refinamento. Imagino que seja também um homem de honra. Como eu sou. Dito isto, dou-lhe a minha palavra, como comandante da *Police Judiciaire,* de que a caixa e o respectivo conteúdo, bem como a reputação do seu banco, se encontram em mãos absolutamente seguras.

CAPÍTULO NOVENTA

No palheiro das cavalariças de Château Villette, o tenente Collet olhava incrédulo para o ecrã do computador.

— Este sistema está a escutar *todos* esses locais?

— Sim — respondeu o agente. — Aparentemente, tem estado a recolher dados desde há mais de um ano.

Collet voltou a ler a lista, estupefacto.

COLBERT SOSTAQUE — Presidente do Conselho Constitucional

JEAN CHAFFÉE — Conservador, Museu do Jeu de Paume

EDOUARD DESROCHERS — Arquivista-chefe, Biblioteca Mitterrand

JACQUES SAUNIÈRE — Conservador, Museu do Louvre

MICHEL BRETON — Chefe da DAS (Serviços Secretos franceses)

O agente apontou para o visor.

— O número quatro é obviamente relevante.

Collet assentiu. Reparara imediatamente. *Jacques Saunière estava sob escuta.* Olhou uma vez mais para o resto da lista. *Como terá alguém conseguido pôr sob escuta todas estas pessoas importantes?*

— Já ouviu alguma das gravações áudio?

— Várias. Esta é uma das mais recentes. — O agente premiu uma sequência de teclas no computador. *«Capitaine, un agent du Département de Cryptologie est arrivé»*, disseram os altifalantes.

Collet não queria acreditar no que ouvia.

— Sou eu! É a minha voz! — Recordou-se de estar sentado à secretária de Saunière e de contactar Fache na Grande Galeria, através do rádio, para avisá-lo da chegada de Sophie Neveu.

O agente assentiu.

— Uma grande parte da nossa investigação no Louvre esta noite poderia ter sido ouvida, se alguém estivesse interessado.

— Já mandou alguém procurar o microfone?

— Não é necessário. Sei exactamente onde ele está. — O agente dirigiu-se ao monte de velhas notas e planos em cima da mesa de trabalho. Escolheu uma página e estendeu-a a Collet. — Parece-lhe familiar?

Collet estava espantado. Tinha nas mãos uma fotocópia de um antigo diagrama esquemático, que descrevia uma máquina rudimentar. Não conseguia ler as palavras escritas em italiano, mas sabia para o que estava a olhar. Um modelo de um cavaleiro medieval francês totalmente articulado.

O cavaleiro que está em cima da secretária do Saunière!

Os olhos de Collet desviaram-se para as margens do papel, onde alguém rabiscara notas com um marcador vermelho. As notas estavam escritas em francês e pareciam ser considerações a respeito da melhor maneira de colocar um aparelho de escuta dentro do cavaleiro.

CAPÍTULO NOVENTA E UM

Silas estava sentado no banco do passageiro da limusina *Jaguar* estacionada perto de Temple Church. Sentia as mãos húmidas na Chave de Abóbada enquanto esperava que, na parte de trás do carro, que Rémy acabasse de amarrar Teabing com a corda que tinham encontrado na mala.

Finalmente, Rémy saiu pela porta traseira, contornou o carro e instalou-se no lugar do condutor, ao lado de Silas.

— Ficou bem seguro? — perguntou Silas.

Rémy riu-se, sacudindo os pingos de chuva da roupa, e olhou através da divisória para a forma enrolada de Leigh Teabing, quase invisível no chão em frente do banco traseiro.

— Não vai a parte nenhuma.

Silas ouviu os gritos abafados de Teabing e compreendeu que Rémy usara os restos da fita isoladora para o amordaçar.

— *Ferme ta guele!* — gritou Rémy por cima do ombro. Estendendo a mão para o complicado painel de instrumentos, premiu um botão e uma divisória opaca subiu atrás deles, isolando a traseira do carro. Teabing desapareceu, e a sua voz deixou de se ouvir. Rémy lançou um olhar a Silas.

— Estou farto das queixas daquele miserável.

Minutos mais tarde, quando a limusina *Jaguar* percorria as ruas de Londres, o telefone de Silas tocou. *O Professor.*

— Está? — respondeu, excitadamente.

— Silas — disse a voz familiar do *Professor*, com o seu sotaque francês. — Estou contente por te ouvir. Significa que estás bem.

Também Silas se sentia reconfortado por ouvir o *Professor*. Tinham-se passado horas, e a operação descambara de uma maneira perfeitamente louca. Agora, por fim, parecia estar a voltar aos eixos.

— Tenho a Chave de Abóbada.

— Excelentes notícias. O Rémy está contigo?

Silas ficou surpreendido ao ouvir o *Professor* usar o nome de Rémy.

— Sim. Foi ele que me libertou.

— Como eu lhe ordenei que fizesse. Só lamento que tenhas sido obrigado a suportar o cativeiro durante tanto tempo.

— O desconforto físico não significa nada. O importante é que a Chave de Abóbada é nossa.

— Sim. Preciso que ma entreguem imediatamente. O tempo é essencial.

Silas estava ansioso por encontrar finalmente o *Professor* face-a-face.

— Sim, senhor, terei muita honra.

— Silas, quero que seja o Rémy a trazer-ma.

Rémy? Silas sentiu a alma cair-lhe aos pés. Depois de tudo o que tinha feito pelo *Professor*, julgara que seria *ele* a entregar o prémio. *O* Professor *prefere o Rémy?*

— Sinto o teu desapontamento — disse o *Professor* —, o que me diz que não me compreendeste. Tens de acreditar que eu gostaria muito mais que fosses *tu*, um homem de Deus, a entregar-me a Chave de Abóbada, e não o Rémy, que é um criminoso. Mas o Rémy é um caso que tem de ser resolvido. Desobedeceu às minhas ordens e cometeu um grave erro que comprometeu toda a missão.

Silas sentiu um arrepio e olhou de soslaio para Rémy. Raptar Teabing não fizera parte do plano, e decidir o que fazer com ele representava um novo problema.

— Tu e eu somos homens de Deus — sussurrou o *Professor*. — Nada pode desviar-nos do nosso objectivo. — Seguiu-se uma pausa carregada de significado. — Por esta razão, e só por esta razão, vou pedir ao Rémy que me traga a Chave de Abóbada. Compreendes o que te digo?

Silas sentiu fúria na voz do *Professor* e ficou surpreendido por o homem não ser mais compreensivo. *O Rémy não tinha outro remédio senão mostrar-se*, pensou. *Fez o que tinha de ser feito. Salvou a Chave de Abóbada.*

— Compreendo — conseguiu dizer.

— Óptimo. Para tua própria segurança, tens de sair imediatamente das ruas. A Polícia não tardará a começar a procurar o *Jaguar*, e eu não quero que te apanhem. A Opus Dei tem uma residência em Londres, suponho?

— Claro.

— Acolher-te-ão?

— Como a um irmão.

— Então vai para lá e mantém-te fora das vistas. Telefono-te logo que tenha a Chave de Abóbada em meu poder e o meu actual problema resolvido.

— Está em Londres?

— Faz o que te digo e tudo correrá bem.

— Sim, senhor.

O *Professor* deixou escapar um fundo suspiro, como se o que tinha de fazer a seguir fosse profundamente lamentável.

— É tempo de eu falar com o Rémy.

Silas passou o telefone, sentindo que aquele podia ser o último telefonema que Rémy Legaludec recebia neste mundo.

Enquanto pegava no telefone, Rémy sabia que aquele pobre e retorcido monge não fazia ideia da sorte que o esperava agora que servira o seu propósito.

O Professor *serviu-se de ti, Silas.*

E o teu bispo não passa de um peão.

O poder de persuasão do *Professor* continuava a maravilhá-lo. O bispo Aringarosa confiara tudo. Deixara-se cegar pelo seu próprio desespero. *O Aringarosa estava demasiado ansioso por acreditar.* Embora não gostasse particularmente do *Professor*, Rémy orgulhava-se de ter conquistado a confiança do homem e de tê-lo ajudado de uma forma tão substancial. *Mereci o meu salário.*

— Ouve com atenção — disse o *Professor.* — Leva o Silas até à residência da Opus Dei e deixa-o a algumas ruas de distância. Depois vai a St. Jame's Park. Fica junto ao Parlamento e ao Big Ben. Podes estacionar a limusina na parada dos Horse Guards. Falamos lá.

E cortou a ligação.

CAPÍTULO NOVENTA E DOIS

O King's College, fundado por Jorge IV, em 1829, tem o seu Departamento de Teologia e Estudos Religiosos num terreno doado pela coroa, contíguo ao Parlamento. O Departamento de Religião do King's College orgulha-se não só dos seus cento e cinquenta anos de experiência nas áreas do ensino e da pesquisa, mas também da criação, em 1982, do Instituto de Pesquisa de Teologia Sistemática, dotado de uma das mais completas e electronicamente avançadas bibliotecas de pesquisa religiosa do mundo.

Langdon ainda se sentia trémulo quando ele e Sophie entraram na biblioteca, vindos da chuva. A sala de pesquisa primária era tal como Teabing a descrevera — uma espectacular câmara octogonal dominada por uma enorme mesa redonda à volta da qual o rei Artur e os seus cavaleiros poderiam sentir-se em casa não fosse a presença de doze computadores de monitor plano. No extremo oposto da sala, a bibliotecária servia-se de uma chávena de chá e preparava-se para mais um dia de trabalho.

— Bela manhã — disse, com o seu jovial sotaque inglês, deixando o chá e dirigindo-se a eles. — Posso ajudá-los?

— Sim, obrigado — respondeu Langdon. — Chamo-me...

— Robert Langdon — interrompeu-o ela, com um agradável sorriso. — Sei quem é.

Por um instante, Langdon receou que Fache o tivesse posto também na televisão inglesa, mas o sorriso da bibliotecária sugeria que não. O facto era que ainda não se habituara àqueles momentos de inesperada celebridade. Por outro lado, se alguém neste mundo ia reconhecê-lo, era natural que fosse a bibliotecária de um serviço de pesquisa de Estudos Religiosos.

— Pamela Gettum — disse a mulher, estendendo-lhe a mão. Tinha um rosto simpático e erudito e uma voz agradavelmente fluida. As lentes dos óculos que trazia suspensos do pescoço por um fio eram grossas.

— Muito prazer. — Langdon sorriu. — Esta é a minha amiga Sophie Neveu.

As duas mulheres cumprimentaram-se, e Gettum voltou-se imediatamente de novo para Langdon.

— Não sabia que vinham.

— Nem nós. Se não for demasiado incómodo, gostaríamos muito que nos ajudasse a encontrar certas informações.

Gettum agitou-se, pareceu pouco segura.

— Normalmente, os nossos serviços têm de ser requisitados. A menos que seja convidado de alguém no colégio?

Langdon abanou a cabeça.

— Não, ninguém sabe que estamos aqui. Um amigo meu fala com grande apreço das vossas capacidades. *Sir* Leigh Teabing? — Langdon sentiu uma pontada de tristeza ao pronunciar o nome. — Da British Royal Academy?

Gettum riu-se.

— Oh, sim! Que personagem. Fanático! Sempre que cá vem, segue as mesmas linhas de pesquisa. Graal. Graal. Graal. Juro que o homem mais depressa morre do que desiste. — Piscou-lhes um olho. — Tempo livre e dinheiro permitem alguns luxos bem simpáticos, não é verdade? Um autêntico D. Quixote, esse *Sir* Leigh.

— Há alguma possibilidade de nos ajudar? — perguntou Sophie. — É muito importante.

Gettum olhou em redor para a biblioteca deserta e voltou a piscar-lhes um olho.

— Bem, não posso alegar que estou demasiado ocupada, pois não? Desde que assinem o pedido, suponho que ninguém se importará muito. O que é que procuram?

— Estamos a tentar descobrir um túmulo em Londres.

Gettum fez um ar de dúvida.

— Temos cerca de vinte mil. Não podem ser um pouco mais específicos?

— É o túmulo de um cavaleiro. Não sabemos o nome.

— Um cavaleiro. Já reduz consideravelmente a área. Muito menos comum.

— Não temos muita informação sobre o cavaleiro que procuramos — explicou Sophie —, mas isto é o que sabemos. — E mostrou o pedaço de papel onde escrevera as duas primeiras linhas do poema.

Hesitantes em mostrar o poema inteiro a um desconhecido, Langdon e Sophie tinham decidido revelar apenas as duas primeiras linhas, as que identificavam o cavaleiro. *Criptografia compartimentada*, chamara-lhe Sophie. Quando uma agência de informações interceptava um código que contivesse dados sensíveis, distribuía-o por vários criptólogos. Deste modo, quando era decifrado, nenhum dos envolvidos ficava a saber a totalidade da mensagem.

Naquele caso, a precaução era provavelmente excessiva; mesmo que aquela bibliotecária lesse todo o poema, identificasse o túmulo e soubesse que globo lá faltava, a informação seria inútil sem o criptex.

Gettum detectou a urgência nos olhos do famoso erudito americano, quase como se encontrar rapidamente aquele túmulo fosse uma questão de importância crucial. E a mulher de olhos verdes que o acompanhava parecia igualmente ansiosa.

Intrigada, pôs os óculos e examinou o papel que acabavam de entregar-lhe.

Em Londres jaz um cavaleiro que um papa enterrou.
O fruto do seu labor uma sagrada fúria granjeou.

Lançou um olhar aos visitantes.

— O que é isto? Uma espécie de caça ao tesouro de Harvard?

A gargalhada de Langdon soou forçada.

— Sim, uma coisa nesse género.

Gettum hesitou, sentindo que não estavam a contar-lhe tudo. Mesmo assim, a curiosidade levou a melhor, e deu por si a examinar cuidadosamente os versos.

— Segundo a rima, um cavaleiro fez qualquer coisa que lhe granjeou a ira de Deus, mas mesmo assim um papa teve a generosidade de enterrá-lo aqui em Londres.

Langdon assentiu.

— Lembra-lhe alguma coisa?

Gettum dirigiu-se a um dos computadores.

— Assim de repente, não. Mas vejamos o que conseguimos sacar da base de dados.

Ao longo das duas últimas décadas, o Instituto de Pesquisa de Teologia Sistemática do King's College tinha usado programas de leitura óptica, juntamente com ferramentas de tradução, para digitalizar e catalogar uma enorme colecção de textos — enciclopédias sobre religião, biografias religiosas, escrituras sagradas em dúzias de línguas, histórias, cartas do Vaticano, diários de clérigos, tudo o que pudesse ser qualificado como um escrito sobre a espiritualidade humana. Por se encontrarem agora sob a forma de *bits* e de *bytes*, e não de páginas físicas, os dados contidos na maciça colectânea tinham-se tornado infinitamente mais acessíveis.

Sentando-se diante do computador, Gettum lançou um olhar ao pedaço de papel e começou a teclar.

— Vamos começar por uma pesquisa booleana simples, com umas poucas palavras-chave óbvias, a ver o que acontece.

— Obrigado.

Gettum teclou as palavras:

LONDRES, CAVALEIRO, PAPA

Quando clicou o botão de SEARCH, foi como se sentisse o zumbido do enorme servidor situado na cave a verificar dados à velocidade de 500 MB/seg.

— Estou a pedir ao sistema que nos mostre quaisquer documentos cujo texto completo contenha todas estas três palavras-chave. Vamos obter mais resultados do que queremos, mas é uma boa maneira de começar.

O visor já mostrava os primeiros resultados.

Pintar o papa. Colectânea de retratos de Sir Joshua Reynolds. London University Press.

Gettum abanou a cabeça.

— Obviamente, não é o que procuramos.

Passou para a peça seguinte.

`Os escritos de Londres de Alexander Pope`
`por G. Wilson Knight.`

Voltou a abanar a cabeça.

O sistema continuou a procurar, e os resultados começaram a surgir mais rapidamente do que o normal. Apareceram dúzias de textos, muitos deles sobre o escritor inglês do século XVIII Alexandre Pope, cuja poesia irónico-épica e contra-religiosa incluía, aparentemente, numerosas referência a cavaleiros e a Londres.

Gettum lançou um rápido olhar ao campo numérico na parte de baixo do monitor. O computador, calculando o actual número de resultados e multiplicando-o pela percentagem da base de dados que faltava ainda investigar, dava uma ideia aproximada da quantidade de informação que seria encontrada. Aquela pesquisa ia, segundo parecia, produzir um volume obsceno de informação.

`Número total de resultados estimado: 2692.`

— Temos de refinar mais os parâmetros. — disse Gettum, interrompendo a pesquisa. — É só o que têm a respeito do túmulo? Não há mais nada?

Langdon olhou para Sophie, parecendo hesitante.

Isto não é nenhuma caça ao tesouro, adivinhou Gettum. Ouvira rumores a respeito da experiência de Robert Langdon em Roma, no ano anterior. Fora dado àquele americano acesso à biblioteca mais segura do mundo — os Arquivos Secretos do Vaticano. Perguntou a si mesma que espécie de segredos Langdon lá descobrira e se aquela sua actual e desesperada procura de um misterioso túmulo londrino estaria relacionada com informação obtida no Vaticano. Era bibliotecária há tempo suficiente para saber qual a principal razão que levava as pessoas a Londres em busca de cavaleiros. *O Graal.*

Gettum sorriu e ajustou os óculos.

— São amigos de Leigh Teabing, estão em Inglaterra e andam à procura de um cavaleiro. — Entrelaçou as mãos. — Só posso deduzir que demandam o Graal.

Langdon e Sophie trocaram um olhar, sobressaltados.

— Meus amigos — continuou Gettum, rindo-se —, esta biblioteca é praticamente uma espécie de campo-base para os demandadores do Graal. Incluindo Leigh Teabing. Só queria ter um *shilling* por cada vez que corri uma busca sobre a Rosa, Maria Madalena, Sangreal, Merovíngios, o Priorado de Sião, etc., etc. Não há quem não adore uma boa conspiração. — Tirou os óculos e olhou para eles. — Preciso de mais informação.

No silêncio que se seguiu, Gettum adivinhou que o desejo de segredo dos visitantes estava a ser rapidamente sobrepujado pela necessidade que tinham de um resultado rápido.

— Isto é tudo o que sabemos — murmurou Sophie. Pedindo uma caneta a Langdon, escreveu mais duas linhas no papel que dera a Gettum:

Procura o globo que no seu túmulo devia estar.
Ele fala de carne Rosada e de um útero a germinar.

Gettum sorriu para dentro. *O Graal, claro,* pensou, notando a referência à Rosa e ao útero a germinar.

— Posso ajudá-los — disse, erguendo os olhos do pedaço de papel. — Posso perguntar de onde vieram estes versos? E porque procuram um globo?

— Pode perguntar — respondeu Langdon, com um sorriso amável —, mas é uma longa história e nós temos muito pouco tempo.

— Soa-me a uma maneira delicada de me dizer que me meta na minha vida.

— Ficaremos eternamente em dívida para consigo, Pamela — disse Langdon —, se conseguir descobrir quem é esse cavaleiro e onde foi enterrado.

— Muito bem. — Gettum voltou ao computador. — Faço-lhes a vontade. Se tudo isto tem a ver com o Graal, vamos introduzir referências cruzadas com palavras-chaves relativas ao Graal. Vou acrescentar um parâmetro de proximidade e aliviar o título, o que limitará os resultados aos casos em que as palavras-chaves textuais ocorram perto de um termo relacionado com o Graal.

Procurar:
CAVALEIRO, LONDRES, PAPA, TÚMULO

Numa proximidade de 100 palavras de:

Graal, Rosa, Sangreal, Cálice

— Quanto tempo vai demorar? — perguntou Sophie.

— Umas centenas de milhões de *bytes* com múltiplos campos de referências cruzadas? — Os olhos de Gettum brilharam enquanto ela clicava o botão SEARCH. — Uns meros quinze minutos.

Langdon e Sophie não disseram nada, mas Gettum adivinhou que aquilo lhes parecia uma eternidade.

— Chá? — perguntou, pondo-se de pé e dirigindo-se ao bule que tinha preparado. — O Leigh adora o meu chá.

CAPÍTULO NOVENTA E TRÊS

A Residência da Opus Dei em Londres é um modesto prédio de tijolo no número 5 de Orme Court, sobranceira ao North Walk dos Kensington Gardens. Silas nunca lá tinha estado, mas experimentou uma crescente sensação de refúgio e asilo à medida que se aproximava, a pé, do edifício. Apesar da chuva, Rémy deixara-o a uma curta distância, a fim de manter a limusina afastada das ruas mais concorridas. Silas não se importava de caminhar. A chuva lavava-o.

Por sugestão de Rémy, limpara cuidadosamente a arma e atirara-a para uma sarjeta. Estava satisfeito por se ver livre dela. Sentia-se mais leve. Ainda lhe doíam as pernas por ter estado amarrado durante tanto tempo, mas já suportara dores bem maiores. Pensou, porém, em Teabing, que Rémy tinha deixado na parte de trás da limusina. O inglês havia de estar a começar a saber o que era a dor.

— Que vai fazer com ele? — perguntara a Rémy, ainda no carro.

Rémy encolhera os ombros.

— Essa decisão compete ao *Professor*. — E houvera uma estranha finalidade no seu tom.

Agora, enquanto se aproximava do edifício da Opus Dei, a chuva começou a cair com mais força, encharcando-lhe o pesado hábito, fazendo arder as feridas do dia anterior. Sentia-se pronto para deixar para trás os pecados das últimas vinte e quatro horas e purgar a alma. O seu trabalho estava feito.

Atravessando o pequeno pátio até à porta principal, não ficou surpreendido ao encontrá-la aberta. Empurrou-a e entrou no reduzido vestíbulo. Uma campainha electrónica tocou algures no primeiro andar quando pisou a alcatifa. A campainha era um elemento comum naquelas casas, onde os residentes passavam a maior parte do tempo nos quartos, a rezar. Silas ouviu movimento no rangente soalho de madeira por cima da sua cabeça.

Um homem que envergava um hábito desceu as escadas.

— Posso ajudá-lo?

Tinha uns olhos bondosos, que pareceram nem sequer notar o surpreendente aspecto físico de Silas.

— Obrigado. Chamo-me Silas. Sou um numerário da Opus Dei.

— Americano?

Silas assentiu,

— Só estarei em Londres um dia. Posso repousar aqui?

— Nem precisa de perguntar. Há dois quartos vagos no terceiro piso. Quer que lhe leve um pouco de chá e de pão?

— Obrigado. — Silas estava faminto.

Subiu as escadas até um modesto quarto com uma janela, onde despiu o hábito molhado e se ajoelhou para rezar apenas com a roupa interior. Ouviu o seu anfitrião subir e deixar uma bandeja junto da porta. Acabou as suas orações, comeu e deitou-se para dormir.

Três pisos mais abaixo, o telefone tocava. O numerário que recebera Silas levantou o auscultador.

— Fala da Polícia de Londres — disse uma voz de homem. — Estamos a tentar encontrar um monge albino. Recebemos a informação de que talvez estivesse aí. Viram-no?

O numerário sobressaltou-se.

— Sim, está aqui. Passa-se alguma coisa?

— Está aí *agora*?

— Sim, lá em cima, a rezar. O que é que se passa?

— Deixe-o precisamente onde está — ordenou o homem. — Não diga uma palavra seja a quem for. Vou mandar imediatamente alguém para aí.

CAPÍTULO NOVENTA E QUATRO

St. James's Park é um mar de verde no meio de Londres, um parque público contíguo aos palácios de Westminster, Buckingham e St. James's. Em tempos fechado por Henrique VIII e povoado com veados para a caça, está hoje aberto ao público. Nas tardes de sol, os londrinos fazem piqueniques à sombra dos salgueiros e alimentam os pelicanos residentes do lago cujos antepassados foram uma oferta do embaixador da Rússia a Carlos II.

Naquele dia, o *Professor* não viu pelicanos. O tempo tempestuoso trouxera, em contrapartida, gaivotas do oceano. Os relvados estavam cobertos de centenas de corpos brancos, todos apontados na mesma direcção, suportando pacientemente, de costas voltadas, o vento frio e húmido. A despeito do nevoeiro matinal, o parque oferecia magníficas vistas dos Edifícios do Parlamento e do Big Ben. Espraiando o olhar pelos relvados em declive, para lá do lago dos patos e das delicadas silhuetas dos salgueiros, o *Professor* viu os pináculos do edifício que albergava o túmulo do cavaleiro — a verdadeira razão por que dissera a Rémy que fosse àquele lugar.

Quando o *Professor* se aproximou da porta dianteira do lado do passageiro da limusina estacionada, Rémy inclinou-se no banco e abriu-lha. O *Professor* fez uma pausa ainda fora do carro, bebendo um gole do frasco de conhaque que levava consigo. Então, limpando os lábios, sentou-se ao lado de Rémy e fechou a porta.

Rémy ergueu a Chave de Abóbada, como se fosse um troféu.

— Estivemos quase a perdê-la.

— Trabalhaste bem — disse o *Professor*.

— Trabalhámos bem — emendou Rémy, depositando a Chave de Abóbada nas mãos ansiosas do *Professor*.

O *Professor* admirou-a por um longo momento, sorrindo.

— E a arma? Limpaste-a bem?

— Está no porta-luvas, de onde a tirei.

— Excelente. — O *Professor* bebeu mais um gole de conhaque e estendeu o frasco a Rémy. — Bebamos ao nosso êxito. O fim está próximo.

Rémy aceitou a garrafa agradecidamente. O conhaque pareceu-lhe salgado, mas não se importou. Ele e o *Professor* eram agora verdadeiramente sócios. Já se sentia a ascender a uma nova posição na vida. *Nunca mais voltarei a ser um criado.* Ao olhar para o lago dos patos, lá em baixo, Château Villette pareceu-lhe a quilómetros de distância.

Bebeu outro gole da garrafa e sentiu o conhaque aquecer-lhe o sangue. Não tardou, porém, que o calor que tinha na garganta se transformasse num ardor incómodo. Alargando o nó do laço, Rémy sentiu uma desagradável aspereza na boca e devolveu a garrafa ao *Professor.*

— Provavelmente, já bebi o suficiente — conseguiu dizer, debilmente.

Aceitando a garrafa, o *Professor* disse:

— Rémy, como sabes, és a única pessoa que conhece a minha cara. Depositei em ti uma enorme confiança.

— Sim — respondeu Rémy, alargando ainda mais o laço. — E a sua identidade irá comigo para a cova.

O *Professor* permaneceu calado por um longo momento.

— Acredito em ti. — Guardando a garrafa no bolso, abriu o porta-luvas e tirou de lá o minúsculo *Medusa*. Por um instante, Rémy sentiu uma onda de medo, mas o *Professor* limitou-se a enfiar o revólver no bolso das calças.

Que está ele a fazer? De repente, Rémy percebeu que estava a suar.

— Bem sei que te prometi a liberdade — continuou o *Professor,* num tom quase de pena. — Mas, considerando as circunstâncias, isto é o melhor que posso fazer.

Rémy sentiu a bola de fogo subir-lhe à boca como um terramoto e dobrou-se sobre o volante, agarrando a garganta com ambas as mãos e sentindo o sabor a vómito na traqueia contraída. Deixou escapar um grito rouco e abafado, nem sequer suficientemente alto para ser ouvido fora do carro. Lembrou-se de que o conhaque lhe parecera salgado.

Estou a ser assassinado!

Incrédulo, voltou-se para ver o *Professor* calmamente sentado a seu lado, a olhar em frente através do pára-brisas. A visão toldou-se-lhe e abriu muito a boca, tentando respirar. *Como pôde ele fazer-me isto? Fui eu que tornei tudo possível!* Se o *Professor* sempre tencionara matá-lo ou se tinham sido as suas acções em Temple Church que o tinham feito perder a fé nele era algo que Rémy nunca viria a saber. O terror e a raiva enchiam-lhe a cabeça. Quis atirar-se ao *Professor*, mas o seu corpo rígido mal se moveu. *Confiei sempre em si!*

Tentou erguer os punhos cerrados para tocar a buzina, mas em vez disso tombou para a esquerda, rolando para cima do banco, onde ficou caído ao lado do *Professor*, com as mãos enclavinhadas na garganta. Chovia agora com mais intensidade. Rémy já não conseguia ver, mas sentiu o cérebro privado de oxigénio fazer um esforço para agarrar-se aos últimos débeis fiapos de lucidez. Enquanto o seu mundo mergulhava na escuridão, Rémy teria jurado que estava a ouvir o som da rebentação das ondas na Riviera.

O *Professor* saiu da limusina, satisfeito por verificar que ninguém estava a olhar naquela direcção. *Não tinha alternativa,* disse para si mesmo, surpreendido por sentir tão poucos remorsos pelo que acabava de fazer. *O Rémy selou a sua própria sorte.* Sempre receara que o mordomo tivesse de ser eliminado uma vez terminada a missão, mas ao mostrar imprudentemente a cara em Temple Church, acelerara de forma dramática essa necessidade. A inesperada visita de Robert Langdon a Château Villette fora para o *Professor* um golpe de sorte fortuito, mas também o colocara face a um complicado dilema. Langdon levara a Chave de Abóbada directamente ao centro da operação, o que fora uma surpresa agradável, mas, em contrapartida, conduzira a Polícia até lá. As impressões digitais de Rémy estavam espalhadas de uma ponta à outra da mansão, e também no posto de escuta, onde levara a cabo o seu trabalho de vigilância. O *Professor* estava contente por ter tido o cuidado de evitar quaisquer ligações entre as actividades de Rémy e as suas. Ninguém poderia implicá-lo a menos que Rémy falasse, e isso deixara de constituir problema.

Mais uma ponta solta para atar, pensou o *Professor* enquanto se dirigia à porta traseira do carro. *A Polícia não fará a mínima ideia do que aconteceu... e não haverá qualquer testemunha viva para lhes contar.* Olhando em redor para se certificar de que não estava a ser observado, abriu a porta e instalou-se no espaçoso compartimento.

Minutos mais tarde, o *Professor* atravessava St. James's Park. *Só restam agora duas pessoas, o Langdon e a Neveu.* Esses eram mais complicados. Mas tratáveis. De momento, porém, tinha de resolver a questão do criptex.

Olhando triunfantemente para o outro lado do parque, viu o seu objectivo. Em Londres jaz um cavaleiro que um papa enterrou. Logo que ouvira o poema, soubera a resposta. Mesmo assim, o facto de os outros dois não terem percebido não o surpreendia. *Eu tinha uma vantagem injusta.* Tendo escutado as conversas de Saunière durante meses, ouvira o Grão-Mestre referir várias vezes aquele famoso cavaleiro, manifestando por ele uma estima quase igual à que tinha por da Vinci. A referência do poema ao cavaleiro era brutalmente simples quando uma pessoa a via — o que não deixava de fazer jus à habilidade de Saunière — mas como iria o túmulo revelar a senha final continuava a ser um mistério.

Procura o globo que no seu túmulo devia estar.

O *Professor* recordava vagamente fotografias do famoso túmulo e, em especial, da sua característica mais notável. *Um magnífico globo.* A enorme esfera montada por cima do túmulo era quase tão grande como o próprio sepulcro. A presença do globo parecia ao *Professor* simultaneamente encorajadora e perturbante. Por um lado, era como um sinal a apontar o local, mas por outro, segundo o poema, a peça que faltava no *puzzle* era um globo que devia lá estar... e não um globo que já lá existia. Estava a contar com uma inspecção pessoal para desvendar o mistério.

A chuva caía cada vez com mais força, e o *Professor* enfiou o criptex no bolso do lado direito para o proteger da humidade. Levava o minúsculo revólver *Medusa* no bolso esquerdo, fora das vistas.

Minutos depois, entrava no silencioso santuário de um edifício com novecentos anos de idade, um dos mais imponentes de Londres.

Nesse preciso instante, na pista batida pela chuva do aeródromo executivo de Biggin Hill, o bispo Aringarosa saía do acanhado avião que o transportara, aconchegando a sotaina para se proteger do frio húmido. Esperara ser recebido pelo capitão Fache. Em vez disso, um jovem agente da Polícia inglesa aproximou-se com um guarda--chuva.

— Bispo Aringarosa? O capitão Fache não pôde esperar. Pediu--me que cuidasse de si. Sugeriu que o levasse para a Scotland Yard. Pensou que lá estaria mais seguro.

Mais seguro? Aringarosa baixou os olhos para a pesada maleta cheia de títulos do Vaticano que segurava. Quase se esquecera dela.

— Sim, obrigado.

Entrou para o carro da Polícia, perguntando a si mesmo onde estaria Silas. Minutos mais tarde, a resposta chegou pelo rádio.

Orme Court, 5.

Aringarosa reconheceu instantaneamente a morada.

A Residência da Opus Dei em Londres.

Voltou-se para o condutor.

— Leve-me lá imediatamente!

CAPÍTULO NOVENTA E CINCO

Langdon não desviou os olhos do visor a partir do momento em que a busca começou.

Cinco minutos. Apenas dois resultados. Ambos irrelevantes.

Começava a ficar preocupado.

Pamela Gettum estava na sala contígua, a preparar bebidas quentes. Langdon e Sophie tinham perguntado, muito pouco elegantemente, se não haveria por acaso *café* além do chá oferecido e, pelo som do microondas na sala ao lado, Langdon suspeitava de que o pedido deles ia ser recompensado com *Nescafé* instantâneo.

Finalmente, o computador fez um *ping* de satisfação.

— Parece que têm outro — disse Gettum, da outra sala. — Qual é o título?

Langdon leu o que estava escrito no visor:

A Alegoria do Graal na Literatura Medieval: Um Tratado sobre *Sir Gwain e o Cavaleiro Verde*.

— A Alegoria do Cavaleiro Verde — disse, em voz alta.

— Não interessa — respondeu Gettum. — Não há muitos cavaleiros mitológicos verdes enterrados em Londres.

Langdon e Sophie continuaram pacientemente sentados diante do visor, deixando passar mais dois resultados duvidosos. Mas quando o computador voltou a fazer *ping*, a oferta foi inesperada.

DIE OPER VON RICHARD WAGNER

— As óperas de Wagner? — disse Sophie.

Gettum espreitou da porta, com uma saqueta de café instantâneo na mão.

— Estranho. O Wagner era cavaleiro?

— Não — respondeu Langdon, subitamente intrigado. — Mas era um *maçon* conhecido. — Tal como Mozart, Beethoven, Shakespeare, Gershwin, Houdini e Disney. Havia uma abundante literatura a respeito das ligações entre os *maçons* e os Cavaleiros do Templo, o Priorado de Sião e o Santo Graal... — Quero dar uma vista de olhos a este. Como é que faço para ver o texto completo?

— O texto completo não lhe interessa — disse Gettum. — Clique a barra de hipertexto. O computador mostrará as palavras-chaves juntamente com referências de contexto.

Langdon não sabia de que estava ela a falar, mas clicou de todos os modos.

Abriu-se uma nova janela.

...**cavaleiro** mitológico chamado Parsifal que...
...demanda do **Graal** metafórica que alegadamente...
...a Orquestra Filarmónica de **Londres**, em 1885...
...Antologia de Ópera de Rebecca **Pope**...
...**túmulo** de Wagner em Bayreuth, Alemanha...

— Cavaleiro errado — disse Langdon, desapontado. Mesmo assim, estava espantado com a facilidade de utilização do sistema. As palavras-chaves com contexto eram o bastante para lhe lembrar que a ópera *Parsifal* de Wagner era um tributo a Maria Madalena e à linhagem de Cristo contado através da história de um jovem cavaleiro em busca da verdade.

— Tenha paciência — exortou Gettum. — É uma lotaria. Deixe a máquina correr.

Durante os poucos minutos seguintes, o computador mostrou várias outras referências ao Graal, incluindo um texto a respeito de *troubadours* — os famosos menestréis itinerantes franceses. Langdon sabia que não era por acaso que as palavras *menestrel* e *ministro* partilhavam a mesma raiz etimológica. Os trovadores eram os servidores viajantes, ou «ministros», da Igreja de Maria Madalena, e usavam a música para divulgar entre a gente comum a história do sagrado feminino. Ainda hoje, os trovadores cantavam canções em que exaltavam as virtudes de «nossa Senhora» — uma bela e misteriosa mulher a quem juravam fidelidade eterna.

Procurou ansiosamente o hipertexto, mas nada encontrou.

O computador voltou a fazer *ping*.

CAVALEIROS, VALETES, PAPAS E PENTÁCULOS:
A HISTÓRIA DO SANTO GRAAL ATRAVÉS DO TARÔ

— Não admira — disse Langdon a Sophie. — Algumas das nossas palavras-chaves têm o mesmo nome que certas cartas. — Estendeu a mão para o rato, para clicar um *hiperlink*. — Não sei se o seu avô alguma vez mencionou isto quando jogava tarô consigo, mas o jogo é um «catecismo por cartas» com a história da «Noiva Perdida» e da sua subjugação pela Igreja má.

Sophie olhou para ele com uma expressão incrédula.

— Não fazia ideia.

— É precisamente essa a questão. Usando um jogo metafórico para ensinar, os seguidores do Graal escondiam a sua mensagem dos olhos sempre vigilantes da Igreja. — Langdon perguntava muitas vezes a si mesmo quantos dos modernos jogadores de cartas tinham consciência de que os quatro naipes — espadas, copas, paus e ouros — eram símbolos que vinham directamente dos quatro naipes do tarô: espadas, taças, ceptros e pentáculos.

Espadas eram espadas — A lâmina. Masculino.
Copas eram Taças — O Cálice. Feminino.
Paus eram Ceptros — A Linha Real. O bordão florido.
Ouros eram Pentáculos — A deusa. O sagrado feminino.

Quatro minutos mais tarde, quando Langdon começava a convencer-se de que nunca encontrariam o que tinham ido ali procurar, o computador apresentou outro resultado.

A Gravidade do Génio:

Biografia de um Cavaleiro Moderno

— Gravidade do Génio? — gritou Langdon para Gettum. — Bio de um cavaleiro moderno?

Gettum voltou a meter a cabeça pela porta.

— Moderno como? Por favor, não me diga que é o vosso *Sir* Rudy Giuliani. Pessoalmente, achei um bocado exagerado.

Langdon tinha as suas dúvidas a respeito do recém-nobilitado *Sir* Mick Jagger, mas não lhe pareceu que fosse aquele o melhor momento para discutir as bizarrias do sistema britânico de agraciações.

— Vamos lá dar uma vista de olhos — disse, e clicou o hipertexto.

... venerável **cavaleiro**, *Sir* Isaac Newton...
em **Londres**, em 1727 e...
...o seu **túmulo** na Abadia de Westminster...
...Alexander **Pope**, amigo e colega...

— Suponho que «moderno» é um termo relativo — disse Sophie. — É um livro antigo. A respeito de *Sir* Isaac Newton.

Gettum abanou a cabeça, da porta.

— Não serve. Newton foi sepultado na abadia de Westminster, a sede do protestantismo inglês. Não há a mínima possibilidade de um papa católico ter estado presente. Natas e açúcar?

Sophie assentiu.

Gettum esperou.

— Robert?

O coração de Langdon batia loucamente. Com um esforço, desviou os olhos do visor e pôs-se de pé.

— *Sir* Isaac Newton é o nosso cavaleiro.

Sophie continuou sentada.

— Que está você a dizer?

— Newton está sepultado em Londres. Os seus trabalhos deram origem a novas ciências que incorreram na ira da Igreja. E foi Grão-Mestre do Priorado de Sião. Que mais podemos querer?

— Que mais? — perguntou Sophie, apontando para o poema. — E um cavaleiro que um papa enterrou? Ouviu o que a senhora Gettum disse. Newton não foi enterrado por um papa católico.

Langdon estendeu a mão para o rato.

— Quem falou de um papa católico? — Clicou o *hiperlink* «Pope» e o texto completo apareceu no visor.

O funeral de *Sir* Isaac Newton, a que assistiram reis e nobres, foi presidido por Alexander Pope, amigo e colega, que pronunciou uma comovente elegia antes de espalhar terra sobre o túmulo.

Langdon olhou para Sophie.

— Tínhamos o «Pope» certo logo à segunda tentativa. Alexander. — Fez uma pausa. — A. Pope.

In London lies a knight A. Pope interred.

Sophie pôs-se de pé, estupefacta.

Jacques Saunière, o mestre dos duplos-sentidos, provara mais uma vez ser um homem assustadoramente inteligente.

CAPÍTULO NOVENTA E SEIS

Silas acordou sobressaltado.

Não sabia o que o tinha acordado nem quanto tempo estivera a dormir. *Estava a sonhar?* Sentado na enxerga de palha, ficou a escutar a respiração sossegada da Residência da Opus Dei, o silêncio povoado apenas pelo murmúrio de alguém a rezar em voz alta num quarto do piso inferior. Eram sons familiares, que deveriam ter-lhe parecido reconfortantes.

E no entanto, sentia-se súbita e inesperadamente alerta.

Levantou-se da enxerga, vestindo apenas a roupa interior, e aproximou-se da janela. *Terei sido seguido?* O pátio lá em baixo estava deserto, tal como o vira ao entrar. Escutou. Silêncio. *Porque estou então intranquilo?* Havia muito que Silas aprendera a confiar na sua intuição. Fora a intuição que o mantivera vivo quando era um garoto nas ruas de Marselha, muito antes da prisão... muito antes de ter renascido pela mão do bispo Aringarosa. Olhando com mais atenção pela janela, viu a forma difusa de um carro através da sebe. No tejadilho do carro havia uma sereia da Polícia. No corredor, uma tábua do soalho rangeu. A lingueta de uma porta moveu-se.

Silas reagiu por instinto, atravessando o quarto de um salto e escondendo-se atrás da porta no instante em que ela se abriu violentamente. O primeiro agente entrou de rompante, apontando a arma à esquerda e à direita para o que parecia ser um quarto vazio. Antes que o polícia conseguisse perceber onde Silas se metera, o albino empurrou a porta com o ombro, fazendo-a embater com força no segundo agente, que vinha a entrar. Quando o primeiro rodou sobre si mesmo e disparou, Silas mergulhou-lhe aos pés e a bala passou-

-lhe, inofensiva, por cima da cabeça. Chocou contra as pernas do homem, fazendo-o cair e bater com a cabeça no chão. No umbral da porta, o segundo agente estava a pôr-se de pé, cambaleante. Silas acertou-lhe uma joelhada nas virilhas e saltou, por cima do corpo que se contorcia, para o corredor.

Quase nu, precipitou-se escada abaixo. Sabia que tinha sido traído, mas por quem? Quando chegou ao vestíbulo, havia mais polícias a entrar pela porta da frente. Fez meia volta e correu para o interior da Residência. *A entrada das mulheres. Todos os edifícios da Opus Dei têm uma.* Seguindo os estreitos corredores, atravessou a cozinha, enxotando à sua frente as aterrorizadas criadas, atirando ao chão tachos e panelas, até chegar ao escuro corredor junto à casa da caldeira. Viu a porta que procurava, uma luz de saída a brilhar ao fundo.

A correr a toda a velocidade, saiu para a chuva, saltou do pequeno patamar, e só viu o agente que corria em sentido contrário quando já era demasiado tarde. Os dois homens chocaram, e o maciço ombro nu de Silas embateu no esterno do homem com uma força esmagadora. Levado pelo impulso, empurrou o polícia à sua frente até ao passeio, caindo em cima dele. A arma que o agente empunhava escapou-se-lhe da mão e escorregou pelo empedrado. Silas ouvia homens a correr pelo corredor, a gritar. Rolando sobre si mesmo, apanhou a arma caída no instante em que os agentes apareciam à porta. Uma arma disparou e Silas sentiu uma dor dilacerante abaixo das costelas. Cheio de raiva, abriu fogo contra os três agentes, vendo o sangue deles esguichar.

Uma sombra escura surgiu atrás dele, vinda do nada. As mãos furiosas que lhe agarraram o ombro nu pareciam dotadas da força do próprio demónio.

— SILAS, NÃO! — rugiu-lhe o homem aos ouvidos.

Silas voltou-se e disparou. Os olhos de ambos encontraram-se. Silas já estava a uivar de horror quando o bispo Aringarosa começou a cair.

CAPÍTULO NOVENTA E SETE

Há, em campas, sepulcros e relicários, mais de três mil pessoas sepultadas na abadia de Westminster. O colossal interior de pedra está cheio de despojos de reis, estadistas, cientistas, poetas e músicos. Os seus túmulos, encaixados em todos os recantos e alcovas, vão, em grandiosidade, do mais opulento dos mausoléus — o da rainha Isabel I, cujo sarcófago, coberto por um sobrecéu, ocupa sozinho uma capela absidial — às modestíssimas lajes, de onde a passagem de milhões de pés, ao longo dos séculos, fez desaparecer as inscrições, deixando à imaginação do visitante adivinhar que relíquias poderão jazer nas anónimas tumbas.

Desenhada no estilo das grandes catedrais de Amiens, Chartres e Cantuária, a abadia de Westminster não é considerada catedral nem igreja paroquial. Ostenta a classificação de *peculiar real*, sujeita unicamente ao soberano. Desde que serviu de palco à coroação de Guilherme, *o Conquistador*, no dia de Natal de 1066, o deslumbrante santuário tem assistido a uma interminável procissão de cerimónias reais e acontecimentos de Estado — da canonização de Eduardo, *o Confessor*, ao casamento do príncipe André e Sara Ferguson, passando pelas exéquias de Henrique V, Isabel I e *Lady* Diana.

Apesar de tudo isto, um único acontecimento da rica e longa história da abadia interessava, de momento, a Robert Langdon: o funeral de *Sir* Isaac Newton.

In London lies a knight a Pope interred.

Depois de terem subido, apressados, as escadas do grande portal do transepto norte, Langdon e Sophie foram acolhidos por guardas que, delicadamente, os fizeram passar pela mais recente adição ao mobiliário da abadia — um grande detector de metais —, agora presente na maior parte dos edifícios históricos de Londres. Nenhum dos dois fez disparar o alarme e seguiram em frente até à entrada.

Ao transpor o umbral, Langdon sentiu o mundo exterior evaporar-se com uma súbita ausência de ruído. Nem o rumor surdo do trânsito, nem o tamborilar da chuva. Apenas um silêncio ensurdecedor, que parecia reverberar de um lado para o outro dentro do edifício, como se sussurrasse para si mesmo.

Os olhos de Langdon e de Sophie, como os de quase todos os visitantes, voltaram-se imediatamente para cima, onde o grande abismo da abadia dava a impressão de explodir. Colunas de pedra cinzenta erguiam-se como sequóias em direcção às sombras, arqueando graciosamente por vastidões vertiginosas para voltarem a descer até ao chão. À frente deles, a ampla avenida do transepto norte estendia-se como um profundo desfiladeiro, flanqueado por precipitosas falésias de vitrais. Nos dias de sol, o chão da abadia era um mosaico de luz. Naquele dia, a chuva e a escuridão davam à vasta caverna uma aura fantasmagórica... mais como a da cripta que na realidade era.

— Está praticamente vazia — murmurou Sophie.

Langdon estava decepcionado. Esperara encontrar muito mais pessoas. *Um lugar mais público.* Não tinha o menor desejo de repetir a experiência de Temple Church. Contara com uma certa sensação de segurança no popular local turístico, mas as suas recordações de animadas multidões numa abadia cheia de luz tinham sido formadas no auge da estação turística estival. Naquela chuvosa manhã de Abril, em vez de multidões e vitrais refulgentes, tudo o que via era hectares de chão desolado e alcovas cheias de sombras.

— Passámos por detectores de metais — disse Sophie, aparentemente adivinhando a apreensão dele. — Se estiver aqui alguém, não pode estar armado.

Langdon assentiu, mas continuava a sentir-se preocupado. Tinha querido levar consigo a Polícia de Londres, mas os receios de Sophie a respeito de quem podia estar envolvido impediam qualquer contacto com as autoridades. *Temos de recuperar o criptex,* insistira Sophie. *É a chave de tudo.*

Tinha razão, claro.

A chave para voltarmos a ver o Leigh com vida.
A chave para recuperar o Santo Graal.
A chave para descobrir quem está por detrás disto.

Infelizmente, a única possibilidade de recuperarem a Chave de Abóbada parecia ser ali e naquele momento... no túmulo de *Sir* Isaac Newton. Fosse quem fosse o actual possuidor do criptex, tinha de visitar o túmulo para decifrar a última pista, e, se essa pessoa não tivesse já ali estado e voltado a partir, Sophie e Langdon tencionavam interceptá-la.

Desviando-se para a esquerda, para saírem do espaço aberto, avançaram por uma obscura coxia lateral, protegida por uma fiada de pilastras. Langdon não conseguia expulsar da cabeça a imagem de Teabing prisioneiro, talvez estendido, amarrado e amordaçado, na parte de trás da sua própria limusina. Quem quer que mandara matar os quatro membros do escalão superior do Priorado não hesitaria em eliminar outros que se lhe atravessassem no caminho. Parecia uma cruel ironia o facto de Teabing — um moderno cavaleiro inglês — ser refém na procura de um seu compatriota, *Sir* Isaac Newton.

— Para que lado é? — perguntou Sophie, olhando em redor.

O túmulo. Langdon não fazia ideia.

— Talvez o melhor seja procurar um funcionário e perguntar.

Sabia que seria inútil porem-se a deambular de um lado para o outro, à procura. A abadia de Westminster era um mundo labiríntico de mausoléus, câmaras absidiais e vastos arcossólios. Como a Grande Galeria do Louvre, tinha um único ponto de entrada e saída — a porta por onde acabavam de passar —, mas se era fácil encontrar a entrada, era quase impossível encontrar a saída. *Literalmente, uma armadilha para turistas,* chamara-lhe um desorientado colega de Langdon. Em obediência à tradição arquitectural, a abadia fora traçada com a forma de uma gigantesca cruz. Ao contrário da maior parte das igrejas, porém, a entrada situava-se num dos *lados,* e não ao fundo da nave principal, passado o nártex. Além disso, o templo comportava uma série de grandes claustros. Um passo em falso através do arco errado, e o visitante via-se perdido no labirinto de passagens e rodeado por altas paredes.

— Os funcionários usam opas vermelhas — disse Langdon, aproximando-se do centro da igreja. Ao espreitar obliquamente, para lá do grande altar dourado, para a extremidade mais distante do transepto sul, viu várias pessoas a gatinhar pelo chão. Aquela peregrinação prostrada era um acontecimento comum, no Canto dos Poetas, apesar de ser muito menos santa do que parecia. *Turistas a esfregar pedras tumulares.*

— Não vejo nenhum funcionário — disse Sophie. — Talvez consigamos encontrar o túmulo sozinhos?

Sem uma palavra, Langdon fê-la avançar mais alguns passos até ao centro da igreja e apontou para a direita.

Sophie engoliu em seco ao olhar para o fundo da grande nave, só então se apercebendo da verdadeira dimensão do edifício.

— Ah — disse. — Procuremos um funcionário.

Naquele momento, a cem metros de distância no sentido do fundo da grande nave, protegido das vistas pela teia do coro, o majestoso túmulo de *Sir* Isaac Newton tinha apenas um visitante. Havia já dez longos minutos que o *Professor* examinava o monumento.

O túmulo consistia de um maciço sarcófago de mármore negro sobre o qual estava reclinada a figura esculpida de *Sir* Isaac Newton, envergando uma vestimenta clássica e orgulhosamente apoiado a uma resma de livros seus: *Divinity*, *Chronology*, *Optics* e *Philosophiae Naturalis Principia Mathematica.* Aos pés de Newton, dois rapazinhos alados seguravam um rolo de pergaminho. Atrás da imagem reclinada erguia-se uma austera pirâmide. Embora a pirâmide em si parecesse uma singularidade, era a gigantesca forma montada a meia altura dessa mesma pirâmide que mais intrigava o *Professor.*

Um globo.

O *Professor* recordou o enigmático verso de Saunière. *Procura o globo que no seu túmulo devia estar.* O maciço globo que sobressaía da face da pirâmide estava gravado em baixo-relevo e mostrava todo o género de corpos celestes... constelações, signos zodiacais, cometas, estrelas e planetas. Por cima dele, a imagem da deusa da Astronomia sob um campo de estrelas.

Incontáveis globos.

O *Professor* convencera-se de que, uma vez encontrado o túmulo, distinguiria facilmente o globo em falta. Agora, não estava assim tão seguro. O que tinha à sua frente era um complicado mapa dos céus. Faltaria um planeta? Teria algum globo astronómico sido omitido de uma constelação? Não fazia a mínima ideia. Mesmo assim, suspeitava de que a solução seria engenhosamente clara e simples — «um cavaleiro que a Pope enterrou». De que globo ando eu à procura? Com certeza um conhecimento avançado de astrofísica não era uma prerrequisito para encontrar o Graal. Ou seria?

Fala de carne Rosada e um útero a germinar.

A concentração do *Professor* foi quebrada pela aproximação de um grupo de turistas. Devolveu o criptex ao bolso e ficou a ver, irritado, os visitantes dirigirem-se a uma mesa próxima, deixarem um donativo na taça e reabastecerem-se do material que a abadia fornecia para a «esfregação de túmulos». Equipados com novos lápis de carvão e grandes folhas de papel grosso, os turistas afastaram-se em direcção à parte da frente do templo, provavelmente a caminho do popular Canto dos Poetas, onde prestariam as suas homenagens a Chaucer, Tennyson e Dickens esfregando vigorosamente os lápis nas folhas de papel estendidas sobre as pedras tumulares, a fim de copiarem as inscrições.

De novo sozinho, aproximou-se mais do túmulo, examinando-o centímetro a centímetro de baixo para cima. Começou pelos pés com a forma de garra em que se apoiava o sarcófago, passou por Newton, pelos seus livros científicos, pelos dois anjos com o rolo de símbolos matemáticos, pela face da pirâmide, pelo grande globo com as suas constelações, até finalmente chegar ao estrelado sobrecéu do nicho.

Que globo devia estar aqui... e não está? Tocou no criptex que tinha no bolso, como se pudesse de algum modo encontrar a resposta na pedra que Saunière entalhara. *Só cinco letras me separam do Graal.*

Pondo-se a andar de um lado para o outro perto da esquina da teia do coro, inspirou fundo e alongou o olhar pela nave, na direcção do altar-mor. Baixou os olhos do altar de talha dourada para a opa escarlate de um funcionário da abadia a quem duas figuras muito familiares acenavam ansiosamente.

Langdon e Neveu.

Calmamente, o *Professor* recuou dois passos para trás da teia do coro. *Foi rápido.* Sempre calculara que Langdon e Sophie acabariam por decifrar o significado do poema e procurar o túmulo de Newton, só não esperara que fosse tão cedo. Inspirando fundo, considerou as suas opções. Estava habituado a lidar com surpresas.

Tenho o criptex.

Metendo a mão no bolso, tocou no segundo objecto que lhe dava tanta confiança: o pequeno revólver *Medusa*. Como seria de esperar, o detector de metais da abadia dera sinal quando o *Professor* passara com a arma escondida. Como também seria de esperar, os guardas tinham recuado quando o *Professor* lhes lançara um olhar indignado e se identificara. A posição oficial era sempre garantia do devido respeito.

Embora tivesse inicialmente esperado resolver sozinho o enigma do criptex e evitar mais complicações, sentia agora que a chegada de Langdon e de Sophie era, na realidade, uma boa coisa. Considerando a falta de êxito que estava a ter com a referência ao «globo», talvez pudesse usar as capacidades daqueles dois. Ao fim e ao cabo, se Langdon decifrara o poema e encontrara o túmulo, parecia razoável pensar que também soubesse qualquer coisa a respeito do globo. E se Langdon conhecia a senha, então era só uma questão de aplicar a pressão correcta.

Mas não aqui, evidentemente.

Algures em privado.

Recordou uma pequena tabuleta indicativa que vira a caminho dali. No mesmo instante, soube qual seria o lugar perfeito para atraí-los.

A única questão era... o que usar como isco.

CAPÍTULO NOVENTA E OITO

Langdon e Sophie avançaram lentamente pela coxia norte, mantendo-se na sombra atrás dos grandes pilares que a separavam da nave. Apesar de já terem percorrido mais de metade do caminho, continuavam a não ter uma visão desimpedida do túmulo de Newton. O sarcófago estava recolhido num nicho, invisível daquele ângulo oblíquo.

— Pelo menos, não está lá ninguém — sussurrou Sophie.

Langdon assentiu, aliviado. Toda a secção da nave perto do túmulo de Newton estava deserta.

— Eu vou lá — sussurrou. — É melhor a Sophie ficar escondida, para o caso de estar alguém...

Sophie já tinha saído das sombras e avançava a descoberto.

— ... a vigiar — suspirou Langdon, estugando o passo para se lhe juntar.

Atravessando a gigantesca nave em perpendicular, Langdon e Sophie permaneceram silenciosos enquanto o elaborado sepulcro se ia revelando em tentadoras prestações... um sarcófago de mármore negro... uma estátua reclinada de Newton... dois meninos alados... uma gigantesca pirâmide... e... *um enorme globo.*

— Sabia disto? — perguntou Sophie, parecendo sobressaltada.

Langdon abanou a cabeça, tão surpreendido como ela.

— Aquelas coisas gravadas parecem constelações — observou Sophie.

À medida que se aproximavam do nicho, Langdon sentiu-se invadir por uma crescente impressão de desânimo. O túmulo de Newton estava *cheio* de globos — estrelas, cometas, planetas. *Procura o globo que no seu túmulo devia estar?* Aquilo podia vir a tornar-se como tentar encontrar uma folha de erva perdida num campo de golfe.

— Corpos astronómicos — disse Sophie, com um ar preocupado. — Montes deles.

Langdon franziu a testa. A única ligação entre os planetas e o Graal que conseguia imaginar era o pentáculo de Vénus, e já tentara a senha «Vénus» a caminho de Temple Church.

Sophie avançou directamente para o sarcófago, mas Langdon deixou-se ficar alguns passos atrás, observando a abadia à sua volta.

— *Divinity* — disse Sophie, inclinando a cabeça para ler os títulos dos livros a que Newton se apoiava. — *Chronology. Opticks. Philosophiae Naturalis Principia Mathematica*? — Voltou-se para ele. — Faz soar alguma campainha?

Langdon aproximou-se mais, considerando a pergunta.

— *Principia Mathematica*, se bem me lembro, têm qualquer coisa a ver com a força gravitacional dos planetas... que são reconhecidamente globos, mas parece-me demasiado rebuscado.

— E os signos do Zodíaco? — sugeriu Sophie, apontando para as constelações gravadas no globo. — Há pouco falava de Peixes e de Aquário, não foi?

O Fim dos Dias, pensou Langdon.

— O fim da Era de Peixes e o início da de Aquário era alegadamente o momento histórico em que o Priorado tencionava apresentar ao mundo os documentos Sangreal. — *A passagem do milénio chegou e passou sem incidentes, deixando os historiadores sem saber quando virá a verdade.*

— Parece possível — disse Sophie — que os planos do Priorado para revelar a verdade estejam relacionados com o último verso do poema.

Fala de carne Rosada e de um útero a germinar. Langdon sentiu um arrepio de potencial. Não tinha considerado o verso daquela perspectiva.

— Disse-me — continuou Sophie — que o calendário do Priorado para revelar a verdade a respeito «da Rosa» e do seu útero fértil estava directamente ligado à posição dos planetas... órbitas, globos.

Langdon assentiu, sentindo os primeiros frágeis fiapos de possibilidade materializarem-se. Mesmo assim, a intuição dizia-lhe que a Astronomia não era a chave. Todas as anteriores soluções do Grão--Mestre tinham tido um eloquente significado simbólico — a *Mona Lisa, A Madonna dos Rochedos,* SOFIA. Uma eloquência que estava definitivamente ausente do conceito de órbitas planetárias e do Zodíaco. Até ao momento, Jacques Saunière provara ser um codificador meticuloso, e Langdon tinha de acreditar que a sua senha final — as cinco letras que descobririam o segredo do Priorado — provariam ser não só simbolicamente adequadas mas também cristalinamente claras. Se aquela solução estivesse na linha das outras, revelar--se-ia dolorosamente óbvia, uma vez encontrada.

— Veja! — exclamou Sophie, sacudindo-lhe os pensamentos ao agarrar-lhe um braço. Pelo medo evidente no modo como o agarrou, Langdon pensou que alguém se aproximava, mas quando se voltou para ela, viu-a a olhar, estupefacta, para a superfície de mármore negro do sarcófago. — Esteve aqui alguém — murmurou ela, apontando para um ponto perto do pé direito de Newton.

Langdon não compreendeu aquela agitação. Um turista distraído deixara um lápis de carvão, dos usados para esfregar as pedras tumulares, em cima do túmulo, junto ao pé de Newton. *Não é nada.* Estendeu a mão para pegar no lápis, mas, ao fazê-lo, a luz incidiu com um ângulo diferente na placa de mármore polido, e Langdon imobilizou-se. Subitamente, percebeu o que assustara Sophie.

Escrita a carvão na tampa do sarcófago, junto ao pé de Newton, quase invisível, havia uma mensagem:

Tenho o Teabing.
Passem pela Casa do Capítulo e
saiam pela porta sul para o jardim público.

Langdon leu as palavras duas vezes, com o coração a martelar--lhe o peito.

Sophie voltou-se e perscrutou a nave.

Apesar da excitação que o invadira ao ler as palavras, Langdon disse a si mesmo que aquilo eram boas notícias. *O Leigh está vivo.* E havia ainda uma outra implicação.

— Eles também não sabem qual é senha — sussurrou.

Sophie assentiu. Caso contrário, para quê darem a conhecer a sua presença?

— Talvez queiram trocar o Leigh pela senha.
— Ou então é uma armadilha.
Langdon abanou a cabeça.
— Não me parece. O jardim fica *fora* da abadia. É um lugar muito público. — Langdon visitara uma vez o famoso College Garden da abadia — um pequeno pomar e horta —, uma reminiscência dos tempos em que os monges ali cultivavam remédios naturais. Possuidor das mais velhas árvores de fruto de toda a Grã-Bretanha, o College Garden era muito popular entre os turistas, que podiam visitá-lo sem terem de entrar no templo. — Julgo que chamar-nos lá fora é uma prova de boa-fé. Para nos fazer sentir seguros.
Sophie fez um ar de dúvida.
— Quer dizer lá fora, onde não há detectores de metais?
Langdon franziu a testa. Ela tinha razão.
Ao olhar de novo para o túmulo cheio de globos, desejou ter qualquer ideia a respeito da senha do criptex... qualquer coisa com que negociar. *Meti o Leigh nisto, e farei o que for preciso se houver alguma hipótese de o ajudar.*
— A nota diz atravessem a Casa do Capítulo até à saída sul — disse Sophie. — Talvez de lá se veja o jardim? Desse modo, poderíamos avaliar a situação antes de sairmos e nos expormos a qualquer perigo?
A ideia era boa. Langdon recordava vagamente a Casa do Capítulo como uma enorme sala octogonal onde o antigo Parlamento britânico reunia antes da construção do moderno edifício. Havia anos que lá não ia, mas lembrava-se de ficar algures para lá dos claustros. Afastando-se vários passos do túmulo, olhou, da esquina da teia do coro, à sua direita, para o lado da nave oposto àquele que tinham descido.

A parede era rasgada por um amplo arco, junto ao qual um grande cartaz indicava:

POR AQUI PARA:
CLAUSTROS
REITORIA
COLLEGE HALL
MUSEU
CÂMARA DO CIBÓRIO

St. Faith's Chapel
Casa do Capítulo

Langdon e Sophie iam a correr quando passaram por baixo do arco, demasiado depressa para repararem na pequena tabuleta onde se pedia desculpa por certas áreas estarem fechadas ao público, para restauração.

Emergiram imediatamente num pátio aberto cercado por altas paredes e batido pela chuva matinal. Por cima deles, o vento uivava na abertura com um zumbido baixo, como alguém a soprar no gargalo de uma garrafa. Quando entraram na estreita passagem de tecto baixo que rodeava o perímetro do pátio, Langdon teve a familiar sensação de mal-estar que experimentava sempre em locais fechados. Aquelas passagens chamavam-se *claustros*, e notou que aqueles claustros em particular faziam jus às suas ligações etimológicas às palavras *claustrofobia*.

Concentrando o espírito na extremidade do túnel, lá à frente, Langdon seguiu as indicações até à Casa do Capítulo. Chovia com força, e a passagem era fria e húmida, com rajadas de chuva que o vento empurrava através dos arcos separados por pilares que eram a única fonte de iluminação do claustro. Um outro casal passou rapidamente por eles em sentido oposto, correndo para fugir ao mau tempo. Os claustros estavam desertos, e ninguém lhes negaria o título de lugar menos apetecível da abadia, com aquele vento e aquela chuva.

Quarenta metros mais à frente, no tramo leste do claustro, do lado esquerdo, abria-se um outro arco que dava acesso a um novo corredor. Embora aquela fosse a entrada que procuravam, a passagem estava vedada por um cordão de ar muito oficial e por uma tabuleta que anunciava:

FECHADOS PARA RESTAURAÇÃO
Câmara do Cibório
St. Faith's Chapel
Casa do Capítulo

O comprido corredor deserto que se estendia para lá do cordão estava cheio de andaimes e de panos espalhados pelo chão. Logo a seguir ao corredor, Langdon viu as entradas para a Câmara do Cibório e para St. Faith's Chapel, à direita e à esquerda. A entrada para a Casa do Capítulo ficava, porém, muito mais longe, no extremo oposto do corredor. Mesmo de onde estava, Langdon viu que a grande porta de carvalho estava aberta de par em par, e o espaçoso interior octogonal banhado pela luz acinzentada que entrava pelas enormes janelas sobranceiras ao College Garden. *Passem pela Casa do Capítulo e saiam pela porta sul para o jardim público.*

— Acabamos de deixar o claustro leste — disse Langdon. — Portanto, a saída sul para o jardim deve ser por ali e à direita.

Sophie já estava a passar por cima do cordão.

À medida que avançavam rapidamente pelo comprido e escuro corredor, os sons do vento e da chuva, no pátio lá atrás, iam esmorecendo. A Casa do Capítulo era uma espécie de estrutura satélite — um anexo independente no extremo de um comprido corredor, para garantir a privacidade dos trabalhos do Parlamento que ali se reunia.

— Parece imenso — sussurrou Sophie, quando se aproximaram.

Langdon tinha esquecido como aquela sala era grande. Mesmo a alguns metros da porta, já conseguia alongar o olhar através da vasta extensão de soalho até às impressionantes janelas no lado oposto do octógono, janelas que se erguiam a uma altura de cinco andares até ao tecto abobadado. Dali teriam sem a mínima dúvida uma vista desimpedida para o jardim.

Quando atravessaram o umbral, Langdon e Sophie viram-se obrigados a semicerrar os olhos. Depois da penumbra dos claustros, a Casa do Capítulo era como um solário. Tinham avançado uns bons três metros pelo interior da sala, procurando a parede sul, quando se aperceberam de que a porta prometida não estava lá.

Tinham chegado a um enorme beco sem saída.

O ranger de gonzos atrás deles fê-los voltarem-se no instante em que a pesada porta se fechava com uma pancada surda e a lingueta de uma fechadura encaixava no seu lugar. O homem que estivera escondido atrás da enorme placa de madeira tinha um ar perfeitamente calmo enquanto lhes apontava um pequeno revólver. Corpulento e pesado, apoiava-se a duas muletas de alumínio.

Por um instante, Langdon pensou que devia estar a sonhar.

Era Leigh Teabing.

CAPÍTULO NOVENTA E NOVE

Sir Leigh Teabing sentia-se pesaroso enquanto olhava, por cima do cano do revólver, para Robert Langdon e Sophie Neveu.

— Meus amigos — disse —, desde o momento em que entraram em minha casa, a noite passada, tenho feito todo o possível para que não lhes aconteça nenhum mal. Mas a vossa persistência coloca-me agora numa situação difícil.

Via as expressões de choque e condenação nos rostos de Langdon e Sophie, mas estava mesmo assim convencido de que em breve ambos compreenderiam a cadeia de acontecimentos que os tinha levado aos três àquela inesperada encruzilhada.

Há tanta coisa que preciso de contar-lhes... tanta coisa que têm de compreender.

— Por favor, acreditem — continuou —, nunca tive a mais pequena intenção de envolver qualquer dos dois. Vocês foram a minha casa. *Vocês* é que me procuraram a *mim.*

— Leigh? — conseguiu Langdon finalmente dizer. — Que diabo está a fazer? Pensámos que estava em perigo. Viemos aqui para ajudá-lo!

— Como eu sabia que fariam — respondeu Teabing. — Temos muito que discutir.

Langdon e Sophie pareciam incapazes de desviar os olhares aturdidos do revólver apontado para eles.

— É apenas para garantir a vossa plena atenção — justificou-se Teabing. — Se eu quisesse fazer-lhes mal, já estariam mortos. Quando apareceram em minha casa ontem à noite, arrisquei tudo para lhes salvar a vida. Sou um homem de honra, e jurei na minha própria consciência sacrificar apenas aqueles que tinham traído o Sangreal.

— De que está você a falar? — perguntou Langdon. — Trair o Sangreal?

— Descobri uma verdade terrível — disse Teabing, com um suspiro. — Soube *por que razão* os documentos Sangreal nunca foram revelados ao mundo. Descobri que o Priorado tinha acabado por decidir não desvendar a verdade. Por isso o milénio passou sem qualquer revelação, por isso nada aconteceu quando entrámos no Fim dos Dias.

Langdon inspirou fundo, preparando-se para protestar.

— O Priorado — continuou Teabing — foi incumbido da missão sagrada de partilhar a verdade. De revelar os documentos Sangreal quando chegasse o Fim dos Dias. Durante séculos, homens como da Vinci, Botticelli e Newton arriscaram tudo para proteger os documentos e permitir que a missão fosse cumprida. E então, no momento da verdade, Jacques Saunière mudou de ideias. O homem honrado com a maior responsabilidade da história da cristandade fugiu ao cumprimento do seu dever. Decidiu que não chegara ainda o momento. — Voltou-se para Sophie. — Traiu o Graal. Traiu o Priorado. E traiu a memória de todas as gerações que trabalharam para tornar esse momento possível.

— Você? — exclamou Sophie, erguendo os olhos verdes e cravando-os nele com espanto e raiva. — Foi *você* o responsável pelo assassínio do meu avô?

Teabing bufou depreciativamente.

— O seu avô e os senescais eram traidores ao Graal.

Sophie sentiu a fúria crescer-lhe dentro do peito. *Ele está a mentir!*

— O seu avô vendeu-se à Igreja — insistiu Teabing, inflexível. — É evidente que o pressionaram para que mantivesse a verdade escondida.

Sophie abanou a cabeça.

— A Igreja nunca teve qualquer influência no meu avô!

Teabing riu friamente.

— Minha querida, a Igreja tem dois mil anos de experiência de pressionar aqueles que ameaçam denunciar-lhe as mentiras. Desde os tempos de Constantino, a Igreja tem conseguido ocultar a verdade a respeito de Maria Madalena e de Jesus. Não deve espantar-nos que *agora*, uma vez mais, tenha sabido encontrar maneira de manter o mundo às escuras. Já não pode utilizar cruzados para chacinar os «infiéis», mas nem por isso a sua influência é menos persuasiva. Nem menos insidiosa. — Fez uma pausa, como que para sublinhar o ponto seguinte. — Menina Neveu, há já algum tempo que o seu avô queria dizer-lhe a verdade a respeito da sua família.

Sophie ficou siderada.

— Como é que pode saber uma coisa dessas?

— Os meus métodos não vêm ao caso. O que é importante que compreenda neste momento é o seguinte. — Inspirou fundo. — A morte da sua mãe, do seu pai, da sua avó e do seu irmão *não* foi acidental.

As palavras lançaram as emoções de Sophie para o meio de um turbilhão. Abriu a boca para falar, mas não foi capaz.

Langdon abanou a cabeça.

— Que está a dizer?

— Robert, explica tudo. Todas as peças encaixam. A História repete-se. A Igreja tem antecedentes de assassínio no que respeita a silenciar o Sangreal. Com o Fim dos Dias eminente, matar os entes queridos do Grão-Mestre seria enviar uma mensagem muito clara. Está calado, ou tu e Sophie são os próximos.

— Foi um acidente de viação — gaguejou Sophie, sentindo o desgosto da infância a subir-lhe do fundo da alma. — Um *acidente!*

— Histórias da carochinha para proteger a sua inocência — respondeu Teabing. — Tenha em conta que só dois membros da família foram poupados: o Grão-Mestre do Priorado e a única neta que lhe restava. O par perfeito para proporcionar à Igreja controlo sobre a irmandade. Só posso imaginar o terror que a Igreja fez pesar sobre a cabeça do seu avô nestes últimos anos, ameaçando matá-la *a si* se ele ousasse revelar o segredo Sangreal, ameaçando terminar o trabalho que já tinha começado a menos que Saunière convencesse o Priorado a reconsiderar um voto antigo.

— Leigh — argumentou Langdon, agora visivelmente irritado —, com certeza não tem quaisquer provas de que a Igreja teve alguma coisa a ver com aquelas mortes, ou que influenciou a decisão do Priorado de guardar silêncio.

— Provas? — ripostou Teabing. — Quer provas de que o Priorado foi influenciado? O novo milénio chegou, e no entanto o mundo continua na ignorância! Não será prova bastante?

Nos ecos da voz de Teabing, Sophie ouviu uma outra voz a falar. *Sophie, tenho de dizer-te a verdade a respeito da tua família.* Apercebeu-se de que estava a tremer. Seria aquela a verdade que o avô quisera contar-lhe? Que a família dela fora *assassinada?* Que sabia ela verdadeiramente a respeito do acidente que lhe levara a família? Apenas pormenores dispersos. Até as notícias nos jornais tinham sido vagas. Um acidente? Histórias da carochinha? Lembrou-se repentinamente da superprotecção do avô, de como ele nunca gostava de deixá-la sozinha quando era pequena. Mesmo quando já era crescida e andava na universidade, sempre tivera a sensação de que o avô a vigiava. Perguntou a si mesma se teria havido membros do Priorado escondidos na sombra, a velar por ela durante toda a sua vida.

— Suspeitou de que ele estava a ser manipulado — disse Langdon, olhando para Teabing com raiva e incredulidade. — E *assassinou-o* por isso?

— Não puxei o gatilho — respondeu Teabing. — O Saunière morreu há muitos anos, quando a Igreja lhe roubou a família. Estava comprometido. Agora está liberto dessa dor, liberto da vergonha de não ter sabido cumprir o seu sagrado dever. Considere a alternativa. Era preciso fazer qualquer coisa. Deverá o mundo permanecer ignorante para sempre? Deveremos permitir que a Igreja cimente as suas mentiras nos nossos livros de História para toda a eternidade? Deveremos permitir que a Igreja exerça indefinidamente a sua influência através do assassínio e da extorsão? Não, era preciso fazer qualquer coisa! E agora cabe-nos a nós o dever de cumprir o legado de Jacques Saunière e corrigir um grande erro. — Fez uma pausa. — Nós os três. Juntos.

Sophie sentia apenas incredulidade.

— Como é possível que espere que o ajudemos?

— Porque, minha querida, foi *você* a razão por que o Priorado não revelou os documentos. O amor que o seu avô tinha por si impediu-o de desafiar a Igreja. O medo de represálias contra a única família que lhe restava paralisou-o. Nunca teve oportunidade de explicar a verdade porque a Sophie o rejeitou, amarrando-lhe as mãos, obrigando-o a esperar. Agora, deve ao mundo a verdade. Deve-o à memória do seu avô.

Robert Langdon tinha desistido de tentar orientar-se. A despeito da torrente de perguntas que lhe corria pelo espírito, sabia que naquele momento só uma coisa importava: tirar Sophie dali para fora com vida. Toda a culpa que antes erradamente sentira por causa de Teabing se transferia agora para Sophie.

Levei-a a Château Villette. Sou responsável.

Não conseguia imaginar que Teabing fosse capaz de matá-los aos dois, a sangue-frio, ali na Casa do Capítulo, e no entanto, Teabing estivera sem a mais pequena dúvida envolvido noutras mortes durante a sua transviada demanda. Teve a desconfortável sensação de que ninguém ouviria dois tiros disparados dentro daquele sala isolada, de grossas paredes de pedra, sobretudo com a chuvada que estava a cair. *E ele acaba de admitir que é culpado.*

Olhou para Sophie, que parecia abalada. *A Igreja assassinou a família dela para silenciar o Priorado?* Tinha a certeza de que a Igreja moderna não mandava assassinar pessoas. Tinha de haver outra explicação.

— Deixe a Sophie ir — disse Langdon, olhando para Teabing. — Nós os dois discutimos isto sozinhos.

Teabing deixou escapar uma gargalhada forçada.

— Receio ser uma prova de boa-fé que não me posso permitir. Posso, no entanto, oferecer-lhe *isto*. — Apoiou-se nas muletas, mantendo a arma desajeitadamente apontada para Sophie, e tirou o criptex do bolso. Cambaleou um pouco quando o estendeu a Langdon. — Uma prova de confiança, Robert.

Langdon, desconfiado, não se mexeu. *O Leigh está a devolver-nos a Chave de Abóbada?*

— Aceite-o — insistiu Teabing, estendendo-o na direcção de Langdon, que só conseguia imaginar uma razão para ele estar a devolvê-lo.

— Já o abriu. Tirou o mapa.

Teabing estava a abanar a cabeça.

— Robert, se tivesse descoberto a senha da Chave de Abóbada, já teria desaparecido para ir procurar o Graal sozinho, sem os envolver a vocês. Não, não sei a resposta. E não me importo de o admitir. Um verdadeiro cavaleiro aprende a ser humilde face ao Graal.

Aprende a obedecer aos sinais postos diante dos seus olhos. Quando os vi entrar na igreja, compreendi. Estavam ali por uma razão. Para ajudar. O que procuro aqui não é a glória pessoal. Sirvo algo muito maior do que o meu orgulho. A Verdade. A humanidade merece conhecer a verdade. O Graal encontrou-nos a todos, e agora ela pede para ser revelada. Temos de trabalhar juntos.

Apesar dos seus pedidos de cooperação e confiança, Teabing manteve a arma apontada para Sophie enquanto Langdon avançava e aceitava o frio cilindro de ónix. O vinagre contido na ampola gorgolejou quando lhe pegou e voltou a recuar. Os anéis continuavam dispostos numa ordem aleatória e o criptex fechado.

Langdon olhou para Teabing.

— Como é que sabe que não o parto agora mesmo.

O riso de Teabing foi uma gargalhada estranha.

— Devia ter compreendido que a sua ameaça de parti-lo em Temple Church era vã. Robert Langdon nunca quebraria a Chave de Abóbada. É um historiador, Robert. Tem nas mãos a Chave de dois mil anos de História... a Chave perdida do Sangreal. Sente as almas de todos os cavaleiros que morreram queimados para proteger o segredo. Permitiria que tivessem morrido em vão? Não, quer vindicá-los. Irá juntar-se às fileiras dos grandes homens que admira... da Vinci, Botticelli, Newton... qualquer dos quais se sentiria muito honrado se estivesse agora no seu lugar. O conteúdo da Chave de Abóbada clama por nós. Quer ser libertado. É tempo. O destino conduziu-nos a este momento.

— Não posso ajudá-lo, Leigh. Não faço ideia de como abrir isto. Só estive junto do túmulo de Newton por um instante. E mesmo que soubesse a senha... — Langdon calou-se, compreendendo que já dissera demasiado.

— Não me diria? — Teabing suspirou. — Estou desapontado e surpreendido, Robert, pelo facto de não se aperceber a que ponto está em dívida para comigo. A minha tarefa teria sido muito mais simples se eu e o Rémy os tivéssemos eliminado aos dois quando entraram em Château Villette. Em vez disso, arrisquei tudo para seguir o caminho mais nobre.

— Isto é *nobre*? — perguntou Langdon, olhando para a arma.

— A culpa é do Saunière — justificou-se Teabing. — Ele e os senescais mentiram ao Silas. Se não fosse isso, eu teria obtido a Chave de Abóbada sem a mais pequena complicação. Como podia eu imaginar que o Grão-Mestre iria a tais extremos para me enganar e confiaria a Chave de Abóbada a uma neta que não lhe falava há anos? — Olhou para Sophie com desdém. — Alguém tão pouco qualificada para deter este conhecimento que precisou de um simbologista para lhe servir de ama-seca. — Voltou a olhar para Langdon. — Felizmente, Robert, o seu envolvimento acabou por ser a minha salvação. Em vez de a Chave de Abóbada ficar para sempre fechada no cofre de um banco, tirou-a de lá e levou-a a minha casa.

Para que outro sítio poderia ter ido? pensou Langdon. *A comunidade de historiadores do Graal é restrita, e nós os dois já nos conhecíamos.*

Teabing parecia agora muito satisfeito consigo mesmo.

— Quando soube que o Saunière lhes tinha deixado uma mensagem, fiquei quase com a certeza de que se tratava de informações valiosas sobre o Priorado. Não sabia, claro, se era a própria Chave de Abóbada ou informações sobre como encontrá-la. Mas com a Polícia a morder-lhes os calcanhares, tive um pressentimento de que acabariam por bater-me à porta.

Langdon lançou-lhe um olhar furioso.

— E se não tivéssemos?

— Estava a gizar um plano para lhes oferecer ajuda. De um modo ou de outro, a Chave de Abóbada iria parar a Château Villette. O facto de terem ido depô-la nas minhas mãos só prova que a minha causa é justa.

— O quê? — Langdon estava estupefacto.

— O Silas era suposto entrar em Château Villette e roubar-lhes a Chave de Abóbada... afastando-vos assim da equação sem vos fazer mal e exonerando-me a mim de qualquer suspeita de cumplicidade. No entanto, quando me apercebi da complexidade dos códigos do Saunière, resolvi associá-los à minha investigação durante mais algum tempo. Podia mandar o Silas roubar a Chave de Abóbada mais tarde, quando eu já soubesse o suficiente para continuar sozinho.

— Temple Church — disse Sophie, com a voz cheia de indignação pela confiança traída.

Começa a fazer-se luz, pensou Teabing. Temple Church era o lugar ideal para roubar a Chave de Abóbada a Robert e a Sophie, e a sua aparente relevância para o poema tornava-a um engodo plausível. As ordens que dera a Rémy tinham sido claras: manter-se longe das vistas enquanto Silas recuperava a Chave de Abóbada. Infelizmente, a ameaça de Langdon de destruir o criptex levara Rémy a entrar em pânico. *Se ao menos ele não se tivesse mostrado,* pensou Teabing, pesarosamente, recordando o seu próprio falso rapto. *O Rémy era a única ligação a mim, e mostrou a cara.*

Felizmente, Silas continuara a ignorar a verdadeira identidade de Teabing e fora fácil convencê-lo a levá-lo da igreja e ficar em seguida ingenuamente sentado enquanto Rémy fingia amarrar e amordaçar o refém na parte de trás da limusina. Com a divisória à prova de som levantada, Teabing pudera ligar para Silas, no banco da frente, usar o falso sotaque francês do *Professor* e dizer-lhe que fosse directamente para a residência da Opus Dei. Uma simples denúncia anónima à Polícia seria o bastante para remover Silas da imagem.

Uma ponta solta atada.

A outra ponta solta era mais difícil. *Rémy.*

Teabing debatera longamente a decisão consigo mesmo, mas, no fim, Rémy provara ser um perigo. *Todas as demandas do Graal exigem sacrifícios.* A solução mais simples para o problema estivera como que a saltar-lhe aos olhos de dentro do bar da limusina: um frasco de conhaque e uma lata de amendoins. O pó no fundo da lata seria mais do que suficiente para disparar a mortal alergia do mordomo. Quando Rémy estacionara a limusina na parada dos Horse Guards, Teabing apeara-se da limusina, aproximara-se da porta dianteira e sentara-se ao lado dele. Minutos mais tarde, voltara a apear-se, regressara à traseira do carro, limpara as provas e finalmente saíra para a fase final da sua missão.

A abadia de Westminster ficava a curta distância, e apesar de as braçadeiras das pernas, as muletas e a arma terem accionado o detector de metais, os polícias-de-aluguer tinham ficado sem saber o que fazer. *Pedimos-lhe que tire as braçadeiras e que passe de rastos? Revistamos-lhe o corpo deformado?* Teabing apresentara aos assarapantados guardas uma solução muito mais simples: um cartão gravado identificando-o como Cavaleiro do Reino. Os pobres diabos quase se tinham atropelado uns aos outros para o deixar entrar.

Agora, enquanto olhava para os espantados Langdon e Neveu, Teabing resistia ao desejo de revelar com que habilidade envolvera a Opus Dei na conjura que ia em breve atirar por terra toda a Igreja Católica. Mas isso teria de esperar. De momento, havia trabalho a fazer.

— *Mes amis* — declarou Teabing, num francês impecável —, *vous ne trouvez pas le Saint-Graal, c'est le Saint-Graal qui vous trouve.* — Sorriu. — O nosso caminho juntos não podia ser mais claro. O Graal encontrou-nos.

Silêncio.

Falou-lhes agora num murmúrio:

— Escutem. Será que não ouvem? O Graal está a falar-nos através dos séculos. Está a pedir-nos que o salvemos da loucura do Priorado. Imploro a ambos que reconheçam esta oportunidade. Não seria possível juntar neste momento três pessoas mais capazes para decifrar o código final e abrir o criptex. — Fez uma pausa, com os olhos brilhantes. — Temos de fazer um juramento. Um juramento de lealdade entre nós. Um juramento de cavaleiro, de descobrir a verdade e dá-la a conhecer.

Sophie olhou bem no fundo dos olhos de Teabing e disse, numa voz dura como o aço:

— Nunca farei um juramento com o assassino do meu avô. Excepto o juramento de que hei-de vê-lo numa prisão.

A expressão de Teabing tornou-se grave, e depois resoluta.

— Lamento que pense assim, *mademoiselle*. — Voltou-se a apontou a arma para Langdon. — E você, Robert? Está comigo ou contra mim?

CAPÍTULO CEM

O corpo do bispo Manuel Aringarosa tinha já suportado muitos géneros de dor, mas, mesmo assim, o ardor causticante da bala que lhe atravessou o peito foi uma experiência completamente nova. Funda e grave. Não um ferimento da carne... algo mais próximo da alma.

Abriu os olhos, tentando ver, mas a chuva que lhe batia no rosto borrava-lhe a visão. *Onde estou?* Sentia que braços fortes o carregavam, lhe transportavam o corpo flácido como uma boneca de trapos, a saia da sotaina preta a bater ao vento como uma bandeira molhada.

Erguendo penosamente uma mão, limpou os olhos e viu que o homem que o levava em braços era Silas. O gigantesco albino avançava aos tropeções por um passeio envolto em névoa, a gritar por um hospital, a voz transformada num dilacerante uivo de agonia. Olhava fixamente em frente, com os seus olhos vermelhos, e as lágrimas escorriam-lhe, mais grossas do que a chuva, pelo rosto branco e salpicado de sangue.

— Meu filho — murmurou Aringarosa —, estás ferido.

Silas baixou os olhos, o rosto contorcido numa máscara de angústia.

— Perdoe-me, oh, perdoe-me, Pai — murmurou, como se a dor fosse de mais para lhe permitir falar.

— Não, Silas. Eu é que peço perdão. A culpa foi minha. — *O* Professor *prometeu-me que não haveria mortes, e eu disse-te que lhe obedecesses em tudo.* — Estava demasiado ansioso. Tive demasiado medo. Tu e eu fomos enganados. — *O* Professor *nunca tencionou entregar-nos o Santo Graal.*

Aninhado nos braços do homem que acolhera havia tantos anos, o bispo Aringarosa sentiu-se recuar no tempo. Até aos seus modestos começos, a construir uma pequena igreja católica em Oviedo, com Silas. E mais tarde, em Nova Iorque, quando proclamara a glória de Deus com o recém-construído Centro da Opus Dei na Lexington Avenue.

Cinco meses antes, Aringarosa recebera notícias devastadoras. O trabalho de toda a sua vida estava em perigo. Recordava, com vívido pormenor, a reunião em Castel Gandolfo que transformara a sua vida... as notícias que tinham desencadeado toda aquela calamidade.

Entrara na Biblioteca Astronómica do Vaticano de cabeça bem erguida, à espera de ser saudado por centenas de mãos acolhedoras, todas desejosas de dar-lhe palmadinhas nas costas, de felicitá-lo pela maneira magnífica como representara o catolicismo na América.

Mas só estavam presentes três pessoas.

O *secretarius* do Vaticano. Obeso. Sombrio.

Dois cardeais italianos. Untuosos. Astutos.

— *Secretarius*? — disse Aringarosa, intrigado.

O rotundo supervisor das questões legais apertou-lhe a mão e indicou-lhe a cadeira fronteira à dele.

— Por favor, esteja à-vontade.

Aringarosa sentou-se, sentindo que algo de grave se passava.

— Não tenho grande jeito para conversa de circunstância, Eminência — disse o *secretarius*. — Permita, pois, que vá direito ao motivo da sua presença aqui.

— Por favor. Fale abertamente. — Aringarosa lançou um olhar de soslaio aos dois cardeais, que pareciam estar a avaliá-lo com um ar de farisaica expectativa.

— Como bem sabe — começou o *secretarius* —, Sua Santidade, e outras pessoas em Roma, tem andado muito preocupada com as repercussões políticas de algumas das práticas mais controversas da Opus Dei.

Aringarosa ficou instantaneamente eriçado. Já tinha passado várias vezes por aquela mesma situação com o novo pontífice que, para seu grande desgosto, acabara, infelizmente, por revelar-se um fervoroso defensor de mudanças liberais no seio da Igreja.

— Quero assegurar-lhe — acrescentou rapidamente o *secretarius* — que Sua Santidade não tem a intenção de alterar seja de que maneira for o modo como gere o seu ministério.

Espero bem que não!

— Nesse caso, que estou aqui a fazer?

O obeso funcionário suspirou.

— Eminência, não sei como dizer isto de uma forma delicada, de modo que vou dizê-lo de uma forma directa. Há dois dias, o Conselho do Secretariado votou por unanimidade revogar a sanção do Vaticano à Opus Dei.

Aringarosa tinha a certeza de que só podia ter ouvido mal.

— Como?

— Dito mais simplesmente, de hoje a seis meses, a Opus Dei deixará de ser considerada uma prelatura do Vaticano. Passará a ser uma Igreja por direito próprio. A Santa Sé desligar-se-á da vossa instituição. Sua Santidade concordou e a papelada legal já está a ser preparada.

— Mas... isso é impossível!

— Pelo contrário, é muito possível. E necessário. Sua Santidade está descontente com as vossas técnicas de recrutamento agressivas e com as vossas práticas de mortificação corporal. — Fez uma pausa. — E também com a vossa política no que respeita às mulheres. Muito francamente, a Opus Dei tornou-se um empecilho e um embaraço.

O bispo Aringarosa estava estupefacto.

— Um *embaraço?*

— Certamente não pode estar surpreendido por as coisas terem chegado a este ponto.

— A Opus Dei é a única organização católica em crescimento! Temos mais de mil e cem padres!

— Verdade. Uma questão embaraçosa para todos nós.

Aringarosa pôs-se bruscamente de pé.

— Pergunte a Sua Santidade se a Opus Dei foi um embaraço em 1982, quando ajudámos o Banco do Vaticano!

— O Vaticano sempre lhes estará grato por isso — respondeu o *secretarius*, num tom apaziguador —, e no entanto, há quem pense que a vossa munificência em 1982 foi a única razão de vos ter sido concedido o estatuto de prelatura.

— Isso não é verdade! — A insinuação ofendia profundamente o bispo Aringarosa.

— Seja como for, tencionamos agir de boa-fé. Estamos a preparar um acordo de separação que inclui o reembolso desses dinheiros. A fazer em cinco prestações.

— Estão a comprar-me? — perguntou Aringarosa. — A pagar-me para eu sair sem fazer ondas? Quando a Opus Dei é a única voz da razão que resta!

Um dos cardeais ergueu os olhos.

— Desculpe, disse... *razão*?

Aringarosa debruçou-se por cima da mesa, e a voz tornou-se-lhe cortante como uma lâmina.

— Não sabem verdadeiramente porque é que os católicos estão a abandonar a Igreja? Olhe à sua volta, Eminência. As pessoas perderam o respeito. O rigor da fé pertence ao passado. A doutrina tornou-se uma espécie de bufete. Abstinência, confissão, comunhão, baptismo, missa... é à escolha... tirem o que lhes agradar e deixem ficar o resto. Que espécie de orientação espiritual está a Igreja a oferecer?

— Não é possível aplicar aos modernos seguidores de Cristo leis do século III — interveio o segundo cardeal. — Essas regras não funcionam na sociedade actual.

— Bem, parecem funcionar para a Opus Dei.

— Bispo Aringarosa — disse o *secretarius*, num tom que pretendia encerrar a discussão. — Por respeito pela vossa associação com o anterior papa, Sua Santidade deseja dar à Opus Dei seis meses para cortar voluntariamente os seus laços com o Vaticano. Sugiro que alegue as suas diferenças de opinião com a Santa Sé e se estabeleça como organização cristã independente.

— Recuso! — declarou Aringarosa. — E dir-lho-ei pessoalmente.

— Receio que Sua Santidade já não esteja interessada num encontro consigo.

Aringarosa voltou a pôr-se de pé.

— Ele não se *atreveria* a abolir uma prelatura pessoal estabelecida por um papa anterior!

— Lamento. — Os olhos do *secretarius* não cederam um milímetro. — O Senhor o dá, o Senhor o tira.

Aringarosa saíra daquela reunião confuso e em pânico. De regresso a Nova Iorque, passara dias inteiros a olhar para a paisagem da cidade, esmagado pela desilusão, vencido pela tristeza que lhe inspirava o futuro do cristianismo.

Só várias semanas mais tarde recebera o telefonema que mudara tudo. A pessoa que telefonara, um homem, tinha sotaque francês e identificava-se a si mesma como *o Professor* — um título comum na Prelatura. Disse que sabia dos planos do Vaticano para retirar o apoio à Opus Dei.

Como pode ele saber semelhante coisa?, perguntara Aringarosa a si mesmo. Alimentara a esperança de que só alguns dos funcionários mais altamente colocados do Vaticano tivessem conhecimento da eminente anulação da Opus Dei. Aparentemente, porém, a notícia correra. No que respeitava a conter mexericos, não havia no mundo paredes mais porosas do que as da Cidade do Vaticano.

— Tenho ouvidos em todo o lado, Eminência — sussurrara o *Professor* —, e, com esses ouvidos, adquiri alguns conhecimentos. Com a sua ajuda, posso descobrir o esconderijo de uma relíquia sagrada que lhe proporcionará um poder imenso... poder suficiente para fazer o Vaticano vergar perante si. Poder suficiente para salvar a Fé. — Fizera uma pausa. — Não apenas pela Opus Dei. Por todos nós.

O Senhor o levou... e o Senhor o dá. Aringarosa sentira um glorioso raio de esperança.

— Explique-me o seu plano.

O bispo Aringarosa estava inconsciente quando as portas do St. Mary's Hospital se abriram com um silvo. Silas entrou a cambalear, delirante de exaustão. Deixando-se cair de joelhos no chão de lajes, gritou a pedir ajuda. Toda a gente que estava na área da recepção ficou a olhar de boca aberta para aquele albino seminu que segurava nos braços estendidos, como que numa oferenda, o corpo ensanguentado de um padre.

O médico que ajudou Silas a estender o corpo do bispo numa maca fez um ar sombrio ao tactear o pulso de Aringarosa.

— Perdeu muito sangue. Não tenho grandes esperanças.

Aringarosa recuperou a consciência por um instante, os seus olhos piscaram, procuraram Silas.

— Meu filho...

A alma de Silas trovejou de remorso e raiva.

— Pai, nem que me leve a vida toda, hei-de encontrar aquele que nos enganou, e hei-de matá-lo.

Aringarosa abanou a cabeça, com uma expressão triste, enquanto os enfermeiros se preparavam para levá-lo dali.

— Silas... se não aprendeste nada comigo, por favor... aprende isto. — Pegou na mão de Silas e apertou-a com força. — O perdão é o maior dos dons de Deus.

— Mas, Pai...

Aringarosa fechou os olhos.

— Silas, deves rezar.

CAPÍTULO CENTO E UM

Ali, sob a alta abóbada da Casa do Capítulo deserta, Robert Langdon tinha os olhos presos à arma que Leigh Teabing empunhava.

Robert, está comigo ou contra mim? As palavras do historiador da Royal British Academy ecoaram-lhe no silêncio do cérebro.

Não havia uma resposta certa, Langdon bem o sabia. Se respondesse *sim*, estaria a condenar Sophie. Se respondesse *não*, Teabing não teria alternativa senão matá-los a ambos.

Os anos que passara em salas de aula não lhe tinham dado qualquer habilidade relevante em matéria de confrontações que envolvessem armas, mas tinham-lhe, isso sim, ensinado alguma coisa a respeito de responder a perguntas paradoxais. *Quando uma pergunta não tem uma resposta correcta, só há uma maneira honesta de responder.*

A área cinzenta entre sim e não.

Silêncio.

Langdon optou simplesmente por afastar-se, a olhar para o criptex que tinha na mão.

Sem nunca erguer os olhos, recuou para o vasto espaço vazio da sala. *Terreno neutral.* Esperou que a sua atenção concentrada no criptex sugerisse a Teabing que a colaboração podia ser uma opção, e que o seu silêncio dissesse a Sophie que não a tinha abandonado.

Enquanto ganho tempo para pensar.

Pensar, suspeitou Langdon, era exactamente o que Teabing queria que ele fizesse. *Foi por isso que me entregou o criptex. Para que eu pudesse sentir o peso da minha decisão.* O historiador esperava que o contacto do criptex do Grão-Mestre levasse Langdon a aperceber-se da verdadeira importância do seu conteúdo, exortando a curiosidade académica a sobrepor-se a todos os outros sentimentos, obrigando-o a compreender que deixar de abrir a Chave de Abóbada equivaleria a perder a própria História.

Com Sophie sob a ameaça de uma arma do outro lado da sala, Langdon receou que descobrir a misteriosa senha do criptex fosse a única esperança que lhe restava de negociar a libertação dela. *Se eu conseguir chegar ao mapa, o Teabing negociará.* Forçando o cérebro a concentrar-se naquela crítica tarefa, dirigiu-se lentamente à janela mais distante... permitindo que a mente se lhe enchesse das numerosas figuras astronómicas que decoravam o túmulo de Newton.

Procura o globo que no seu túmulo devia estar.
Ele fala de carne rosada e de um útero a germinar.

De costas voltadas para os outros, avançou até às altas janelas, em busca de inspiração nas figuras dos vitrais. Nada encontrou.

Mete-te na cabeça do Saunière, disse para si mesmo, olhando lá para fora, para o College Garden. *Que consideraria ele ser o globo que devia estar no túmulo de Newton?* Imagens de estrelas, cometas e planetas perpassaram entre a chuva que caía, mas Langdon ignorou-as. Saunière não era um homem de ciência. Era um homem de humanidades, de arte, de História. *O sagrado feminino... o cálice... a Rosa... a banida Maria Madalena... o declínio da deusa... o Santo Graal.*

A lenda sempre retratara o Graal como uma amante cruel, dançando na sombra perpetuamente no limite da visão, a murmurar ao ouvido dos que a perseguiam, incitando-os a dar mais um passo para então desaparecer na bruma.

Ao olhar para as árvores do jardim que o vento agitava, Langdon sentiu a presença dela. Os sinais estavam por todo o lado. Como uma desafiadora silhueta a emergir do nevoeiro, a mais antiga macieira de Inglaterra ostentava as suas primeiras flores de cinco pétalas, todas brilhantes como Vénus. A deusa estava agora no jardim. Dançava na chuva, cantando as canções das eras, espreitando de trás dos ramos cheios de rebentos, como que a lembrar a Langdon que o fruto do conhecimento crescia mesmo à beira, mas mesmo assim fora do alcance dele.

Do outro lado da sala, *Sir* Leigh Teabing via, confiante, Langdon olhar pela janela, como que sob um feitiço.

Exactamente como eu esperava, pensou. *Há-de lá chegar.*

Havia já algum tempo que desconfiava que Langdon podia ser a chave para chegar ao Graal. Não fora por acaso que pusera o seu plano em acção na noite em que o americano era suposto encontrar--se com Jacques Saunière. Ao escutar as conversas do conservador, ficara com a certeza de que o interesse de Saunière em encontrar-se particularmente com ele só podia significar uma coisa. *O misterioso manuscrito do Langdon tocou um nervo no Priorado. O Langdon tropeçou na verdade, e o Saunière teme que ele a revele.* Tinha a certeza de que o Grão-Mestre estava a convocá-lo para o silenciar.

A verdade já foi silenciada durante demasiado tempo!

Teabing sabia que tinha de agir rapidamente. O ataque de Silas atingiria dois objectivos. Impediria Saunière de convencer Langdon a manter-se calado, e garantiria que, quando a Chave de Abóbada estivesse em poder de Teabing, Langdon estaria em Paris e disponível para ser recrutado em caso de necessidade.

Arranjar o encontro fatal entre Saunière e Silas fora quase ridiculamente fácil. *Eu tinha informações confidenciais sobre os piores medos do Saunière.* Na tarde anterior, Silas telefonara ao conservador do Louvre fazendo-se passar por um perturbadíssimo padre: «*Monsieur* Saunière, peço-lhe que me desculpe, mas preciso de falar consigo imediatamente. Nunca deveria violar a santidade do confessionário, mas neste caso, sinto que tenho de o fazer. Acabo de ouvir em confissão um homem que afirma ter assassinado membros da sua família.»

A resposta de Saunière fora de excitada prudência: «A minha família morreu num acidente. O relatório da Polícia foi conclusivo.»

«Sim, um acidente de *viação*», dissera Silas, iscando o anzol. «O homem com quem falei afirma ter forçado o carro deles a sair da estrada e cair num rio.»

Saunière ficara calado.

«*Monsieur* Saunière, nunca lhe teria telefonado se este homem não tivesse feito um comentário que me levou a temer pela sua segurança.» Silas fizera uma pausa. «E falou também da sua neta, Sophie.»

A menção do nome de Sophie fora o catalisador. Jacques Saunière entrara em acção. Dissera a Silas que fosse imediatamente ter com ele ao lugar mais seguro de que conseguia lembrar-se: o seu próprio gabinete no Louvre. Depois, telefonara a Sophie a avisá-la de que talvez estivesse em perigo. A ideia de uma bebida com Robert Langdon fora instantaneamente posta de parte.

Agora, com Langdon separado de Sophie no outro extremo da sala, Teabing sentiu que tinha conseguido afastar os dois companheiros. Sophie Neveu continuava a desafiá-lo, mas Langdon tinha muito claramente uma visão mais ampla do problema. Estava a tentar descobrir a senha. *Compreende a importância de encontrar o Santo Graal e libertá-lo da prisão.*

— Ele não vai abrir o criptex para si — disse Sophie, friamente. — Mesmo que soubesse como.

Teabing estava a olhar para Langdon ao mesmo tempo que mantinha a arma apontada para Sophie. Estava agora praticamente seguro de que ia ter de usar aquela arma. Embora a ideia o perturbasse, sabia que não hesitaria, se as coisas chegassem a esse ponto. *Dei-lhe todas as oportunidades para agir da forma correcta. O Graal é mais importante do que qualquer de nós.*

Nesse instante, junto à janela, Langdon voltou-se para eles.

— O túmulo... — disse subitamente, com um ligeiríssimo brilho de esperança nos olhos. — Sei onde procurar no túmulo de Newton. Sim, acho que consigo encontrar a senha!

O coração de Teabing alvoroçou-se.

— Onde, Robert? Diga-me!

— Robert, não! — exclamou Sophie, horrorizada. — Não vai ajudá-lo, pois não?

Langdon aproximou-se com passadas resolutas, segurando o criptex à sua frente.

— Não — disse, e os olhos dele endureceram ao voltarem-se para Teabing. — Só depois de ele a deixar ir.

O optimismo de Teabing desvaneceu-se.

— Estamos tão perto, Robert. Não se atreva a tentar jogos comigo!

— Não é nenhum jogo — respondeu Langdon. — Deixe-a ir, e eu vou consigo até ao túmulo de Newton. Abriremos o criptex juntos.

— Não vou a parte nenhuma — declarou Sophie, com os olhos semicerrados de raiva. — O meu avô deu-me o criptex *a mim*. Não é seu, não tem o direito de o abrir.

Langdon voltou-se para ela.

— Sophie, por favor — disse, num tom que denotava receio. — Está em perigo. Estou a tentar ajudá-la!

— Como? Revelando o segredo que o meu avô morreu a tentar proteger? Ele confiou em si, Robert. *Eu* confiei em si!

Os olhos azuis de Langdon mostravam agora pânico, e Teabing não pôde deixar de sorrir ao ver como os dois se voltavam um contra o outro. As tentativas de Langdon de ser galante eram mais patéticas do que qualquer outra coisa. *A um passo de desvendar um dos maiores segredos da História, e preocupa-se com uma mulher que provou ser indigna da demanda.*

— Sophie — suplicou Langdon. — Por favor... tem de ir.

Ela abanou a cabeça.

— Não, a menos que me entregue o criptex ou o atire ao chão.

— O quê? — engasgou-se Langdon.

— Robert, o meu avô preferiria saber o seu segredo perdido para sempre a vê-lo nas mãos deste assassino. — Sophie parecia à beira das lágrimas, mas não chorou. Olhou directamente para Teabing. — Mate-me, se é isso que quer. Mas não deixarei o legado do meu avô nas suas mãos.

Muito bem. Teabing apontou a arma.

— Não! — gritou Langdon, erguendo o braço e segurando precariamente o criptex acima do duro chão de pedra. — Leigh, se pensa sequer nisso, deixo cair o criptex.

Teabing riu-se.

— Essa resultou com o Rémy, mas comigo não. Eu conheço-o melhor, Robert.

— Acha que sim, Leigh?

Sim, acho. Essa cara de póquer precisa de mais trabalho, meu amigo. Precisei de vários segundos, mas agora vejo que está a mentir. Não faz a mínima ideia de onde, no túmulo de Newton, encontrar a resposta.

— Palavra, Robert? Sabe onde procurar, no túmulo?

— Sei.

A hesitação nos olhos de Langdon foi mais do que fugaz, mas Teabing notou-a. Havia ali uma mentira. Uma tentativa desesperada, patética, de salvar Sophie. Teabing sentiu-se profundamente desapontado.

Sou um cavaleiro solitário, rodeado por almas indignas. E vou ter de decifrar sozinho o mistério da Chave de Abóbada.

Langdon e Neveu já só constituíam uma ameaça, para ele e para... o Graal. Por muito dolorosa que a solução fosse, sabia que ia ser capaz de aplicá-la com uma consciência tranquila. O único desafio ia ser convencer Langdon a pousar o criptex, para poder resolver tranquilamente aquela charada.

— Uma prova de boa-fé — disse Teabing, baixando a arma. — Pouse a Chave de Abóbada, e falemos.

Langdon soube que a sua mentira falhara.

Viu a sombria resolução no rosto de Teabing e soube que o momento chegara. *Quando eu pousar isto, ele mata-nos aos dois.* Mesmo sem olhar para Sophie, ouvia o coração dela a suplicar-lhe num desespero silencioso. *Robert, este homem não é digno do Graal. Por favor, não lho entregue. Seja qual for o preço a pagar.*

Robert já tomara a sua decisão vários minutos antes, enquanto permanecera sozinho diante da alta janela sobranceira ao jardim.

Proteger Sophie.

Proteger o Graal.

Quase gritara em desespero. *Mas não estou a ver como!*

Os negros momentos de desespero tinham trazido consigo uma clareza de pensamento como nunca conhecera. *A verdade está diante dos teus olhos, Robert.* Não soube de onde lhe veio a epifania. *O Graal não está a zombar de ti. Está a chamar uma alma digna.*

Agora, dobrando-se pela cintura, como um servidor, diante de Leigh Teabing, Langdon baixou o criptex até poucos centímetros do chão de pedra.

— Isso, Robert — murmurou Teabing, apontando a arma para ele. — Pouse-o no chão.

Langdon ergueu os olhos para o céu, para o enorme vazio sob a abóbada da Casa do Capítulo. Inclinando-se um pouco mais, baixou-os para a arma que Teabing lhe apontava.

— Lamento, Leigh.

Num movimento fluido, endireitou-se, projectando o braço para cima, lançando o criptex na direcção da abóbada.

Leigh Teabing não sentiu o seu próprio dedo apertar o gatilho, mas a arma disparou com um estrondo ensurdecedor. A forma agachada de Langdon estava agora de pé, quase no ar, e a bala explodiu no chão junto aos pés dele. Metade do cérebro de Teabing tentou ajustar a pontaria e voltar a disparar, movido pela raiva, mas a metade mais forte puxou-lhe os olhos para cima, para a cúpula.

A Chave de Abóbada!

O tempo pareceu imobilizar-se, transformando-se num sonho em câmara-lenta de todo o mundo de Teabing a elevar-se nos ares com aquele cilindro de pedra. Viu-o atingir o ápice da sua subida... pairar por um instante no vazio... e então começar a cair, às cambalhotas, em direcção às lajes do chão.

Todos os sonhos e esperanças de Teabing se precipitavam para o solo. *Não pode bater no chão! Eu consigo apanhá-lo!* O corpo de Teabing reagiu por instinto. Largou a arma e saltou para a frente, deixando cair as muletas enquanto estendia as mãos macias e manicuradas. Esticando os braços dos ombros às pontas dos dedos, apanhou a Chave de Abóbada em pleno ar.

Ao cair para a frente com a Chave de Abóbada vitoriosamente segura numa mão, Teabing soube que estava a cair demasiado depressa. Sem nada que lhe travasse a queda, os braços estendidos foram os primeiros a bater, e o criptex colidiu violentamente com o chão.

Houve um som arrepiante de vidro a partir-se.

Durante um segundo inteiro, Teabing não respirou. Deitado de bruços no chão gelado, olhando ao longo dos braços estendidos para o cilindro de ónix que segurava nas mãos nuas, implorou que a ampola de vidro escondida no interior tivesse resistido. Então, o cheiro acre do vinagre encheu o ar, e Teabing sentiu o líquido escorrer por entre os anéis para as palmas das suas mãos.

Um pânico selvagem apoderou-se dele. *Não!* O vinagre escorria, e Teabing imaginou o papiro a dissolver-se. *Robert, louco maldito! O segredo perdeu-se!*

Teabing deu por si a chorar incontrolavelmente. *O Graal desapareceu. Está tudo perdido.* A tremer de incredulidade, tentou abrir o cilindro à força, na ânsia de captar um fugaz vislumbre da História antes que desaparecesse para todo o sempre. Ficou estupefacto quando, ao puxar pelas extremidades opostas, o cilindro se abriu.

Incapaz de respirar, espreitou lá para dentro. Estava vazio, exceptuando os cacos de vidro partido. Não havia qualquer papiro a dissolver-se. Teabing rolou sobre si mesmo e olhou para Langdon. Ao lado dele, Sophie apontava-lhe o revólver.

Confuso, olhou para o cilindro, e então viu. Os anéis já não estavam alinhados ao acaso. Formavam uma palavra de cinco letras. APPLE.

— O globo que Eva partilhou — disse Langdon, friamente —, incorrendo na ira divina. O pecado original. O símbolo da queda do sagrado feminino.

Teabing sentiu a verdade abater-se sobre ele com dilacerante austeridade. O globo que devia estar no túmulo de Newton só podia ser a rosada maçã que caíra do céu, atingira Newton na cabeça e inspirara toda a obra da sua vida. *O fruto do seu labor! A carne rosada com um útero a germinar!*

— Robert — gaguejou Teabing, destroçado. — Abriu-o. Onde... está o mapa?

Sem pestanejar, Langdon enfiou a mão no bolso interior do casaco de *tweed* e, com todo o cuidado, tirou de lá um delicado rolo de papiro. A uns escassos passos do lugar onde Teabing jazia estendido, desenrolou o rolo e olhou para ele. Ao cabo de alguns instantes, um sorriso de compreensão distendeu-lhe as feições.

Ele sabe! O coração de Teabing ansiava por aquele conhecimento. O sonho de uma vida inteira estava ali, à sua frente.

— Diga-me! — pediu. — Por favor. Oh, Deus, por favor! Não é demasiado tarde!

Enquanto o som de passos pesados ecoava no corredor a caminho da Casa do Capítulo, Langdon voltou calmamente a enrolar o papiro e a guardá-lo no bolso.

— Não! — gritou Teabing, tentando em vão pôr-se de pé.

Quando a porta se abriu, indo embater com estrondo na parede, Bezu Fache irrompeu na sala como um touro na arena, os olhos ferozes a procurar, a encontrar o seu alvo — Leigh Teabing — caído impotente no chão. Com um suspiro de alívio, Fache devolveu ao coldre axilar o seu revólver *Manurhin* e voltou-se para Sophie.

— Agente Neveu, ainda bem que você e o senhor Langdon estão a salvo. Deviam ter-se apresentado quando lhes pedi.

Os agentes da Polícia britânica apareceram atrás de Fache, arrastando e algemando o angustiado prisioneiro.

Sophie parecia espantada por ver Fache.

— Como foi que nos encontrou?

Fache apontou para Teabing,

— Cometeu o erro de identificar-se quando entrou na abadia. Os guardas souberam pela rádio que andávamos à procura dele.

— Está no bolso do Langdon! — gritava Teabing, como um possesso. — O mapa do Santo Graal!

Enquanto os polícias o levantavam do chão e o levavam, torceu a cabeça para trás e gritou:

— Robert! Diga-me onde está escondido!

Quando Teabing passou por ele, Langdon olhou-o nos olhos e disse:

— Só os que disso são dignos encontram o Graal, Leigh. Foi você que mo ensinou.

CAPÍTULO CENTO E DOIS

Um espesso manto de névoa envolvia os Kensington Gardens quando Silas, a coxear, procurou refúgio num recôndito entre os arbustos. Ajoelhado na erva molhada, sentia o sangue quente jorrar-lhe do buraco que a bala lhe abrira no peito, abaixo das costelas. Mas continuou a olhar fixamente em frente.

O nevoeiro fazia aquele lugar parecer o paraíso.

Ao erguer as mãos ensanguentadas para rezar, viu a chuva acariciar-lhe os dedos, tornando-os novamente brancos. À medida que as gotas lhe caíam, cada vez mais pesadas, sobre as costas e os ombros, sentiu o corpo desaparecer pedaço a pedaço na bruma.

Sou um fantasma.

Uma brisa passou por ele, transportando consigo o cheiro húmido e terroso de uma nova vida. Com todas as células do seu corpo alquebrado, Silas rezou. Rezou a pedir perdão. Rezou a pedir misericórdia. E, acima de tudo, rezou pelo seu mentor... o bispo Aringarosa... para que Deus não o levasse antes de tempo. *Tem ainda tanto que fazer.*

O nevoeiro revoluteava agora à volta dele, e Silas sentia-se tão leve que teve a certeza de que os fiapos o levariam para longe. Fechando os olhos, rezou uma última oração.

Algures do meio da névoa, a voz de Manuel Aringarosa sussurrou-lhe:

O nosso Deus é um Deus bom e misericordioso.

A dor de Silas começou finalmente a desvanecer-se, e ele soube que o bispo tinha razão.

CAPÍTULO CENTO E TRÊS

A tarde chegava ao fim quando o Sol rompeu por entre as nuvens e a cidade começou a secar. Bezu Fache sentia-se esgotado quando saiu da sala de interrogatórios e fez sinal a um táxi. *Sir* Leigh Teabing proclamara vociferantemente a sua inocência, e no entanto, pelas suas incoerentes divagações a respeito do Santo Graal, documentos secretos e irmandades misteriosas, Fache suspeitava de que o astuto historiador estava a preparar o palco para uma alegação de insanidade mental.

Pois, pensou Fache. *Louco.* Teabing dera provas de uma engenhosa precisão na forma como formulara um plano que protegia passo-a-passo a sua inculpabilidade. Explorara o Vaticano e a Opus Dei, duas entidades que tinham acabado por revelar-se completamente inocentes. O trabalho sujo fora feito por um monge fanático e um bispo desesperado, que não sabiam para quem trabalhavam nem o que estava na verdade a acontecer. Mais inteligentemente ainda, situara o seu posto de escuta electrónica no único lugar da casa aonde um homem que tinha sofrido de poliomielite nunca poderia chegar. A vigilância fora levada a cabo pelo mordomo, Rémy — o único que conhecia a verdadeira identidade de Teabing e que agora aparecera convenientemente morto em consequência de uma reacção alérgica.

A informação transmitida por Collet a partir de Château Villette sugeria que Teabing era tão refinadamente astuto que o próprio Fache teria alguma coisa a aprender com ele. Para instalar aparelhos de escuta em alguns dos mais poderosos gabinetes de Paris, o historiador britânico imitara os Gregos. *Cavalos de Tróia.* Alguns dos seus alvos recebiam como oferta magníficas obras de arte, outros licitavam, sem saberem o que estavam a comprar, em leilões onde ele colocara lotes específicos. No caso de Saunière, o conservador fora convidado para jantar em Château Villette a fim de discutir a possibilidade de financiamento uma nova Ala da Vinci no Louvre. O convite incluía um inócuo pós-escrito em que o inglês manifestava o seu fascínio por um cavaleiro medieval francês robotizado que, segundo se dizia, Saunière teria construído. *Traga-o para jantar,* sugeria Teabing. Aparentemente, Saunière fizera isso mesmo e deixara o cavaleiro sozinho o tempo suficiente para que Rémy Legaludec lhe fizesse uma inconspícua adição.

Agora, sentado no banco traseiro do táxi, Fache fechou os olhos. *Mais uma coisa a tratar antes de regressar a Paris.*

A sala de recobro do St. Mary's Hospital estava cheia de sol.

— Impressionou-nos a todos — disse a enfermeira, sorrindo-lhe. — Foi um autêntico milagre.

O bispo Aringarosa esboçou um débil sorriso.

— Sempre fui abençoado.

A enfermeira saiu, deixando-o sozinho. A tépida luz do Sol era como uma agradável carícia no rosto de Aringarosa. A noite anterior fora a mais negra da sua vida.

Pensou tristemente em Silas, cujo corpo fora encontrado no parque.

Por favor, perdoa-me, meu filho.

Aringarosa desejara ardentemente que Silas fizesse parte do seu glorioso plano. Na noite anterior, porém, recebera um telefonema de Bezu Fache, questionando-o a respeito da sua aparente ligação a uma monja que fora assassinada em Saint-Sulpice. Compreendera então que tudo correra horrivelmente mal. E a notícia dos quatro outros assassínios transformara o seu horror em angústia. *Silas, o que foi que fizeste!* Incapaz de contactar o *Professor*, soubera que fora posto de lado. *Usado.* A única maneira de travar a horrível sequência de acontecimentos que ajudara a desencadear era confessar tudo a Fache e, a partir desse momento, o capitão e o bispo tinham tentado encontrar Silas antes que o *Professor* o convencesse a voltar a matar.

Exausto até à medula, Aringarosa fechou os olhos e ouviu na televisão a notícia da detenção de um proeminente cavaleiro britânico, *Sir* Leigh Teabing. *O* Professor *exposto a nu aos olhos de todos.* Teabing soubera da intenção do Vaticano de desligar-se da Opus Dei. E escolhera Aringarosa como o peão perfeito para a execução do seu plano. *Ao fim e ao cabo, quem mais provavelmente correria às cegas atrás do Santo Graal do que um homem como eu, com tudo a perder? O Graal conferiria um poder enorme a quem o possuísse.*

Leigh Teabing escondera matreiramente a sua identidade — fingindo um sotaque francês e um coração piedoso e pedindo como pagamento a única coisa de que não precisava: dinheiro. Em Aringarosa, a ambição não deixara lugar para a desconfiança. O preço, vinte milhões de euros, parecera uma ninharia em comparação com o prémio — o Santo Graal —, e o pagamento da dívida do Vaticano à Opus Dei facilitara o acordo financeiro. *Os cegos vêem o que querem ver.* O derradeiro insulto de Teabing fora, claro, a exigência de que o pagamento fosse feito em títulos do Vaticano, de modo que se alguma coisa corresse mal, a investigação conduzisse a Roma.

— Alegra-me ver que está bem, monsenhor.

Aringarosa reconheceu a voz áspera que soou à porta, mas o rosto foi uma surpresa — feições duras, poderosas, cabelos lustrosos penteados para trás, um pescoço de touro que parecia revoltar-se contra o aperto do fato escuro.

— Capitão Fache? — perguntou. A compaixão e cuidado que o capitão demonstrara em relação à situação dele na noite anterior tinham conjurado imagens de um exterior bem mais gentil.

O capitão aproximou-se da cama e pousou em cima de uma cadeira uma maleta preta, que parecia pesada.

— Creio que isto lhe pertence.

Aringarosa olhou para a maleta, cheia de títulos do Vaticano, e desviou imediatamente o olhar, sentindo apenas vergonha.

— Sim... obrigado. — Fez uma pausa, enquanto passava os dedos pela costura do lençol, e então continuou —: Capitão, pensei muito nisto, e preciso de pedir-lhe um favor.

— Com certeza.

— As famílias daqueles que o Silas... — Voltou a calar-se, engolindo a emoção. — Sei que dinheiro nenhum poderia alguma vez ser compensação suficiente, e no entanto, se me fizesse o favor de distribuir o conteúdo dessa mala por eles... os familiares dos que foram mortos.

Os olhos escuros de Fache estudaram-no por um longo momento.

— Um gesto virtuoso, monsenhor. Certificar-me-ei de que se fará conforme deseja.

Um silêncio pesado instalou-se entre eles.

Na televisão, um agente da polícia francesa estava a ser entrevistado diante de uma luxuosa mansão.

— Tenente Collet — perguntava um jornalista da BBC, num tom acusador —, a noite passada, o seu capitão acusou publicamente dois inocentes de assassínio. Pensa que Robert Langdon e Sophie Neveu vão exigir reparações ao seu Departamento? Julga que este caso significou o fim da carreira do capitão Fache?

O sorriso do tenente Collet foi cansado mas calmo.

— A experiência diz-me que o capitão Bezu Fache só muito raramente comete erros. Ainda não falei com ele a respeito deste assunto, mas, sabendo como funciona, suspeito de que a acusação pública contra a agente Neveu e o senhor Langdon fez parte de uma astúcia para chegar ao verdadeiro assassino.

Os jornalistas trocaram olhares surpreendidos.

— Se o senhor Langdon e a agente Neveu foram ou não participantes voluntários da armadilha, é algo que ignoro — continuou o tenente Collet. — O capitão Fache tem uma marcada tendência para não divulgar os seus métodos mais criativos. Tudo o que posso confirmar, neste momento, é que o capitão deteve o verdadeiro responsável e que o senhor Langdon e a agente Neveu estão inocentes e em segurança.

Fache tinha um ligeiro sorriso nos lábios quando se voltou para Aringarosa.

— Um bom elemento, aquele Collet.

Decorreram vários segundos. Finalmente, Fache passou a mão pela testa, alisando os cabelos e olhou para Aringarosa.

— Monsenhor, antes de regressar a Paris, há uma última questão que gostaria de discutir... A sua imprevista visita a Londres. Subornou o piloto para alterar o rumo. Ao fazê-lo, violou várias leis internacionais.

Aringarosa como que se afundou na cama.

— Estava desesperado.

— Sim. Tal como o piloto, quando os meus homens o interrogaram. — Fache meteu a mão no bolso e tirou de lá um anel de ouro com uma ametista púrpura e uma aplicação em forma de mitra e báculo.

Aringarosa sentiu as lágrimas correrem-lhe pelas faces enquanto aceitava o anel e o enfiava no dedo.

— É uma grande generosidade. — Agarrou a mão de Fache e apertou-lha. — Obrigado.

Fache agitou a mão, como que a minimizar o gesto, e, aproximando-se da janela, ficou a olhar para a cidade, com os pensamentos claramente muito longe dali.

Quando se voltou, havia nele um ar de incerteza.

— Monsenhor, para onde vai agora?

Exactamente a mesma pergunta que lhe tinham feito na noite anterior, quando se preparava para sair de Castel Gandolfo.

— Suspeito de que o meu caminho vai ser tão incerto como o seu.

— Sim. — Fache fez uma pausa. — Julgo que me vou reformar mais cedo do que esperava.

Aringarosa sorriu.

— Um pouco de fé faz obras maravilhosas, capitão. Um pouco de fé.

CAPÍTULO CENTO E QUATRO

Rosslyn Chapel — com frequência chamada «a Catedral dos Códigos» — ergue-se dez quilómetros a sul de Edimburgo, na Escócia, no local de um antigo templomitraico. Construída pelos Cavaleiros do Templo, em 1446, a capela está coberta de uma estonteante profusão de símbolos ligados às tradições judaica, cristã, egípcia e maçónica.

As coordenadas geográficas do templo coincidem exactamente com o meridiano que passa por Glastonbury, a Linha da Rosa longitudinal que marca tradicionalmente a ilha de Avalon do rei Artur e é considerada o pilar central da geometria sagrada britânica. Foi desta Linha da Rosa sagrada quc Rosslyn — originariamente escrevia-se Roslin — recebeu o nome.

As recortadas torres projectavam longas sombras vespertinas quando Langdon e Sophie pararam o carro alugado na ervosa área de estacionamento junto à base da elevação no topo da qual a capela se erguia. O curto voo de Londres até Edimburgo fora repousante, embora nenhum dos dois tivesse dormido, excitados como estavam pela expectativa do que os aguardava. Ao olhar para o austero edifício recortado contra um céu riscado por nuvens, Langdon sentiu-se como Alice a cair de cabeça na toca do coelho. *Deve ser um sonho.* E no entanto, sabia que o texto da última mensagem de Jacques Saunière não podia ter sido mais específico.

The Holy Grail 'neath ancient Roslin waits.

O Santo Graal sob a antiga Roslin espera. Langdon imaginara o «mapa do Graal» como um diagrama, um desenho com um «X-

-marca-o-lugar», mas o derradeiro segredo do Priorado fora revelado na mesma linguagem que Jacques Saunière usara para falar com deles desde o princípio. *Simples versos.* Quatro linhas muito explícitas que apontavam sem a mais pequena dúvida para aquele lugar. Além de identificar Rosslyn pelo nome, os versos referiam várias das mais famosas características arquitecturais da capela.

A despeito da clareza da revelação final de Saunière, Langdon ficara a sentir-se mais desorientado do que esclarecido. Rosslyn Chapel parecia-lhe uma localização excessivamente óbvia. Durante séculos, a capela de pedra ecoara com murmúrios da presença do Santo Graal. Murmúrios que se tinham transformado em gritos quando, em décadas recentes, pesquisas feitas com ondas de radar capazes de penetrar o solo tinham revelado a existência de uma surpreendente estrutura *por baixo* da capela — uma vasta câmara subterrânea. Este enorme cofre escavado na rocha era não só muito maior do que a capela que o encimava, como parecia não ter entrada ou saída. Os arqueólogos tinham de imediato começado a pedir autorização para abrir caminho através da rocha, à força de explosivos, até à misteriosa câmara, mas a Comissão Zeladora de Rosslyn proibira especificamente qualquer escavação no local sagrado. O que, claro, só viera deitar achas na fogueira da especulação. Que estaria a Comissão a tentar esconder?

Rosslyn tornara-se, assim, um local de peregrinação para os caçadores de mistérios. Uns afirmavam ser atraídos pelo poderoso campo magnético que emanava inexplicavelmente daquelas coordenadas, outros diziam-se empenhados em procurar no flanco da colina entradas escondidas para a câmara subterrânea, mas a maior parte reconhecia ter ido simplesmente para deambular pelo local e impregnar-se da tradição do Santo Graal.

Apesar de nunca antes ter estado em Rosslyn, Langdon ria-se sempre que ouvia a capela referida como o actual esconderijo do Santo Graal. Admitia que Rosslyn podia *a dada altura* ter albergado o Graal, há muito tempo... mas com toda a certeza não no presente. A capela atraíra demasiada atenção nas últimas décadas e, mais cedo ou mais tarde, alguém acabaria por descobrir a entrada para a cripta.

Todos os verdadeiros académicos do Graal estavam de acordo em que Rosslyn era um engodo — um dos muitos ilusórios becos sem saída que o Priorado tão bem sabia inventar. Naquela noite, porém, com a Chave de Abóbada do Priorado a oferecer uns versos que apontavam directamente para aquele lugar, Langdon já não se sentia assim tão seguro. Uma pergunta perplexa andara a bailar-lhe na cabeça durante todo o dia:

Porque se teria Jacques Saunière dado a tanto trabalho para guiar--nos até uma localização tão óbvia?

Parecia haver apenas uma resposta lógica.

Há qualquer coisa a respeito de Rosslyn que ainda não compreendemos.

— Robert? — Sophie estava de pé ao lado do carro, a olhar para ele. — Não vem? — Tinha nas mãos a caixa de roseira, que o capitão Fache lhes devolvera. Dentro da caixa, os dois criptex tinham sido remontados e recolocados na posição original. O papiro com os versos estava seguro dentro do mais pequeno... sem a ampola de vinagre.

Na subida do longo caminho, Langdon e Sophie passaram pela famosa parede ocidental do templo. Os visitantes de acaso assumiam que aquela parede estranhamente sobressaída correspondia a uma secção da capela que nunca chegara a ser acabada. A verdade, recordou Langdon, era muito mais intrigante.

A parede ocidental do Templo de Salomão.

Os Templários tinham concebido Rosslyn Chapel segundo o plano exacto do Templo de Salomão em Jerusalém — com um muro ocidental, um estreito santuário rectangular e uma cripta subterrânea semelhante ao Santo dos Santos, onde os nove cavaleiros originais tinham encontrado o seu precioso tesouro. Havia, Langdon tinha de o admitir, uma intrigante simetria na ideia de os Templários construírem um moderno repositório do Graal que replicava o esconderijo original.

A entrada de Rosslyn Chapel era mais modesta do que Langdon esperara. A pequena porta de madeira tinha dois gonzos de ferro e uma simples tabuleta de carvalho com a palavra:

ROSLIN

A antiga caligrafia, explicou Langdon a Sophie, derivava da Linha da Rosa, ou meridiano, que passava exactamente pela capela; ou, como os académicos do Graal preferiam pensar, de «Linha de Rosa» — a linhagem ancestral de Maria Madalena.

A capela não tardaria a fechar e, quando Langdon empurrou a porta, uma lufada de ar quente escapou-se do interior, como se o velho edifício suspirasse de cansaço ao fim de um longo dia. Os arcos da entrada estavam cobertos de pontilheiras gravadas.

Rosas. O útero da deusa.

Ao entrar com Sophie, Langdon deixou o olhar espraiar-se pelo santuário, abarcando-o no seu conjunto. Apesar de ter lido numerosas descrições das intricadas esculturas de Rosslyn, vê-las pessoalmente era uma experiência avassaladora.

O paraíso da simbologia, chamara um colega à capela.

Todo o interior do templo estava coberto de símbolos esculpidos — cruzes cristãs, estrelas judaicas, selos maçónicos, cruzes de braços iguais, cornucópias, pirâmides, signos astrológicos, plantas, pentáculos e rosas. Os Cavaleiros do Templo tinham sido grandes construtores, erguendo igrejas por toda a Europa, mas Rosslyn era considerada a sua mais sublime obra de amor e veneração. Os mestres canteiros não tinham deixado uma pedra por lavrar. Rosslyn Chapel era um santuário dedicado a todas as fés... a todas as tradições... e, acima de tudo, à natureza e à deusa.

O templo estava deserto, com excepção de um pequeno grupo de turistas que escutavam as explicações de um jovem cicerone na última visita guiada do dia. O jovem conduzia-os em fila indiana ao longo de um percurso bem conhecido — um caminho invisível que ligava seis pontos de interesse arquitectónico especial. Gerações de visitantes tinham acabado por gravar no chão, com milhões de passos, um enorme símbolo.

A Estrela de David, pensou Langdon. *E não é por coincidência.* Também conhecido como Selo de Salomão, o hexagrama fora em tempos, o símbolo secreto dos sacerdotes que dedicavam a vida à contemplação das estrelas, sendo posteriormente adoptado pelos reis israelitas: David e Salomão.

O jovem cicerone vira Langdon e Sophie entrar e, apesar de serem quase horas de fechar, dirigira-lhes um agradável sorriso e fizera-lhes sinal para que estivessem à-vontade.

Langdon respondeu com um aceno de agradecimento e internou-se mais no santuário. Sophie, porém, ficou como que pregada à entrada, com uma expressão confusa no rosto.

— Que se passa? — perguntou Langdon.

Sophie estava a olhar para a capela.

— Acho... que já estive aqui.

— Mas disse-me que nunca tinha sequer ouvido falar de Rosslyn! — espantou-se Langdon.

— E não tinha... — Sophie estava a olhar em redor, parecendo insegura. — O meu avô deve ter-me trazido cá quando eu era muito pequena. Não sei. Parece-me familiar. — À medida que os seus olhos percorriam o templo, ia acenando com mais convicção. — Sim. — Apontou para o fundo do santuário. — Aqueles dois pilares... Já os vi.

Langdon olhou para as duas colunas intrincadamente esculpidas no extremo mais distante da capela. O branco entrelaçado das suas gravuras parecia brilhar com uma incandescência avermelhada sob os últimos raios de sol que entravam pela janela ocidental. Os pilares — situados no lugar onde normalmente estaria o altar — formavam um estranho par. O da esquerda era entalhado por simples linhas verticais, enquanto o da direita se apresentava ornamentado por uma elaborada espiral florida.

Sophie ia já a aproximar-se deles. Langdon estugou o passo para alcançá-la e, quando chegaram junto das colunas, Sophie acenava com um ar de incredulidade.

— Sim, tenho a certeza absoluta de que já os tinha visto!

— Não duvido que os tenha visto — disse Langdon —, mas não foi necessariamente *aqui*.

Ela voltou-se.

— Que quer dizer com isso?

— Estes dois pilares são as estruturas arquitectónicas mais copiadas da História. Há réplicas deles espalhadas por todo o mundo.

— Réplicas de Rosslyn? — Sophie parecia céptica.

— Não. Dos pilares. Lembra-se de eu lhe ter dito que Rosslyn é uma cópia do Templo de Salomão? Esses dois pilares são réplicas exactas dos que se erguiam no topo do Templo. — Langdon apontou para o pilar da esquerda. — Aquele chama-se *Boaz*... ou o Pilar do *Maçon*. O outro chama-se *Jachin*... ou o Pilar do Aprendiz. — Fez uma pausa. — Na realidade, praticamente todos os templos maçónicos do mundo têm dois pilares como estes.

Langdon já lhe tinha explicado as fortes ligações históricas dos Templários às modernas sociedades secretas maçónicas, cujos graus primários — Aprendiz Franco-*maçon*, Companheiro Franco-*maçon* o e Mestre *Maçon* — remontavam aos primeiros tempos dos Templários. A última quadra do avô de Sophie fazia uma referência explícita aos Mestres Pedreiros que tinham decorado Rosslyn com as suas gravuras artísticas. Falava também do tecto central da capela, coberto de gravuras de estrelas e de planetas.

— Nunca entrei num templo maçónico — disse Sophie, ainda a olhar para os pilares. — Tenho quase a certeza de que os vi *aqui*. — Voltou-se para estudar o resto da capela, como que à procura de qualquer outra coisa que lhe avivasse a memória.

Os outros visitantes estavam a sair, e o cicerone atravessava a capela na direcção deles com um simpático sorriso. Era um jovem atraente, no fim da casa dos vinte, que falava com um forte sotaque escocês e tinha cabelos louros com um toque de vermelho.

— Estava a preparar-me para fechar por hoje. Posso ajudá-los a encontrar alguma coisa?

E se fosse o Santo Graal? teve Langdon vontade de dizer.

— O código — exclamou Sophie, numa súbita revelação. — Há aqui um código!

O cicerone pareceu contente com o entusiasmo dela.

— É verdade que sim, minha senhora.

— Está no tecto — continuou Sophie, voltando-se para a parede do lado direito. — Algures... ali.

O jovem sorriu.

— Vejo que não é a primeira vez que vem a Rosslyn.

O código, pensou Langdon. Esquecera-se desse pequeno pedaço de lenda. Entre os muitos mistérios de Rosslyn, havia um arco abobadado do qual sobressaíam centenas de blocos de pedra, formando uma estranha superfície multifacetada. Cada bloco tinha um símbolo gravado, aparentemente ao acaso, criando um código de proporções inimagináveis. Havia quem afirmasse que revelava a entrada para a cripta escavada por baixo da capela. Outros diziam que contava a verdadeira história do Graal. Não que tivesse qualquer importância — havia séculos que gerações de criptólogos tentavam desvendar-lhe o significado. A Comissão Zeladora de Rosslyn continuava a oferecer um generoso prémio em dinheiro a quem conseguisse descobrir-lhe o significado secreto, mas ainda ninguém se apresentara para o cobrar.

— Terei muito gosto em mostrar-lhe...

A voz do cicerone esmoreceu e calou-se.

O meu primeiro código, pensou Sophie, avançando sozinha, em transe, para o arco codificado. Tendo entregado a caixa de roseira a Langdon, sentiu que podia esquecer momentaneamente tudo a respeito do Santo Graal, do Priorado de Sião e de todos os mistérios do dia anterior. Quando chegou debaixo do arco e viu os símbolos, as recordações voltaram em catadupa. Estava a recordar a primeira visita que ali fizera e, estranhamente, as memórias conjuraram uma inesperada tristeza.

Era uma garotinha... cerca de um ano depois do acidente em que tinha morrido toda a sua família. O avô levara-a à Escócia para umas curtas férias. Tinham ido ver Rosslyn Chapel antes de voltarem a Paris. Era ao fim da tarde, e a capela estava fechada. Mas eles continuavam lá dentro.

— Podemos ir para casa, *Grand-père*? — pediu Sophie, sentindo-se cansada.

— Vamos já, querida. — A voz do avô estava carregada de melancolia. — Há uma última coisa que tenho de fazer. E se esperasses no carro?

— Vais fazer outra coisa de pessoa crescida?

Ele assentiu.

— Não me demoro. Prometo.

— Posso voltar a fazer o código do arco? Foi divertido.

— Não sei. Preciso de ir lá fora. Não tens medo de ficar aqui sozinha?

— Claro que não! — respondeu ela, com um ar ofendido. — Ainda nem sequer está escuro!

Ele sorriu.

— Muito bem, então. — E levou-a até ao ornamentado arco que lhe mostrara minutos antes.

Sophie deitou-se imediatamente de costas no chão de pedra e pôs-se a olhar para o quebra-cabeças lá em cima.

— Vou decifrar este código antes de tu voltares!

— É uma corrida, então. — O avô inclinou-se, beijou-a na testa e afastou-se em direcção à porta lateral. — Estou lá fora. Vou deixar a porta aberta. Se precisares de mim, chama. — E saiu para a suave luz do entardecer.

Sophie ficou estendida no chão, a olhar para o código. As pálpebras começaram a pesar-lhe. Ao cabo de alguns minutos, os símbolos tornaram-se confusos, baralharam-se. E então desapareceram.

Quando acordou, Sophie sentiu o frio da pedra nas costas.

— *Grand-père?*

Não houve resposta. Pondo-se de pé, sacudiu as roupas. A porta lateral continuava aberta. A tarde escurecia. Saiu da capela e viu o avô de pé à porta de uma casa de pedra rústica, próxima das traseiras do templo, um pouco mais abaixo. Estava a falar com uma pessoa que mal se via, do outro lado de uma porta de rede.

— *Grand-père?* — chamou.

O avô voltou-se e acenou-lhe, fazendo-lhe sinal para esperar onde estava. Então, lentamente, trocou mais algumas palavras com a pessoa que estava dentro de casa e soprou um beijo na direcção da porta de rede. Quando voltou para junto de Sophie, tinha lágrimas nos olhos.

— Porque estás a chorar, *grand-père*?

Ele pegou-lhe na mão e apertou-lha.

— Oh, Sophie, tu e eu dissemos adeus a muitas pessoas este ano. É duro.

Sophie pensou no acidente, em dizer adeus à mãe e ao pai, à avó e ao irmão mais novo.

— Estavas a dizer adeus a *outra* pessoa?

— A uma amiga muito querida que amo muito — respondeu ele, com a voz pesada de emoção. — E que receio não voltar a ver por muitos, muitos anos.

Acompanhado pelo jovem cicerone, Langdon estivera a examinar as paredes da capela, sentindo crescer a incómoda sensação de que tinha chegado a um beco sem saída. Sophie afastara-se para ir ver o código, deixando-lhe a caixa de roseira onde estava guardado um mapa do Graal que cada vez mais parecia não ser de grande ajuda. Embora o poema de Saunière indicasse claramente Rosslyn, Langdon não sabia muito bem o que fazer agora que tinha lá chegado. O poema falava de «uma lâmina e um cálice» que Langdon não via em parte nenhuma.

O Santo Graal sob a antiga Roslin espera.
Com a lâmina e o cálice a montar guarda severa.

Mais uma vez, Langdon sentiu que uma faceta daquele mistério ainda não se revelara.

— Não me leve a mal — disse o jovem cicerone, olhando para a caixa de roseira que Langdon segurava —, mas, essa caixa... posso perguntar-lhe onde a arranjou?

Langdon riu-se, com um ar cansado.

— Oh, é uma história excepcionalmente longa.

O jovem hesitou, voltando a olhar para a caixa.

— É uma coisa estranhíssima... a minha avó tem uma caixa *exactamente* igual a essa. Também de roseira polida, a mesma rosa embutida, até as dobradiças parecem iguais.

Langdon sabia que o jovem tinha de estar enganado. Se alguma vez uma caixa fora peça única, era aquela... a caixa feita de propósito para a Chave de Abóbada do Priorado.

— As duas caixas podem ser parecidas, mas...

A porta lateral bateu com força, atraindo a atenção de ambos. Sophie tinha saído sem dizer uma palavra e afastava-se colina abaixo em direcção a uma casa de pedra rústica ali próxima. Langdon ficou a olhar para ela. *Aonde irá?* Sophie tivera um comportamento estranho desde que entrara na capela. Voltou-se para o cicerone.

— Sabe o que é aquela casa?

O jovem assentiu, parecendo tão surpreendido como Langdon por Sophie estar a encaminhar-se para lá.

— É a reitoria, a residência da conservadora da capela. Que por acaso também é a directora da Comissão Zeladora de Rosslyn. — Fez uma pausa. — E minha avó.

— A sua avó chefia a Comissão Zeladora de Rosslyn?

— Vivo com ela na reitoria, ajudo a tratar da capela e recebo os visitantes. — O jovem encolheu os ombros. — Sempre lá vivi. A minha avó criou-me naquela casa.

Preocupado com Sophie, Langdon atravessou a capela em direcção à porta, disposto a chamá-la. Ia a meio caminho quando se deteve bruscamente. Só naquele instante registara qualquer coisa que o jovem tinha dito.

A minha avó criou-me.

Olhou para Sophie a descer a colina, e depois para a caixa de roseira que tinha mas mãos. *Impossível.* Lentamente, voltou para junto do jovem cicerone.

— Diz que a sua avó tem uma caixa igual a esta?

— Quase idêntica.

— E onde a arranjou?

— Foi o meu avô que a fez para ela. O meu avô morreu quando eu era bebé, mas a minha avó ainda hoje fala dele. Diz que era um génio com as mãos. Fazia todo o género de coisas.

Langdon vislumbrou uma inimaginável teia de conexões a emergir.

— Diz que a sua avó o criou. Importa-se me dizer o que aconteceu aos seus pais?

O jovem pareceu surpreendido.

— Morreram quando eu era muito pequeno. — Fez uma pausa. — No mesmo dia que o meu avô.

Langdon sentia o coração a bater-lhe descompassadamente no peito.

— Num acidente de viação?

O jovem recuou, com uma expressão de espanto nos olhos verde-azeitona.

— Sim, num acidente de viação. Toda a minha família morreu nesse dia. Perdi o meu avô, os meus pais e... — Hesitou, olhando para o chão.

— E a sua irmã — disse Langdon.

A casa de pedra rústica era exactamente como Sophie a recordava. A noite caía, e a casa irradiava uma aura quente e acolhedora. Cheirava a pão quente e uma luz dourada brilhava nas janelas. Quando se aproximou, ouviu, vindo lá de dentro, o som de soluços abafados.

Através da porta de rede, viu uma mulher de idade no corredor. Estava de costas para a ela, mas Sophie percebeu que chorava. Tinha uns longos e luxuriantes cabelos prateados que conjuraram um inesperado fiapo de memória. Atraída como que por um íman, Sophie subiu os degraus do alpendre. A mulher segurava a fotografia emoldurada de um homem cujo rosto tocava com as pontas dos dedos, num gesto de desolada adoração.

Era um rosto que Sophie conhecia bem.

Grand-père.

A mulher acabava claramente de ouvir a trágica notícia da sua morte na noite anterior.

Uma tábua rangeu sob os pés de Sophie e a mulher voltou-se lentamente, e os seus olhos encontraram os de Sophie. Sophie queria correr, mas ficou ali parada, hipnotizada. O olhar ardente da mulher não vacilou um instante enquanto ela pousava a fotografia e se aproximava da porta. Ficaram as duas a olhar uma para a outra através da fina rede pelo que pareceu uma eternidade. Então, como o lento inchar de uma onda a formar-se, o rosto da mulher mais velha passou da incerteza... para a incredulidade... a esperança... e, finalmente, para uma arrebatadora alegria.

Empurrando a porta, saiu para o alpendre, estendendo as mãos suaves, emoldurando com elas o rosto atordoado de Sophie.

— Oh, minha filha... vejam quem é!

Apesar de não a reconhecer, Sophie sabia quem era aquela mulher. Tentou falar, mas descobriu que não era sequer capaz de respirar.

— Sophie — soluçou a mulher, beijando-a na testa.

As palavras de Sophie foram um murmúrio estrangulado.

— Mas... *o grand-père* disse que tinha...

— Eu sei. — A mulher pousou as mãos ternas nos ombros de Sophie e olhou para ela com uns olhos que eram familiares. — Eu e o teu avô fomos obrigados a dizer tantas coisas. Fizemos o que julgámos ser certo. Lamento tanto. Foi para garantir a tua segurança, princesa.

Sophie ouviu a última palavra e pensou imediatamente no avô, que lhe chamara princesa durante tantos anos. O som da voz dele parecia ecoar agora nas velhas pedras de Rosslyn, pousando na terra e reverberando nos desconhecidos vazios lá em baixo.

A mulher lançou os braços ao pescoço de Sophie, com as lágrimas a caírem-lhe pelo rosto cada vez mais depressa.

— O teu avô queria tanto contar-te tudo. Mas as coisas não estavam fáceis entre vocês os dois. Ele tentou tanto. Há tanta coisa que tem de ser explicada. Tanta. — Voltou a beijar Sophie na testa e murmurou-lhe ao ouvido. — Acabaram-se os segredos, princesa. É tempo de saberes a verdade a respeito da nossa família.

Sophie e a avó estavam sentadas nos degraus do alpendre, enlaçadas um choroso abraço, quando o jovem cicerone atravessou a correr o relvado, os olhos brilhantes de esperança e incredulidade.

— Sophie?

Sophie assentiu através das lágrimas, pondo-se de pé. Não conhecia o rosto do jovem, mas, quando se abraçaram, sentiu a força do sangue que lhe corria nas veias... o sangue que, sabia-o agora, ambos partilhavam.

Quando Langdon atravessou o relvado para se lhes juntar, Sophie não conseguia imaginar como fora possível que apenas um dia antes se sentisse tão sozinha no mundo. E agora, sem saber como, naquela terra estrangeira, na companhia de três pessoas que mal conhecia, sentiu que tinha finalmente chegado a casa.

CAPÍTULO CENTO E CINCO

A noite descera sobre Rosslyn.

Robert Langdon estava sozinho no alpendre da casa de pedra rústica, a saborear os sons de alegria e reunião que lhe chegavam através da porta de rede. A caneca de forte café brasileiro que tinha na mão concedera-lhe uma atordoada trégua na luta contra a exaustão que sentia crescer, uma trégua que ele sabia fugaz. A fadiga que lhe vergava o corpo ia até ao âmago.

— Veio cá para fora sem dizer nada — disse uma voz atrás dele.

Voltou-se. A avó de Sophie estava à porta, com os cabelos prateados a brilhar à luz da Lua. Chamava-se Marie Chauvel, ou pelo menos assim se tinha chamado durante os últimos vinte e oito anos.

Langdon esboçou um sorriso cansado.

— Achei melhor dar à sua família algum tempo para estarem juntos. — Via, através da janela, Sophie sentada a conversar com o irmão.

Marie aproximou-se e foi encostar-se ao varandim, junto dele.

— Senhor Langdon, quando soube do assassínio do Jacques, fiquei aterrorizada pela segurança da Sophie. Vê-la de pé à minha porta esta noite foi o maior alívio que senti em toda a vida. Nunca poderei agradecer-lhe o suficiente.

Langdon não fazia ideia de como responder. Apesar de se ter oferecido para dar a Sophie e à avó tempo para falarem em privado, Marie pedira-lhe que ficasse e ouvisse. *O meu marido confiava obviamente em si, senhor Langdon, por isso também eu confio.*

Langdon ficara, pois, de pé ao lado de Sophie, a ouvir, num espanto mudo, Marie contar a história dos falecidos pais da jovem.

Incrivelmente, pertenciam ambos a famílias merovíngias — descendentes directos de Maria Madalena e de Jesus Cristo. Os pais e antepassados de Sophie tinham, por precaução, alterado os seus apelidos de Plantard e Saint-Clair. Os filhos representavam a linhagem real sobrevivente mais directa, e por isso eram ciosamente guardados pelo Priorado. Quando os pais de Sophie tinham morrido num acidente cujas causas nunca fora possível esclarecer plenamente, o Priorado temera que a identidade da linhagem real tivesse sido descoberta.

— Eu e o teu avô — explicara Marie, numa voz estrangulada pela dor — tivemos de tomar uma grave decisão no instante em que recebemos o telefonema. O carro dos teus pais tinha sido encontrado no rio. — Limpara as lágrimas que lhe assomavam aos olhos. — Todos nós... incluindo vocês os dois, os netos... éramos supostos estar a viajar juntos naquele carro, naquela noite. Felizmente, mudámos de planos à última hora, e os vossos pais foram sozinhos. Quando soubemos do acidente, eu e o vosso avô não tínhamos modo de saber o que verdadeiramente acontecera... ou se fora realmente um *acidente*. — Marie olhara para Sophie. — Sabíamos que tínhamos de proteger os nossos netos, e fizemos o que julgámos melhor. O teu avô comunicou à Polícia que eu e o teu irmão também íamos no carro... Os nossos corpos teriam sido levados pela corrente. Então, eu e o teu irmão desaparecemos. O teu avô, sendo um homem conhecido, não podia dar-se a esse luxo. Fazia todo o sentido que tu, sendo a mais velha, ficasses em Paris e fosses criada pelo teu avô, perto do centro e protecção do Priorado. — A voz dela transformara-se num murmúrio. — Separar a família foi a coisa mais difícil que alguma vez tivemos de fazer. Eu e o teu avô víamo-nos muito de longe em longe, e sempre em condições de grande secretismo... sob a protecção do Priorado. Há certas cerimónias a que a irmandade se manteve sempre fiel.

Langdon sentira que a história ia bem mais fundo, mas sentira também que não devia ouvi-la. Por isso saíra para o alpendre. Ali, olhando para as torres da capela, não conseguia evitar a frustração do mistério não resolvido, como um vazio a roê-lo por dentro. *Estará o Graal realmente aqui, em Rosslyn? E se está, onde estão a lâmina e o cálice de que o Saunière falava no seu poema?*

— Dê-me isso — pediu Marie, apontando para a mão dele.

— Oh, obrigado. — Langdon estendeu-lhe a caneca de café vazia.

Ela olhou-o nos olhos.

— Estou a referir-me à sua outra mão, senhor Langdon.

Langdon olhou para baixo e apercebeu-se de que estava a segurar o papiro de Jacques Saunière. Voltara a tirá-lo do criptex, na esperança de ver qualquer coisa que lhe tivesse escapado antes.

— Com certeza. Desculpe.

Marie parecia divertida quando pegou no papiro.

— Sei de um homem num banco de Paris que está provavelmente ansioso por ver esta caixa de volta. O André Vernet era um bom amigo do Jacques, e o Jacques confiava plenamente nele. O André faria o que fosse preciso para honrar o pedido do meu marido de guardar esta caixa.

Incluindo dar-me um tiro, pensou Langdon, decidindo não referir que provavelmente partira o nariz ao pobre homem. Ao pensar em Paris, lembrou-se dos três senescais que tinham sido assassinados na noite anterior.

— E o Priorado? Que acontece agora?

— As rodas já estão em movimento, senhor Langdon. A irmandade sobrevive há séculos, vai sobreviver a isto. Há sempre alguém à espera para subir e reconstruir.

Durante toda a noite, Langdon suspeitara de que a avó de Sophie estava estreitamente ligada às actividades do Priorado. Ao fim e ao cabo, a irmandade sempre tivera membros do sexo feminino. Quatro Grão-Mestres tinham sido mulheres. Os senescais eram tradicionalmente homens — os guardiães —, mas as mulheres tinham um estatuto mais respeitado no seio do Priorado e podiam ascender ao posto mais elevado a partir de praticamente qualquer escalão.

Pensou em Leigh Teabing e na abadia de Westminster. Era como se tivesse acontecido numa outra vida.

— A Igreja estava a pressionar o seu marido para não divulgar os documentos Sangreal no Fim dos Dias?

— Céus, não! O Fim dos Dias é uma lenda criada por mentes paranóicas. Não há na doutrina do Priorado nada que aponte uma data em que o Graal deva ser revelado. Na realidade, o Priorado sempre manteve que o Graal *nunca* deveria ser revelado.

— Nunca? — Langdon estava espantado.

— São o mistério e o maravilhoso que servem as nossas almas, não o Graal em si. A beleza do Graal reside na sua natureza etérea. — Marie Chauvel ergueu os olhos para Rosslyn. — Para alguns, o Graal é uma taça que lhes proporcionará a vida eterna. Para outros, é a procura de documentos perdidos e de História secreta. Para a maioria, suspeito, o Santo Graal é apenas uma ideia grandiosa... um tesouro glorioso e inatingível que de algum modo, mesmo no nosso caótico mundo, nos inspira.

— Mas se os documentos Sangreal permanecerem escondidos, a história de Maria Madalena perder-se-á para sempre — argumentou Langdon.

— Acha que sim? Olhe à sua volta. A história dela é contada na arte, na música, em livros. Cada vez mais. O pêndulo oscila. Começamos a sentir os perigos da nossa história... e dos caminhos destruidores que escolhemos. Começamos a sentir a necessidade de restaurar o sagrado feminino. — Fez uma pausa. — Disse que está a escrever um livro a respeito dos símbolos do sagrado feminino, não foi?

— É verdade.

Marie sorriu.

— Acabe-o, senhor Langdon. Cante a canção dela. O mundo precisa de trovadores modernos.

Langdon ficou calado, a sentir o peso da mensagem dela. Através dos espaços abertos, uma nova Lua erguia-se acima das árvores. Voltando os olhos para Rosslyn, Langdon sentiu um desejo infantil de conhecer-lhe os segredos. *Não perguntes,* disse a si mesmo. *Não é o momento adequado.* Olhou para o papiro nas mãos de Marie, e depois de novo para Rosslyn.

— Faça a pergunta, senhor Langdon — disse Marie, parecendo divertida. — Ganhou esse direito.

Langdon sentiu-se corar.

— Quer saber se o Graal está aqui, em Rosslyn.

— Pode dizer-me?

Ela suspirou, com fingida exasperação.

— Porque será que os homens simplesmente *não conseguem* deixar o Graal em paz? — Riu-se, obviamente divertida. — Porque é que acha que está lá?

Langdon apontou para o papiro.

— Os versos do seu marido falam especificamente de Rosslyn, só que também referem uma lâmina e um cálice que guardariam o Graal. Não vi na capela qualquer símbolo da lâmina e do cálice.

— A lâmina e o cálice? — perguntou Marie. — Como são eles, exactamente.

Langdon sentiu que ela estava a brincar com ele, mas resolveu fazer-lhe o jogo, descrevendo rapidamente os símbolos.

Uma expressão de vaga reminiscência perpassou pelo rosto de Marie.

— Ah, sim, claro. A lâmina representa tudo o que é masculino. Julgo que se desenha assim, não é? — Usando o indicador, traçou um desenho na palma da mão.

△

— Sim — disse Langdon. Marie tinha desenhado a forma «fechada», menos comum, da lâmina, mas ele já tinha visto o símbolo representado de ambas as maneiras.

— E o inverso — continuou ela, voltando a desenhar na palma — é o cálice, que representa o feminino.

▽

— Correcto.

— E diz que, com todas as centenas de símbolos que temos aqui em Rosslyn Chapel, estas duas formas não aparecem em parte nenhuma?

— Eu não as vi.

— E se eu lhas mostrar, vai dormir um pouco?

Antes que ele pudesse responder, Marie Chauvel tinha descido do alpendre e dirigia-se à capela. Langdon correu atrás dela. Ao entrar no velho edifício, Marie acendeu as luzes e apontou para o centro do chão do santuário.

— Ali os tem, senhor Langdon. A lâmina e o cálice.

Langdon olhou para o chão de pedra. Estava vazio.

— Não há ali nada...

Marie suspirou e começou a percorrer o famoso trilho marcado no chão da capela, o mesmo que Langdon vira os visitantes percorrerem poucas horas antes. Enquanto os olhos se lhe ajustavam à dimensão do gigantesco símbolo, continuava a sentir-se perdido.

— Mas isso é a Estrela de Da...

Calou-se a meio da palavra, emudecido pelo espanto quando compreendeu.

A lâmina e o cálice.

Fundidos num.

A estrela de David... a união perfeita entre macho e fêmea... o Selo de Salomão... que assinalava o Santo dos Santos, que se acreditava ser a morada das divindades masculina e feminina: Yahweh e Sekinah.

Langdon precisou de um minuto para recuperar a fala.

— Os versos apontam para Rosslyn. Completamente. Perfeitamente.

Marie sorriu.

— Aparentemente.

As implicações daquela palavra gelaram-no.

— O Santo Graal não está na cripta por baixo de nós?

Ela riu.

— Só em espírito. Uma das obrigações mais antigas do Piorado era, um dia, devolver o Graal à terra de onde veio, para que pudesse repousar para toda a eternidade. Durante séculos, foi arrastado de um lado para o outro, por questões de segurança. Muito pouco dignificante. A missão que o Jacques se impôs, ao ser nomeado Grão-Mestre, foi restaurar-lhe a honra devolvendo-o a França e construindo-lhe um lugar de repouso condigno.

— E conseguiu-o?

O rosto dela pôs-se sério.

— Senhor Langdon, em consideração pelo que fez por mim esta noite, e na minha qualidade de conservadora de Rosslyn Chapel, posso afirmar-lhe com toda a certeza que o Santo Graal já não está aqui.

Langdon optou por insistir.

— Mas a Chave de Abóbada é suposta apontar o lugar onde o Graal se encontra *agora*. Porque é que aponta para Rosslyn?

— Talvez tenha interpretado mal os sinais. Lembre-se, o Graal pode ser enganador. Tal como o meu falecido marido.

— Não vejo como poderia ser muito mais claro — protestou ele. — Por baixo de nós está a cripta marcada pela lâmina e pelo cálice, sob um céu de estrelas, rodeada pela arte dos Mestres *Maçons.* Tudo fala de Rosslyn.

— Muito bem, deixe-me ver esses misteriosos versos. — Marie desenrolou o papiro e leu o poema em voz alta, num tom deliberado:

O Santo Graal sob a antiga Roslin espera.
Com a lâmina e o cálice a montar guarda severa.
Pela amorosa arte dos mestres adornado.
Repousa enfim sob o céu estrelado.

Quando acabou, ficou calada por vários segundos, até que um sorriso de compreensão lhe perpassou pelos lábios.

— Ah, Jacques.

Langdon espiava-lhe os mais pequenos movimentos, expectante.

— *Compreende* isto?

— Como testemunhou no chão da capela, senhor Langdon, há muitas maneiras de ver as coisas simples.

Langdon esforçou-se por compreender. Tudo o que se relacionava com Jacques Saunière parecia ter duplos-sentidos, mas, por mais que fizesse, não conseguia ir mais longe.

Marie bocejou, parecendo cansada.

— Senhor Langdon, vou fazer-lhe uma confissão. Oficialmente, nunca conheci a actual localização do Graal. Mas, claro, estava casada com um homem de enorme influência... e a minha intuição feminina é forte. — Langdon ia falar, mas ela continuou —: Lamento que, depois de tanto trabalho, parta de Rosslyn sem uma única verdadeira resposta. E no entanto, alguma coisa me diz que acabará por encontrar o que procura. Um dia compreenderá. — Sorriu. — E quando isso acontecer, espero que saiba guardar um segredo.

Houve o som de alguém a chegar à porta.

— Desapareceram os dois — disse Sophie, entrando.

— Ia já sair — respondeu a avó, dirigindo-se à porta. — Boa noite, princesa. — Beijou-a na testa. — Não faças o senhor Langdon ficar a pé até muito tarde.

Langdon e Sophie ficaram a vê-la afastar-se em direcção à casa de pedra rústica. Quando Sophie se voltou para ele, tinha os olhos cheios de uma profunda emoção.

— Não foi exactamente o final que eu esperava.

Já somos dois, pensou Langdon. Percebeu que ela estava aturdida. As notícias que recebera naquela noite tinham alterado toda a sua vida.

— Sente-se bem? Aconteceu muita coisa.

Sophie esboçou um sorriso tranquilo.

— Tenho uma família. É por aí que vou começar. Quem somos e de onde viemos vai demorar algum tempo.

Langdon permaneceu silencioso.

— Depois desta noite, vai ficar connosco? — perguntou Sophie. — Ao menos alguns dias?

Langdon suspirou. Era o que mais desejava.

— Vai precisar de algum tempo a sós com a sua família, Sophie. Regresso a Paris de manhã.

Sophie fez um ar desapontado, mas pareceu reconhecer que era a atitude correcta a tomar. Nenhum dos dois falou durante muito tempo. Finalmente, Sophie estendeu a mão e, pegando na dele, levou-o para fora da capela. Caminharam até uma pequena elevação no topo da colina. Dali, os campos escoceses espraiavam-se diante deles, banhados num luar pálido coado pelas nuvens que passavam. Ficaram calados, de mãos dadas, ambos a combater a exaustão que os ia vencendo.

As estrelas começavam a aparecer, mas, a oeste, um ponto isolado de luz brilhava mais intensamente do que qualquer outro. Langdon sorriu ao vê-lo. Era Vénus. A antiga Deusa a derramar sobre a terra a sua luz constante e paciente.

A noite estava a arrefecer, uma brisa agreste subia das terras baixas. Passado algum tempo, Langdon olhou para Sophie. Tinha os olhos fechados, os lábios entreabertos num sorriso satisfeito. Langdon sentiu os seus próprios olhos tornarem-se pesados. Relutantemente, apertou a mão dela.

— Sophie.

Lentamente, Sophie abriu os olhos e voltou-se para ele. O rosto dela era belo ao luar. Sorriu-lhe sonolentamente.

— Olá.

Langdon sentiu uma inesperada tristeza ao compreender que ia regressar a Paris sem ela.

— É possível que quando acordar eu já tenha partido. — Fez uma pausa, com um nó a crescer-lhe na garganta. — Desculpe, não sou muito bom em...

Sophie levantou o braço e pousou uma mão macia no lado da cara dele. Então, inclinando-se para a frente, beijou-o ternamente na outra face.

— Quando é que volto a vê-lo?

Langdon cambaleou por um instante, perdido nos olhos dela.

— Quando? — Fez uma pausa, curioso de saber se ela faria ideia de como estivera a perguntar-se a mesma coisa. — Bem, para o mês que vem participo numa conferência, em Florença. Vou lá estar uma semana sem grande coisa que fazer.

— Isso é um convite?

— Viveríamos no luxo. Vão dar-me um quarto no Brunelleschi.

Sophie sorriu, maliciosa.

— Presume muito, senhor Langdon.

Ele encolheu-se ao aperceber como as suas palavras podiam ser interpretadas.

— O que eu queria dizer...

— Nada me daria mais prazer do que encontrar-me consigo em Florença, Robert. Mas com *uma* condição. — O tom dela tornou-se sério. — Nada de museus, nem de igrejas, nem de túmulos, nem de arte, nem de relíquias.

— Em Florença? Durante uma semana? Não há mais nada que fazer!

Sophie inclinou-se para a frente e voltou a beijá-lo, desta vez nos lábios. Os corpos de ambos juntaram-se, primeiro ao de leve, depois completamente. Quando ela se afastou, os seus olhos estavam cheios de promessas.

— Certo — conseguiu Langdon dizer. — Está combinado.

EPÍLOGO

Robert Langdon acordou sobressaltado. Tinha estado a sonhar. O roupão pendurado aos pés da cama ostentava o monograma *HOTEL RITZ PARIS*. Viu uma débil claridade insinuar-se através dos cortinados. *Será o crepúsculo ou a aurora?*, perguntou a si mesmo.

Sentia-se quente e profundamente contente. Dormira quase dois dias seguidos. Sentando-se lentamente na cama, lembrou-se do que o tinha acordado... o mais estranho dos pensamentos. Durante dias, tentara orientar-se no meio de uma autêntica barragem de informação, mas, agora, dava por si concentrado em algo que nunca antes considerara.

Será possível?

Ficou imóvel por um longo momento.

Saltou da cama e foi meter-se debaixo do chuveiro, deixando que os potentes jactos de água lhe massajassem os ombros. O pensamento continuava a fasciná-lo.

Não pode ser.

Vinte minutos mais tarde, saía do Hotel Ritz para a Place Vendôme. Anoitecia. Os dias de sono tinham-no deixado desorientado... e no entanto sentia-se estranhamente lúcido. Prometera a si mesmo fazer uma paragem no vestíbulo do hotel para tomar um *café au lait* que lhe aclarasse os pensamentos, mas, em vez disso, as pernas tinham-no levado directamente para a saída e para a noite que descia sobre Paris.

Enquanto percorria no sentido leste a Rue des Petits Champs, sentia-se invadir por uma crescente excitação. Virou para sul na Rue Richelieu, onde o ar se tornou adocicado com o cheiro dos jasmins em flor vindo dos majestosos jardins do Palais Royal.

Continuou para sul até ver aquilo que procurava — a famosa arcada real — uma refulgente extensão de mármore negro polido. Caminhou nessa direcção, examinando o chão que pisava. Segundos depois, encontrou o que sabia lá estar — vários medalhões de bronze embebidos no solo, numa linha perfeitamente recta. Os discos tinham doze centímetros e meio de diâmetro e continham, gravadas, as letras N e S.

Nord. Sud.

Voltou-se para sul, traçando com os olhos a extensa linha formada pelos medalhões. Recomeçou a caminhar, seguindo o trilho, a olhar para o chão. Quando atravessou a esquina da Comédie Française, um outro medalhão de bronze passou-lhe por baixo dos pés.

Sim!

Havia em Paris, ficara Langdon a saber anos antes, cento e trinta e cinco daqueles medalhões de bronze, embebidos em passeios, pátios e ruas, segundo um eixo norte-sul que atravessava a cidade. Certa vez seguira a linha desde o Sacré-Coeur, na margem norte do Sena, até ao antigo Observatório de Paris. Aí, descobrira o significado do caminho sagrado que ela traçava.

O primeiro meridiano original da Terra.

A primeira longitude zero do mundo.

A antiga Linha da Rosa de Paris.

Naquele momento, enquanto descia apressado a Rue Rivoli, sentia o seu destino ao alcance da mão. A menos de um quarteirão de distância.

O Santo Graal sob a antiga Roslin espera.

As revelações vinham agora em catadupas. A grafia antiga de Roslin que Saunière usara... a lâmina e o cálice... o túmulo adornado pela arte dos mestres.

Era por isso que o Saunière queria falar comigo? Terei eu, sem o saber, adivinhado a verdade?

Começou a correr, sentindo a Linha da Rosa debaixo dos pés, a guiá-lo, a puxá-lo para o seu destino. Quando entrou no comprido túnel da Passage Richelieu, os cabelos da nuca eriçaram-se-lhe de antecipação. Sabia que no fim daquele túnel se erguia o mais misterioso dos monumentos parisienses — concebido e encomendado, nos anos 80, pela *Esfinge* em pessoa, François Mitterrand, um homem que alegadamente se movia em círculos secretos, um homem cujo legado final a Paris fora um lugar que Langdon visitara poucos dias antes.

Numa outra vida.

Com um último arranque de energia, emergiu da passagem no familiar pátio e deteve-se. Ofegante, ergueu os olhos, lentamente, incrédulo, até ao topo da estrutura que tinha à sua frente.

A Pirâmide do Louvre.

A brilhar na escuridão.

Admirou-a por um instante apenas. Estava mais interessado no que lhe ficava à direita. Voltando-se, sentiu os pés continuarem a seguir o traçado invisível da antiga Linha da Rosa, levando-o, através do pátio, até ao Carrousel du Louvre — o enorme círculo de relva orlado por uma impecavelmente aparada sebe de buxo — outrora palco dos primevos festivais parisienses do culto da natureza... alegres ritos que celebravam a fertilidade e a Deusa.

Ao passar por cima da orla de arbustos para a relvada área interior, sentiu-se como se estivesse a entrar num outro mundo. Aquele solo sagrado era agora marcado por um dos mais invulgares monumentos da cidade. Ali, bem no centro, mergulhando na terra como um desfiladeiro de cristal, rasgava-se a grande pirâmide invertida de vidro que vira três noites antes ao entrar no subsolo do Louvre.

La Pyramide Inversée.

Trémulo, chegou-se à beira e espreitou para baixo, para o vasto complexo subterrâneo do museu, iluminado por luzes ambarinas. Tinha os olhos postos não só na maciça pirâmide invertida, mas também no que ficava directamente por baixo dela. Ali, no chão da câmara subterrânea, havia uma pequena estrutura... uma estrutura que ele referira no seu manuscrito.

Sentiu-se então plenamente desperto para a emoção de possibilidades impensadas. Erguendo de novo os olhos para o Louvre, sentiu as imensas alas do museu como que a envolvê-lo... corredores a abarrotar das mais extraordinárias obras de arte jamais criadas.

Da Vinci... Botticelli...

Pela amorosa arte dos mestres adornado.

Empolgado de maravilha, olhou uma vez mais para baixo, através do vidro, para a pequena estrutura.

Tenho de ir lá abaixo!

Saiu do círculo de relva e atravessou, apressado, o pátio em direcção à grande pirâmide da entrada. Os últimos visitantes do dia abandonavam o museu.

Passando pela porta giratória, desceu a escadaria encurvada. Sentiu o ar tornar-se mais fresco. Quando chegou ao fundo, entrou no longo túnel que corria por baixo do pátio do Louvre até à *Pyramide Inversée.*

No final do túnel, emergiu numa vasta câmara. Directamente em frente dele, descendo do tecto, refulgia a pirâmide invertida — um deslumbrante perfil de vidro em forma de V.

O cálice.

Seguiu com os olhos a forma que estreitava até ao vértice, suspenso menos de dois metros acima do solo. Exactamente por baixo, erguia-se a pequena estrutura.

Uma pirâmide miniatural. Com apenas noventa centímetros de altura. A única coisa naquele colossal complexo que fora construída em escala reduzida.

O manuscrito de Langdon, ao discutir a elaborada colecção de arte dedicada à deusa no Louvre, referia de passagem aquela modesta pirâmide. *«A pequena estrutura sobressai do solo como se fosse a ponta de um icebergue — o ápice de uma enorme cripta piramidal, soterrada como uma câmara escondida.»*

Iluminadas pelas luzes suaves da cave deserta, as duas pirâmides apontavam uma para a outra, perfeitamente alinhadas, os vértices quase a tocarem-se.

O Cálice em cima. A Lâmina em baixo.

Com a lâmina e o cálice a montar guarda severa.

Langdon ouviu as palavras de Marie Chauvel. *Um dia compreenderá.*

Estava debaixo da antiga Linha da Rosa, rodeado pelas obras de mestres. *Que outro lugar poderia Jacques Saunière mais facilmente vigiar?* Agora, por fim, compreendia o verdadeiro significado dos versos do Grão-Mestre. Erguendo os olhos, viu, através do vidro, um glorioso céu nocturno salpicado de estrelas.

Repousa enfim sob o céu estrelado.

Como murmúrios de espíritos na escuridão, vozes esquecidas ecoaram. *A demanda do Santo Graal é literalmente uma demanda para ajoelhar diante dos ossos de Maria Madalena. Uma jornada para rezar aos pés da ostracizada.*

Avassalado por uma súbita reverência, Langdon caiu de joelhos.

Pareceu-lhe, por um instante, ouvir uma voz de mulher... a sabedoria das idades... murmurar-lhe das profundezas da terra.

ÍNDICE